KOINONIA

Beiträge zur ökumenischen Theologie und Praxis
Herausgegeben von Peter Lengsfeld

Band 15

Stappert:
Weltlich
von Gott
handeln

Bernd H. Stappert

Weltlich von Gott handeln

Zum Problem der Säkularität in der amerikanischen
Theologie und bei Friedrich Gogarten

LUDGERUS VERLAG HUBERT WINGEN
ESSEN

© Ludgerus Verlag Hubert Wingen GmbH + Co., Essen 1978
Alle Rechte vorbehalten · ISBN 3-87497-135 x
Art.-Nr. 7223/22120

Allen,

die lernen und lehren

zu hören, um zu handeln,

und die handeln, um zu hören.

INHALT

Abkürzungen zitierter Schriften

1. Walter Rauschenbusch

CSC	Christianity and the Social Crisis, 1907
CSO	Christianizing the Social Order, 1912
SPJ	The Social Principles of Jesus, 1916
ThSG	A Theology for the Social Gospel, 1917
RK	The Righteousness of the Kingdom, 1968

2. Reinhold Niebuhr

DCNR	Does Civilization need Religion?, 1927
MMIS	Moral Man and Immoral Society, 1932
ICE	An Interpretation of Christian Ethics, 1935
BT	Beyond Tragedy, 1937
CPP	Christianity and Power Politics, 1940
NDM I	The Nature and Destiny of Man, Vol. I., 1941
NDM II	The Nature and Destiny of Man, Vol. II., 1943
CLCD	The Children of Light and the Children of Darkness, 1944
FH	Faith and History, 1949
IAH	The Irony of American History, 1952
SDH	The Self and the Dramas of History, 1955
MNHC	Man's Nature and his Communities, 1965
LLT	Reinhold Niebuhr. His Religious, Social, and Political Thought, ed. by C. W. Kegley and R. W. Bretal, in: The Library of Living Theology, Vol. II, The Macmillan Company: New York 1956

3. Friedrich Gogarten

FD	Fichte als religiöser Denker, 1914
RV	Religion und Volkstum, 1915
RW	Religion weither, 1917
ZdZ	Zwischen den Zeiten, 1920
RE	Die religiöse Entscheidung, 1921
GO	Von Glauben und Offenbarung, 1923
Ill	Illusionen, 1926
DG	Ich glaube an den dreieinigen Gott, 1926
GW	Glaube und Wirklichkeit, 1928
PE	Politische Ethik, 1932
BK	Das Bekenntnis der Kirche, 1934
KG	Kirche des Glaubens und Kirche als Ordnung im Volk, 1938
KiW	Die Kirche in der Welt, 1948
VJC	Die Verkündigung Jesu Christi, 1948
MGW	Der Mensch zwischen Gott und Welt, 1952
VHN	Verhängnis und Hoffnung der Neuzeit, 1953
EuK	Entmythologisierung und Kirche, 1953

AG	Das abendländische Geschichtsdenken, 1954
WiC	Was ist Christentum?, 1956
WG	Die Wirklichkeit des Glaubens, 1957
SiG	Der Schatz in irdenen Gefäßen, 1960
JCWW	Jesus Christus Wende der Welt, 1966
LT	Luthers Theologie, 1967
FG	Die Frage nach Gott, 1968

Die übrigen Abkürzungen entsprechen denen in RGG[3], Band I, XVI – XXVII.

Vorwort

In Zeiten, in denen „Radikalität" und „Autonomie" zu einseitig politisch fest-
gelegten und verpönten Begriffen geworden sind, scheint es vielleicht wenig sinnvoll,
eine Arbeit zu veröffentlichen, die gerade solchen Haltungen aus der Perspektive
eines sich in der Welt vorfindenden christlichen Glaubens nachgeht.

Wenn das hiermit dennoch geschieht, dann auch aus der — in der Beschäftigung mit
der behandelten Materie noch gewachsenen — Überzeugung, daß „Zeitgemäßheit"
keine Perspektive menschlichen Handelns sein kann, daß es aber gerade wegen
dieser Zeit notwendig ist, nach den Grundbedingungen eines „Handelns" von
Gott (her) in der Welt, also nach den Grundbedingungen von Theologie und Glauben
zu forschen.

Der vorliegende Text ist die Überarbeitung einer 1972 vom Fachbereich Katholische
Theologie der Universität Tübingen angenommenen Dissertation, dessen Druck
nicht unwesentlich durch einen Zuschuß des Ökumenischen Forschungsfonds des
Deutschen Ökumenischen Studienausschusses ermöglicht wurde.

All denen, die im Zusammenhang mit den Studien in Tübingen, Rom und
Cambridge, Mass. am Gelingen dieser Untersuchung teilhatten, ist sie als Dank
gewidmet.

Im Dezember 1977   Bernd H. Stappert

Einleitung

Säkularität bezeichnet das Beziehungsverhältnis von Glauben zur Welt und die in dieser Beziehung begründete dialektische Struktur menschlicher Wirklichkeitserfassung. So könnte man in stark verkürzter Form das Problem dieser Arbeit umschreiben.

Der christliche Glaube stand seit seinen Anfängen in diesem Beziehungsverhältnis, indem er den Menschen in Freiheit vor Gott für seine Welt verantwortlich machte. Damit beendete er Formen religiöser Weltverehrung und negativer Weltskepsis und hatte die kritische Aufgabe, die Welt in ihrer Weltlichkeit zu erhalten.

In dieser ursprünglichen Freisetzung der Welt sieht Friedrich Gogarten, der 1967 verstorbene Göttinger Systematiker, die Grundlage des neuzeitlichen Säkularisierungsprozesses. Sein Interesse an diesem Vorgang war weniger historischer Art; er beantwortete vielmehr seine Frage nach der Bestimmung des Verhältnisses von Glaube und Welt mit einer dialektisch differenzierenden Interpretation des Phänomens der Säkularisierung: In seinem theologischen Versuch, die Wirklichkeit zu bestimmen, unternahm er die mühevolle Arbeit, einen „herrenlosen" Begriff, „dem jeder entnimmt, was ihm paßt, und für dessen Einheit und Bestand niemand verantwortlich ist",[1] in ein deutliches theologisches System einzuordnen.

Wie sich in der späteren Darlegung zeigen wird, kommt Gogarten in seinen letzten Werken zu einer sich von seinen Frühwerken an schon abzeichnenden dialektischen Fassung des Wirklichkeitsbezuges des Glaubens, indem er sich der drei Begriffe Säkularisierung, Säkularismus und Säkularität bedient. Wirklichkeit meint dabei immer die geschichtlich gegenwärtige Begegnung und Erfahrung mit der Welt unter einem je schon gegebenen, vermittelten Blickwinkel — in der Säkularisierungsthese etwa dem des Glaubens an Gott den Schöpfer und Erlöser.

Die Säkularisierung ist für Gogarten ein andauernder Prozeß, den der christliche Glaube in seiner Beziehung zur Welt ermöglicht hat und der mit der Reformation in neuer Intensität hervorbrach:[2] Im Säkularisierungsprozeß erweist die Welt sich als eine beschreibbare, geschichtlich gebundene Einheit, in der der Glaubende Wirklichkeit erfährt. Er ist durch die Säkularisierung für die Gestaltung dieser Welt voll verantwortlich und darf, weil diese Weltlichkeit ihm im Glauben ermöglicht wurde, nicht wieder in eine religiöse Verehrung der Welt oder weltlicher Phänomene abgleiten. Dieser jedoch immer wieder geschehende Abfall in ein geschlossenes System von Welterklärung und Eigenmächtigkeit nennt Gogarten Säkularismus. Es ist eine ideologiehafte Antithese zur Säkularisierung, in der die offene Weltlichkeit der Welt und so auch die der geschichtlich konkreten Wirklichkeit in einer eigenmächtigen Konstruktion des Denkens und Handelns vorschnell und endgültig abgeschlossen wird.

Gegenüber dieser immer wieder geschehenden Verkehrung der Säkularisierung in Säkularismus hat für Gogarten der Glaube an den in Christus sich offenbarenden Gott, den Schöpfer und Erlöser, die Aufgabe und die Macht, aus dieser Verschlossenheit in der Welt aufzubrechen, um die Welt als Welt darzustellen. Diese kritische Funktion nennt Gogarten Säkularität, eine Haltung, die in synthetischer Weise den Prozeß der Säkularisierung in Gang hält, d. h. Glauben im gegenwärtigen Augenblick in der geschichtlichen Welt aktuell werden läßt. Das Problem der Entstehung und Erhaltung dieses dialektisch strukturierten Beziehungsverhältnisses ist das eigentliche Thema dieser vorliegenden Untersuchung.

Die Vertrautheit mit Gogartens theologischer Dialektik der Säkularisierungsthese ließ von Anfang an eine Lücke, die kontinentaleuropäische Theologie zumeist als Beigeschmack mit sich bringt. Trotz der Wirklichkeitsorientierung und den Handlungspostulaten, die bei Gogarten nicht auf der Ebene von Einverständniserklärungen liegen bleiben, vermittelt seine Theologie dennoch den Eindruck, daß sie zwar offen auf Welterfahrung in der geschichtlichen Gegenwart ist, aber in ihren Gedankenlinien dennoch mehr den kirchlichen und theologischen Quellen und Organisationen verhaftet ist. Theologische Theoriebildung ist zwar bei Gogarten auf empirische Begegnungen bezogen, wie sich in der Begegnung mit der Kultur, Politik und Einzelexistenz im zweiten Teil dieser Arbeit zeigen wird, aber die systematische Auseinandersetzung mit dem Thema Säkularität steht im Vordergrund.

Ganz anders und doch ergänzend waren meine Erfahrungen mit amerikanischer Theologie gewesen, die ich bei anderer Gelegenheit als ein Bemühen kennengelernt hatte, die anthropologische Situation als direkt konstitutiv für die Theologie zu verstehen. William Hamilton drückte es Mitte der Sechziger Jahre bei Begegnungen mit europäischen Fachkollegen einmal so aus: „Hier versteht man Theologie mehr und mehr als ein ‚Tun' und nicht als Vollendung eines geschlossenen oder systematischen Gedankengebäudes".[3] Denn unbeeinflußt durch die europäischen Auseinandersetzungen mit den Phänomenen der Aufklärung und des Marxismus war das Beziehungsverhältnis von Glaube und Welt in der trotz aller Differenzierungen homogen christlichen nordamerikanischen Gesellschaft in den Mittelpunkt gerückt, und das vor allem zu einem Zeitpunkt, als die durch den „Civil War" geeinte Nation sich den wachsenden Schwierigkeiten einer rasch fortschreitenden Industrialisierung gegenübersah. Gleichzeitig etwa zwang eine stark ausgeprägte Zivilreligion die amerikanische Theologie dazu, Kultur und säkularen Fortschritt, also die geschichtliche Wirklichkeit als ganze viel ernster zu nehmen und für diese Entwicklungen auch Verantwortung zu übernehmen. Dieser Gesamteindruck von der nordamerikanischen Theologie bestätigte sich stärker als erwartet, als ich mich — mit Gogartens These über das Verhältnis von Glaube zur Welt im Hintergrund — nach einem vergleichbaren Säkularitätsverständnis in der amerikanischen Theologiegeschichte umsah. Der nationale Einigungsprozeß verbunden mit Industrialisierung und verstärkter Einwanderung von der Mitte des vergangenen Jahrhunderts an hat den sozialen Kontext für eine genuine nordamerikanische Theologieentwicklung abgegeben, die nicht als religiös verbrämter Pragmatismus im Schlepptau kontinentaleuropäischer, theologischer Systematik interpretiert werden konnte.[4] Es stellte sich vielmehr heraus, daß Theologen wie Gladden und Rauschenbusch mit ihrem genuin verstandenen „Social Gospel" auf eine eigenständige nordamerikanische Theologieentwicklung Neuenglands zurückgriffen und der ihnen nachfolgende

Reinhold Niebuhr trotz mancher Parallelen zu zeitgenössischer europäischer Theologie mehr auf den Schultern seiner amerikanischen theologischen Väter stand. Dieselbe theologiegeschichtliche Eigenständigkeit und empirisch-phänomenologische Orientierung zeigte sich abermals bei den sich radikal verstehenden Theologen der letzten zwanzig Jahre. Durchgängig erwies sich aber „eine Weiterführung des in diesem Lande . . . immer schon vorhandenen . . . positiven Eintretens auf die säkularisierte Welt"[5] und das auf eine Art und Weise, die trotz ihrer Andersartigkeit viele Parallelitäten und Ähnlichkeiten mit Gogartens Einschätzung der Säkularisierung und seiner sich dialektisch verstehenden Säkularisierungsthese aufwies. Zwar beziehen sich die im folgenden ersten Teil dargestellten amerikanischen Theologen mehr auf ihre Lehrtradition von der Königsherrschaft Gottes, wohingegen Gogarten durch die reformatorische Rechtfertigungslehre bestimmt ist. Der Wirklichkeitsbezug des Glaubens dagegen ist bei beiden von einer Christologie und vor allem einer kenotisch verstandenen Menschwerdung Gottes bestimmt; beide bestimmen das Weltverhältnis des Glaubens positiv und gehen so von der Legitimität des Säkularisierungsprozesses aus. Beide erweisen aber auch ihre Schwäche in einer entweder mehr systematischen oder mehr pragmatischen bloßen Situationsbeschreibung, die sie aber jeweils als eigene Verkehrung des Säkularisierungsprozesses bereitwillig eingestehen. Von der Genese der vorliegenden Untersuchung zum Problem der Säkularität her wäre es naheliegend, zuerst die Entwicklung des theologischen Denkens Friedrich Gogartens von den ersten Veröffentlichungen vor dem ersten Weltkrieg bis hin zu der posthum publizierten „Frage nach Gott" vorzustellen. Aber die mehr deskriptive Beschäftigung mit dem Problem der Säkularität im Rahmen amerikanischer Theologie und ihr historisch früherer Beginn war ein Grund dafür, den amerikanischen Teil der tieferen systematischen Durchdringung des Themas bei Gogarten voranzustellen. Es ist sicher keine nachträgliche Überformung der vorgestellten amerikanischen Theologen, wenn ich die Säkularisierungsthese Gogartens in ihrem dialektischen Dreischnitt von Säkularisierung, Säkularismus und Säkularität auf synonyme theologische Erkenntnisse dieser Theologen direkt anwende. Vielmehr sehe ich es als folgerichtig aus der Methode dieser Untersuchung an: Sie will weniger systematische Begriffsentwicklung vorführen als zur „Synnoia" anregen. Das nicht nur im Wortsinn von Überlegung und Sorge um das Beziehungsverhältnis von Glaube zur Welt und umgekehrt, sondern mehr noch als Einladung zum einfühlenden Mitdenken: Theologisches Denken in der Entwicklung und Wandel in der Kontinuität eines theologischen Ansatzes sollen in beiden Teilen dieser Arbeit vorgeführt werden.

Für manchen Leser, der mit den Gedanken Gogartens nicht vertraut ist, werden die wenigen Andeutungen zur Säkularisierungsthese Gogartens für eine „Synnoia" im ersten amerikanischen Teil nicht ausreichen. Die vorangehende Lektüre von „Abschnitt V: Die Säkularisierungsthese als Modus der Wirklichkeitserfassung" im zweiten Teil kann da abhelfen.

Andere wieder könnten einen häufigeren, expliziten Vergleich zwischen erstem und zweitem Text vermissen. Wenn ich über die gelegentlichen Verweise und die Einführung Gogarten'scher Begrifflichkeit im ersten Teil hinaus darauf verzichte, so liegt der Grund dafür in der von mir oben näher beschriebenen „Synnoia". Manche Schlußfolgerungen aus diesem nun folgenden Vergleich möchte ich mehr dem engagierten Bewußtsein des Lesers überlassen, der seine eigenen Schlußfolgerungen für die Säkularität in einem Kontext zu ziehen hat, den Ernst Fuchs vor einem Jahrzehnt einmal so beschrieb: „Wir erkennen alle, daß unsere moderne Kultur als Kultur der Welt nicht nur auf einem höheren Lebensstandard beruht, sondern gleichzeitig den Fortbestand der Welt auch gefährdet, ohne daß jemand diese Entwicklung, diesen Zug ins Ganze, rückgängig zu machen vermöchte. Man kann sagen: seit der Zeit des Aufkommens der historischen Analyse — sie ist ein Testfall wissenschaftlichen Denkens schlechthin geworden — muß der Mensch in immer rapider zunehmendem Maße ein Ganzes, eben die Welt, verantworten, nämlich riskieren."[6] Verantwortung des Glaubens für die Welt vor Gott und Bereitschaft zum Risiko einer Beziehung des Glaubens zur Wirklichkeit kennzeichnen die innere Affinität[7] des Säkularitätsverständnisses Friedrich Gogartens mit dem der nun im ersten Teil vorgestellten Entwicklung amerikanischer Theologiegeschichte.

ERSTER TEIL

Zum Problem der Säkularität

in der

amerikanischen Theologie

Europäische Herkunft — wenigstens in der wissenschaftlichen Ausbildung — fördert die Neigung, alle Vorgänge im geschichtlich jüngsten Teil der westlichen Welt, in Nordamerika, nur als Kommentar von Gedanken und Ideen des alten Kontinents zu interpretieren. Besonders Theologen waren und sind versucht, in dieser nahezu „kolonialistischen" Haltung, einem Gemisch aus Paternalismus und Sehnsucht nach dem Zurückgelassenen zu reagieren, und es würde sich lohnen, ein eigenes Forschungsprojekt allein über diese europäische „Tradition" durchzuführen.

Doch dazu bietet sich hier keine Gelegenheit. Ich möchte vielmehr bei der Untersuchung des Problems der Säkularität in der amerikanischen Theologie eine These verifizieren, die wohl am besten von Sydney E. Ahlstrom formuliert worden ist, wenn er die amerikanische Theologie mit einem Gespräch vergleicht, „das von Leuten fortgesetzt wird, während sie in einen anderen Raum herübergehen".[8] Dieser Gedanke nimmt das soziale Faktum der Erfahrung eines neuen Kontinentes und der Entwicklung einer sich selbst erhaltenden Gesellschaft in Betracht. Nur unter einem solchen Blickwinkel läßt sich ein theologischer Vergleich anstellen, vor allem dann, wenn es sich wie beim Thema der Säkularität um das jeweils von sozialen Faktoren mitbestimmte Weltverständnis und -verhältnis des christlichen Glaubens handelt.

Notwendigerweise muß sich diese Arbeit auf bestimmte theologische Teilbereiche einschränken und die Hauptbewegungen der Entwicklung amerikanischer Theologie als Beispiele herausgreifen.

Abschnitt I. „Social Gospel"

§ 1. Washington Gladden

1. Seine Persönlichkeit – (Die Verbindung von Pfarramt und Gesellschaftskritik)

a) Das frühe soziale Engagement

Die erste genuine theologische Parallele zur Säkularität im Sinne Friedrich Gogartens ist die Entstehung des sogenannten „Social Gospel" in Nordamerika und die Weiterführung seiner Ziele durch das „Neo-Orthodoxe" Theologieverständnis der vergangenen Jahrzehnte. Beide sind in ihren Auswirkungen in der gegenwärtigen theologischen Diskussion in den Vereinigten Staaten noch am Werk.

Eine so vielseitige Bewegung wie das „Social Gospel" ist wohl in einem ersten Ansatz nur zu verstehen durch eine Darstellung der Gedanken und des Engagements eines Mannes, der von seinen Zeitgenossen und Nachfolgern „der Vater des Social Gospel" genannt wurde, Washington Gladden.[9]

Gladden ist einer von der Vielzahl der Pfarrer-Theologen der amerikanischen Geschichte, kein bedeutender Wissenschaftler, aber ein Prediger und Popularisierer von Gedanken, die in der zeitgenössischen Theologie und Sozialwissenschaft von Bedeutung waren. Diese Stellung mag mit ein Grund dafür sein, daß Gladden hin und wieder dualistisch formuliert, und so etwa das Gute und Böse als die bestimmenden Kräfte von Gesellschaft und Einzelnem beschreibt. Diese Einseitigkeit scheint auf seine frühen Erfahrungen im Pfarramt in Massachusetts zurückzugehen, die seine Gedanken zum Wirklichkeitsbezug des Glaubens und sein Engagement entstehen ließen.

Gladden begann seine Tätigkeit als Pfarrer zu einer Zeit großen sozialen Wandels von einem ländlichen zu einem industriellen Amerika. Es ist nicht übertrieben, wenn man sagt, daß diese Jahre die einer ersten großen sozialen Krise waren, in der man wahrnahm, daß der „Civil War" die Bevölkerung nicht zu einer größeren sozialen Gleichheit gebracht hatte. Dies war eine traumatischere Erfahrung, als es der Krieg selbst gewesen war. Denn die beginnende Industrialisierung brachte die Gefahr mit sich, die Gesellschaft in zwei Klassen aufzuspalten, die der Lohnarbeiter, und die der Arbeitgeber. Gladden und seine Freunde, „die Pioniere des ‚Social Gospel', durften sich nicht zurückziehen. Der Arbeitskampf, der im letzten Viertel des 19. Jahrhunderts hervorbrach, drängte ihnen das Problem in dramatischer Weise auf. Der furchtbare Eisenbahnerstreik von 1877, der zerstörerischste in der amerikanischen Arbeitsgeschichte, die Arbeitskämpfe von 1886, des Jahres des Haymarket-Aufruhrs, und die Reihe von Streiks in den frühen neunziger Jahren stießen diese protestantischen Führer in eine Neubesinnung in ihren sozialen Ansichten in Bezug auf ihren Glauben".[10] Gladden bemerkte die Ungerechtigkeit gegenüber den Arbeitern sehr direkt in seiner Pfarrarbeit: „Der Anteil von Lohnarbeitern in unseren Kirchen ist im Verschwinden",[11] schrieb er 1886 und verstand das als ein Zeichen der „Degeneration . . . die ein

Anwachsen der Elemente und Kräfte zuläßt, die für den Frieden und sogar für das Bestehen der Gesellschaft sich als fatal erweisen werden".[12] Seine Sympathien galten den Arbeitern, die von der Kirche fernblieben, weil sie sich nicht modisch kleiden konnten, und die einem Zusammentreffen mit ihren Unterdrückern, den kapitalistischen Arbeitgebern, in der gleichen Kirche ausweichen wollten. Gladden zitiert einen Arbeiter, der seine Situation folgendermaßen zusammenfaßte: „Wenn der Kapitalist einen Tag in der Woche für uns betet und an den übrigen sechs ausbeutet, dann kann man nicht erwarten, daß wir viel Respekt für sein Christentum haben".[13]

Gladden erkannte früh das enge Beziehungsverhältnis zwischen sozialer Ungerechtigkeit und kirchlicher Entfremdung der Arbeiterschaft und anderer niedrig eingestufter sozialer Gruppen. Sein Ziel war es, den christlichen Glauben vor demselben Zusammenbruch zu bewahren, vor dem die individualistische Sozialordnung seiner Zeit stand. Er analysierte diese Ordnung und warnte: „Tendenzen, die seit dem ‚Civil War' an Einfluß zugenommen haben – nämlich den Bestrebungen zur Ansammlung von Macht in den Händen weniger, zum unkontrollierten Gebrauch dieser Macht, zum endlosen Luxus und Extravaganz, zur Trennung und zum Widerstreit sozialer Klassen, – müssen Einhalt geboten werden, und zwar schnell, oder wir werden schon bald in einem Chaos enden".[14]

Gladden und seine Mitarbeiter befanden sich mit dieser Kritik der Gesellschaft des ausgehenden 19. Jahrhunderts in einer ehrenwerten Tradition: „Wie der heilige Franziskus, Johannes Hus und George Fox unterliefen sie die kirchliche Unterstützung für den *status quo* durch ein erneutes Lesen dieses subversiven Traktates, der Bibel".[15] Aber ihre Analyse und Kritik befaßte sich nicht nur mit den Lohnarbeitern, sondern auch mit einem Phänomen der Industrialisierung, der Stadt, und so mit den Slums als der charakteristischen Lebensbedingung eines großen Teils der neu entstehenden Klasse: „1870 lebten nur ein wenig mehr als ein Fünftel der Bevölkerung in den Städten. Bis 1890 wuchs dieser Anteil zu einem Drittel".[16] Das Proletariat der überbevölkerten Städte war der Grund für Washington Gladdens Engagement und Ausgangspunkt seiner Theologie. Die Wurzeln dafür gehen zurück auf die Theologie in Neuengland, auf Channing und Bushnell, die durch ihre befreienden Gedankengänge eine mehr auf die Gesellschaft orientierte Theologie ermöglichten. Channing[17] ging in dieser Entwicklung voraus und nahm in seinem Buch „Perfect Life" den Fortschritt in der Geschichte zur Zeit der Anfänge des „Social Gospel" wahr: „Die Menschen sind jetzt in Bewegung geraten, nicht nur durch physische Bedürfnisse und Leiden, sondern durch Ideen, Prinzipien der Vorstellung von einem besseren Zustand der Gesellschaft, in dem die Rechte der menschlichen Natur anerkannt werden, und größere Gerechtigkeit dem Verstand widerfahren wird in allen Klassen der Gemeinschaft".[18] Bushnells[19] Argumentation für den Gemeinschaftscharakter der menschlichen Existenz, die er in der „Dissertation on the Nature of Language" in seinem Buch „God in Christ" (1849) auseinandergelegt hatte, beeinflußte Gladden von seinen frühen Jahren an.

Soziale Absichten, angestoßen durch die nordamerikanische theologische Tradition, bestimmten Gladden in einer Gesellschaft, die er als „Kombination von Egoismus und Altruismus"[20] beschrieb. Es war sein Hauptziel, wie wir in der nun folgenden Darstellung sehen werden, diese „Zentralgewalten menschlichen Lebens", die „wie die zentripetalen und zentrifugalen Kräfte des Sonnensystems", sind, „in eine Harmonie"[21] zu bringen.

b) Der Hintergrund der Industrialisierung

Der beginnenden Industrialisierung stellte Gladden in aller Deutlichkeit ihr eigenes Menschenbild vor Augen, das in der Behandlung der neuen Arbeiterklasse zum Vorschein kam: das Bild eines „economic man", der als „ein geldproduzierendes und Vergnügen liebendes Wesen"[22] verstanden wurde. Ein Ausweg aus der Degeneration des Arbeiters zu einem „homo faber" schien für Gladden eine „industrielle Partnerschaft" zwischen dem Arbeitgeber und dem Arbeitnehmer zu sein, die darin Gestalt gewinne, daß der Arbeiter „einen festen Anteil am Produktionsgewinn" erhält. Nur durch solche Maßnahmen erwartete Gladden eine Entwicklung, die der Drohung einer materialistischen Zivilisation entgehen könnte, weil sie nicht mehr allein profitorientiert sein würde.

Gladdens Haltung war entschieden arbeiterfreundlich. Trotz der Gegnerschaft einflußreicher gesellschaftlicher Gruppen begünstigte er die schwache Gewerkschafts- bewegung, von der er meinte, daß sie „unter die hervorragendsten zeitgenössischen sozialen Phänomene gezählt werden muß. Sie ist großartig mißverstanden, empfind- lich verunglimpft und als eine der Feinde der Freiheit zur Zerstörung bestimmt worden; aber sie ist noch immer mit uns und gibt keine Zeichen eines baldigen Zer- gehens".[23] Diese Meinung war im Amerika des ausgehenden letzten Jahrhunderts keinesfalls weit verbreitet. Aber Gladden ging über seine bloße Parteinahme noch hinaus, indem er in seine positive Einstellung zu den Gewerkschaften noch seine Kritik einschloß: Er warnte die Gewerkschaften davor, die republikanische Demokratie zu vernachlässigen und bloß ihre eigenen Interessen zu vertreten. Gladden gab seine konkrete Antwort auf die Arbeitnehmerfrage aus seinem Glauben; von dort erhielt sie ihre Eindeutigkeit: „Die Macht", so schreibt er 1876, „die dem Arbeiter die Fesseln abnahm, die seine Lasten erleichterte, die ihn empor- trug zu einem glücklicheren und würdigeren Leben und die den Schlüssel zu einer großen Zukunft in seine Hände gelegt hat, ist die Macht, die in die Welt kam, als Christus geboren wurde".[24] Gleichstellung und Unabhängigkeit der organisierten Arbeitnehmer waren das Ziel Washington Gladdens, ein Ziel, durch das er der kapitalistischen und subjektivistischen Entwicklung auf eine Maschinenzivilisation hin zu widerstehen hoffte. Diese Opposition richtete sich aber nicht direkt auf eine Vernichtung des Kapitalismus, sondern intendierte einen Abbau und schließ- lich die Überwindung gesellschaftlicher Stratifikation: „Denn die Sektenbildung von sozialen Klassen ist ebenso schlecht und schädlich", schrieb der Kirchenmann Gladden, „als die religiöser Organisationen; beide sind Formen des Antichrist; beide sind Gegner des Friedens und Barrieren für den Fortschritt".[25]

Gladden verstand soziales Übel von dieser Differenzierung her und entwickelte daraus seine Argumentation gegen bloße Konkurrenz (competition) und für Kooperation. Konkurrenz als die Lebensform, in der der Stärkste gewinnt, war für ihn wie Krieg, antisozial vor allem durch die Kombination mit dem Lohnsystem, in dem jede Gruppe nur versucht, so viel wie eben möglich aus der anderen herauszuholen. Die neue Ordnung der Kooperation dagegen würde ein Versuch sein, „eine große Anzahl von Menschen auf der Basis von gegenseitigem Interessse und beidseitiger Hilfe zu vereinigen".[26] Nur auf diesem Wege sei der Fortschritt der Gesellschaft ermöglicht und die Weiterentwicklung sozialer Beziehungen sichergestellt. Ein Bestehen auf dem Prinzip der Konkurrenz in der Gesellschaft würde einer Organisierung des Konfliktes gleichkommen, eines Konfliktes, der weniger wahrscheinlich wäre, wenn Kooperation auch das Lohnsystem modifizieren würde. Das also ist die Ausgangsbasis des „Social Gospel": „Ein Mensch — ob Kapitalist oder Lohnarbeiter — kann Christ sein, aber die Logik des Christentums ist Kooperation".[27]

2. Seine theologische Interpretation

a) Die Brüderlichkeit als Grundlage der Gesellschaft

Welche theologischen Grundlagen finden sich nun für das frühe soziale Engagement Washington Gladdens und seines „Social Gospel", das die Kooperation als „Zement der Gesellschaft" ansieht? Es ist vor allem die amerikanische Tradition der Gottesspekulation, die Gladdens Überzeugung von der grundlegenden Einheit der Gesellschaft möglich gemacht hat: „Die Vaterschaft Gottes", so schreibt er, „gibt uns ein Fundament für die Sozialordnung, den Frieden und die Wohlfahrt; ein anderes Fundament kann kein Mensch legen". Aber diese Lehre fordert Menschen, die ihre Beziehungen zueinander respektieren, sie ruft nach einer Anwendung in menschlicher Brüderlichkeit. „Die göttliche Vaterschaft impliziert die menschliche Brüderlichkeit", fährt Gladden deshalb fort und erweitert seine Beweisführung mit der Feststellung: „und das Liebesgebot umfaßt alle Beziehungen des menschlichen Lebens".[28]

In diesen wenigen theologischen Aussagen sah Gladden die Gesamtheit des Evangeliums zusammengefaßt, grundgelegt im Neuen Testament, wo seiner Meinung nach das Gleichnis vom verlorenen Sohn und die Bergpredigt die inhaltsreichsten Darstellungen von Gottes Vaterschaft und daraus resultierender menschlicher Brüderlichkeit sind. Er bestand kategorisch auf der Zentralstellung dieser Lehren für den Glauben und formulierte fast ein Anathema, wenn er 1908 schrieb: „Eine Religion, die in sich selbst keinen Platz für soziale Fragen hat, kann nicht die christliche Religion sein".[29] Hier ist der Berührungspunkt zwischen Gladden und Channing, der sagte: „Die erste wichtige Lehre des Christentums ist die vom väterlichen Charakter Gottes".[30] Während Channing mit der Vaterschaft Gottes nur theoretisch argumentierte in Verbindung mit seiner Forderung nach einer moralischen Vervollkommnung der Menschheit, wandte Gladden sie in seinem Brüderlichkeitsideal, das sich im Liebesgebot ausdrückt, an: Brüderlichkeit als das Prinzip der organischen Einheit der Gesellschaft ist ihr eigentlicher Eckstein. Sie ist „der logische Widerspruch zur Sklaverei" und macht den sozialen Streit „unnatürlich und brudermordend".[31] Die göttliche Vaterschaft als theologische Wirklichkeit und nicht als eine bloße Fiktion weitet die Moralität von ihren ethnischen und gruppenorientierten Grundlagen zu der einen Fundierung universaler Liebe, die im Augenblick der gegenwärtigen Wirklichkeit aktuell wird. Deshalb besteht Gladden auf der Tatsächlichkeit dieser Brüderlichkeit: „Man muß feststellen, daß sie ein Faktum ist. Sie ist nicht nur etwas, was sein sollte; sie ist das, was wirklich ist. Es ist einfach nicht wahr, daß Menschen nur Brüder werden sollen; es ist viel mehr wahr, daß sie Brüder sind".[32]

Nur in einer so verstandenen Immanenz des Christus – einer Christozentrik in der Nachfolge Bushnells – ist die enge Beziehung auf Gottes wirkliche Vaterschaft theologisch wahr. Gladden bringt sie mit der Lehre von der Schöpfung zusammen und folgt paulinischer Interpretation des Christusereignisses, wenn er schreibt: „Die Christusidee, das Christusprinzip – die Substanz dessen für das Christus dasteht und uns offenbart – ist Teil des Systems der physikalischen Welt, und war es schon vom Beginn der Schöpfung her . . . Das Ringen um das Leben hat als sein ständiges Gegenstück das Ringen um das Leben der anderen".[33] Durch Schöpfung und Erlösung wird die Sozialordnung, die dem Brüderlichkeitsideal gleichgeformt wird, zu einem Teil der Natur. Entsprechend der Lehre des neuengländischen Universalismus sorgt die so umgestaltete Natur selbst für die Erfüllung und Vollendung des Ideals und hält den Menschen auf Brüderlichkeit hin offen.

Dieses Ideal kommt zu seiner höchsten Ausformung im Liebesgebot, das eine Form eschatologischer Präsenz von ewigem Leben fordert und die Ewigkeit damit zu einem Koeffizienten von sittlich verantworteter Wirklichkeit werden läßt. Beteiligung am Arbeitskampf und politisches Engagement auf kommunaler und nationaler Ebene ließen ein so verstandenes Liebesgebot für Gladden nicht zu einem bloßen Idealismus werden. Den Wirklichkeitsbezug des Glaubens, den er fordert, drückt er wohl am besten in der zweiten Folge seiner Vorlesungen an der Yale Divinity School aus, die er 1902 im Rahmen der Lyman Beecher Foundation hielt: „Wir müssen fest im Auge behalten, daß von keinem Menschen gesagt werden kann, daß er sich wirklich bekehrt hat, wenn er nicht das Liebesgebot versteht und befolgt. Bekehrung ist etwas mehr als ein Wechsel der religiösen Gefühle. Es schließt einen Wechsel in den leitenden Ideen und im Empfindungsvermögen mit ein. ,Kehrt um!' ist die erste Forderung".[34] Gladden sah – vielleicht etwas zu optimistisch – für alle Probleme der Industrialisierung und Verstädterung letztlich eine Lösung durch die jeweilige Anwendung des Liebesgebotes in Form der „Goldenen Regel" auf alle Teilbereiche der sozialen Ordnung. Aber er teilte diesen Optimismus mit Bushnell, der auf „die Verwirklichung der Liebe als einem Band zur Vollendung"[35] hoffte: Als dem Ankommen und der Erfüllung der Königsherrschaft Gottes.

b) Die Kirche und das Reich Gottes

Zusammen mit dem Liebesideal ist der Gedanke des Gottesreiches das wohl zentralste Hoffnungs- und damit Strukturelement des „Social Gospel". Denn sein Ziel war es, alles menschenmögliche bei der Umformung der Sozialordnung zu tun, um den Tag der Erfüllung der Gottesherrschaft näher zu bringen. „Wenn daher in den christlichen Ländern die Kooperation zunimmt gegenüber der Konkurrenz, wenn im Laufe der Jahre die Menschen weniger miteinander kämpfen als sich

zusammentun, ... jeder Augenblick in dieser Richtung ist ein Zeichen der Ankunft seiner Königsherrschaft".[36]

Gottes Königsherrschaft ist also in dieser Welt schon gegenwärtig, aber noch nicht
vollendet; sie ist aber nichts desto weniger in der Lage, jeden Teilbereich menschlichen Lebens zu umfassen, und in ihn einzudringen, d. h. sie nimmt im Verlauf
menschlicher Fortschrittsentwicklung zu. Diese Erwartung trägt viel Ähnlichkeit
zu der Fortschrittsgläubigkeit der Aufklärung und steht theologisch entscheidend
auf der Seite der amerikanischen „postmillenialists", da sie ein apokalyptisches
Sintflutgeschehen ausschließt.[37]

Bis jetzt mag das System, das Gladden aus der Erfahrung des „Social Gospel"
entwickelte, noch ziemlich idealistisch erscheinen, weil es nur auf dem Handeln
des einzelnen in der Gesellschaft zu beruhen scheint. Aber mit seinem Kirchenverständnis erhält die Lehre des frühen „Social Gospel" einen endgültigen Gemeinschaftscharakter: „Die himmlische Königsherrschaft besteht in der idealen
Vollendung des gesamten sozialen Organismus, die Kirche ist eines der Organe, –
das zentralste und wichtigste von allen –, und hat ziemlich die gleiche Beziehung
zur christlichen Gesellschaft wie das Gehirn zum Körper".[38] Diese gesellschafts-
bezogene Stellung der Kirche war für Gladden Anlaß zur Kritik am Bestehenden:
„Die Königsherrschaft Gottes, die Jesus in der Welt zu errichten kam, ist in sich
selbst zerspalten und vielerorts in ihrem Wachstum gelähmt durch Organisationen,
die sich Kirchen nennen".[39] Diese Kritik fordert Umkehr in der Kirche selbst,
bevor sie sich mit ihren Maßstäben der Gesellschaft als ganzer zuwendet, um diese
mit dem „unweltlichen Standard" der Bergpredigt zu messen. Auf die soziale
Frage bezogen heißt das für Gladden: Auf dem Weg des Glaubens in die Wirklichkeit muß alles das abgelegt werden, was den Verdacht einer Allianz von Kirche
und Kapital nähren könnte. Die Kirche muß durch Unterstützung der Gewerkschaftsbewegung, durch die Befürwortung von Schiedsgerichtsverfahren in Lohn-
streitigkeiten und der Verpflichtung zur Gewinnausschüttung die Gottesherrschaft
in Formen sozialer Integration predigen und verwirklichen. Nur eine vereinte
Kirche aber ist zu einer solchen Arbeit fähig und nur als eine geeinte Gemeinschaft
können Christen ihre Stadt als die zu missionierende Gemeinde verstehen. Deshalb fordert Gladden die Zusammenschlüsse der denominationell verschiedenen
Pfarreien wenigstens auf Stadtebene in einer „Munizipalkirche", die dann auch in
der Lage ist, eine prophetische Funktion auszuüben, indem sie „Vereinigung all
derer ist, die lieben, im Dienste von all denen, die leiden".[40]

Gladden war in seinem „Social Gospel" nicht nur Pionier in der Forderung nach
kirchlicher Einheit, sondern befürwortete ebenfalls eine Neubesinnung im
Verhältnis von Kirche und Staat, der als oberste soziale Institution für ihn um-
fassender ist als die Kirche. So soll der Staat letztlich auch die Verantwortung für
die Verwirklichung der Ziele des „Social Gospel" übernehmen. Öffentliche
Schulen, Gesundheitsüberwachung von Luft und Wasser und der Arbeitsplätze,
Entmutigung von industriellen Parasiten, Unterdrückung von Saloons, Verbot von
Sonntagsarbeit, Arbeitszeitbegrenzung, Schlichtung von Streitigkeiten zwischen
Arbeitnehmern und Arbeitgebern, Kontrolle von Monopolen und Besteuerung
von Großbesitz sind einige der damals unbewältigten oder nicht einmal wahr-

genommenen Aufgaben, die Gladden dem Staat auf seine Liste setzt. Kurz gesagt, „der Staat soll da eingreifen mit seiner Einsicht und seinem Gewissen, wo seine schwächeren Mitglieder vor der Gier zu schützen sind, die sie sonst verarmen oder degradieren würde".[41]

Gladden führt in diesen Gedanken über die Beziehung von Staat und Kirche die alte Tradition der Kongrationalisten fort, in der die Kirche oft die Rolle eines Wächters über die öffentliche Sittlichkeit übernahm. Bei ihm aber entsteht dieses Beziehungsverhältnis aus seinem besonderen Verständnis des christlichen Glaubens, der nicht „in einem separaten Bereich eingeschlossen wird, den man die Seele nennt, als eine besondere Bildung wie die Musik, oder eine spezielle Begabung wie die Kunst ... Er ist vielmehr das, was alle Teilbereiche füllt".[42] Dieser totale Wirklichkeitsbezug des Glaubens versteht seine Aufgabe in einer gleichzeitigen Abhängigkeit und Unabhängigkeit von der Gesellschaft, die im Prozeß ihrer Reintegration steht. „Gladden nahm wahr, daß die Religion im ständigen Wandel steht in ihrer sozialen Applikation, da ja sozialer Wandel geschieht, seitdem die Religion sich mit der Gesellschaft sowohl gegenseitig beeinflußt als sich auch an sie anpaßt. Sie ist sowohl der Beweger als auch die Bewegte im menschlichen Prozeß".[43]

Mit diesem Verständnis des Glaubens entfernt sich Gladden von seiner anfänglichen Zweiteilung der Wirklichkeit von Gut und Böse und nähert sich einer nahezu dialektischen Interpretation des Glaubenskontextes. Sein Konzept von Gottes Gegenwärtigkeit in Christus überbrückte alle früheren Dualismen; denn sie „nahm die göttliche Gegenwart in der Natur und der menschlichen Gesellschaft an, brach traditionelle Unterscheidungen von sakral und säkular nieder und betrachtete das Christentum als eine natürliche Religion".[44]

c) Die Einheit der Wirklichkeit

Für eine Neubesinnung wie das „Social Gospel", war das Bezugsverhältnis von christlichem Glauben zur Wirklichkeit, von Sakral zu Säkular entscheidend. Gladden lehnte eine Unterscheidung von zwei verschiedenen, voneinander getrennten Bereichen ab und bezog sich dabei hauptsächlich auf seine Erfahrung der Sozialordnung: „Das Gesetz und das Evangelium richten sich an das Gewissen und die Zuneigung des Menschen, aber sie gehen ihn als ein Mitglied des sozialen Organismus an und die Antwort, die er gibt, muß durch das Medium dieses Organismus gegeben werden".[45]

Die ihn umgebende Gesellschaft in ihrer unbrüderlichen Wirklichkeit läßt Gladden eine Vereinigung des Sakralen mit dem Säkularen fordern, für ihn ist diese Bewegung eine „Christ-ianisierung", eine Anwendung des Liebesgebotes und der Erwartung der Gottesherrschaft auf die gesamte Sozialstruktur. Diese Vereinigung ist Ausdruck für die Lehre von der Menschlichkeit Christi, die „die alte Unterscheidung zwischen dem Sakralen und dem Säkularen bedeutungslos und nahezu blasphemisch macht. Alles Leben ist sakral. Was Gott durch sein innewohnendes Wort gereinigt hat, das sollt ihr nicht gemein und unrein nennen".[46] Das eine Bestreben Christi, die Welt zu retten, läßt Gladden also alle kleinlichen Unterscheidungen vermeiden; er versteht diese Welt „als das Subjekt der erlösenden und rettenden Gnade Christi".[47]

Die Trennung des Lebens in sakrale und säkulare Bereiche ist für Gladden „einer der am allerwesentlichsten irreligiösen Gedanken, auf die der menschliche Verstand kommen kann".[48] Diese Idee schadet nicht nur der sozialen Ordnung, sondern auch dem Glauben: „Wenn man die Religion in einen getrennten Bereich einsperrt, hat man nicht nur die Gesellschaft der einzigen Kraft beraubt, die sie vor Fäulnis bewahren kann, sondern man verurteilt die Religion selbst zu Auflösung und Tod".[49]

Gladden stützt sich hier auf die Einsichten eines schottischen Theologen und Pfarrers, John Cunningham, der in einer seiner Predigten schrieb: „Ich kenne nichts was einen vernichtenderen Einfluß auf die Religion gehabt hat, als die unglückliche Scheidung, die zwischen den religiösen Aufgaben und den alltäglichen Pflichten eingeführt wurde".[50] Gladden nennt diese Unterscheidungen „nicht nur sinnlos, sondern irreführend" und lehnt jede Aufspaltung der Wirklichkeit in Weltlichkeit und Überweltlichkeit ab.[51]

Gladden schreibt diese Fehlhaltung vor allem einem Ekklesiastizismus zu, der sich auch in der Weiterentwicklung der protestantischen Reformation nach den ersten Reformansätzen entwickelte. Er stimmt darin mit Josiah Strongs Urteil über die Kirche in der Welt überein, der 1893 schrieb, „daß die Kirche weitgehend vor allem deshalb nicht mit dem dynamischen Wandel Schritt halten konnte, weil sie an einer unnatürlichen Aufspaltung von sakral und säkular festhielt, einer Trennung, die Lehre und Verhaltensweise voneinander schied, die Massen sich entfremdete und so dazu beitrug, daß ein selbstsüchtiger Individualismus und eine unchristliche Organisation der Gesellschaft entstand".[52]

Nachdem Gesetz und Evangelium für viele Jahrhunderte nur auf den Einzelmenschen angewandt worden waren, wollten die Anhänger des „Social Gospel" eine Anwendung auf die geschichtliche Wirklichkeit als ganze, indem sie die Trennungsbarrieren zwischen einem sakralen und einem säkularen Bereich niederbrachen. Die Kirche mußte ihrer Meinung nach das Erbe einer übertriebenen Weltfremdheit überwinden, die sich in der Trennung des Glaubens von sozialen Verpflichtungen zeigte.

d) Der Sozialismusvorwurf

Diese grundlegende Aufrüttelung des bestehenden Systems und die Art von Vorschlägen und Projektionen, die Gladden damit verband, machten ihn für viele seiner Zeitgenossen in politischen wie in kirchlichen Kreisen verdächtig. Sie versuchten, in ihren abgesicherten Weltanschauungen zu verbleiben, indem sie Gladden und die anderen Anhänger des „Social Gospel" mit dem Schimpf- und Schreckwort des damaligen Amerika belegten: „Sozialisten!"

Eine solche Verdächtigung konnte aus Gladdens arbeitnehmerfreundlichen Haltung und seiner Kapitalismuskritik leicht entstehen. Denn er nannte den ungerechtfertigten Reichtum der wenigen ohne Zögern „befleckte Millionen"[53] und weigerte sich, „die großartigsten Ungerechtigkeiten zu vergeben – Ungleichheiten, die an die Lebensfähigkeit der Nation rühren, wenn die Leute, die sie begehen, den Deckmantel religiöser Observanz anlegen, besonders, wenn dieser Mantel gute, geräumige Taschen besitzt, aus denen dann und wann freizügige Schenkungen von Schweigegeld entfließen".[54] Grund für diese heftige Zurückweisung war Gladdens Auffassung, daß diese hohen Geldsummen nur durch die Ausbeutung der Arbeiterschaft zusammenkamen. Er lehnt es ab, Leuten mit Hungerlöhnen gerade mit dem Geld zu helfen, das ihnen erst von ihren Arbeitgebern geraubt worden war, und dann teilweise für wohltätige Zwecke weggegeben wurde.

Gladden wußte sehr wohl um die Anschuldigung des Sozialismus, und seine Art, mit ihr fertig zu werden, ist ein Beispiel für sein Verständnis der Einheit des Sozialgefüges, aber auch für seine Wachheit für die Implikationen der These von Ch. H. Hopkins, der den Sozialismus „als Hebamme und Kindermädchen des ‚Social Gospel' " versteht.

Grundlage für Gladdens Sozialverständnis war, wie wir sahen, das Beziehungsverhältnis zwischen Gott und Mensch. Wegen dieses positiven Aspektes forderte er nicht wie George D. Herron[55] einen gründlichen Neuaufbau der Gesellschaft, sondern dachte, daß wirkliches christliches Leben die gegenwärtige Sozialstruktur umformen und reformieren könnte. Seine Vorstellungen von einem wahrhaftigen Christentum hatten zwar nahe Berührungspunkte zu einem sozialistisch-marxistischen Programm, befürworteten aber davon verschiedene Methoden, die Gladden als mit dem Liebesgebot übereinstimmend ansah. „Zweifellos", meinte er, „wenn ich zum Bekenntnis meines eigenen Glaubens gezwungen wäre, würde ich wohl etwas näher zu Karl Marx und den Sozialisten dastehen als zu Herbert Spencer und den Anarchisten. Aber die Distanz zwischen ihnen ist so groß, daß man von dem einen sehr weit weg sein kann, ohne sehr nahe bei dem anderen zu sein".[56] Er wollte als glaubender Christ ein wirklicher Sozialist sein, das hieß einer, „der es innerlich ist, und der genuine Sozialismus ist einer des Herzens, im Geist, nicht nach dem Buchstaben. Und was ist der Geist des wahrhaftigen Sozialismus? Er ist offensichtlich, so denke ich, in der Gewohnheit, unsere Arbeit, was immer sie sein möge, als eine soziale Funktion zu verstehen. Der wirkliche Sozialismus ist einer, der nie vergißt, daß er ein Glied der Gesellschaft ist und der immerzu den Effekt von dem, was er tut, wohl überlegt, nicht bloß im Hinblick auf sein persönliches Glück, sondern auch im Rahmen des Gemeinwohls".[57] Diese Selbstbeschreibung stimmt mit dem Urteil von Richard D. Knudten überein, der Gladden „einen Sozialisten mehr nach Rang als nach Hingabe"[58] nannte. Sein Sozialismus ist am besten in einem programmatischen Satz aus „Tools and the Man" zusammengefaßt: „Die Menschen müssen bedacht werden, aber auch ihre Lebensumstände".[59] Seine Intention war der ständige Versuch, das Recht des Individuums mit sozialer Gerechtigkeit in Einklang zu bringen. Dies schien ihm die eigentliche Forderung des Glaubens an die Wirklichkeit und umgekehrt. In der gleichen Weise wie er daher die Unterscheidung von sakral und säkular als mißverständlich ablehnte, stellte er sich gegen die Annahme der Gegenüberstellung von Individualismus gegen Sozialismus als unveränderlicher Tatsache. Gladden wußte, daß der Individualismus mit dem christlichen Glauben offensichtlich unvereinbar war, und bestand darauf, „daß jeder einsichtige und konsequente Christ mit dem Ziel übereinstimmen muß, nach dem die Sozialisten streben, und daß Sozialisten und Christen in vielen ihrer Ideen und Methoden in nächster Übereinstimmung sind".[60]

Aber ebenso wie seine scharfe Kritik des Kapitals keine totale Verwerfung einschloß, so sah er auch den Individualismus nicht als solchen als Verderbtheit in sich an. Der einigende Geist des Liebesgebotes ermöglichte vielmehr eine Schau einer neuen Gesellschaftsordnung, die Gladden in seiner Commencement-Rede am Oberlin College 1894 beschrieb: „Der alte Individualismus war eine Halbwahrheit, der neue Sozialismus, den die Menschen an seine Stelle zu setzen versuchen, ist die andere Hälfte. Das neue Fragment wird uns keine besseren Ergebnisse bringen, als das alte uns gegeben hat. Seine Verluste werden seine Gewinne in die Waage bringen. Wir werden niemals Ordnung und Frieden haben, bis daß wir fähig sind, diese Fragmente zu vereinigen, aus zweien eines machen. Was Gott zusammengefügt hat, sollte der Mensch nicht trennen".[61] So geht die Einheit von Individuum und Gesellschaft letztlich zurück auf die Einheit der Wirklichkeit selbst: Denn in einer zersplitterten Sozialordnung, die vor allem von einem dualistischen Wirklichkeitsverständnis herrührt, in dem der Einzelne in einem gesonderten Sakralbereich gegenüber der Welt sein Heil gewinnt, wird ein Individualismus gepflegt, der der gesellschaftlichen Verantwortung des Menschen widerspricht. Gladdens Verwerfung dieser Idee aufgrund der Vaterschaft Gottes und der Wirklichkeitsverbundenheit Christi verneint eine endgültige Trennung zwischen Gesellschaft und Individuum und verwirft damit auch eine nachträglich an die Wirklichkeit herangetragene Differenzierung in Sakral- und Säkular-bereiche: Denn die Welt ist nicht etwas, das über einen hinausgeht, indem es einem gegenübersteht, mit dem darum gekämpft werden muß und daß man letzt-lich überwinden muß, sondern als geschichtliche Wirklichkeit ist sie etwas im Menschen und seinem Sozialgefüge, das eine grundlegende Einheit mit dem individuellen Leben fordert: „Denn die Erlösung des Menschen schließt die Er-lösung der Welt mit ein, in der er lebt".[62]

Hier liegt also die Basis für Gladdens sozial-religiöse Gedanken und seine Forderung nach sozialer Integration, die er in seinem Engagement während der sozialen Unruhen der Industrialisierung zum Ausdruck brachte. Der Glaube stand für Gladden in einem dialektischen Zusammenhang mit der Wirklichkeit und bewirkte die je neu erforderliche Reflexion, sowie die Fähigkeit zur Integration. Dieses Programm Gladdens stand im Widerspruch zum weitverbreiteten kapitalistischen Individualismus seiner zeitgenössischen Gesellschaft und war ein Versuch, das öffentliche Wertesystem zu ändern auf eine echte Säkularität hin, ein Unterfangen mit einem so weitläufigen Effekt, daß man es heute noch in der amerikanischen Theologie und Gesellschaft aufspüren kann.

3. Seine Quellen — (Die theologische Tradition Neuenglands)

a) Der Puritanismus

Die Einflüsse Gladdens und des „Social Gospel" reichen nicht nur bis in die gegen-wärtige amerikanische Theologie, wie wir später genauer sehen werden, sondern sie sind selbst, wie sich schon andeutungsweise mehrmals herausstellte, durch die vorangehende amerikanische Theologie- und Religionsgeschichte stark beeinflußt. Da wären zuerst einmal die Ziele des „Social Gospel" zu nenne, die Ähnlichkeit mit denen der frühen Puritaner Neuenglands haben: Ihre Sorge um die moralische Ordnung und um das allgemeine Wohlergehen wurde nicht nur von den Episkopalisten, Kongregationalisten und Universalisten in ihren Kirchen auf verschiedene Weise weitergeführt, sondern war als Anregung auch tief in die Ursprünge des „Social Gospel" eingebettet. Die puritanische Auffassung vom Anbruch der Gottesherrschaft in dem Gemeinwesen, das gemeinschaftlich mit dem Herrn im Bund steht, war der Same für die Lehre des „Social Gospel" von dem kommenden himmlischen Königreich. Der Puritanismus „brachte eine Vorstellung von persönlicher und öffentlicher Pflicht und einem Leben unter Gottes Gesetz hervor, die der wirksame Ursprung des amerikanischen ‚Social Gospel' ist".[63]

b) Jonathan Edwards

Noch deutlicher sind die Verbindungen zwischen Gladden und Jonathan Edwards (1703–1758), einer der ersten großen Gestalten der amerikanischen Theologiegeschichte. So wie Edwards zu seiner Zeit versuchte, die Opposition des Puritanismus gegen die Aufklärung zu überwinden, so versuchte Gladden die Hindernisse zwischen dem christlichen Glauben seiner Zeitgenossen und dem sozialistischen Programm, wie auch dem Evolutionsdenken auszuräumen. Gleichzeitig wollte er damit den Individualismus vermeiden, der als Gefahr in einem wissenschaftlichen Liberalismus lag. Edwards Theorie von der Emanation, die in der christlichen Geschichte am Werk ist, wurde von Gladden in seinem Vertrauen auf die Evolution wieder aufgegriffen. So wie die Predigt von Edwards im 18. Jahrhundert die Erweckungsbewegung in Northhampton auslöste und den Weg zum „First Great Awakening"[64] öffnete, so war Gladdens Arbeit in noch größerem Zusammenhang erneuernd, indem sie nämlich die individualistisch ausgerichteten Kirchen zu einer sozialen Verantwortung aufrief: Damit leistete Gladden Vorarbeit für eine Bewegung weg von amerikanischer Isolierung und hin auf ein amerikanisches Selbstverständnis in einem Weltzusammenhang; und das zu einer Zeit, als die Grenze nach Westen die andere Küste des Kontinentes — Kalifornien — erreichte und die sozialen Probleme Europas in vielfach vergrößerter Dimension auf die noch junge Gesellschaft einstürmten.

Die Beschreibung der Wichtigkeit des „First Great Awakening" im Vorwort zu einer Anthologie von Heimert-Miller wirft ein wenig Licht auf die Parallelen zum „Social Gospel": Das „ ‚Awakening' markierte Amerikas endgültigen Bruch mit dem Mittelalter und seinen Eintritt in ein neues intellektuelles Zeitalter in Kirche und Gesellschaft ... Das ‚Great Awakening' steht also", und man möchte hinzufügen, — wie das „Social Gospel" — „da als ein bedeutendes Beispiel für das wohl am wenigsten zu fassende Phänomen, ein Wendepunkt, eine ‚Krisis' in der Geschichte der amerikanischen Zivilisation".[65] So wie Edwards gegen einen calvinistischen Scholastizismus reagierte, so verwirft Gladden einen Individualismus, der sich aus der Erweckungsbewegung entwickelt hatte.

c) Revivalism

Trotz seiner liberalen Haltung war Gladden der Erneuerungslehre des „revival"
verpflichtet, die aus dem „First and Second Great Awakening" entstand. Aber in
dieser Lehre wies Gladden nicht nur die überstarke Betonung einer bloß individuellen Bekehrung zurück, — die das kommende amerikanische politische
Leben in so großem Maße beeinflussen sollte —, sondern er stellte sich auch
gegen die „revival"-Lehre der Trennung von Kirche und Staat als zwei voneinander
getrennten Bereichen. Die entscheidende, ein für allemal geschehende individuelle Bekehrung des „revivalism" wurde von Gladden in einen andauernden
Prozeß der Anpassung und Integration von Gesellschaft und Individuum um-
interpretiert. Was Gladden letztlich von der Erweckungsbewegung übernahm, war
der Akzent auf der Erwartung der Gottesherrschaft in Form des neuen amerikanischen Jerusalems. Seine zwiespältige Adaptation bestimmter Momente der
„revival"-Tradition spiegelt sich auch in seiner Haltung zur Erweckungsbewegung
wider, die sich auch zu seinen Lebzeiten in Amerika noch weiterentfaltete, So
konnte Gladden nie in einen näheren Kontakt mit Moody[66] und seinem
„Chicago-revivalism" kommen; denn Moody und seine Anhänger lehnten Gladdens
wirklichkeitsbezogene Interpretation von Gottes Herrschaft und menschlicher
Brüderlichkeit ab. Moody's Vorstellung der Gottesherrschaft war immer noch an
einen Dualismus von sakral und säkular gebunden: Geschäft und Berufsleben
waren offiziell von der Seelenrettung getrennt und das „Social Gospel" war in den
Augen der „revivalists" gefährlich, weil es eine Verbindung zwischen beidem
herzustellen versuchte. Mc Loughlin formuliert diese Opposition in seiner bedeutenden Monographie „Modern Revivalism" in polarisierender Weise: „Die
‚evangelicals' setzten zu viel Vertrauen auf die Bekehrung des Individuums als
erste Aufgabe wohingegen die Anhänger des ‚Social Gospel' zu viel vom Wandel
der menschlichen Umgebung erwarteten. Beide Gruppierungen glaubten an die
Umsetzung ihrer Allheilmittel im Gesetz, aber die ‚evangelicals' wollten Gesetze,
um die bösen Neigungen einzudämmen, die durch Trinken, Glücksspiele,
Theater und Tanz gefördert wurden, während die Anhänger des ‚Social Gospel'
Gesetze befürworteten, um die vernichtenden Absichten der Monopole, der
politischen Maschinen und der betrügerischen Geschäftsmethoden zu verhindern.
Im letzten wollten die ‚evangelicals' nur solche Reformen, die die alten Wege
bewahren würden. Die Anhänger des ‚Social Gospel' aber waren gewillt, das
System zu modifizieren, um den Erfordernissen der Zeit zu genügen".[67]

Gladdens Streben nach Integration vermied den offenen Bruch zwischen dem
zeitgenössischen „revivalism" und seinem „Social Gospel". Auch waren einige
Ziele der „evangelicals" seinem Programm ähnlich, wie etwa die „temperance"-
Frage (Enthaltsamkeit von alkoholischen Getränken). Ein weiterer Grund
gegen eine Kampfansage war der, daß Gladden selbst noch etwas von der Energie
des alten „Frontier"-Idealismus in sich trug, der sowohl die „revival"-Tradition
als auch das „Social Gospel" unterschwellig trug.

So erklärte er sich während seines Pastorates sogar mehrmals bereit, „revival"-
Treffen zu unterstützen.[68] Aber seine Geduld und seine Bereitschaft zur
Zusammenarbeit ging zu Ende als mehrere Pfarrer von Columbus/Ohio im

Jahre 1911 eine Einladung an Billy Sunday vorbereiteten. Mehr auf eine schrittweise Entwicklung der Bekehrung bedacht, einer nicht bloß punktuellen Umkehr, die das Selbst und die Gesellschaft einschloß, setzte Gladden alle seine Kraft gegen die „Revival"-Treffen von Sunday ein, aber ohne letzten Erfolg. Billy Sunday repräsentierte für ihn die stärkste Form der Übertreibung der Erweckungsbewegung: Er verwarf Sundays fundamentalistische Theologie als „Mittelalterlichkeit", brandmarkte seine „unersättliche Sucht nach persönlichem Gewinn" und beurteilte sein „persönliches Auftreten und seine Redeweise" als „gewalttätig und vulgär".[69]

Der zerstörerische Effekt dieser Charaktereigenschaften einer späten Erweckungsbewegung ließ Gladden trotz gemeinsamer Wurzeln so eindeutig Stellung beziehen, vergleichbar seiner Opposition gegen den schädlichen Einfluß von Individualismus und Kapitalismus. Denn diese Form des ‚revival' traf seiner Meinung nach die Kritik, die H. Bushnell 1853 in einer Predigt so formuliert hatte: „Das Bleibende wurde dem Zufälligen geopfert, das Gewöhnliche verschluckt und verloren im Außergewöhnlichen und christliche Frömmigkeit reduziert auf eine Art von Werbungsveranstaltung oder bühnenwirksame Übung".[70]

d) Horace Bushnell

In der Übernahme dieser kritischen Haltung zeigt sich die gemeinsame Überzeugung von Bushnell und Gladden, daß die Verwerfung der Wissenschaften durch die Fundamentalisten einen unbegründeten Widerspruch in die Wirklichkeit einführt. Gladden unternahm mit der humanitären Bewegung des frühen 19. Jahrhunderts und besonders mit Bushnell eine Orientierung auf die gesellschaftliche Ordnung und die geschichtliche Wirklichkeit: Glaube sollte zu einer Integration mit der gesellschaftlichen Reform gebracht werden. Dabei bewahrte Bushnells unterscheidende und zusammenfassende, fast dialektische Methode Gladden vor dem belastenden Scholastizismus von der Art der Cambridge-Schule: So konnte er seinen eigenen Gedanken über Einheit und Integration entwickeln, die fast dem Motto von Bushnell folgten: „Lieber zu erfüllen als zu zerstören". Diese Haltung ermöglichte ein neues Beziehungsverhältnis zwischen christlichem Glauben und Welt: Denn hier macht die Verbreitung der Liebe den Glauben zu „Leben und Geist" der Gesellschaft, setzt eine neue soziale Ordnung frei.

e) Liberalismus

„Der große Befreier der amerikanischen Theologie der Mitte des 19. Jahrhunderts", so schreibt dann auch Hopkins „war Horace Bushnell, von dem das ‚Social Gospel' Washington Gladdens und anderer direkt abstammt . . . Er bestand auf der Bedeutung der Erfahrung für die Theologie, ebnete die trennende Mauer zwischen Natur und Übernatur ein und brachte Christus in das Zentrum des christlichen Systems".[71]

Dieser Liberalismus, der sich in seiner Prägung durch angelsächsischen Empirismus in vielerlei Hinsicht von seinem theologischen Gegenüber in Zentraleuropa unterschied, war ein einflußreicher Faktor in Gladdens Theologie und der Entwicklung des „Social Gospel".

Das Hauptanliegen dieser liberalen Theologen war vor allem eine wohlwollende, empirisch orientierte Haltung gegenüber dem gesamten Wirklichkeitsbereich von Naturwissenschaften und Gesellschaft und dem sogenannten zeitgenössischen „Modernen",[72] aber in einer kritischeren Haltung als die Kollegen auf dem Kontinent. Ein gedämpfter Fortschrittsglaube machte den Wandel ererbter Lehren und organisatorischer Einrichtungen möglich. So war es bezeichnend für Gladden, daß er den christlichen Glauben von wissenschaftlichen Einsichten her nicht widerlegt sah: der Glaube schien ihm vielmehr von der Natur impliziert: „Die Immanenz Christi, die lebensbedingende Einheit des Menschengeschlechtes und die Gegenwärtigkeit der Gottesherrschaft", so faßt er zusammen, „diese Wahrheiten geben dem Leben eine neue Sakralität und den Pflichten neue zwingende Kraft. Die Gekünsteltheit und der Formalismus, mit denen die alten Vorstellungen ausgestattet waren, geben jetzt Raum für Natürlichkeit und Wirklichkeit. Christentum ist nicht länger widernatürlich; es ist im tiefsten Sinne natürlich. Wir könnten uns sogar darauf berufen, daß seine grundlegenden Gesetze, einschließlich des Gebotes der Selbsthingabe induktiv bewahrheitet werden könnten. Wir folgen nicht listig verfälschten Geschichten, wenn wir die Wahrheit ausrufen, wie sie in Jesu ist; wir halten vielmehr an immerwährenden Wahrheiten fest. Die Menschheit ist die Krone der Schöpfung und Christus ist das Haupt der Menschheit".[73]

Diese Theologie kannte keine Begrenzungen, weil sie Jesus auf ihrer Seite wußte, ein lebendiger Hinweis auf die Verwandtschaft zur Selbstbewußtheit der Erweckungsbewegung. Gladden führte diesen letztlich optimistischen theologischen Ansatz in seine Denomination ein und konnte noch selbst den allgemeinen Umschwung von der starren Orthodoxie der Mitte des 19. Jahrhunderts zu einem „liberalen" Konsens im Kongregationalismus der ersten Jahre des 20. Jahrhunderts feststellen. Aber dieser sein Einfluß verschwand plötzlich mit dem Aufstieg eines Fundamentalismus, für den Gladdens Auseinandersetzung mit Billy Sunday eines der ersten Zeichen war.

Gladdens Liberalismus bestand in seiner Interpretation des „Social Gospel", das seinen Zeitgenossen eine Säkularität ermöglichen sollte, in der sie sowohl wahre Christen als auch wirklichkeitsbezogene, moderne Menschen sein konnten. Seine Hoffnung in diesen Fortschritt verging auch dann nicht, als er die Dekadenz des Liberalismus verspürte; denn von der Geschichte hatte er gelernt, in größeren Zeitabschnitten als dem weniger Jahre zu denken. Im Hinblick auf das „Social Gospel" jedenfalls erfüllten sich später diese seine Erwartungen. Denn die Schlichtheit des Christentums, die von Channing und anderen Liberalen auf Washington Gladden übergegangen war, wurde zu einem bestimmenden Faktor kommender Theologie.

Exkurs: Der „Amerikanismus"

Mit den beiden Konvertiten Orestes A. Brownson[74] und Isaac Thomas Hecker (1819—88) begann auch für die katholische Kirche Nordamerikas in der zweiten Hälfte des letzten Jahrhunderts eine liberale Bewegung, die große Nähe zu dem Bemühen protestantischer Liberaler aufwies. Beide standen der utopisch orientierten Gemeinschaft von Brook Farm in West Roxbury, Mass. und ihrem neuengländischen Transzendentalismus nahe, der uns bereits bei Channing begegnete. Dieser wie auch Emerson und Thoreau gehörten zu ihren Freunden.

Andrew Greeley schreibt über diese beiden Männer: „Brownson und sein Schüler Hecker . . . waren Missionare in zwei Richtungen; sie versuchten, die amerikanische Gesellschaft davon zu überzeugen, daß die römisch-katholische Kirche auf ihre höheren Ziele Antwort gab, und gleichzeitig bemühten sie sich, die Kirche zu überreden, daß die amerikanische Gesellschaft weit von Feindschaftlichkeit ihr gegenüber entfernt war und große Möglichkeiten bot".[75] Wie die Carroll-Familie einhundert Jahre zuvor versuchten beide, eine Brücke zwischen der amerikanischen Kultur und der Kirche zu bauen.[76] Ihre intellektuelle Nähe zur zeitgenössischen amerikanischen Theologie und die steigenden Zahlen von katholischen Einwanderern machten diese Bemühungen erforderlich.[77] Aber auch die feindliche Reaktion mancher Amerikaner, die die katholische Kirche als eine Bedrohung der freiheitlich demokratischen Grundordnung der amerikanischen Gesellschaft ansahen, und die sich vor dem Civil War in der „Know Nothing Party" und nachher in der „American Protective Association" sammelten, machten ein energisches Bemühen um eine gelungene Akkultaration der katholischen Kirche notwendig. Brownson und Hecker waren in ihren Anstrengungen um eine gegenseitige Durchdringung von amerikanischer Lebenserfahrung und katholischem Glauben ständigen Verdächtigungen und Blockierungen von Seiten ihrer neuen christlichen Gemeinschaft ausgesetzt. Hecker wurde sogar 1857 aus dem Redemptoristenorden ausgeschlossen und gründete die Paulistenkongregation, die sich bis heute den von Hecker verfolgten Zielen verschrieben hat.

O'Brien beschreibt das Bemühen von Brownson und Hecker richtig, wenn er meint, daß die „Betonung von Angleichung und Anpassung von der Annahme ausgeht, daß die amerikanische Umgebung nichts in sich trägt, was fundamental mit dem christlichen Glauben in Konflikt steht".[78] Dies bedeutete jedoch keine kritiklose Übernahme eines zeitgebundenen Optimismus, sondern schloß die Auseinandersetzung vor allem mit sozialen Problemen ein. Brownson wie Hecker standen zusammen mit Gladden auf der Seite der Arbeiter gegen die „Lohn-Sklaverei" und bemühten sich als Mitglieder der „Workingmans Party" um soziale Probleme. Damit standen sie indirekt gegen die vielen zersplitterten caritativen Organisationen der katholischen Kirche in Amerika[79] und versuchten eine größere Reform im Sinne des Social Gospel. In diesem Bemühen waren sie mit dem arbeiterfreundlichen Kardinal Gibbons verbunden, der die Konzentration des Reichtums in oligarchischen Zirkeln anprangerte und sich 1887 erfolgreich gegen ein römisches Verbot der gewerkschaftsähnlichen „Knights of Labor" einsetzte und so eine antikirchliche Haltung der Arbeiter, wie etwa in Europa, zu vermeiden half.

Das intellektuelle Bemühen von Brownson und Hecker fand seine Fortführung und Mithilfe in Bischöfen wie John Lancaster Spalding und John J. Keane. Von 1887 bis 1896 war Keane Rektor der vor allem auf Betreiben von Spalding hin errichteten katholischen Universität in Washington, die das Bemühen verkörperte, den überlebten Dualismus von Kirche und Welt aufzugeben. Am deutlichsten drückte das wohl John Ireland aus, Bischof von St. Paul, der sich wie

Gibbons, Keane und Spalding energisch für einen bewußt vollzogenen Akkulturationsprozeß einsetzte: „Wir wollen das Zeitalter gewinnen. Laßt uns dann nicht isoliert von ihm dastehen. Unser Platz ist in der Welt ebenso wie im Heiligtum; in der Welt, wann immer wir ihr unsere Liebe beweisen können oder ihr einen Dienst tun können. Wir können die Menschen nicht aus weiter Entfernung beeinflussen; enger Kontakt ist notwendig. Laßt uns in den Dingen mit ihnen sein, die die ihren sind — materielles Interesse, soziale Wohlfahrt, öffentliches Wohl —, so daß sie mit uns in unseren Dingen Gemeinschaft haben, den Anliegen der Religion. Laßt uns mit ihnen sein, denn ihre Interessen sind die unseren; Natur und Gnade dürfen nicht getrennt werden".[80]

Diese Wirklichkeitsorientierung des Glaubens durch einige Führer der katholischen Kirche in den beiden letzten Jahrzehnten des 19. Jahrhunderts und ihr Bemühen um die Schlichtheit des Glaubens blieb nicht unwidersprochen und ging zum größten Teil in den organisatorischen Aufgaben einer sich sprunghaft expandierenden Gemeinschaft verloren. Vor allem der Bischof von New York, Corrigan, und sein Kollege von Rochester, McQuaid, standen den Reformern in erbittertem Kampf gegenüber, in dem sie sich nicht vor Verleumdungen bei der römischen Kurie scheuten. Ihnen ist zuzuschreiben, daß die Verdächtigungen von Europäern über einen sich entwickelnden sogenannten „Amerikanismus" zu kirchenpolitischen Eingriffen führten, die letztlich ein katholisches Pendant zum liberalen amerikanischen Protestantismus verhinderten. Ausgelöst durch die französische Übersetzung von W. Elliott's „Life of Hecker" und ein Vorwort von Abbé Klein, über das es zu einem Streit mit den französischen Monarchisten kam, sah sich Leo XIII. veranlaßt, am 22. Januar 1899 in der Enzyklika „Testem benevolentiae" den „Amerikanismus" zu verurteilen, für den er aber weder einen Vertreter noch eine Schule nannte. Sicher waren Heckers Betonung der menschlichen Freiheit, der natürlichen Anlagen des Menschen und der Geistbegabung des Einzelnen, sowie die optimistische, demokratische und sozial orientierte Haltung von Männern wie Gibbons, Ireland, Keane und Spalding, die Teilnahme von Katholiken am „World Parliament of Religions" in Chicago 1893 und die Freundschaft und der Austausch mit Nichtkatholiken, als auch die Frage der katholischen Universität und einer national orientierten Pfarreistruktur Grundlage des Konglomerats der Anschuldigung des „Amerikanismus". Vorausgegangen war die Abberufung von Keane als Rektor der katholischen Universität (1896) und seine Versetzung in die römische Kurie, der Kampf um die „Knights of Labor" und die sozialen Lehren von Henry George.[81]

Die Forderung der deutschsprachigen Bischöfe in Nordamerika nach nationalen Pfarreien und Ireland's Einstehen für die „Public School" brachten den ersten apostolischen Delegaten, Satolli, 1893 gegen den Widerstand der reformgesinnten Bischöfe nach Amerika. Sein Betreiben nach der Rückkehr nach Rom 1896, dann das Bestreben der deutschsprachigen Katholiken nach Eigenständigkeit gegenüber dem irischen Einfluß, vertreten vor allem von Peter Paul Cahensly, und die antireformerische Einstellung der amerikanischen Jesuiten besonders im Erziehungsbereich führten zur Definition eines häretischen „Amerikanismus", der von niemanden in der beschriebenen Weise vertreten wurde, eine Einsicht, die selbst die Enzyklika hatte. Schon allein deshalb wäre sie besser nie geschrieben worden, da sie für das nächste halbe Jahrhundert dazu diente, jeden Reformansatz und jede Akkulturation in der amerikanischen katholischen Kirche administrativ abzuwürgen.

Die römische Kurie konnte die Verhältnisse in den Vereinigten Staaten nicht verstehen: „Der liberale Katholizismus", so urteilt Robert D. Cross in seiner bedeutenden Studie, „der sich nach dem Civil War in Amerika entwickelte, war grundlegend die Antwort einer immer größer werdenden Zahl von Katholiken auf eine säkulare Kultur, die viel weniger feindlich gegenüber der Kirche schien, als es sich europäische Ultramontanisten für moderne Zeiten vorstellen konnten".[82] Auf längere Zeit gesehen siegten Rom und die kurialgesinnten Administratoren über die reformgesinnten, liberalen und enthusiastischen Kräfte in der katholischen Kirche Amerikas. Für die kommenden Jahrzehnte verbleibt die Weiterentwicklung eines wirklichkeitsorientierten Glaubens die Aufgabe und das Vorrecht von Mitgliedern protestantischer Denominationen, wie es sich an den im Folgenden behandelten Theologen verdeutlicht.[83]

Nach dem Zweiten Vatikanischen Konzil erholt sich ein gegenwartsbezogener Glaube im Dialog mit der zeitgenössischen Theologie nur langsam unter den amerikanischen Katholiken, wie sich später noch zeigen wird: Die Verurteilung des Amerikanismus aber „hat einen Schatten auf die amerikanische Kirche geworfen, der bis in unsere Zeit fortdauert".[84]

4. Gladdens Stellung am Beginn des „Social Gospel" – (Das Reich Gottes als Zielpunkt sozialen Fortschritts)

a) Sozialer Wandel

Für eine kritische Bewertung der Anfänge des „Social Gospel" und damit Washington Gladdens müssen wir uns nochmals die Ursachen seines Denkens und sein Ziel vor Augen führen. Grundlegend für das „Social Gospel" war die christliche Überzeugung von der Welt als Schöpfung Gottes, die ein tiefes Mitleid mit den Leidenden und Hilflosen hervorbrachte wie auch ein verantwortliches Bewußtsein für eine human gestaltete Industrialisierung. Die Sorge für die Welt und ihr Sozialgefüge zeigte die enge Beziehung des Glaubens zur Wirklichkeit.

Dieser sozial ausgerichtete christliche Glaube war durch den amerikanischen Liberalismus ermöglicht worden und verband sich durch seine Offenheit für Reformen eng mit den entstehenden Sozialwissenschaften und ihrer Orientierung an der Wirklichkeitserfahrung: Die gegenseitige Durchdringung von Glaube und Welt war die Wurzel des „Social Gospel" und so der Interpretationen ihrer Theologen, die „glaubten, daß das, was ihre neue Theologie charakterisierte, ihre ‚Realität' war; sie wollten, daß die Theologie mehr mit Seiendem als mit Abstraktionen umgehe, mehr mit aktuellen Vorgängen als mit apriorischen Annahmen, mehr mit Personen als mit Dingen oder Worten, mehr mit der fortschreitenden Entfaltung der christlichen Wahrheit als mit statischen Kategorien".[85] Diese Betonung der Erfahrungsebene war mit dem Gesetzesaspekt des Evangeliums verbunden und forderte daher eine Anpassung des menschlichen Lebensbereiches an das Liebesgebot. Der Grad dieser Anpassung wurde zum Prüfstein des Glaubens, so daß wohl alle Anhänger des „Social Gospel" hierin mit George D. Herron übereinstimmten: „Religion wird zu Aberglaube und Tyrannei, wenn sie nicht in soziale Werte übersetzt wird und sich in sozialer Gerechtigkeit kundtut".86)

Das „Social Gospel" W. Gladdens verfocht eine gesellschaftliche Integration und Einheit im Vertrauen auf die Überzeugung, daß die Gesellschaft letztlich eine organische Größe sei, nicht nur ökonomisch bestimmt, sondern vor allem durch die Hoffnung auf Gottes Königsherrschaft. Es „forderte vor allem eine erneute Abschätzung der Aufgabe der Kirche und der Absicht der Theologie. Es versuchte eine schwächere Betonung des Individualismus und eine verstärkte Behauptung der sozialen Sicht von Mensch und Leben. Als eine Bewegung offenbarte das ‚Social Gospel' eine mystische Prophetie, die in der Beachtung der Krise zum Vorschein kam, aber durch die praktische Betonung der sozialen Reform gedämpft wurde. Es gab Anleitung, auch in einem körperschaftlich orientierten Zeitalter Sünde zu erkennen".87) Die Anfänge des „Social Gospel" könnte man mit R. T. Handy „einen protestantischen Kreuzzug für die Königsherrschaft Gottes und gegen soziale Mißstände"88) nennen. Es war ein Versuch, die Erfahrungen des modernen Lebens mit dem ererbten christlichen Glauben zu verbinden. Selbst als Minderheitenbewegung half das „Social Gospel" auf gesellschaftlicher Ebene dadurch entscheidend mit, die Vereinigten Staaten von einer ländlichen zu einer industriellen Gesellschaft zu transformieren. „Die größte historische Bedeutung", so schreibt S. E. Ahlstrom, „stammt daher, daß es das kirchentreue Amerika mehr auf die neuen sozialen Probleme aufmerksam machte, die von der Industrialisierung und unreguliertem städtischen Wachstum geschaffen wurden".89) In diesem Hinblick hat sich das fortschrittliche, sozial orientierte Christentum als bedeutsam erwiesen.

In der Erwartung einer Wiedergeburt der Sozialordnung durch ihre Ausrichtung auf die Gottesherrschaft propagierte Gladden das Ziel des „Social Gospel" als die Ermöglichung „eines vollkommenen Menschen in einer vollkommenen Gesellschaft", und zwar durch die Anwendung des Liebesgebotes Christi auf Individuum und Gesellschaft und durch den Glauben an den Fortschritt auf dieses Ziel hin.

b) Zusammenfassung

Fassen wir noch einmal knapp die Gedanken Gladdens zusammen: Das Problem des Wirklichkeitsbezuges des Glaubens und eines damit verbundenen Engagements drängen sich ihm schon früh in seinem Pfarramt auf. Die Entwicklung auf eine Klassengesellschaft hin, die nur einen „economic man" kennt und in deren Mittelpunkt Industrialisierung und Verstädterung stehen, machte Gladden bewußt, daß er für eine Verbindung zwischen Arbeiter und Kirche eintreten müßte, um die noch vorherrschende individualistische Sozialordnung überwinden zu helfen.

So forderte er eine industrielle Partnerschaft und unterstützte die junge Gewerkschaftsbewegung: Denn allein mit dem sozialen Prinzip der Kooperation sah er eine „Christ-ianisierung" als möglich an. Diese bestand für ihn in einer Brüderlichkeit, zu der die Menschen durch ihre Befreiung in der in Christus offenbar gewordenen Vaterschaft Gottes fähig geworden sind. Dieses Thema des neuengländischen Transzendentialismus war für Gladden in der Bergpredigt und im Gleichnis vom verlorenen Sohn so dargestellt, daß es je neu im Gegenwartsbezug aktuell werden mußte: In der Beziehung des Menschen zum Menschen ist Gott in Christus gegenwärtig und jedes dualistische Weltverständnis aufgehoben.

Entsprechend den universalistischen Strömungen der zeitgenössischen Theologie Neuenglands schlossen sich für Gladden damit das Christusprinzip und die Welt nicht gegenseitig aus. In dieser Gemeinsamkeit liegt der Gedanke der Königsherrschaft Gottes begründet und diese ist die Ursache des Vertrauens auf den Fortschritt.

Die Aufgabe der Kirche ist es, in diesem Zusammenhang eines „Social Gospel" die Forderung nach Brüderlichkeit und sozialer Integration zu stellen und die Verantwortung des Staates zu wecken. Werden Gesetz und Evangelium dermaßen auf die geschichtliche Wirklichkeit und nicht bloß auf den Einzelmenschen angewandt, dann ist die Trennung eines sakralen von einem säkularen Bereich beendet. Die Integration von Glaube und gesellschaftlicher Reform versucht die Tendenzen von Individualismus und Sozialismus zu vereinigen: Dies war Gladdens Beitrag zu einer sich in Nordamerika eigenständig entwickelnden Säkularität. Die Beurteilung von Robert T. Handy bestätigt sich damit: „Obwohl er kein tiefgehender und origineller Denker war, wurde er nichtsdestoweniger in einer kritischen Periode des amerikanischen protestantischen Lebens einer der wirksamsten Interpreten liberalen und sozialen Christentums. Keine Darstellung der Theologiegeschichte dieser bedeutenden Zeit des Übergangs ist vollständig ohne eine ernsthafte Aufmerksamkeit auf ihn".[90]

Abgesehen von genuin europäischen Entwicklungen eines sozialen Christentums hat sich europäische Theologie „zu Zeiten gar nicht um eine ausgearbeitete theologische Analyse gekümmert, sondern das ‚Social Gospel' als ein weiteres beklagenswertes Beispiel von amerikanischem pragmatischem Aktivismus abgetan".[91] Sie nahm die große theologische und soziologische Reichweite eines einflußreichen und einheimisch-ursprünglichen Teiles der amerikanischen Geschichte nicht wahr und wies damit gleichzeitig eine theologische Entwicklung zurück, zu der sie sich selbst später bekehren sollte.

c) Liberaler Optimismus – Kritische Anmerkungen

Diese Anerkennung einer bedeutenden theologischen Entwicklung in Nordamerika nimmt dennoch einen uns heute oft unpassend erscheinenden liberalen Optimismus Gladdens nicht unkritisch hin. Dieser Optimismus erwies sich vor allem in seiner Verbindung mit dem Gottes-Herrschafts-Gedanken als fatal. Hier ist die Anklage von Henry F. May zutreffend, daß nämlich das „Social Gospel" dazu geneigt war, „das komplizierte Problem von Ziel und Mittel in einem Aufbruch von erweckungsähnlichem Vertrauen völlig zu vernachlässigen".[92]

Diesen Vorwurf muß man sicher auch teilweise W. Gladden machen: Verbunden etwa mit seiner übertriebenen Erwartung eines vollkommenen Menschen in einer vollkommenen Gesellschaft proklamierte er das praktische Ziel einer Übernahme politischer Macht durch Christen, die entsprechende gesellschaftliche Erfahrungen haben. Die Anwendung des christlichen Gesetzes sollte dabei durch „ergebene und geheiligte Seelen" geschehen, in einem „selbstlosen Geist und Gerechtigkeitsliebe", in dem Bewußtsein, „der Heiligkeit ihrer politischen Verpflichtungen" gegen „den Egoismus der alten Herrschaft" für einen stärker „auf Zusammenarbeit angelegten Geist und Haltung".[93]

Diese Ziele erhalten aber noch grell nationalistische Anstriche: Gladden vergleicht dann nämlich den Wähler mit dem gesalbten David des Alten Testaments, um ihn so als den wirklichen Souverän Amerikas hervorzuheben, eines Landes, das als „wirkliche christliche Demokratie" hingestellt wird. Die Heiligung des politischen Raumes nimmt hier eine widersinnige Umkehrung vor, nämlich eine Religionisierung des Säkularen, die uns später noch öfter in der ausgeprägten Form der Zivilreligion begegnen wird. Diese übersieht die in der einen sakral/säkularen Wirklichkeit grundgelegte Dialektik, die eine uneingeschränkte Gleichstellung der Förderung des „höchsten Wohls für alle Leute" mit der Zunahme „der Herrlichkeit Gottes" verbietet.[94]

Gladdens theologische Interpretation verfehlt hier ihr selbst erklärtes Ziel und gleitet in die Anfänge einer Zivilreligion aus, die vom amerikanischen Volk erwartet, daß es ein Zeuge für den Anbruch der Königsherrschaft Gottes wird. Amerikaner sollen beweisen, „daß der Tag gekommen ist, wenn Gnade und Wahrheit zusammentreffen und Rechtschaffenheit und Frieden sich einander küssen".[95] Nur mit dieser Interpretation vor Augen kann man für die folgende romantisch überschäumende Einschätzung der Flagge Verständnis haben, die in ihrer Bedeutung für die Nation mit der Bibel für den christlichen Glauben verglichen wird: „Sie ist das Symbol der Freiheit", preist Gladden „das Emblem der Souveränität, das Pfand des Schutzes, das Zeichen und die Garantie für Gerechtigkeit, Ordnung und Frieden. Welche Erinnerungen ranken sich um sie von unerschrockenem Heroismus, heiligem Opfer und vornehmer Selbsthingabe! Welche Hoffnungen strahlen von ihren Sternen und flattern in ihren leuchtenden Falten — Hoffnungen auf einen Tag, wenn es keine Kriege mehr geben wird und die gesamte Menschheit eine Bruderschaft bilden wird".[96] In dieser Hinsicht war Gladden eben noch ganz Teil des protestantischen Amerikas des 19. Jahrhunderts mit seinem erweckungsbewegten Glauben an die Nation. Er übersah dabei die Zeichen eines Pluralismus, den er selbst in seiner Sozialanalyse bauen half und auch in der sozialen Integration aufrecht gehalten sehen wollte.

Mit seinem Optimismus bestärkte Gladden den „American Dream", der in seinen Tagen sehr lebendig war und der bei Erreichen der „frontier" im Westen missionarisch über die eigenen Küsten hinausuferte. So trifft m. E. auch auf ihn die generelle Beschreibung von Handy zu: Die Befürworter des Social Gospel „hungerten und dürsteten nach einem christlichen Amerika in einer evangelisierten Welt. Sie waren in der stark missionarischen Atmosphäre des evangelistischen Protestantismus aufgewachsen und legten daher besonderen Wert auf die Rolle ihrer Nation für die Rettung der Welt. Ihr Fortschrittsglaube gab ihnen Hoffnung, daß ihre Träume bald weitgehend erfüllt würden".[97] Gladden war in dieser Hinsicht durchaus ein Kind seiner Zeit. Diese Kritik schränkt jedoch die wichtige Rolle von Gladden für den Wandel amerikanischer Theologie und Sozialordnung nicht ein. Die Arbeitnehmerfrage war der katalysierende Faktor seines Einflusses. Diese tagtägliche nahe Berührung mit der Wirklichkeit und seine Pioniertätigkeit auf diesem Gebiet ließen ihm wenig Raum, seine Interpretationen in einen systematischen Zusammenhang mit historischer und religiöser Tradition zu bringen.

Aber wie wir gezeigt haben, bestanden diese Beziehungen doch, wenn auch teilweise unbewußt: Seine Teilnahme am sozialen Wandel setzt ihn in eine lange Entwicklungsbewegung, die die jeweilige Gesellschaft umformte und so in ihrer Theologie von ihrer sozialen Gruppierung beeinflußt und weitgehend begrenzt wurde. Obwohl Gladden vom zeitgenössischen Fortschrittsdenken geprägt war, war er in seiner Sozialanalyse und in seinem Versuch, den Dualismus von sakral und säkular zu beenden, dennoch seiner Zeit voraus. Sein partieller optimistischer Monismus der Gottesherrschaft sollte dann bald durch die Lehre von der Entfremdung der Menschheit durch die Sünde ausgeglichen werden, die Walter Rauschenbusch entwickelte.

Wollte man die Anfänge des „Social Gospel" und damit das Engagement Gladdens zusammenfassen, dann könnte man mit R. D. Knudten sagen: „Gladden war ein Vertreter einer erfahrungsorientierten Theologie zu einer Zeit, als Theologen höchsten Wert auf ein Untertauchen der Erfahrung in den Anforderungen theologischer Formulierungen legten. Er suchte nach einer praktischen Beziehung zwischen Offenbarung, Lehre und sozialem Bedürfnis. Als einer, der Religion verallgemeinerte und gemeinverständlich machte, versuchte W. Gladden, der Theologie den Menschen bewußt zu machen, wenn nicht sogar, sie auf den Menschen zu konzentrieren".[98]

Dieser Versuch einer anthropozentrischen Interpretation des Glaubens kam in den Jahren vor dem ersten Weltkrieg immer mehr zum Durchbruch. Der allgemeine Optimismus half dem „Social Gospel" in seinem Wachstum, so daß das „Soziale Credo" der Bundesversammlung der amerikanischen protestantischen Denominationen, das auf ihrem Treffen in Chicago 1912 veröffentlicht wurde, alle die Ziele und Ideen eines christlichen Sozialismus beinhaltete, die vorher von Gladden und seinen Freunden über Jahrzehnte hin formuliert und bekanntgemacht worden waren: Einstehen für Gleichberechtigung und vollständige Gerechtigkeit für alle sozialen Gruppen, Schutz der Familie und des einzelnen im Wirtschaftsprozeß, Forderung nach Freizeit als „einer Bedingung für das höchste menschliche Leben" und „die Anwendung christlicher Prinzipien beim Erwerb und Gebrauch von Besitz".[99] Von besonderer Hilfe für die Bekanntmachung und Erfüllung dieser Forderung war das „Men and Religion Forward Movement" das seine einflußreichste Zeit in den wenigen Jahren vor dem ersten Weltkrieg hatte; es warb bei „revival"-ähnlichen Versammlungen um Männer, die sich bereit erklärten, eine soziale Anwendung ihres Glaubens zu versuchen: „Es hat das sozialorientierte Christentum orthodox gemacht".[100] Alles in allem war aber auch diese Bewegung wie das „Social Gospel" selbst eine Erscheinung des nördlichen Teils der Vereinigten Staaten.

§ 2. Walter Rauschenbusch

1. Sein Radius – (Radikaler Protestantismus)

Vergleicht man das „Social Gospel" am Beginn dieses Jahrhunderts mit seiner zeitgenössischen politischen Umgebung, so entdeckt man hier Männer wie Theodore Roosevelt und Woodrow Wilson, die in ihrem sozialen Engagement und Idealismus von den Anfängen des „Social Gospel" eine Generation zuvor bestimmt zu sein scheinen. Seine Eigenberechtigung aber erhält das „Social Gospel" jetzt immer mehr aus einer theologischen Konzentration und Differenzierung: In der Frage nach dem historischen Jesus und seinen sozialen Lehren und in der Anwendung der Problemstellungen der Sozialwissenschaften entsteht langsam eine systematischere Selbstdarstellung. Die Herausarbeitung einer „Orthodoxie" des „Social Gospel" im Vergleich zur geschichtlichen und theologischen Tradition muß man wohl dem eigentlichen Theologen der Bewegung zuschreiben, dem Baptistenpfarrer und späteren Professor Walter Rauschenbusch.[101]

Seine Pastorentätigkeit im Armenviertel von New Yorks Westend hatte den gleichen Einfluß auf sein Tun und Denken wie Gladdens Erfahrungen in Neuengland und Ohio. Obwohl Gladden und Rauschenbusch sich niemals vor 1908 trafen, als sie gemeinsam auf der Plattform des Tremont Temple in Boston saßen, waren sie sich in ihrer Analyse und ihrer Interpretation doch sehr nahe. Die hohe Wertschätzung des Mannes, der das „Social Gospel" zu seiner theologischen Vollendung führen sollte, für den frühen Förderer dieser Bewegung kommt in einem Brief zum Ausdruck, den Rauschenbusch im Dezember 1908 nach ihrem Treffen in Boston an Gladden schrieb: „Sie haben volle Tagesarbeit geleistet und sehen noch zu Ihren Lebzeiten die Schnitter ausgehen, um die Ernte einzubringen, die Sie zu säen halfen".[102]

a) Die „Brotherhood of the Kingdom"

Rauschenbusch gehörte teilweise selbst zu diesen Erntenden: Denn er spezifizierte die sozialen Forderungen des christlichen Glaubens und weitete die theologische Idee der Königsherrschaft Gottes aus. Diese Arbeit begann vor allem in der „Brotherhood of the Kingdom", einem Zusammenschluß, den Hopkins „die vielleicht bedeutendste ‚Social Gospel'-Gemeinschaft in einer Periode, die für ihre Organisationen bekannt ist"[103] nannte. Dieser Bruderschaft entstand aus der engen Freundschaft von Rauschenbusch mit zwei Pfarramtskollegen in New York, Nathaniel Schmidt und Leighton Williams, und dem organisatorischen Einsatz von Samuel Zane Batten. Von 1893–1915 traf sich alljährlich ein immer größer werdender Kreis von Anhängern im Sommerhaus von Williams für zwanzig aufeinanderfolgende Konferenzen. Sie standen während dieser ganzen Zeit unter dem anfänglichen Ziel der Bruderschaft „auf ein besseres Verständnis des Gedankens des Gottesreiches auf Erden hin" zu arbeiten in der Übereinstimmung, daß „jedes Mitglied ein Beispiel geben soll für den Gehorsam gegenüber den ethischen Forderungen Jesu . . . die Gedanken Jesu verbreiten soll . . . im persönlichen Gespräch, durch Korrespondenz und durch Kanzel, Plattform und Presse . . .

besondere Betonung auf die sozialen Absichten des Christentums legen soll . . . sich ernsthaft bemühen soll, mit den einfachen Leuten in Kontakt zu bleiben . . . das Band der Brüderlichkeit (in der Bruderschaft) stärken soll . . . und eifrig darauf bedacht sein soll, die Freiheit der Diskussion für jedermann zu schützen, der von Liebe zur Wahrheit angetrieben ist, seine Gedanken hervorzubringen".104) In ihrer Intention verstand sich diese Gruppierung gesellschaftlich orientierter Christen als eine Mischung aus modernen protestantischen Franziskusanhängern und einer „wirklichen Gesellschaft Jesu". Ähnlich diesen Gruppen in ihrer Blütezeit wollten sie dabei mithelfen, einem Ideal zu seiner Verwirklichung in der Sozialordnung zu verhelfen. Dabei gingen sie in mancher Hinsicht zurück auf die amerikanische theologische Tradition des 19. Jahrhunderts, die vorher im Zusammenhang mit Gladden schon kurz dargestellt worden ist. Als eine Mischung von „evangelicalism", Liberalismus und Radikalität (Edwards, Bushnell und Channing) gaben sie sich gegenseitig Anregungen und Unterstützung an den Anfängen einer neuen theologischen Bewegung. Und darin lag eben auch die eigentliche Bedeutung der Bruderschaft. „Die Organisation war viel zu selbstlos, um groß zu werden, aber sie war eine kraftvolle Unterstützung und Anregung in jenen frühen Tagen der Isolation".105)

b) Der intellektuelle Hintergrund

Die „Brotherhood of the Kingdom" brachte Momente von Rauschenbuschs intellektueller Entwicklung erneut zum Tragen, die für sein späteres systematisches Bemühen von ziemlicher Bedeutung wurden. In dem Artikel „Weshalb ich ein Baptist bin" vom Jahr 1905 gibt er sich selbst Rechenschaft über seinen persönlichen Werdegang: Es war vor allem die religiöse Erfahrung eines engagierten Christseins in einer glaubenden Gemeinschaft, die eine „freie wie freiwillige" Religion hervorbringt, „weniger rituell als ethisch", eine demokratische Gemeinschaft „von den Leuten, durch die Leute und für die Leute", im Kampf gegen die Meinung, „daß das geistliche Leben nichts mit dem säkularen Leben zu tun habe".106) Er sieht diese Haltung „geschichtlich verbunden mit der Vorhut des Protestantismus" und schreibt: „Das ist ein Grund dafür, daß ich Baptist bin, denn als Baptist bin ich gleichzeitig ein radikaler Protestant".107)

In seiner Studie über Rauschenbusch nennt Smucker daher neben „Pietismus, Liberalismus und ,Transformationismus' " dieses „Sektenbewußtsein" als einen wesentlichen Teil von Rauschenbuschs theologischer Arbeit.108)

Es war seine eigene Forschung und die seines Vaters über die Ursprünge der Baptisten in der Wiedertäuferbewegung, die ihn die Forderung nach einem Rückzug des Christen aus der Welt zurückweisen ließ und sein Bestreben verstärkte auf „eine Nachfolge hin, die zu einer Dialektik führt von Eintritt in die Kultur und von Rückzug immer dann, wenn Verrat an Christus gefordert wird".109)

Sein „sectarianism" — vergleichbar dem Erweckungsenthusiasmus bei Gladden — ließ Rauschenbusch die liberale Kulturreligion seiner Umgebung kritisieren, die entweder in ihrer kirchlichen Gemeinschaft oder im lauten „revival" Selbstgenügsamkeit suchen. Es ist seine Dialektik, von Eintritt und Rückzug, seine Ausprägung einer Säkularität, die den für ihn charakteristischen Stil und seine

Erfolge prägte. Späterhin anerkannte man dies als seine Prophetie, „die der Schimpfrede eines Amos fähig war, aber auch die Zärtlichkeit eines Hosea manifestierte".[110)

c) Die Gegenwartsanalyse

Um dieses posthume Lob für Rauschenbusch richtig einzuschätzen, müssen wir versuchen, zuerst seine Analyse der zeitgenössischen Wirklichkeit und Gesellschaft zu verstehen, um danach die daraus folgenden systmatischen Gedanken darzulegen:

Die wohl kondensierteste Beschreibung der sozialen Umgebung, die er tagtäglich in „Hell's Kitchen" erfahren hatte, findet sich in seinem Gebet „For the Cooperative Commonwealth", wo er „die Unmenschlichkeit der Gegenwart" beklagt, „in der alle Menschen von der fahlen Furcht der Not umgetrieben sind, während die Nation, deren Bürger sie sind, inmitten des Reichtums ihrer Arbeit thront. Während die Menschheit der einen durch ihre Hilflosigkeit eingeschüchtert ist, ist die Seele der anderen übersättigt und krank von Macht, die kein gebrechlicher Sohn des Staubes ausüben sollte".[111) Es ist vor allem diese Ungerechtigkeit einer enormen Stratifikation und ihrer Folgen, die er für überaus zerstörerisch hält. Als Historiker weiß er, daß „die Menschheit grundlegend immer dieselbe ist . . . Das Wohlergehen der Massen steht immer im Streit mit der selbstsüchtigen Macht der Starken".[112) Gleichzeitig ist er sich bewußt, daß mit dieser Sicht der Geschichte, die ihm durch die moderne Sozialbewegung ermöglicht wurde, schon die Absicht auf Reform verbunden ist. Sein wirklichkeitsbezogener Glaube treibt ihn dazu an.

Als Rauschenbusch seine Arbeit in der 43. Straße des westlichen Manhatten begann, war er zuerst verwirrt durch die soziale Ungerechtigkeit, unter der seine Pfarrangehörigen und deren Freunde in ihren Arbeitsbedingungen und ihren Mietwohnungen als die Opfer der industriellen Revolution litten. Mit wachsendem Engagement gewann er für sich selbst mehr Klarheit, vor allem in der Projektion des Gedankens der Königsherrschaft Gottes als einer Substruktur für seine Lösungsversuche. Er sah diese Idee „als eine neue Offenbarung" an: „Hier war der Gedanke und die Absicht, die den Willen des Meisters selbst beherrscht hatte. Alle seine Lehren haben ihr Zentrum in dieser. Sein Leben war ihr hingegeben. Seinen Tod erlitt er für sie. Wenn ein Mensch das einmal im Evangelium entdeckt hat, kann er es nie mehr ungesehen machen".[113) Als diese Offenbarung formte der Gottesreichgedanke seine Einsicht zu einem prophetischen Krisenbewußtsein: „Wir stehen an einem Scheideweg. Wir sind Schauspieler in einem großen historischen Drama. Die Entscheidung liegt bei uns, ob eine neue Ära heraufdämmern soll in der Umwandlung der Welt in das Königreich Gottes, oder ob die westliche Zivilisation in die Gruft toter Zivilisationen herabsteigen muß und Gott es nochmals versuchen wird müssen".[114)

Seine glaubensmäßig orientierte Wachheit für sozialen Austausch läßt ihm die Kirche zum Weg auf das Ziel der Gottesherrschaft hin werden. Im „Zeitalter der sozialen Frage",[115) in dem sich die „Industrialisierung bis zu einem Punkt der Ausbreitung unorganisierter, niedriger ökonomischer Gruppen entwickelt hat",[116] mußte er das Verhältnis der Kirche zum Sozialismus bestimmen: „Rauschenbusch bestand darauf, daß die Kirche, wenn sie sich an ihre geschichtliche Sendung erinnert, eine schnellere und einsichtigere Entwicklung herbeibringen könnte. Durch prophetisches Zeugnis könnte die Kirche der unvermeidlichen Feindseligkeit der Bourgeoisie etwas die Zügel anlegen".[117] Aber diese Verbindung zur sozialistischen Analyse schloß nicht die Ineinssetzung des Gottesreichs mit irgendeiner sozialen Ordnung ein.

Rauschenbusch besteht vielmehr darauf, daß soziale Ideale ihre Reformkraft „nur aus einem hochwertigen religiösen Leben"[118] erhalten können, denn nur dann ist „ein zusammenhängender und fortlaufender Wiederaufbau des sozialen Lebens ... in der Reichweite menschlicher Möglichkeit".[119] Indirekt weist er damit eine bloß individualistische Auffassung von Religion zurück und plädiert für die Übernahme von sozialen Idealen. Biblische Modelle sind für ihn „völlig unbrauchbar unter modernen Umständen" und „es ist unsinnig zu versuchen, die moderne Gesellschaft" mit ihnen „zu reformieren".[120]

In der neuen sozialen Bewegung kann die Kirche nur eine Beistandsfunktion haben, aber eine ziemlich bedeutende, nämlich dabei mitzuhelfen, „zwischen den ökonomischen Lehren des Sozialismus, die sein Wesen ausmachen, und den philosophischen Gedanken, die eine zufällige historische Färbung darstellen, zu unterscheiden".[121] Dann, als „soziales Christentum", wird der Glaube auch „herausfordernd".[122] Rauschenbusch befürwortet mit diesem Lösungsversuch für die gegenwärtige Krise eine sozialistisch-politisch orientierte Ökonomie, die den Menschen ins Zentrum setzt und Konkurrenzstreben in Kooperation überwindet: Der Mensch soll über dem Besitz stehen!

„Die Sozialisten haben recht", so schreibt er, „mit ihrer Betonung der ökonomischen Grundlegung der menschlichen Gesellschaft, aber Jesus hat ebenso recht mit seiner Hervorhebung ihrer geistigen Bestimmtheit".[123] Die Kirche muß bei dem Versuch helfen, diese doppelte Wahrheit zu verwirklichen, um ihre Sendung im Hinblick auf die Gottesherrschaft zu erfüllen. Andernfalls „verliert sie die Treue und das Vertrauen der Arbeiterklasse. Sie verliert gerade die Klasse, aus der sie hervorgegangen ist, zu der ihre Gründer gehörten und die sie zur Macht gebracht hat. Wenn sie zu einer Religion für die Oberschicht wird", warnt Rauschenbusch, „verdammt sie sich selbst zu einem langsamen und angenehmen Tod".[124]

Der Versuch, sozialistische Interessen mit der Vorstellung von der Kirche zu verbinden, hat seinen Ursprung in den ersten Pfarramtsjahren von Rauschenbusch. So schreibt er: „Ich verdanke mein eigenes erstes Aufwachen für die Welt der sozialen Probleme der Aufrüttelung durch Henry George im Jahre 1886 und möchte hiermit meine lebenslange Dankesschuld gegenüber diesem aufrichtigen Apostel einer großen Wahrheit verzeichnen".[125]

Fricke beurteilt dieses Verhältnis kurz und bestimmt: „Beide sahen die große Stadt in ihrer Konzentration von Armut und damit verbundenem Übel. Beide Männer nahmen die extrem hohe Ansammlung von Reichtum als die direkte Ursache dafür wahr und versuchten, dem Problem an die Wurzeln zu gehen".[126]

Rauschenbusch erkannte seine Zeit als die der kapitalistischen Ordnung „in der Blüte ihrer Kraft", noch in der Erwartung einer kollektivistischen Ökonomie, „die noch unreif ist".[127] Der „kapitalistische Handel" war für ihn „ein noch nicht erneuerter Teil der Sozialordnung, nicht basiert auf Freiheit, Liebe und gegenseitiger Hilfsbereitschaft . . . sondern auf Selbstherrschaft, Widerstreit von Interessen und Ausbeutung".[128] Er fordert von den Reichen einen öffentlichen religiösen „Akt der Bekehrung und des Schuldbekenntnisses . . . indem sie ihren eigenen Reichtum als durch Ungerechtigkeit erreicht bezeichnen und damit die Leute zu einem Angriff auf seine Quellen führen".[129] In seiner prophetischen Art verkündet er: „Es ist nicht dies oder das, was unsere Nation braucht, sondern einen neuen Sinn und ein neues Herz, eine neue Vorstellung von der Art und Weise unseres möglichen Zusammenlebens, eine neue Überzeugung über den Wert des menschlichen Lebens und des Gebrauches, den Gott von unserem Leben machen will. Wir wollen eine Revolution sowohl innen als auch außen. Wir wollen eine Erneuerung der öffentlichen Meinung und eine Erweckung der Religion".[130] Dieser revolutionäre Aspekt ist einer der beeindruckendsten Gedanken, der im Mittelpunkt eines letzthin publizierten Manuskriptes von Rauschenbusch steht, das bis zur Dissertation und der damit zusammenhängenden Forschung von Max L. Stackhouse unentdeckt geblieben war.[131] In dieser Schrift, die auf die frühen neunziger Jahre seiner Pastorentätigkeit zurückgeht, formuliert Rauschenbusch: „Christentum ist von seiner Natur aus revolutionär. Sein revolutionärer Charakter ist offensichtlich in seinen geistigen Ahnen, von denen es seine Abstammung herleitet. Jesus war der Nachfolger der alttestamentlichen Propheten".[132] Eine Revolution zielt auf ihre Verwirklichung hin, seitdem Jesus Christus „in die Menschheit als eine Gewalt eingetreten ist . . . eine revolutionäre Macht, die einzelne umwandelt und Nationen revolutioniert".[133] Und Rauschenbusch expliziert diesen revolutionären Einfluß: „Der historische Christus, der unsichtbare Geist und die sichtbare Kirche, — das sind die Gewalten Gottes in menschlicher Geschichte".[134]

d) Das „Social Gospel" in historischer Sicht

Ein Teil dieser Revolution geschieht für Rauschenbusch in der „Demokratisierung immer größerer Bereiche des Lebens. Denn wir verstehen heute die Herrschaft Gottes als das Gemeinwesen von Gott und Mensch".[135] Die Kirche muß daher ihre Lehre von der grundlegenden Gleichheit aller Menschen vor Gott im gegenwärtigen Sozialgefüge besonders zu Wort bringen, um damit bei der Erlangung einer sich annähernden sozialen Gleichheit, einer wirklichen Demokratie, mitzuhelfen. So würden die amerikanischen Kirchen ihre Tradition fortsetzen, „eine große formbare Macht zu sein, die unsere öffentliche Meinung und unsere Institutionen von der Gründung an geformt haben", indem sie „Organisationen von den Leuten, durch die Leute und für die Leute"[136] waren.

Der Historiker Rauschenbusch erkennt, daß diese Tradition sich auf die Reformation zurückführt, die durch die „Christianisierung der Kirche . . . das organisierte Gewissen des Christentums freisetzte und moderne Wissenschaft, neuzeitliche Demokratie und zeitgemäße soziale Erneuerung möglich machte".[137]

Während der ganzen Zeit seines Kampfes gegen soziale und menschliche Mißstände und Übel hat Rauschenbusch niemals auf einem Friedensbruch durch Waffengewalt bestanden. Schon zur Zeit von „The Righteousness of the Kingdom" spezifiziert er die Einschränkung der geplanten Revolution: „Ich rede nur von passivem Widerstand, weil ich glaube, daß er am Ende die schnellste, wirksamste und sauberste Methode ist". Er stützt diese Haltung auf Johannes 18.36 und auf die Wahrheit, daß Gottes Herrschaft nicht *von* dieser Welt ist und fährt fort: „Jesus verwarf bewaffneten Widerstand selbst gegenüber dem schreiendsten Unrecht".[138]

Mit seiner theologischen Interpretation verbindet Rauschenbusch sein Wissen aus den Sozialwissenschaften. Aus seiner eigenen Sozialanalyse weiß er, daß Theologie und Soziologie „eine gute Kombination sind, die geeignet ist, Ergebnisse hervorzubringen".[139] Rauschenbusch erfährt sehr früh, daß er Teil einer größeren Bewegung und Anordnung von Gedanken ist,[140] „geboren aus der Entwicklung der Sozialwissenschaften und der Wiederentdeckung des ‚linken Flügels der Reformation', genährt durch den Aufstieg der Soziologie und legitimiert durch die theologische Vorstellung, daß Gott sich allererst in der Geschichte offenbart und nicht in übernatürlicher Offenbarung, noch in ontologischer Spekulation".[141]

Die Idee der Gottesherrschaft ist für Rauschenbusch überwältigender als jedes Gruppeninteresse. In seinem Blickwinkel geht die Menschheit „durch eine moralische Adoleszenz", gestärkt durch eine „religiöse Energie, die aus der Tiefe jenes unendlichen geistlichen Lebens hervorgeht, in dem wir alle leben, uns bewegen und unser Sein haben. Dies ist Gott".[142]

Rauschenbusch ist einer der Förderer dieser Adoleszenz, die „die Bibel und alle vergangene Geschichte eine neue und lebendige Sprache sprechen läßt".[143] Damit fordert er die Selbstgefälligkeit eines Protestantismus der Mittelklasse heraus, der mit seinem sozialen Darwinismus und seinem unreformatorischen Calvinismus einer Neuinterpretation des Glaubens bedarf. Rauschenbuschs Kritik geht über die Vorläufer im Social Gospel hinaus; indem er Christus und die amerikanische Kultur einander gegenübersetzt, behauptet er, daß nicht bloß die moralischen Neigungen des Individuums, sondern die zentralen Institutionen der kapitalistischen Gesellschaft vor Gericht standen".[144] Rauschenbuschs Kampf für soziale Gerechtigkeit setzt aber gleichzeitig eine typische amerikanische Tradition fort, die öffentliche Besorgnisse in theologischer Sprache ausdrückte. Bei ihm und den anderen Vertretern des „Social Gospel" ist sie jetzt aber „beherrscht von einer geschichtlich orientierten Methode, die den Versuch unternimmt, eine neue Synthese zwischen evangeliumsorientiertem Christentum und den legitimen Früchten ‚säkularer' sozialer Einsichten zu artikulieren, die seit dem 19. Jahrhundert zur Verfügung stehen".[145] Rauschenbusch analysierte, wie Reinhold Niebuhr einmal sagte, „eine sonderbare Welt", indem er sozialistische Erklärungsversuche gebrauchte, ohne Marxist zu sein, sich stark auf seine religiöse Herkunft verließ und daraus ein theologisches System entwickelte.

2. Seine theologischen Folgerungen
  – (Der systematisch konzipierte Gedanke der Gottesherrschaft)

a) Die theologische Grundlage

Wie wir vorher bereits bei seiner Sozialanalyse gesehen haben, beruft sich
Rauschenbusch theologisch auf die Lehre von der Vaterschaft Gottes, die in
der Offenbarung Jesu die Gleichheit aller Menschen bringt, „ein Gemeinwesen
von Brüdern, in dem jeder Erbe aller Dinge sein soll und der freie Diener
aller Menschen".[146] Diese eine Menschenfamilie der Söhne Gottes muß als
Gemeinschaft der „Mitarbeiter Gottes"[147] das „ewige Gesetz des Kreuzes
annehmen",[148] das darin besteht, das Leben Gott und allen Menschen hinzu-
geben. Rauschenbusch aktualisiert dieses Gesetz in seinem Gebet „For a share in
the Work of Redemption": „Lege deinen Geist auf uns und begeistere uns mit
der Leidenschaft Christus-ähnlicher Liebe, damit wir unser Leben den Schwachen
und Unterdrückten zugesellen und ihre Sache unterstützen, indem wir ihre
Leiden tragen".[149] Er nähert sich damit der Lehre des synoptischen Jesus und
paßt sie auf den Wegen von Geschichte und Soziologie an seine Umgebung an.
In diesem Jesus sieht Rauschenbusch die alttestamentliche Prophetie zur
Erfüllung kommen, die „auf einem richtigen Leben als dem wahrhaftigen
Gottesdienst bestand ... einem richtigen Leben und der Richtigstellung sozialer
Mißstände".[150] Indem Christen als Nächste und Brüder handeln, nehmen sie
an der Revolution der Königsherrschaft Gottes teil. „Sie blicken nach vorwärts
auf die letztmögliche Vollendung des gemeinsamen Lebens der Menschheit auf
dieser Erde und beten für die göttliche Revolution, die das mit sich bringen
soll".[151]

Die grundlegende Bestärkung für dieses Argument erhält Rauschenbusch aus
seiner Auslegung des Herrengebetes, das „die soziale Basis allen moralischen und
religiösen Lebens sogar in der intimsten persönlichen Beziehung zu Gott
erkennt", und das heute „am besten von denen verstanden wird, die sich mit
den fürchterlichen Mächten organisierter Habsucht und institutionalisierter
Unterdrückung messen".[152] Der Gedanke der Gottesherrschaft war für ihn das
innerste Zentrum des Christseins, weil er die „Einheit des Menschengeschlechtes"
als „eine instinktive Wirklichkeit und ein klares soziales Prinzip"[153] herausstellt. Ein Anzeichen für diese frühe theologische Konzentration ist es, daß er seinem
ersten veröffentlichten Buch, das er „mit viel Furcht und Zittern"[154] schrieb,
den Satz „Dein Reich komme! Dein Wille geschehe auf Erden!" als Widmung gab:
Die Gottesreichidee ist für ihn Interpretationsschema und eschatologische Macht
in Vergangenheit, Gegenwart und Zukunft. Im Flugblatt Nr. 2 der „Brotherhood
of the Kingdom", das er etwa gleichzeitig mit dem Buch „The Righteousness
of the Kingdom" schrieb und das Ähnlichkeiten zu diesem aufweist, faßt
Rauschenbusch die Ziele seiner theologischen Interpretation des Gottesreiches
erstmals zusammen: „Wir wollen es sehen, daß die Königsherrschaft Gottes noch
einmal das Hauptthema christlicher Predigt wird, die Anregung christlicher
Hymnologie, die Begründung systematischer Theologie, das anhaltende Motiv
evangelistischer und missionarischer Arbeit, die religiöse Begeisterung für soziale
Arbeit und der Zweck, dem der Christ sein Leben ausliefert und in dieser Selbst-

aufgabe es für ewiges Leben rettet; sie soll das gemeinsame Ziel werden, in dem alle religiösen Körperschaften ihre Einheit finden, die große Synthese, in der die Wiedergeburt des Geistes die Aufklärung des Intellektes, die Entwicklung des Körpers, die Reform des politischen Lebens, die Heiligung des industriellen Bereiches und alles das, was die Erlösung der Menschheit angeht, umfaßt werden".[155] Diese totale Wiederherstellung menschlicher Beziehung, die neue Gesellschaft, war von Jesus in der Predigt vom Reiche Gottes intendiert; denn er sah den Ursprung menschlichen Lebens in der Liebe. Sein „revolutionäres Bewußtsein"[156] hatte sein Zentrum in dem Verlangen nach der Gottesherrschaft: „Es entfesselte die politischen Hoffnungen der Menge, es zog die Verdächtigung der Regierung auf ihn herab; es führte schließlich zu seinem Tod".[157] Zwar wurde Jesus wegen dieser seiner Hoffnung mehr als jeder andere mißverstanden, aber in seinem Tod und dem neuen Leben wurde sie bestärkt: „Die Wiederkunfthoffnung und die Organisation der Kirche zusammen beinhalten das soziale Element des Christentums. Die eine verschiebt es und die andere verwirklicht es teilweise. Beide sind das Ergebnis des Glaubens, der triumphierend den Tod überwand und die Grundmauern eines neuen Gemeinwesens Gottes legte, bevor die alten zu Ruinen wurden".[158]

Die Interpretation der Geschichte und das gegenwärtige Leben stehen so in der Spannung der für das Gottesreich grundlegenden Dialektik des „schon" und „noch nicht". Für Rauschenbusch heißt das vor allem, daß die Wirklichkeit des Gottesreiches der gegenwärtigen Wirklichkeit nicht fremd gegenübersteht: „Die Idee der Gottesherrschaft bildet den Wirbel, um den die anderen Gedanken in einem zusammenhängenden Organismus gruppiert sind".[159] Aber die Kirche hat den Reichsgedanken sehr oft verfälscht, indem sie sich selbst zum Wirbelpunkt machte. Der Sakramentalismus und das Unterfangen, sich „in einer alles aufsaugenden und alles beherrschenden kirchlichen Organisation" selbst zum Ziel zu machen, nahm alle Bestrebungen aus der christlichen Kirche, eine Quelle für die Hoffnung auf „das Königreich Gottes für die Menschheit"[160] zu sein. Die Kirche als Gemeinschaft muß daher wieder lernen, „daß sie bei der Suche nach ihrem Leben es verliert und daß, wenn sie ihr Leben verliert, um dem Reich Gottes zu dienen, es gewinnen wird".[161] In dieser Hinsicht muß die Kirche das „organisierte Gewissen der Christenheit"[162] sein.

Rauschenbusch wurde wegen dieser seiner theologischen Interpretation vor allem vom damals vorherrschenden „evangelical fundamentalism" angegriffen. Die Kritik von Isaak M. Haldeman ist dabei in vielem symptomatisch: Er bestand auf der Notwendigkeit einer „Beziehung des einzelnen auf einen persönlichen Erlöser" und verneinte, daß Jesus kam, um „die Gesellschaft zu verbessern und zu retten ... weil etwa die Gesellschaft korrupt war und Änderung brauchte".[163] Rauschenbusch war wenigstens in seinen Schriften nicht sehr beeindruckt durch die Kritik seiner „premillenialist"-Gegner; so bestand er weiter darauf: „Wir brauchen eine Verbindung zwischen dem Glauben Jesu an die Notwendigkeit und Möglichkeit des Gottesreiches und der modernen Auffassung von der organischen Entwicklung der menschlichen Gesellschaft".[164]

b) Die Gottesherrschaft und die Liebe

Das unerschütterliche Bestehen von Walter Rauschenbusch auf dem Gottesreich-
gedanken läßt sich nicht bloß auf sein pietistisches Erbe zurückführen. Seine für
ihn originäre Interpretation entsteht durch eine Verknüpfung dieses Gedankens
mit dem theologischen Ideal der Liebe. Die beste Darstellung der Liebe als dem
„sine qua non menschlicher Gesellschaft" findet sich in der kleinen Veröffent-
lichung mit dem Titel „Dare we be Christians? — Wagen wir Christen zu sein?".
Hier finden wir Rauschenbuschs berühmt gewordene Umschreibung von
1 Kor. 13, 1—13; sie ist eine „Propaganda für die Liebe", die „an die Stelle von
Zwang und Klassenunterschied im sozialen Leben, Freiheit und Brüderlichkeit
setzt".165) Wo Paulus das Reden in Zungen in Frage stellt, wendet Rauschen-
busch sich gegen die Ansammlung von Besitz; dort war es mißverständliche
Prophetie, hier ist es „die Vorsorge für Quellen von Reichtümern, blind für die
Menschheit"; dort war es die Abgabe an die Armen, hier ist es das Spenden „der
Profite", ohne „menschliche Gemeinschaft". Das Leiden wird ersetzt durch
„Gerechtigkeit", ein wohlgefälliges Leben spezifiziert in der Zurückweisung von
„Ausbeutung" und „unverdientem Gewinn". Die Liebe drückt sich jetzt aus
in der Suche nach Solidarität, die „gleiche Arbeitskollegen" vorzieht. Wahrheit
wird zu der Fähigkeit, die „Leistungsfähigkeit" der Liebe zu teilen. „Klassen-
privilegien", „angehäufte Millionen" und „wohlerworbene Rechte" werden Platz
machen für „den Dienst der Starken für das Gemeinwohl". Vor Christus, also
in der Kindheit der Gesellschaft, gab es nur Konkurrenz, jetzt soll es Kooperation
sein. Rauschenbusch beendet diese hymnische Steigerung mit der folgenden
Übersetzung von Vers 12: „Denn jetzt blicken wir durch den Nebel der Selbstsucht, verschwommen, aber dann mit einer sozialen Vision; jetzt sehen wir unsere
fragmentarischen Ziele, aber dann werden wir die Bestimmung des Geschlechtes
erkennen, wie Gott sie sieht. Aber jetzt bleiben Achtung, Gerechtigkeit und
Liebe, diese drei; das größte aber ist die Liebe." Die gesamte Paraphrase ist eine
beeindruckende Aktualisierung des Paulinischen Hymnus, der die Liebe in
das Zentrum des Reiches Gottes setzt, dorthin, wo das Leben am dichtesten ist:
„Die Liebe macht den vollsten intellektuellen Kontakt mit der Welt um uns
herum möglich . . . Um Dinge und Menschen zu verstehen, müssen wir sie
lieben".166)

Die Studien der synoptischen Evangelien und der europäischen Wiedertäufer-
bewegung bestärken Rauschenbuschs Hervorhebung der wirklichkeitsbezogenen
Liebe ebenso viel wie seine Bindung an Franz von Assisi und Tolstoy.167) Er
hofft, daß seine Zeit „der Überwindung der zerstörenden Mächte von Sünde"
näher kommt „und ein brüderliches Gemeinwesen auf dem Gesetz Gottes und
Christi begründet".168) Und er läßt diese Hoffnung nicht in akademischer
Schwebe, sondern bekämpft tatkräftig eine Zivilisation, die „Menschen bloß als
Arbeitskraft behandelt, geeignet, um Reichtum für wenige zu produzieren".169)
So begünstigt er die junge Gewerkschaftsbewegung, weil er sieht, daß „hinter
allen materiellen Forderungen der Arbeiterbewegung das geistige Verlangen für
eine vollere und freiere Menschlichkeit steht".170)

Arbeit soll nach Rauschenbusch zu einer der Kräfte der göttlichen Umgestaltung allen menschlichen Lebens werden, der Königsherrschaft Gottes; und das zu einer Zeit und in einem System, in denen „Leben für billig gehalten wird und unnütz verschwendet wird, und das Spielerische und die Schönheit des Lebens zu Überdruß verbrannt werden"; hier „hat sich der Profit der wenigen gegen das Leben der vielen gewendet. Aber Gottes Reich wird nicht kommen", so schreibt Rauschenbusch in „Christianizing the Social Order", „bis daß der Profit aller das Leben aller unterstützen wird".[171] Das theologische System von Walter Rauschenbusch — mit der Idee der Königsherrschaft Gottes in seinem Zentrum und der brüderlichen Liebe als ihrer Ausdrucksform in der gegenwärtigen Wirklichkeit — ist offensichtlich auf eine neue revolutionäre Sozialethik ausgerichtet. Es führt seine Reformansätze vom Geiste Jesu her und erhält aus dieser Herkunft eine enge Bindung an die augenblickliche Gegenwart: „Hier müssen wir unsere Visionen haben und hier müssen wir sie verwirklichen. Die Hoffnung auf das Reich Gottes macht diese Erde zur Bühne der Handlung und wendet die volle Kraft religiösen Wollens und Wagens auf die gegenwärtigen Aufgaben".[172]

c) Die Geschichte als präsentische Eschatologie

Diese Akzentuierung der Gegenwart gibt für die Bedeutung der Geschichte im theologischen Systemaufbau weiten Raum. Die Geschichte ist für Rauschenbusch „ein erneuernder und reformatorischer Einfluß in der Theologie",[173] sie ist letztlich „der einzige Versuchsraum der Theologie".[174] Er weiß, daß diese Besinnung auf die Geschichte sich aus der neuen Konzentration auf die biblischen Studien seit der Reformation herleitet, wie auch aus der „neuen Leidenschaft für die literarischen und historischen Studien der Klassik".[175] Diese Konzentration revolutioniert in der Tat die systematische Theologie: sie korrigiert eine bloße Vergangenheitsorientierung, indem sie „einen Sinn für Kontinuität und Entwicklung"[176] lehrt. Damit „verbreitert die Geschichte die Sympathien und wendet sich wider eine sektiererische Engstirnigkeit".[177]

Geschichte und die Gegenwart in ihr haben also eine Vermittlungsfunktion, in der „das unausschöpfliche Evangelium von Jesus jedes neue Problem und jeden neuen Bedarf mit seiner erleuchtenden Kraft berührt".[178] Jesu Lehre über das Reich Gottes erneuert die Geschichte in jedem gegenwärtigen Moment, da sie die Vergangenheit, Gegenwart und Zukunft in einer Weise zusammenfügt, die durch menschliches Handeln nicht erreicht werden kann. Nur durch die die Geschichte aufsprengende Gottesherrschaft gewinnt menschliches Leben Sinn, gerade wegen der Paradoxität dieses Reiches: „Obwohl uns alle Erfahrung lehrt, daß es nicht sofort kommen wird, müssen wir doch so handeln, als stände es vor der Tür. Wie ist das möglich? Wie können wir uns ständig in der Spannung halten. Wir vermögen es nur durch ein Verständnis des Evolutionsgesetzes in diesem Gottesreich. Es ist immer bei der Hand . . . Es ist gekommen, es kommt auf uns zu. So wie Gott in allen drei Zeiten ist, der Gott der war, ist und sein wird, so ist auch die Gottesherrschaft, die die Macht des lebendigen Gottes ist. Es ist immer im Kommen. Somit ist es stets vorwärts drängend. Die Zeit ist immer kurz".[179)] Diese präsentische Interpretation des Gottesreichgedankens wird jeweils erneuert durch seine Zukunftsorientierung, seine eschatologische Dimension: „Die Königsherrschaft Gottes kommt immer auf uns zu; man kann nie die Hand auf sie legen und sagen ‚hier ist sie‘ ".[180)] So ist es immer das Reich, das zu-kommt und in diesem Geschehen „seine bruchstückhaften Verwirklichungen, die wir haben",[181)] befreit. Die eschatologische Dimension der Gottesherrschaft fordert den Gesamteinsatz des Glaubens, nämlich hinzunehmen, daß „Gott jetzt handelt und Christus hier anwesend ist" um „die Gesellschaft zu erneuern".[182)] Gleichzeitig ist sich die christliche Hoffnung in dialektischer Weise bewußt, daß „bestenfalls aber immer nur eine Annäherung an eine vollkommene Sozialordnung da ist. Das Reich Gottes bleibt immer im Ankommen".[183)] Die Zukunftshoffnung gibt gerade die Durchhaltekraft für das Handeln in der Gegenwart. Im christlichen Glauben weiß man, daß Forderungen nach einer vollkommenen Sozialordnung nicht auf ihre Erfüllung in der Gegenwart rechnen können. Aber sie müssen gestellt werden, da sie immer wieder helfen, den „status quo" und den Stillstand der Mächte der Vergangenheit zu überwinden. Das Handeln in der Hoffnung auf das ankommende Gottesreich wird eschatologisch! In einer paradoxen Haltung setzt diese Handlungsweise alle ihre Kräfte in sich selbst und weiß gleichzeitig, daß sie nie völlig erreichen kann, für die sie sich abmüht.

Hier hat die Prophetie in der christlichen Gemeinde ihren Platz: In der eschatologischen Hoffnung des Reiches ist die Gegenwart überstiegen auf eine offene Zukunft hin. Und diese Zukunft ist die Zukunft Gottes, weil er in Vergangenheit und Gegenwart handelt. Dies ist kein Aktivismus, sondern eine tiefgehende theologische Analyse christlichen Lebens und eine Interpretation der Erlösung. Es ist die Umdeutung der Transzendenzlehre in einer geschichtlichen Perspektive.[184)] Diese Dimension in Rauschenbuschs Theologie nennt John C. Bennett „die hypothetische Seite aller seiner Hoffnungen".[185)] Der Konflikt, die Krise und das Leiden der Gegenwart werden in ihrer Zielrichtung auf das Gottesreich sinnvoll, das nicht mit der gegenwärtigen Kultur identifiziert werden darf. Das Eschaton ist der neue Punkt des Überstiegs, nicht Weltfremdheit, sondern eine geschichtliche Projektion, die die Relativität der Geschichte insoweit überschreitet, als Gott durch sie und in ihr handelt. In diesem Sinne kann man Stackhouse recht geben, wenn er meint: „Eschatologische Formulierungen könnten vielleicht sogar als Modelle von Transzendenz definiert werden".[186)] Dieser „Überstieg" beeinflußt „die Zukunft christlicher Theologie" direkt, die „in dem Verständnis des Christentums in der Geschichte liegt. Die Zukunft des Christentums selbst liegt darin, daß der Geist Jesu Christi sich in der Geschichte inkarniert".[187)]

Dieser Geist verlangt aber auch einen sehr direkten Überstieg in der Form der Einheit der christlichen Gemeinschaft. Rauschenbusch wendet diese Forderung auf sich selbst an: „Ich bin ein Baptist, aber ich bin mehr als ein Baptist. Alles ist mein, ob Franz von Assisi oder Luther, oder Knox, oder Wesley; alles ist mein, weil ich Christus gehöre. Der alte Adam ist ein strikter Denominationalist, der neue Adam ist bloß ein Christ".[188)] Er will keine Uniformität, sondern hofft auf einen Pluralismus, weil „der Geist frei sein muß, seine Art des Ausdruckes zu wählen. Er muß frei sein, die Spitze seiner Waffe im wechselnden

Kampf der Geschichte dahin zu wenden, wohin er will".[189] Und es wird die Einheit einfacher und alltäglicher Arbeit sein, nicht die einer vollkommenen Selbstdarstellung, die nur „Aberglauben und blinden Gehorsam bei den einen nähren würde und Unglauben und Heuchelei bei den anderen".[190]

Die Idee des Gottesreiches und die darauf basierende Theologie, die Geschichte als präsentische Eschatologie versteht, gibt Rauschenbusch den Mut, ein neues Prinzip christlicher „Katholizität" zu formulieren: „Wo immer Gott unter Menschen Halt gewinnt, finden wir eine nicht aufzuhaltende Bewegung in die gleiche Richtung, ein Bemühen, das trotz Niederlagen sich immer erneuert und wieder erwacht, nämlich den Versuch der Verwirklichung eines gerechten, freien und brüderlichen Gemeinschaftslebens. Dies halte ich für eine wahre Übereinstimmung der Heiligen Gottes, für den Glauben vom Gottesreich, der immer, überall und von allen wahrhaftigen Seelen festgehalten worden ist trotz Leiden und Tod, das *quod semper, quod ubique, quod ab omnibus* der allumfassenden Kirche".[191]

3. Seine gesellschaftliche Anwendung

a) Die Wiedergeburt der Wirklichkeit

Dieser „katholische" christliche Glaube kann für Rauschenbusch weder persönlich noch in seiner Theologie vom säkularen Leben in der Wirklichkeit getrennt werden. Das Säkulare vom Religiösen zu trennen, ist für ihn „eine katastrophale Häresie":[192] „Heilige Orte, heilige Zeiten, heilige Formeln und heilige Fachleute liegen alle hinter uns, und das einzige, wonach Gott fragt, ist die Liebe für ihn und die Liebe für unsere Mitmenschen. Die alte erniedrigende Furcht des Sklaven ist vorbei und an Stelle dessen sehen wir die freie Liebe und den Gehorsam des Sohnes und Kindes Gottes".[193] Rauschenbusch weiß, daß der Christ in seinem sozialen Handeln fast immer im Widerspruch zu den Verhältnissen steht. Daraus läßt sich aber für ihn keine Trennung von religiösem und sozialem Leben folgern. Der Grund für diese kritische, dialektische Haltung liegt in der eschatologischen Einheit aller Dinge: Der Glaube nimmt den Menschen nicht mehr aus seiner sozialen Wirklichkeit heraus — wie etwa in einer falsch verstandenen Askese —, sondern Glaube wird erst in einer säkularen Welt lebendig. So folgt er Jesus nach, dessen „Ziel nicht die neue Seele war, sondern die neue Gesellschaft; nicht der Mensch als einzelner, sondern der Mensch als solcher".[194] So muß die zeitgenössische Christenheit — Jesus gleich — mithelfen, die niederen Klassen zu unterstützen, um die neue Gesellschaft zu erreichen, die die Königsherrschaft Gottes fordert, und zwar „innerhalb des Bereiches der säkularen und ethischen Beziehungen".[195] Diese Beziehung von Glaube und Wirklichkeit ist für Rauschenbusch auf einer ähnlichen inneren Dialektik aufgebaut wie der Zusammenhang von Gegenwart und Zukunft in der geschichtlichen Interpretation der eschatologischen Hoffnung. Die Perspektive des Gottesreiches beherrscht das Säkulare dadurch so weit, daß eine Überwältigung des Glaubens durch das Säkulare ausgeschlossen ist, ebenso wie die Zukunftsorientierung der eschatologischen Hoffnung das gegenwärtige Handeln offenhält.

Mit Jesus muß der Glaubende das „zertrennte Leben" verurteilen. Rauschenbusch stimmt darin mit seinem Zeitgenossen F. G. Peabody von Harvard überein, der schrieb: „Übereinstimmung (consistency) ist für Jesus der Anfang christlichen Lebens. Sein Gericht ist daher nicht in erster Linie über den Menschen als denjenigen verkündet, der betet, Almosen gibt, oder verrichtet, was technisch ‚religiöse Pflichten' genannt wird, sondern die Verkündigung gilt dem Menschen in seinem allgemeinen, ungeheiligten und alltäglichen Geschäft".[196] Dementsprechend müßte eigentlich die Kirche die „Kraftstation" der sozialen Ordnung sein, die „allen natürlichen Beziehungen von Menschen . . . göttliche Bedeutung und Wert" gibt „im Geiste Christi".[197]

Aber seit der Reformation ist dieses Monopol der christlichen Gemeinschaft mehr und mehr entglitten: „Das eherne Gefäß der Kirche wurde durch die Reformation verhängnisvoll gesprengt und zerbrochen und sein Inhalt ist seitdem in das säkulare Leben ausgelaufen".[198] Seit der Zeit ist es geschichtlich gesehen noch unrealistischer, auf einer Trennung von säkular und sakral zu beharren. Denn ein solches Bemühen nimmt nicht die eigenen säkularistischen Unterströmungen wahr, die dem Versuch der Errichtung einer Eigenwelt im kleinen Teilbereich zugrunde liegen.[199] Rauschenbusch kennt die Gefahr „religiöser Gefühle" zu gut, „in hohen Versprechungen und wortreichen Gebeten zu verdampfen",[200] wo dann die „Religion einen ausgeklügelten eigenen sozialen Apparat ausarbeitet, Räder innerhalb von Rädern, und an Stelle eines Daseins als Dynamik der Rechtschaffenheit in den natürlichen sozialen Beziehungen der Menschen werden ihre Kräfte für das Betreiben der eigenen Maschinerie verbraucht".[201]

Anstelle dessen befürwortet er eine Neubesinnung auf den Glauben als „einem Sprengstoff, der Berge versetzen könnte",[202] als einer „Qualität des Verstandes, der Dinge sieht, bevor sie sichtbar sind, der aufgrund von Idealen handelt, ehe sie Wirklichkeiten sind, und der fühlt, daß die entfernte Stadt Gottes liebenswerter, wirklicher und anziehender ist, als die eßbare und gewinnbringende Gegenwart".[203]

Dieser Glaube verwirft es, nur wegen der Gemeinschaftszugehörigkeit der Eltern Katholik, Protestant oder Jude zu sein, sondern fordert eine persönliche Entscheidung.[204] Denn in bloßer Konventionsgebundenheit sieht Rauschenbusch in einem kühnen Vorgriff auf spätere Analysen den Keim einer Zivilreligion der Amerikanischen Republik, die sich nicht weiter entwickeln wird, ohne „Bekehrung, Glaube und selbsthingebendes Handeln".[205]

Drückt sich aber das Verhältnis von Glaube zu Wirklichkeit in diesem eschatologischen Handeln der tiefgehenden Umkehr aus, dann kann es eine Wiedergeburt der Wirklichkeit erreichen, die Rauschenbusch „die göttliche Bedeutsamkeit aller natürlichen Beziehungen" nennt, oder kurz „Christianisierung". Dabei geht die säkulare Wirklichkeit nicht in einer Kirchenstruktur auf, sondern es ist ein „Vermittlungsprozeß . . . denn in Jesus Christus findet das soziale Ideal seine größte Verwirklichung und von ihm leitet sich der Sauerteig sozialen Wandels her".[206]

b) Der Glaube und das Säkulare – Die Säkularität

Das Handeln in diesem Vermittlungsprozeß der Christianisierung, das Leben in der Gegenwart also getragen von einer eschatologischen Vision, ist genau das, was wir unter dem Begriff der Säkularität fassen. Gottes Präsenz in der Wirklichkeit dieser Vorgänge hebt den früheren Dualismus zwischen sakral und säkular auf und errichtet eine Dialektik des ankommenden Gottesreiches: „Die Christianisierung der sozialen Ordnung meint, daß man sie mit den ethischen Überzeugungen in Übereinstimmung bringt, die wir mit Christus identifizieren . . . Christianisierung meint Humanisierung in ihrer höchsten Bedeutung".[207]

Diese Säkularität, die Rauschenbusch „Christianisierung" nennt, impliziert und bezeichnet das Zukommen des Gottesreiches durch brüderliche Zusammenarbeit. Biblisch gesprochen ist es eine Imitation Christi auf seinem Weg „aus der Wüste in die Welt",[208] ein Ernstnehmen der Freuden der Menschheit als Zeichen des kommenden Reiches. Es kann keinen Rückzug von einer Welt als ganzer geben, die als Schöpfung die Wohnung Gottes ist und in der die alltägliche Arbeit die Ankunft der Gottesherrschaft signalisiert. Kein Teilbereich, auch nicht der politische, darf so vom Glaubenden vernachlässigt werden: Denn „die säkulare Gesellschaft, die von Gott geschaffen ist, die uns alle angeht, eine Macht für Gut und Böse, offen für den Einfluß von moralischen Ideen",[209] ist der Wirklichkeitsbereich für das Handeln des Glaubens, der in der brüderlichen Gemeinschaft der Kirche weitergegeben und bestärkt wird.

Die Säkularität fordert ein lebendiges Erfassen des tagtäglichen Lebens und erhält seine Anregung zum Handeln aus der Offenheit zur Geschichte. So ist sie in der Lage, „den häufigen und gefahrvollen Widerspruch zwischen religiösem Bekenntnis und Geschäftsgebahren abzuschaffen, der die vernichtende Krankheit des neuzeitlichen Christentums ist".[210]

Wie vorher schon bei der gesellschaftlichen Analyse und der Interpretation der Liebe ist die Königsherrschaft Gottes auch das Modell für die zusammenfassende Kategorie der Säkularität: „Bevor nicht die Lehre vom Reich Gottes nochmals in das Selbstbewußtsein der Kirche eingedrungen ist und das Christentum so zu einer revolutionären Bewegung wird, kann die christliche Sittlichkeit ihren umweltlichen Anstrich nicht verlieren und noch einmal die geläutertste Art bürgerlicher Wirksamkeit werden. Deshalb braucht sich kein christlicher Revolutionär darum sorgen, daß er Mühe auf sich lädt. Das werden die anderen für ihn besorgen".[211]

Aber das Handeln in Säkularität bringt nicht bloßes Erdulden mit sich, sondern gibt dem Schmerz in der dynamischen Vision des Reiches Gottes auch Bedeutung. In der Säkularität „müssen wir unser Risiko in der Kultur unserer Tage auf's Spiel setzen, und dabei hoffen, daß wir nicht zu viele Fehler machen", schreibt Reinhold Niebuhr in der Erinnerung an Rauschenbusch und fährt fort: „Der christliche Glaube ist nicht weltfremd, denn er verpflichtet uns ständig zu einer verantwortlichen Beziehung und fordert uns zur Gerechtigkeit heraus".[212]

Säkularität ist bei Rauschenbusch eine immer neu sich ergebende Direktive des Lebens, die uns zu einem erneuerten Verständnis von Heiligkeit führt; sie ist eine

Kategorie, die im Wirklichkeitsbezug des Glaubens zum Ausdruck kommt, im gegenwärtigen Glauben.

Auf der einen Seite trägt nämlich der Säkularisierungsprozeß christliche Werte in die soziale Ordnung; andererseits werden diese Werte damit zu öffentlichen Aufgaben, so daß „die Kirche von ihnen befreit ist und ihre Energie darauf verwenden kann, von ihrem neuen günstigen Platz aus die eschatologischen Möglichkeiten neu zu bestimmen, und tatkräftig versuchen kann, sie durch die gegenseitige Beziehung von ‚Wort' und Organisation zur Erfüllung zu bringen".[213]

Neubestimmung und Verwirklichung eschatologischer Möglichkeiten, die wir im Begriff Säkularität zusammenfassen, lassen Rauschenbusch eine Entwicklung der amerikanischen Theologie des 19. Jahrhunderts zur Erfüllung bringen. In seiner Art der Darstellung beeinflußt er die theologische Weiterarbeit bis heute.[214] Rauschenbusch verteidigt in seiner Theologie die ankommende Gegenwärtigkeit Gottes in der wirklichen Welt, die sein Reich werden soll. Schon seine Zeitgenossen belegten ihn darum mit Schlagworten wie Evolutionismus, Humanismus und Immanentismus. Alle diese Klassifizierungen treffen nicht zu, weil es für Rauschenbusch letztlich Gott ist, der sich in der Gegenwart ansagt: „Er wohnt in der Welt für immer handelnd und arbeitend. Es ist seine Macht und seine Führung, die seine bestehenden Werke in höhere Formen umgießt durch seine Königsherrschaft. Wir nehmen eben diese Haltung im Hinblick auf das Leben der Menschheit ein. Gott ist in ihm. ‚Der Vater arbeitet daraufhin'. Sein Wille zielt auf sein Reich auf Erden ab. Sein Geist arbeitet auf die Wesensart von Menschen und Nationen hin. Innerhalb von Grenzen, die er kennt, und für Gründe, die er weiß, duldet er ihren Ungehorsam und Widerstand. Aber er wird nicht überdrüssig. Seine Macht ist immer nach vorwärts gerichtet. Und das Medium, durch das sein Reich sich am meisten verwirklicht, sind die Menschen, die sich freiwillig dem Willen und Dienst der Rechtschaffenheit ausgeliefert haben ... Dies sind die prophetischen Seelen. In ihnen und ihrer Arbeit liegt die Hoffnung auf den Fortschritt der Menschheit".[215] Die doppelte Vermittlung von Gottes Erlösung geschieht in der gegenseitigen Abhängigkeit von Individuum und Menschheit; Seele wie Menschengeschlecht bedürfen der Rettung. Rauschenbusch nennt dieses Ergebnis der innerweltlichen Arbeit Gottes eine Demokratisierung des Gedankens der Verwalterschaft.[216] Er will keinen Immanentismus: „Wir wollen nicht weniger Religion, wir wollen mehr, aber es muß eine Religion sein, die ihre Orientierung vom Gottesreich her erhält. Wir kämen einer verfeinerten Selbstsucht nahe, wenn wir unser Bemühen auf persönliches Heil konzentrieren würden, wie es die Orthodoxie getan hat, oder auf eine Seelenkultur, wie es der Liberalismus tat. Alle von uns, die in einer ichbezogenen Religion aufgezogen wurden, bedürfen der Bekehrung zu einem christlichen Christentum, selbst wenn wir Bischöfe oder Theologieprofessoren wären. Suchet erst die Königsherrschaft Gottes und seine Rechtschaffenheit und das Heil eurer Seelen wird auch dazugegeben werden. Unsere Persönlichkeit ist von göttlichem und ewigem Wert. Aber wir schätzen sie erst richtig ein, wenn wir sie als Teil der Menschheit verstehen. Unsere religiöse Individualität muß ihre Auslegung von der darüberliegenden Tatsache der gesellschaftlichen Solidarität erhalten ... Eine Religion, die in Gott die Verbindung

wahrnimmt, die alle Menschen zusammenschließt, kann die Menschen hervorbringen, die die soziale Ordnung als eine organisierte Bruderschaft zusammen-
knüpft".[217]

Rauschenbusch zielt auf diese Brüderlichkeit der Menschheit und nicht auf einen
Humanismus der Aufklärung. Er kann das Heil nicht als einen Bruch mit allem
Menschlichen verstehen, sondern sieht das menschliche Handeln in dem umfassenden Konzept von Gottes Herrschaft. Mit einer solchen theologischen Interpretation
vermittelt Rauschenbusch zwischen der Katastrophenstimmung des einen Teiles
seiner Zeitgenossen und dem fortschrittsgläubigen Optimismus der anderen.[218]

Was Rauschenbusch in seiner Theologie klar stellen will, und was wir in dem
Begriff „Säkularität" zusammengefaßt haben, hat er selbst in einer Bildinterpre-
tation verdeutlicht, mit dem er sein Buch „Christianizing the Social Ordner"
beschließt: „An dem alten Münster von Basel sind zwei Gruppen von Skulpturen:
St. Martin beim Zerschneiden seines Mantels in zwei Teile mit seinem Schwert,
um einen Bettler zu kleiden, und St. Georg, der sein Pferd gegen den Drachen
anspornt, der das Land verwüstet hat. Jeder Christ sollte beide Ausprägungen von
Heiligkeit in einem Leben verkörpern".[219]

c) „A Theology for the Social Gospel"

Im April 1917 folgte Walter Rauschenbusch der Einladung, vor der Jahres-
versammlung der „Yale School of Religion" vier Vorlesungen zu halten, die noch
im gleichen Jahr unter dem Titel „A Theology for the Social Gospel"[220] veröffentlicht wurden. Es gibt mehrere Gründe, weshalb ich mich erst jetzt am Ende
der Darstellung der Theologie Rauschenbusch's auf dieses Buch beziehe: Er schrieb
dieses Buch zu einer Zeit als er viele seiner Hoffnungen schwinden sah und der
allgemeine öffentliche Optimismus nahezu zerstört war. Jetzt mußte sich sein
historisches Konzept und damit seine eschatologische Vision als gültig erweisen:
Der neue Wirklichkeitsbezug hatte sich zu bewähren. Auf der anderen Seite blickt
Rauschenbusch nun auf eine Bewegung zurück, die er im starken Maße beeinflußt
hatte, und die er jetzt als einen Teil seiner selbst anerkennt, das „Social Gospel".
Beides regt ihn dazu an, eine ausgeprägtere Systematik anzuwenden. Jetzt bezieht
er sich auf den gesamten theologischen Katalog der Orthodoxie: Sünde, das Böse,
Heil, die Kirche, Gott, die Gottesherrschaft, Heiliger Geist, die Offenbarung,
Inspiration, das Prophetenamt, Sühne, die Sakramente, Eschatologie.

Es ist nicht nur die gewaltige Apologie einer lebenslangen theologischen
Anstrengung, sondern als solche gleichzeitig eine gediegene Zusammenfassung
von Rauschenbusch's Lehre: Alle Elemente seiner früheren Darlegungen tauchen
hier erneut auf. So bietet sich das Buch zu einer knappen Wiederholung seiner
Darstellung der Wirklichkeitsbegegnung des Glaubens, der Säkularität, geradezu
an.

Rauschenbusch nennt als Ziel, das auch Zentrum seines Theologisierens ist, die
Umkehr des Glaubenden: „Das ‚Social Gospel' will die Menschen zur Reue
bringen für ihre kollektiven Sünden und ein empfindungsfähigeres und modernes
Gewissen schaffen".[221] Damit stellt das „Social Gospel" den Glauben mitten

in die Wirklichkeit des sozialen Lebens und seiner ethischen Probleme. Diese Revolutionierung der Strukturen durch die Wiederbelebung der zentralen Botschaft der frühen Christenheit nimmt die Theologie aus einem bloß wissenschaftlichen Bereich heraus und verbindet sie wieder mit der Gegenwartserfahrung des Glaubenden.

Das zentrale und revolutionierende Thema der neuen theologischen Bewegung ist von altem Interesse für die amerikanische Religion, wahrscheinlich schon von den Gründungsvätern eingeführt in ihrer Suche nach einem freien und frommen Land – die Königsherrschaft Gottes. Rauschenbusch meint, daß diese alte Lehre, durch eine individualistisch orientierte Theologie lange unterentwickelt blieb, einer Theologie, die den sozialen Aspekt der Sünde aus den Augen verlor und deshalb das Gottesreich vergaß als das Ziel, für das Christus am Kreuz starb. Dieses Reich „ist der Bereich der Liebe und das Gemeinwesen der Arbeit".[222] Dieses Gemeinwesen ist aber aktiv nur in dieser Liebe von Menschen, die den Nöten der anderen mit all ihren Fähigkeiten dient. „Parasitismus" wird zu einer Sünde, die „die Rückkehr zu Christus" verhindert. Das Bemühen gilt darum nicht mehr bloß einer spezifischen sozialen Gruppe, wie der Kirche, sondern der Rettung der Sozialordnung, die das gesamte menschliche Leben umfaßt.

Rauschenbusch kleidet die zentrale Stellung und alles umfassende Intention des Gedankens von der Gottesherrschaft in eine theologische, fast trinitarische Aussage: „Die Königsherrschaft Gottes ist göttlich in ihrem Ursprung, Fortschritt und Erfüllung. Sie wurde von Jesus Christus angebahnt, in dem der prophetische Geist zu seiner Erfüllung kam, sie wird aufrecht erhalten durch den heiligen Geist und sie wird von der Kraft Gottes in seiner eigenen Zeit zu ihrer Erfüllung gebracht werden".[223]

Die soziale Unruhe des Evangeliums stellt durch ihre Aktualität vor das Problem der Geschichte, weil sie sich „bemüht, den Fortschritt des Gottesreiches im Fluß der Geschichte zu sehen, nicht nur in den Taten der Kirche, sondern im Kampf der wirtschaftlichen Mächte und sozialen Klassen, im Aufstieg und Fall von Despotismus und Formen der Versklavung, in dem Aufbau eines neuen Werturteils und frischer Richtlinien von sittlichem Geschmack und Gefühl oder in der Erhebung oder dem Verfall moralischer Regeln".[224] Rauschenbusch versteht das Reich Gottes nicht mehr als bloßes Ideal, sondern als eine geschichtliche Macht. Weil es von Jesus angebahnt wurde, bringt es Sinn in die Geschichte und macht dadurch die sozialen Beziehungen in der Gesellschaft zu einem wesentlichen Bestandteil des Gottesverständnisses. Theologie muß daher danach beurteilt werden, ob sie „despotisch" oder „demokratisch" ist und nicht nach ihrem traditionellen Hintergrund in Denominationen.

In seiner Vorstellung der geschichtlichen Einwirkung des christlichen Glaubens kann Rauschenbusch sagen: „Geschichte ist die Offenbarung von Gottes Willen. Gott denkt in der Handlung und spricht in Ereignissen. Seine geschichtlichen Wirklichkeiten sind sicherer Wort Gottes als jede Prophetie".[225] Dieser Gegenwartsbezug braucht die Korrektur durch Gedanken wie Solidarität und ein Konzept von sozialer Sünde, um nicht zu einer neuen Form von „despotischer Theologie" zu werden.

Die Nähe zur geschichtlichen Entwicklung der Welt ist notwendig, „um revolutionäre Kräfte in Bewegung zu setzen": Denn „das Problem des ‚Social Gospel' ist es, wie das göttliche Leben Christi über die menschliche Gesellschaft Kontrolle gewinnen kann. Das ‚Social Gospel' ist besorgt um eine fortschreitende gesellschaftliche Inkarnation Gottes".[226] Rauschenbusch leidet an dem Widerspruch zwischen der alle Begrenzungen durchbrechenden Macht des Evangeliums und der Interessenlosigkeit der institutionalisierten christlichen Religion an Demokratie und sozialer Gerechtigkeit. Er gibt der Weltfremdheit der Religion die Schuld dafür: „Säkulares Leben wird im Vergleich zum kirchlichen Leben verniedlicht".[227] Demgegenüber will er das Interesse an der gegenwärtigen Existenz und der geschichtlichen Wirklichkeit der Welt zur Sprache bringen, wenn er schreibt: „Jesus wurde von kirchlicher Religion gemordet".[228] Damit meint er nicht bloß einige Gruppen zur Zeit Jesu, sondern spricht von einer Kollektivschuld auch der Christen des 20. Jahrhunderts, die heute noch aus der gleichen Beschränkung „kirchlicher Religion" handeln. Auch die Theologie steht in der Gefahr, auf gleiche Weise schuldig zu werden: „Wenn die Theologie aufhört zu wachsen, oder unfähig ist, sich an ihre moderne Umgebung anzupassen oder ihre gegenwärtigen Aufgaben zu erfüllen, wird sie sterben".[229] Rauschenbusch setzt seine Hoffnung auf ein „Social Gospel", das einen „Typ von religiöser Erfahrung" schaffen wird, der „dem prophetischen Typ nahekommt".[230] Diese Prophetie greift die institutionalisierte Kirche[231] ebenso an, wie die Gesellschaft, in der sie lebt. Weil sie das Reich Gottes als die Gemeinschaft der Rechtschaffenheit versteht, verlangt sie eine „soziale Erlösung" und eine „Heilung des sozialen Organismus: Das meint, daß jede Lehre über den sündhaften Bestand des Menschengeschlechtes und über seine Erlösung vom Bösen, die den sozialen Bedingtheiten und Vorgängen von Sünde und Erlösung nicht gerecht wird, unvollständig, unwirklich und irreführend sein muß".[232]

Wenn es aber diese geschichtliche Gegenwart ist, die in den Blick kommen und gewandelt werden muß, dann „findet die geistige Umformung in ewiges Leben jetzt statt".[233] Rauschenbusch versteht die Eschatologie als ein jetzt anbrechendes Geschehen. In der eschatologischen Vision seines „Social Gospel" kann er sagen: „Wenn unser Leben in Gott ist, hat es Dauer".[234] Diese Feststellung ist eng verbunden mit einer durch die brüderliche Liebe umgewandelten sozialen Ordnung als den Machttaten eines Gottes, der „gegen den Kapitalismus, seine Methoden, seinen Geist und seine Auswirkungen"[235] steht.

Es wäre eine falsche Interpretation von Rauschenbusch's Denken, wenn man dieses harte Argument gegen eine „bürgerliche Theologie" als eine versteckte und platte Form eines Panentheismus verstehen wollte. Daß es ihm hier vielmehr um das Scheitern von Theologie und Kirche in den letzten Jahrhunderten geht, zeigt seine Beschreibung des Glaubenden, der sich der gegenwärtigen Wirklichkeit aussetzt: „Der Heilige der Zukunft wird nicht nur einen theozentrischen Mystizismus brauchen, der ihm die Gotteswahrnehmung ermöglicht, sondern einen anthropozentrischen Mystizismus, der ihn befähigt, in seinem Mitmenschen Gott zu erkennen. Je mehr wir uns einem reinen Christentum nähern, desto mehr wird der Christ einen Menschen darstellen, der die Menschheit mit religiöser Leidenschaft liebt, ohne jemanden auszuschließen".[236]

So könnte man das Bemühen Rauschenbusch's und seines mit einer theologischen Systematik versehenen „Social Gospel" kurz in der Feststellung zusammenfassen, „daß Liebe das einzige wirkliche Arbeitsprinzip menschlicher Gesellschaft ist",[237] weil nur in Liebe sich die Geschichte auf eine eschatologische Dimension hin öffnet.

d) Zusammenfassung

Legt man eine Zusammenfassung seiner Gedanken zum Problem der Säkularität jedoch etwas breiter an, so muß man zuerst einmal feststellen, daß die soziale Frage für Walter Rauschenbusch wie für Washington Gladden Ausgangspunkt der Überlegungen ist. In der Verbindung der Frage nach dem historischen Jesus mit den Problemstellungen der Sozialwissenschaft kommt Rauschenbusch jedoch zu einer größeren theologischen Konzentration und einer klareren, systematischen Differenzierung im Hinblick auf den Gedanken der Säkularität. Mit diesen Lösungsversuchen stand er in seiner Zeit isoliert da. Unterstützung und Anregung erhielt Rauschenbusch nur durch die von ihm mitbegründete „Brotherhood of the Kingdom".

Seinen Ausgangspunkt von einem radikalen Protestantismus nahmen seine Zeitgenossen ebenso wenig ernst wie die Anhänger eines späten popularisierten „Social Gospel". Mit dem linken Flügel der Reformation teilte Rauschenbusch den Versuch einer Integration von geistlichem und säkularem Leben in einer Dialektik von Eintritt in und Rückzug von der jeweiligen Kultur, ein Prinzip, das stärker systematisiert später als eschatologische Dimension des Handelns begegnet. Im Unterschied zu Gladden steht Rauschenbusch damit bewußt in einer ihn prägenden theologischen Tradition.

Die tragende Substruktur aller seiner sozialen Lösungsversuche war der Glaube an die Königsherrschaft Gottes, der ihm ein prophetisches Krisenbewußtsein ermöglichte. Hatte Gladden das Reich Gottes noch als eine bestimmte soziale Ordnung verstanden, so differenzierte Rauschenbusch diesen Gedanken mehr zu einem kritischen Prinzip, das auf das Ankommen Gottes in der Gegenwart hin bezogen ist: Es macht soziale Ideale lebendig und gibt dadurch Kriterien, um z. B. die ökonomischen Gedanken im Sozialismus von den philosophischen zu unterscheiden. Diese frühe Bestimmung des Gottesreichgedankens stellt sich – in Parallelität zu Gladden – gegen eine kapitalistische Ordnung und befürwortet eine Verbindung von Individualismus und Sozialismus, die den Menschen in das Zentrum der Ökonomie stellt. Eine solche Einstellung gegen Gruppeninteressen leitet sich von der in Gottes Vaterschaft erfahrenen Gleichheit aller Menschen her, die die Demokratisierung der Gesellschaft in dem Einsatz liebender Individuen anfangen läßt.

In diesem seinem Wirklichkeitsbezug ist der christliche Glaube nach Rauschenbusch revolutionär: So entwickelt sich sein theologisches System aus der Gegenüberstellung eines von Christus inspirierten Glaubens mit der amerikanischen Kultur. Damit geht er – wie in seiner Konzeption des Gottesreiches – über Gladden hinaus.

Rauschenbusch's Systematik entwickelt sich in folgenden Gedankengängen: Die in Jesus offenbar gewordene Vaterschaft Gottes begründet die Gleichheit aller Menschen. Noch genauer gesagt fordert das Kreuz Jesu von den Menschen eine Hingabe des eigenen Lebens an die anderen. So kommt Gott zur Herrschaft und revolutioniert das menschliche Selbstverständnis in einer sozialen und interpersonalen Geschichtsbetrachtung. Die Gottesreichidee wird damit zu einem Interpretationsschema und ist von Jesus her die eschatologische Macht der Wirklichkeit, die zwischen dem „schon" und dem „noch nicht" seiner Herrschaft zu unterscheiden lehrt.

Für die Kirche bedeutet diese Dialektik den Verzicht auf jegliche Form der Selbstzufriedenheit: Sie muß dienen und nicht selbst herrschen, sie muß sich zum Weg für das Reich Gottes machen lassen. Sonst „verweltlicht" die Kirche und kann dann den Evolutionsgedanken nicht mehr kritisch interpretieren.

Den vollsten Kontakt zur Wirklichkeit gibt es nur im Zentrum des Strebens nach Gottes Herrschaft, in der Liebe. Aus diesem Grund tritt Rauschenbusch für eine kooperative ökonomische Ordnung ein und von hierher ist, wie bei Gladden, seine arbeiter- und gewerkschaftsfreundliche Haltung zu verstehen. Aber in seinem differenzierten Wirklichkeitsbezug, im Gedanken von der Königsherrschaft Gottes, geht Rauschenbusch noch einen Schritt weiter: Denn der Reich-Gottes-Gedanke erneuert ständig den Reformansatz und damit die Umkehrbereitschaft in der Geschichte. Er fügt letztlich in seiner eschatologischen Paradoxität die Geschichte zu einem immer wieder geöffneten Ganzen zusammen: Das Reich Gottes ist ständig ankommend! Diese Zukunftshoffnung bestärkt den Gegenwartsbezug des Glaubens und ermöglicht gleichzeitig den je neuen Überstieg des Augenblicks. Ein solchermaßen an die Wirklichkeit gebundener Glaube macht für Rauschenbusch die Säkularität aus. Sie ist eine Dynamik in der Gegenwart, die durch ihre eschatologische Vision in einem ständig erneuerten Vermittlungsprozeß den individuell und sozial sündigenden Menschen zur Umkehr öffnet.

Hier systematisiert Rauschenbusch in einer Dialektik von der ankommenden Gottesherrschaft Empfindungen, die uns schon bei Gladden in seinem Integrationsversuch von Glaube und gesellschaftlicher Reform begegnet waren.

Eine Säkularität — nicht als Ideal, sondern als geschichtliche Macht verstanden — ist daher Antrieb zum Engagement, die religiöse Individualität in gesellschaftlicher Solidarität zu integrieren. Eine solche Kurzformel des Gottesreichgedankens bewegt sich in der Mitte von den zu Rauschenbuschs Zeiten vorherrschenden Spannungen zwischen Katastrophenstimmung und fortschrittsgläubigen Optimismus. Gegenüber einer kirchlichen Religion, die zu leicht einem dieser Extreme verfällt, fordert die Säkularität in Rauschenbuschs Verständnis eine Solidarität von prophetischer Dimension heraus, einen „anthropozentrischen Mystizismus", der fähig ist, im Mitmenschen Gott zu erkennen: So ist die Liebe die eigentliche Dimension der für Rauschenbusch's Wirklichkeitsbezug charakteristischen eschatologischen Vision.

Damit ist im Fortgang der Entwicklung amerikanischer Theologie ein erstes kritisches Prinzip für ein theologisches Verständnis von Säkularität erreicht.

4. Die Kritik an Walter Rauschenbusch aus heutiger Perspektive

a) Kritische Anmerkungen

Rauschenbusch führt seine Erkenntnis der sozialen Tragweite des Evangeliums und die darin enthaltene Forderung nach Demokratisierung der theologischen Lehre wie der Gesellschaft auf den „gesegneten Skeptizismus des Zeitalters der Aufklärung" zurück.[238] Er bleibt aber nicht bei diesem Skeptizismus stehen, sondern öffnet durch seine Dialektik die Geschichte für weitere, noch unerkannte Verwirklichungen und Erfahrungen.

Diese seine Methode läßt wirkliche Angriffspunkte schrumpfen. Kritik meldet sich so bei Details, wie etwas seinem Gedanken, daß der Denominationalismus abgelöst sei wegen einer neuen Klassifizierung von Theologie als „despotisch" oder „undemokratisch", sowie bei seinem unbegründeten Optimismus, daß „die Verehrung verschiedener Götter und der Gebrauch von Idolen nicht länger eine unserer Erfahrungen ist".[239] Dies sind Schlaglichter eines erweckungsorientierten amerikanischen Liberalismus des letzten Jahrhunderts, der zwar die Methoden und den Inhalt der „revivals" ablehnte, aber unbewußt das Prinzip der augenblicklichen Bekehrung mit dem eigenen Optimismus vermischte. Solche Gedanken sind Traditionsrückstände, die von Rauschenbuschs eigener sozialer und theologischer Kritik noch nicht geläutert wurden.

Eine weitere kritische Anmerkung ist allgemeinerer Art: Mit Ausnahme seines letzten Buches ist Rauschenbusch in vielen theologischen Fragen mehr suggestiv als tiefgehend, was oft die Schlüssigkeit aus einzelnen Unterscheidungen nimmt und Raum für vielfache Fehlinterpretationen gibt. Aber man muß diesen Mangel mehr im Kontext des theologischen Neulands sehen, in dem er sich bewegte, denn als Folge seines stellenweise propagandistischen Stils. So findet man etwa keine voll entwickelten Darstellungen über Schöpfung, Menschwerdung oder Eschatologie, kann sie aber durchaus aus seinen Gesamtschriften erheben. Heinrich Frick hat diese notwendige Berichtigung einer übereilten Kritik schon sehr früh gesehen: „Das ‚Social Gospel' ist eine Kollektiv-Interpretation des Evangeliums, geschult an dem altererbten angelsächsischen Sinn für das Gemeinschaftsleben und seine Gesetze".[240]

b) Christlicher Glaube und soziale Krise

Es mag sein, daß in unserem heutigen so grundlegend gewandelten sozialen Gefüge, das mehrmals für viele Nationen durch Kriege und Wirtschaftskrisen gewaltsam verändert worden ist, und angesichts der internationalen Spannungen die Theologie des Gottesreiches von Rauschenbusch — und damit allzu schnell auch seine Vorstellung von Säkularität — als naiv erscheint. Aber sie erhält neuen Sinn und stellt abermals grundlegend in Frage, wenn man sie etwa auf die gesellschaftlichen Beziehungen der sogenannten „entwickelten Länder" der Erde zu denen im „Entwicklungs"-Stadium befindlichen anwendet. Dann trifft nämlich der Grundzug der Säkularität in noch weiterem Ausmaß zu als zur Zeit vor dem Ersten Weltkrieg und die Neueinschätzung der Gegenwart in einer Gemeinschaftsperspektive zeigt sich dann ebenso dringend wie damals, vielleicht nur noch verzweifelter angesichts der Ausweitung der sozialen Krise.

Man würde Rauschenbusch Unrecht tun, wenn man ihn wegen seiner Forderung nach „sozialer Reue" als „evangelical" ansehen würde. Obwohl er das „Social Gospel" orthodox zu machen half, war er doch keinesfalls der Vertreter eines banalen Mittelweges, sondern „der Gründer eines amerikanischen christlichen Radikalismus", der „sah, was der normale liberale Kirchenmann nicht sah".[241]

Was Rauschenbusch wirklich, trotz alles Positiven oder zeitbedingt Entschuldbaren übersah, war die Vorhandenheit einer geschichtlichen Tragik, die das persönliche wie kollektive Böse in manchen Umständen unvermeidlich macht.

Reinhold Niebuhr[242] füllte dann später diese Lücke in einer Zeit, die von tragischen Elementen voll war. Dennoch lobt er Rauschenbusch und die anderen „Heroen einer vergangenen Generation, die bösartige Mächte herausforderten und versuchten, den christlichen Glauben sowohl von Bedeutungslosigkeit, als auch von bewußter oder unbewußter Allianz mit dem Bösen zu erretten, das sich in unkontrollierter Macht äußert. Mit den Hilfsmitteln, die sie besaßen, haben sie heldenhaften Dienst geleistet".[243] Ein Glaube, der sich nur mit dem schmalen Segment der gegenwärtigen Wirklichkeit zeitgenössischer Kultur identifizierte, wurde durch Rauschenbusch herausgefordert, diese Kultur als solche in einem neuen Lebensstil der Säkularität zu beurteilen.

In diesem Sinne waren Rauschenbusch's Veröffentlichungen wirklich „ein gefährliches Stück von Lesestoff",[244] in dem er „das christliche Gewissen der Nation sowohl anfeuerte als auch führte".[245]

c) Würdigung des „Social Gospel"

Dieses Lob für Rauschenbusch von einem der bedeutendsten Vertreter der sogenannten „neuorthodoxen" Theologie könnte auf das gesamte „Social Gospel" angewendet werden, von seinen Anfängen, die wir in Washington Gladden sahen, bis zu seiner theologischen Vollendung durch Walter Rauschenbusch. Beide waren „Prediger der Rechtschaffenheit und des kommenden Heils".[246]

Sie intendierten eine neue gemeinschafts- und gegenwartsbezogene Interpretation des Evangeliums und griffen die Strukturen ungerechter Institutionen an. Sie kamen zu ihrem Wirklichkeitsbezug durch ihren Kontakt zu den entstehenden Sozialwissenschaften und durch ihre offene Einstellung gegenüber den Notwendigkeiten der gegenwärtig sich ereignenden Geschichte in ihrem Bezug auf den christlichen Glauben. Der Zusammenhang ihrer vorherrschenden Ideen mit den sozialen Bewegungen der Zeit ist bei Gladden wie Rauschenbusch offensichtlich. Hopkins nennt ihre Theologie „die klassische Darstellung amerikanischen sozialen Christentums".[247] Gladden ist in dieser Bewegung zeitlich gesehen der erste, der „wieder die Rolle der Kirche als institutionellem Diener in einer sich weiter entwickelnden Gesellschaft betonte . . . und den ursprünglichen Antrieb in seinem praktischen Nachdruck für eine Reintegration von sakral und säkular anbot".[248]

Rauschenbusch systematisierte diese Ansätze zu einer Theologie in Fortsetzung der Anregungen Gladdens und in Erfüllung einer Bewegung, die mehr und mehr auf eine eigenständige amerikanische Theologie hintendierte, einer Theologie, die durch große Integrationsfähigkeit bestimmt ist. Im weiteren Verlauf dieses ersten Teiles werden wir verfolgen wie Rauschenbusch's Hoffnung sich immer mehr erfüllt, die er in seiner „Theologie" ausdrückte: „Wenn wir die Vernachlässigung der sozialen Inhalte des Christentums in früheren Generationen der fruchtbaren intellektuellen Arbeit gegenüberstellen, die jetzt in diesem Bereich der Theologie getan wird, erhärtet sich die Wahrscheinlichkeit, daß das ‚Social Gospel' kein vorübergehendes Interesse ist, sondern darauf angelegt ist, einer der dauernden und bestimmenden Inhalte der Theologie zu werden".[249]

Dies wird sichtbar in der theologischen Struktur des Denkens, das sich nach dem Ersten Weltkrieg in Amerika entwickelt und das man gemeinhin mit dem wenig zutreffenden Wort „Neo-Orthodoxy" belegt.

Abschnitt II. „Neo-Orthodoxy"

§ 1. Reinhold Niebuhr

1. Der Umschwung zur „Neo-Orthodoxy" – (Die Krise als theologisches Korrektiv)

a) Die Säkularisierung der Gottesreicherwartung

Der Umschwung zur „Neo-Orthodoxy" findet zu einer Zeit und unter sozialen Bedingungen statt, in denen die Amerikaner versuchen, die traumatischen Erfahrungen eines Krieges von vorher unbekannten Ausmaßen zu überwinden und mit der neuen Rolle Amerikas fertig zu werden: die „frontier" und ihr Pionier- und Aufbaugeist haben sich jetzt erstmals über die eigenen Grenzen fortgesetzt. So ist die Zeit nach dem Ersten Weltkrieg in Amerika voller Dualismen: Einerseits gibt es die Flucht in den Optimismus eines nunmehr popularisierten „Social Gospel"; diese Popularisierung erhält wohl ihren besten Ausdruck darin, daß das Wort „Service-Dienst" in den zwanziger Jahren zu einem Schlagwort wird. Auf der anderen Seite gibt es die verbreitete Meinung, daß die Wirklichkeit offensichtlich nicht das ist, was sie ist, ein Gefühl, das von der eschatologischen Vision des „Social Gospel" herkommen mag. Der Amerikaner der zwanziger Jahre ist durch die Erfahrung seines Lebens in zwei Kulturen in sich zerrissen. Dieses Gefühl spiegelt die intellektuelle Krise jener Tage wider, die von den aufkommenden ökonomischen und politischen Unsicherheiten genährt wird.

Die so popularisierten und damit in gleichem Maße säkularisierten Impulse des „Social Gospel" fordern von der amerikanischen Nachkriegstheologie eine Neuformulierung der eschatologischen Schau in der Gegenwart, einen erneuerten Wirklichkeitsbezug des Glaubens. Ein Beispiel dafür: Der wohl volkstümlichste Wert der neuen Säkularisierung, der viele Energien aufsaugte, war der der „prohibition", des Alkoholverbotes. Die Vorgänge um dieses Nebeninteresse des „Social Gospel" zeigt den verwickelten Wandel, der seit den ersten Jahren des 20. Jahrhunderts eingetreten war: Sprecher des „Social Gospel" hatten damals den Alkoholkonsum als einen der Gründe für die Verzögerung sozialen Fortschrittes gebrandmarkt, weil er die niederen Klassen über ihre wirkliche Lage hinwegtäuscht und so in ihrem sozialen Status beläßt. Jetzt aber wird die „Prohibition" zu einem politischen Thema und „sammelt die öffentliche Aufmerksamkeit mehr auf den Alkoholschieber und die Flüsterkneipe, und durch Folgerungen auf deren Kunden, als auf die Alkoholindustrie und die Gesellschaftsreform, wie in den frühen Tagen der Bewegung. Die menschliche Sorge für den Trinker als Opfer wird durch selbstgerechtes Entsetzen über den Trinker als Verbrecher ersetzt. Die Tatsache, jetzt mit dem Gesetz bewaffnet in Autorität zu sein" schreibt Paul A. Carter, „hatte größeren Einfluß auf die Trennung des ‚prohibitonism' von seinen eigenen menschlichen, reformgesinnten, ‚populist – progressive' – haften Wurzeln als jeder andere Grund".[250)]

Von den Tagen des „Social Gospel" her waren die Kirchen noch mit der Alkohol-
frage beschäftigt und mußten sich jetzt — wegen ihrer unkritischen Anhängerschaft an einen nunmehr politisierten „prohibitionism" — den Vorwurf der
Heuchelei gefallen lassen. Der Vorwurf bestand mit Recht, da die christlichen
Gemeinschaften in ihrem Lobbyieren für „prohibition" wieder einmal den
Wirklichkeitsbezug verloren und das Prophetische im Tausch für eine irreführende
Sicherheit im säkularistischen Establishment hinter sich hatten liegenlassen. Ohne
das kritisch-dialektische Sichten der Säkularität „verstümmelte die Vereinigung
von säkularistischer Haltung und Auftreten der Kirche die moralische Autorität
des ‚Social Gospel' ".[251])

Die christlichen Gemeinschaften folgten unkritisch einer Säkularisierung ihrer
eigenen Vision, fielen in ihrem Verlangen nach der „Sicherheit Ägyptens" wieder
einmal vor dem „Goldenen Kalb" nieder und mußten sich aufgrund einer
erneuten theologisch-prophetischen Kritik, die in der „Neo-Orthodoxy" entstand,
bekehren: Theologie mußte sich wieder einmal „in den nächsten 23 Jahren von
Hoffnung auf Sorge hin"[252]) bewegen.

Eine neue Formulierung der Antwort des Glaubens auf die Herausforderung des
Säkularismus war notwendig, um die bleibenden Erfolge des „Social Gospel"
anzuerkennen und seine Ziele in neuen Wirklichkeitsanpassungen umzuformen.
Der Neuansatz konnte sich weiterhin auf Bibelkritik, Evolutionstheorie und
Einsichten der Sozialwissenschaften verlassen, mußte sich aber in verstärktem
Maße dem „fatalen Verfall auf Seiten der Kirche" stellen, „ihrer Fixierung auf die
Illusion einer anhaltenden Blüte".[253]) Denn mit der Säkularisierung der Inten-
tionen und Werte des „Social Gospel" war auch seine eschatologische Vision
verloren gegangen. Die Kirche mußte ihre eigene Rolle erneut überprüfen, so wie
Rauschenbusch es bereits gefordert hatte als eine je neue Verpflichtung, die
von der Geschichtlichkeit und ihrem Antrieb in der eschatologischen Dimension
herrührt.

Wieder einmal ließ sich die Theologie in Nordamerika Ende der zwanziger Jahre
von der gesellschaftlichen Wirklichkeit zu einer Neubesinnung antreiben: „Jetzt,
1929, war das ‚Social Gospel', das 1920 noch so gültig und lebensfähig schien,
so kraftlos geworden, daß es einer weiteren fürchterlichen Lektion bedurfte,
um die Verformung des Bewußtseins der Kirchenmänner aufzubrechen. Mit dieser
Lehre wurden sie durch die große Wirtschaftskrise 1929 versehen".[254]) Aufgabe
der damals entstehenden Bewegung war es, „eine folgerichtige Beteiligung an der
Entwicklung einer realistischen, lebensfähigen und dynamischen Weise, soziale
und politische Probleme anzusprechen ... eine Art von *aggiornamento* des
älteren ‚Social Gospel' ".[255]) Wie das „Social Gospel" wandten sich Theologen
wieder in derselben vom Glauben bestimmten Dialektik an das Säkulare und
versuchten eine Umformung des Wirklichkeitsbewußtseins in Säkularität.

Aber stärker als vorher das „Social Gospel" wandte sich der Erneuerungsversuch
jetzt direkt an die Kirchen selbst; so bedachte man „Faith and Order" in einer
breiteren, kirchenverbindenden Bewegung. Es war ein „Umschwung von einer
optimistischen zu einer vorläufig pessimistischen Basis".[256]) Die Formulierungen
und Denkmethoden waren paradox, oder, wie William R. Hutchinson schreibt:

„eine Orchestrierung – unter dem gefühlsmäßigen Eindruck der Wirtschaftskrise – von diesen (Social Gospel) kritischen Motiven mit Themen von göttlicher Transzendenz und menschlicher Endlichkeit, die die kontinentale Theologie schon für etwa 15 Jahre bewegt hatte".[257]

Im Bewußtsein der Überbetonung der damaligen Situation aus einer späteren Sicht heraus könnte man auch mit Carter folgern: „Der Weg war vorbereitet für den Aufstieg und die Blüte der Gebrüder Niebuhr – sozial gesehen auf der Linken, theologisch auf der Rechten der amerikanischen Christenheit der Jahre vor dem Zweiten Weltkrieg".[258] Im folgenden werden wir vor allem die Theologie Reinhold Niebuhrs bedenken, der Rauschenbuschs Vorstellung von dem sozialen Bezug der Sünde intensivierte und in seinen Paradoxien, die von der Wahrnehmung des tragischen Momentes in der Geschichte herrührten, eine ständige Erinnerung an die geschichtliche Begrenzung gab. Er verband wieder einmal – wie Edwards – theologische Zähigkeit mit sozialem Radikalismus.

b) Reinhold Niebuhr und das „Social Gospel"

Reinhold Niebuhrs Theologie wandte sich zuerst hauptsächlich gegen eine späte Verformung des „Social Gospel", die Kultur und Christus einander kritiklos anpaßte. Er verwarf diesen Immanenzidealismus auf polemische Weise, indem er, wie Rauschenbusch es in seinem letzten Buch versuchte, geltend machte, „daß sozialer Wiederaufbau theologischen Wiederaufbau miteinschließt".[259] Damit folgt Niebuhr den Intentionen der Theologie Rauschenbuschs, kehrt aber unter dem Zwang der historischen Situation und vor allem der Erscheinungen eines degenerierten „Social Gospel" die Prioritäten um. Eine weitere Differenzierung besteht, wie wir später genauer sehen werden, in Niebuhrs Gedanken von dem „Selbstübersteig des Selbst". Aber am Ende sagen sie beide „grundlegend dasselbe aus verschiedenen Perspektiven ... Rauschenbusch kämpfte darum aufzuweisen, daß die historischen Vorgänge wesentlich für Gottes Schöpfungsplan sind, während Niebuhr sich abmühte, sich daran zu erinnern, daß der soziale und geschichtliche Prozeß nicht die einzige Facette der christlichen Botschaft ist. Sie halten die gleiche Meinung an verschiedenen Enden".[260]

Dasselbe stellt sich für ihr Geschichtsverständnis heraus: Niebuhr hält daran fest, daß es letztlich keine Erlösung, sondern nur mögliche Erneuerungen in der Geschichte gibt. Rufen wir uns dagegen noch einmal die Bedeutung der eschatologischen Dimension in Rauschenbuschs Theologie in Erinnerung, dann könnte er genau das auch gesagt haben, wenn seine Schau ihn nicht dazu gezwungen hätte, zuerst auf einer endgültigen Erlösung im Eschaton zu bestehen.

Beide verstehen die Geschichte als den günstigen Ausgangspunkt für eine christliche Theologie und für beide ist es „die Eschatologie, die wegen ihrer integralen Verbindung mit den Ereignissen und dem Aufbau der Geschichte der gediegenste Punkt für die Forderung nach einem Überschreiten über den direkten Zusammenhang hinaus" ist.[261] Der wirkliche Unterschied zwischen Rauschenbusch und Niebuhr ist, daß die Geschichte und mit ihr das Sozialgefüge sich so schnell wandelten, daß Niebuhr nicht mehr die Einheitserfahrung von Walter Rauschenbuschs Zeit machen konnte. Ein Großteil der später genauer zu erklärenden

Dialektik von Niebuhr kann auf diese Tatsache zurückgeführt werden. Er mußte seine Theologie mit größerer Vorläufigkeit formulieren und dabei Kategorien wie „Substruktur" und „Superstruktur" einführen und sie in seinem Begriff der „Vermittlung" (agency) zur geschichtlichen Situation in Verbindung bringen.

Niebuhr versucht sehr oft, sich vom „Social Gospel" und Rauschenbusch abzusetzen: So etwa in seiner Polemik über ihr evolutionäres Geschichtsverständnis, ihre Gleichsetzung von Gottesreich und historischer Entwicklung, ihrem Mangel an Unterscheidung zwischen Liebe und Gerechtigkeit, ihrem Hinwegsehen über einen kollektiven Egoismus und vor allem ihrer fehlenden und falschen Interpretation des Leidens und des Kreuzes.[262] Aber nach der Darstellung der Theologie Rauschenbuschs können wir feststellen, daß Niebuhr mit dieser Kritik „Glied einer theologischen Generation ist, die es irgendwie für nötig hielt, sich so radikal von ihren unmittelbaren Vorläufern abzusetzen, daß sie damit teilweise der Legitimierung des eigenen Versuchs den Boden entzog . . . Niebuhr ist nur nach Rauschenbusch möglich, und den letzteren zu sehr abzulehnen würde nur bedeuten, einen Teil der Grundlage zu zerstören, auf der der erstere steht".[263] Schließlich liegt auf dem Boden der Theologie von Rauschenbusch wie der von Niebuhr die Sorge um die Entfremdung zwischen Glaube und Welt.

c) Seine theologische Antwort im Begriff der Tragik

In einer Sammlung von Aufsätzen mit dem Titel „Beyond Tragedy", die Niebuhrs Gedanken bis 1937 zusammenfassen − und so die sehr aktive frühe Periode und den Wandel auf „The Nature and Destiny of Man" hin einschließen, − beantwortet er die Herausforderung durch ein den eigenen Grundlagen entfremdetes „Social Gospel" auf dem Weg über eine vom Begriff der Tragik her zu verstehende Dialektik: „Jeder Mensch", schreibt Niebuhr, „hat seine eigenen Fähigkeiten, aber auch seine eigenen Schwächen. Jede historische Gruppierung in der Gesellschaft gibt ihren eigenen Beitrag. Aber es gibt keine Form menschlicher Güte, die nicht verdorben werden könnte und auch wird, namentlich an dem Tage ihres Erfolges. Laß den Weisen den Aberglauben des Priesters zerstören und den Armen den Stolz des Klugen widerlegen; aber dann muß ein neuer Prophet aufstehen, um den Priesterkönig der Armen von den ständigen Sünden der Menschheit zu überzeugen, denen auch er verfallen ist".[264] Niebuhr konkretisiert diese Regel und zeigt das grausame Herrschaftsgebilde auf, das „der Demos bei Gelegenheit werden kann" und attackiert den „American Dream".[265] Es ist seine Sorge, daß die „modernen Verfechter des ‚Social Gospel' meist nicht so scharfsinnig sind in ihren Einsichten", wie die Propheten in der alttestamentlichen Tradition und daß „sie nur die Sünde der Ungerechtigkeit sehen, aber nicht ihren Ursprung".[266]

Niebuhr argumentiert von derselben Zentralität der Christologie her wie vorher Rauschenbusch; aber anders als dieser hebt er „die tragischen Bedingungen" für die Ankunft des Reiches Gottes hervor: Es „muß immer noch auf dem Weg der Kreuzigung in die Welt kommen".[267] Er vertraut nicht auf das populäre Schlagwort eines späten „Social Gospel", das meint: „Verlasse dich auf den Armen!";[268] das ist für ihn humanistischer Optimismus. Eine solche Kritik verwässert aber keines der scharfen Urteile des frühen „Social Gospel" gegen die

Vornehmen, Mächtigen und Reichen und ihre Beziehung zum Reiche Gottes. Jesus bedroht wirklich „die Herrschaft des Pilatus" und das Evangelium ist dazu in der Lage „den Opfern der unterdrückenden Macht ein Wort echter Hoffnung zu sagen".[269] Niebuhr kann die Umformung des einen Reiches in das andere jedoch nicht allein im Wandel einiger Sozialstrukturen erblicken. Er hebt die Bedeutung von Erlösung und neuem Leben als sozialen Faktoren für „die Zurückweisung und die Berichtigung aller zu individualistischen Religionsvorstellungen"[270] hervor. Mit dieser Kritik bezieht sich Niebuhr auf die biblische Sicht, in der „jeder Augenblick der Geschichte unter dem Einfluß und in der Ewigkeit steht, aber dabei das Ewige niemals ausschöpft oder erfüllt".[271]

Damit bejaht Niebuhr die biblische Dialektik von der Sinnhaftigkeit der Geschichte und ihrer Erfüllung, die „über Geschichte hinaus" geht. Dem Utopianismus eines Teiles des späten „Social Gospel" gilt seine besondere Kritik, weil es sich in Ideologisierungen gesellschaftlicher Analyse verrennt oder in fromme Erweckung. In dieser Hinsicht sieht Niebuhr ein verfallendes „Social Gospel" als Produkt einer bürgerlichen Gesellschaft, die sich frei von Vorurteilen wähnt. War Rauschenbuschs Angriff auf die Gesellschaft noch wohl ausgewogen, so verlor ein scholastisiertes Verständnis seiner Gesellschaftsanalyse das Gleichgewicht und meinte mit der Nivellierung von Klassenunterschieden die Herrschaft Gottes herbeigeführt zu haben. Diesen Optimismus einer liberalistischen Rauschenbusch-Imitation lehnt Niebuhr in seinem Verständnis des Wirklichkeitsbezuges des Glaubens ab.[272]

Für Niebuhr unterliegt „jede Form der menschlichen Kultur derselben Korruption".[273] Denn jede Kultur ist als historische auf Relativität angelegt und trägt daher ihre soziale Schuld, die von der nächsten Generation aufgewiesen werden muß. Ohne diese Erkenntnis besteht die Gefahr bloßer Kultur- oder Zivilreligion. Christlicher Glaube aber steht in seinem Wirklichkeitsbezug für Niebuhr stets in Konflikt mit der jeweiligen Kultur, da er auf ein sich dialektisch ausprägendes Leben in Säkularität hin angelegt ist.

Denn gesellschaftliche Existenz ist durch Zukunft in Frage gestellt, durch Gottes endgültiges Urteil über alle Geschichte, seine Herrschaft, die eigentlich erst die relativierende Dialektik ermöglicht. Dies ist die „Tragik der Geschichte", die nur durch Reue die Königsherrschaft Gottes in der Geschichte zukommen läßt, ohne ihr „darüber hinaus" auszuschließen. Denn ‚wenn das Christentum in Ehrlichkeit gegenüber seiner prophetischen Erbschaft das Symbol der Königsherrschaft Gottes in der Geschichte gegen mystische und rationale Weltfremdheit setzt, dann muß sie ebenso das Symbol des Endes der Geschichte gegen allen naturalistischen Utopianismus setzen".[274] Aus einem solchen Verständnis heraus soll nach Niebuhr die christliche Theologie wie „ein Bilderstürmer" sein, „der alle Symbole menschlicher Vollkommenheit aus dem Tempel hinauswirft".[275]

Hier berührt sich Niebuhr eng mit der frühen europäischen „dialektischen Theologie", die ähnlich scharf über Kultur, Religion und andere traditionelle Werte urteilte. Wie diese verspürt auch Niebuhr das Ende eines Zeitalters[276] und weist jeglichen Optimismus als bloßes „Vertrauen in eine menschliche Tugend und Fähigkeit"[277] ab. Denn Krippe und Kreuz sind „die Ursache der christlichen

Umwertung aller Werte".[278] Diese Umwertung als Antrieb für die Säkularität schließt „gesellschaftlich-moralische Folgerungen von größerem revolutionären Gewicht" ein, „als die Kirche gedacht hätte".[279] In dieser Kritik trifft sich Reinhold Niebuhr wiederum mit seinen europäischen Kollegen; so sich äußernde Religion ist für ihn nur eine Weltfremdheit und die „zeitweilige Flucht aus einer schmutzigen Welt, die gerade so viel Erleichterung von der Unterdrückung bietet, um von der Rebellion gegen das Böse abzulenken".[280]

Nur in dem Versuch einer weltlichen Existenz ist „die Offenbarung der Bedeutung menschlicher Geschichte und des Grundes ihres Sinnes" zu vernehmen, „die die Geschichte übersteigt". Nur eine wirklichkeitsgebundene Existenz ist sich der Tatsache bewußt, daß „jeder Augenblick der Geschichte unter der Möglichkeit einer letztgültigen Erfüllung steht".[281]

Das Beziehungsverhältnis von Glaube und Welt ist also auch das Hauptthema der Niebuhr'schen Theologie, ein Thema, das er von Männern wie Walter Rauschenbusch ererbte. Es erhielt seinen besonderen Antrieb durch ein verfallendes „Social Gospel" und seine eigenen dreizehnjährigen Erfahrungen als Christ und als Pastor in einer Arbeiterpfarrei in Detroit. Seine Ansichten sind zuerst ebenso stark durch sein Pfarramt beeinflußt wie bei Gladden und Rauschenbusch, entwickeln sich später aber in neue Dimensionen. Während seiner Studien und seinen Jahren in Detroit findet ein Amerika heute noch bestimmender Wandel statt: Wegen der eigenen Produktivität und der Erforschung des eigenen Kontinentes war Amerika lange Zeit mit seinem Traum zufrieden, wenn auch von der Arbeiterfrage beunruhigt, durch die aber zumeist das Problem der Rassenungleichheit verdeckt wurde. Aber mit dem Ersten Weltkrieg und der damit verbundenen ökonomischen Machterfahrung brachen die eigenen Grenzen auf und der Traum weitet sich in Weltdimensionen. Niebuhrs theologische Versuche in den frühen Jahren spiegeln diese Erfahrung kritisch wider.

Diese Gedanken sollen im folgenden systematisch von seinen Frühschriften an verfolgt werden, angefangen bei den „Leaves from the Notebook of a Tamed Cynic"[282] bis hin zu seinen Spätschriften wie „Man's Nature and his Communities".[283]

In Detroit wie ab 1929 in New York lebte Niebuhr „an den Kreuzwegen amerikanischer intellektueller und politischer Gärung".[284] In seinen Allianzen und Analysen gab es verschiedene größere und kleinere Wandlungen: so etwa vom „christlichen Marxisten" der Kapitalismuskritik – die in seinen Erfahrungen im industriellen Detroit begründet war – zum „Realisten"; oder vom „Pazifisten" – nach der Einsicht in die Sinnlosigkeit des Krieges in den Jahren nach dem Ersten Weltkrieg – zum „Politiker", der die Drohung des Säkularismus in den kommunistischen und faschistischen Ideologien wahrnahm. Jede dieser Wandlungen war mit der jeweils stärkeren Akzentuierung entweder des Sozialen oder des Individuellen verknüpft. Aber von seinen ersten Anfängen bis zu seinem Tod im Juni 1971 in Stockbridge Mass., blieb durch alle Adaptationen hindurch das Beziehungsverhältnis von Glaube zu Welt das Leitmotiv, theoretisch wie praktisch, aber immer kritisch und revolutionär gegenüber seiner Umgebung. Er unterließ nie zu handeln, aber handelte nie ohne Analyse.

2. Die Analyse Niebuhrs – (Das Ineinander von Gut und Böse)

a) Religion und Gesellschaft

Die erste weitgehende Analyse des Beziehungsverhältnisses von Glaube zu Welt, die Reinhold Niebuhr vorlegte, findet sich in seinem Buch „Moral Man and Immoral Society" aus dem Jahre 1932, das Carter „die erste richtige Granate in den impliziten ethischen Monismus des alten ‚Social Gospel' "[285] nennt. Von seinem theologischen Standpunkt aus unterscheidet Niebuhr zwischen der Sittlichkeit des Individuums und der sozialen Gruppe einerseits und ihrer stillschweigend miteinbegriffenen Religiösität andererseits. Das Individuum steht immer dann in der Gefahr einer „Besessenheit vom eigenen Selbst", wenn es einen Mangel an „sozialen Bezügen"[286] gibt. Der Glaube mit seinem „Geist der Zerknirschung"[287] kann und muß in der Sozialisation des Menschen eine Rolle spielen, indem er ihn von menschlicher und gesellschaftlicher Selbstsucht freisetzt. Aber diese Pflicht ist in der Religion verschleiert: Denn „die Einsichten der christlichen Religion sind zum fast ausschließlichen Besitz der gesättigteren und privilegierteren Klassen geworden. Diese haben sie in einem solchen Maße sentimentalisiert, daß die Enteigneten, die aus den Hilfsmitteln dieser Religion Nutzen ziehen sollten, sich der moralischen Verwirrung, die mit ihnen verbunden ist, in einem solchen Maße bewußt geworden sind, daß die Einsichten der Religion für den sozialen Streit in der westlichen Welt nicht mehr direkt zur Verfügung stehen".[288] In wenigen Worten faßt Niebuhr hier von seinem antikapitalistischen Blickpunkt her das Dilemma der occidentalen Säkularisation zusammen, die in Säkularismus auszuufern droht. Diese Analyse wendet er konkret auf ein sich christlich verstehendes Amerika an: „Die eigentliche Frage ist, ob eine Religion oder Kultur in der Lage ist, das Leben in einer Dimension zu interpretieren, die genügend tiefgehend ist, um die Leiden und Schmerzen zu verstehen und vorauszusehen, die sich von einer verantwortlichen Beachtung unserer Verpflichtungen her ergeben mögen; eine Ausgeglichenheit zu erreichen in Leiden und Schmerz, die etwas weniger aber auch etwas mehr ist als Glückseligkeit (happiness). Unsere Schwierigkeit als Nation ist es, daß wir jetzt lernen müssen, daß Wohlstand nicht einfachhin mit Tugendhaftigkeit gleichgesetzt werden kann, daß Tugend nicht mit historischer Bestimmung und Beauftragung Hand in Hand geht und daß Glückseligkeit keine leicht erreichbare Möglichkeit menschlicher Existenz ist".[289] Der volle Sinn dieses Zitates wird erst dann zum Vorschein kommen, wenn wir das, was wir in Niebuhrs Denken Säkularität nennen, etwas deutlicher dargestellt haben. Aber schon jetzt zeigt sich die Bedeutung der Religion,[290] des Glaubens für Niebuhrs Analyse: „Religion ist stets die Zitadelle der Hoffnung, die am Rande der Verzweiflung gebaut ist".[291]

Der andere Pol in Niebuhrs Denken ist seine hohe Einschätzung der Politik als dem Bereich, in dem individuelle und gesellschaftliche Moralität miteinander in Berührung und Auseinandersetzung geraten.

Das Verständnis von Macht ist dabei besonders bedeutsam, da sie im politischen Bereich zu ständigem Kampf veranlaßt: „Der Wille zum Leben wird zum Willen zur Macht", behauptet Niebuhr und folgert: „Nur selten versorgt die Natur mit Verteidigungsmechanismen, die nicht in Angriffsinstrumente umgewandelt werden könnten".[292] Dieser Realismus ermöglicht Niebuhr eine nüchterne Einschätzung des sozialen Lebens: „Politik wird bis zum Ende der Geschichte ein Gebiet sein, wo sich Gewissen und Macht treffen, wo die ethischen und zwingenden Faktoren menschlichen Lebens sich gegenseitig durchdringen und ihre möglichen und unsicheren Kompromisse aushandeln werden".[293]

Das Politische ist so eine lebensumfassende Aktivität und die innere Antriebsmacht menschlichen Lebens. In diesem weiten Sinne des griechischen Polisgedankens „war Politik das eigentliche Zentrum von Niebuhrs Denken und Arbeiten, seine tägliche Speise und sein täglicher Trank".[294]

b) Der Mensch in seiner Korruption und als „imago Dei"

Im Zentrum der Politik aber steht der Mensch, Individuum und soziales Wesen in gegenseitiger Abhängigkeit. Niebuhr entwickelt seine Anthropologie, die für seine Theologie zentral ist, am ausdrücklichsten in seinen Gifford Lectures von 1939, die als „The Nature and Destiny of Man"[295] veröffentlicht wurden: Der Mensch ist gleichzeitig Schöpfer und Geschöpf. Die Bedeutung seiner Bestimmung ist am besten im Bild vom „Imago Dei" ausgedrückt. Er ist ein Geschenk für sich selbst und geschaffen, um sich selbst wegzugeben, das heißt, daß der Mensch ständig aus der Rolle des Beobachters heraustreten muß in einer personalen Mitteilung seiner selbst. Die Menschheit weist diese Aufgabe und die darin enthaltene Abhängigkeit meist zurück: Der Einzelne klammert sich an die Freiheit des Selbst, auch wenn das die Unterdrückung der anderen bedeutet, und übersieht dabei die Begrenzung und Endlichkeit des Individuums. Ist der Mensch aber in Abhängigkeit von bloß einem Bestandteil des menschlichen Paradoxes, dann wird er auf die Dauer hin ängstlich: „Angst als eine dauernde Begleiterscheinung der Freiheit ist dann die Quelle der Kreativität und die Versuchung zur Sünde".[296] In der Komplexität des menschlichen Seins als Schöpfer und Geschöpf muß der ängstliche Mensch nämlich über Gut und Böse entscheiden, die in ein und derselben Person angelegt sind: „Das Böse im Menschen ist die Folge seiner unvermeidlichen, wenn auch nicht notwendigen Unwilligkeit, seine Abhängigkeit anzuerkennen, seine Begrenztheit anzunehmen und seine Unsicherheit zuzugeben, eine Unwilligkeit, die ihn in den Teufelskreis bringt, die Unsicherheit zu betonen, vor der er entfliehen will".[297]

Diese Abhängigkeit des Selbst als „Imago Dei" verbindet es als Geschöpf und Schöpfer mit Gott und der Gesellschaft. Er kann weder ohne das eine noch das andere existieren, eine Tatsache, die Niebuhr in „Man's Nature and his Communities" weiterentwickelt: „Die Selbstsuche und Selbstmitteilung des Menschen sind im menschlichen Selbst verwickelt aufeinander bezogen. Die menschliche Freiheit schafft eine einmalige dialektische Beziehung des Individuums zur Gemeinschaft".[298] In dieser Gemeinschaft beginnt der Mensch „den brutalen Charakter des Verhaltens aller menschlichen Kollektive" zu erfahren „und die Gewalt des Selbstinteresses und den kollektiven Egoismus in allen Beziehungen zwischen Gruppen".[299]

Die Dialektik der Beziehung zu diesen Wirklichkeiten liegt in der Annahme der geschichtlichen Fortdauer des Konfliktes zwischen Selbst und sozialer Gruppierung begründet und in der Überlegung, daß Reue und Wandel eines Individuums wahrscheinlicher ist, als die Umkehr der Gesellschaft. Damit verbunden ist die Versicherung, „daß der Traum von dauerhaftem Frieden und Brüderlichkeit für die menschliche Gesellschaft nie voll verwirklicht werden wird".300)

Diese Feststellung führt aber nicht zu einem quietistischen Stoizismus, der sich auf moralische Überredung zurückzieht, sondern bewahrt vielmehr den Versuch der Umwandlung und der Umkehr vor der Gefahr, sich in der Zufriedenheit mit dem Erreichten zu einer Ideologie zu verfestigen. Daß Niebuhr dies auch für sich selbst gelten ließ, zeigt wohl am besten sein ständiger Einsatz für die weniger Bemittelten, praktisch in vielen Einzelfällen und literarisch wie in diesem Zitat aus dem Jahr 1932: „Die Unterdrückten, seien es die Inder im Britischen König-reich oder die Neger in unserem Lande oder die Industriearbeiter in jeder Nation, haben einen höheren moralischen Anspruch, ihren Unterdrückern den Kampf anzusagen, als daß diese ein Recht haben, ihre Herrschaft durch Gewalt aufrecht zu erhalten".301)

Dieses Engagement erhält seine Kraft nicht aus der Interpretation des Liebes-gebotes, sondern leitet sich von den Forderungen der Gerechtigkeit her. Würde das Liebesgebot nämlich direkt auf die politische Ordnung angewendet, dann ginge es in kürzester Frist im bloßen Moralismus unter: Denn sozial und ökonomisch bestimmte Gruppen haben einen Egoismus, der nicht durch eine individualistische Ethik in Frage gestellt werden kann. Im Bereich der Macht fordert Niebuhr deshalb politische Kategorien wie Gerechtigkeit, die an sozialen Erfolgen gemessen werden können. Aber noch ein zweites fordert diese Differenzierung. Die Gerechtigkeit läßt sich nur durch die Vernunft erhalten. Die größere Wertschätzung für das Du aber ereignet sich durch die ethisch reinere Liebe. Sie hat „das Kreuz als ihr Symbol . . . triumphierend in seiner eigenen Integrität, aber nicht siegreich in Welt und Gesellschaft".302)

Das Liebesgebot und seine Erfüllung ist also „keine einfache Möglichkeit"303) für den Menschen, der die Anerkennung seiner Gebundenheit und Endlichkeit in seiner Angst zurückweist. Die Liebe wird im menschlichen Bereich ständig leiden; aber das macht sie dennoch zum Ziel: „Die Vollendung der Agape, so wie sie im Kreuz symbolisiert ist, kann weder einfachhin auf die Grenzen der Geschichte zurückgeführt werden, noch als belanglos abgetan werden, weil sie Geschichte übersteigt. Sie übersteigt die Geschichte wie die Geschichte sich eben selbst übersteigt. Sie ist die letzte Norm einer menschlichen Natur, die keine letzte Norm in der Geschichte kennt, weil sie nicht völlig in Geschichte aufgeht".304)

Die Liebe ist in der Geschichte die antreibende Kraft zur Durchführung der Gerechtigkeit: Sie „ist fähig, die Natur übersteigende sittliche Ziele zu setzen, ohne sich in Weltfremdheit zu verlieren".305) Diese wirklichkeitsbezogene Interpretation der Liebe als der treibenden Kraft für das Leben des individuellen Selbst in der Gesellschaft hängt direkt mit dem realistischen Verständnis von

Macht und Politik und der Unterscheidung von Gerechtigkeit und Liebe zusammen: „Gerechtigkeit ist nicht Liebe. Gerechtigkeit setzt den Konflikt von Leben mit Leben voraus und versucht ihn zu lindern. Jede relative Gerechtigkeit steht also unter dem Urteilsspruch des Liebesgebotes, aber sie ist auch eine Annäherung an dieses".[306] Liebe wird also im gerechten Handeln schon durchscheinend; sie stellt in ihm das Zukurzkommen menschlicher Erfolge heraus. Aufopfernde Liebe wird im Handeln niemals erfüllt, aber bleibt doch relevant als eine in-Frage-stellende Forderung an die geschichtliche Existenz.

Dies ist die Tragik des Selbst, das aufgrund seines Freiheitsbewußtseins in den gegenseitigen Bezügen des Lebens nicht absolut selbstlos sein kann. Die in dieser Tragik eingeschlossene Dialektik ist das zentrale Argument von Niebuhrs Theologie. Auf ihr baut seine Ethik auf und sie kontrolliert sein politisches Engagement und seine Entscheidungen: Im Bezug auf die Liebe heißt das: „Das Liebesgebot ist eine unmögliche Möglichkeit".[307]

John C. Bennett faßt in seinem bekannten Artikel über Niebuhrs Sozialethik zusammen, für was diese „unmögliche Möglichkeit" der Agape steht: „Dies meint, daß, wenn auch die Liebe sich niemals völlig in irgendeinem menschlichen Motiv oder irgendeiner menschlichen Handlung verkörpert, so bleibt sie doch für beides, Motiv und Handlung, bestimmend. Von ihr werden wir beurteilt und wir können uns solcher Liebe nähern, wenn wir in Demut vor Gott die Anmaßungen vermeiden, die unser Leben am meisten verzerren. Die Hauptwarnung muß immer die sein, daß, wann immer wir nahe an die Liebe herankommen, all unser Tun gerade in dem Moment in größter Gefahr der Korruption ist".[308] Die Gefahr ist der falsche Gebrauch der Freiheit, nicht als unausweichliche Notwendigkeit, aber als empirische Tatsache.

Mit dieser Darstellung der Tragik verbindet Niebuhr eine Interpretation des Leidens, weil die Sünden der anderen immer auf Kosten des Selbst geschehen. Sünde ist allen Menschen gemeinsam und folglich ist das Leiden unter der Selbstgefälligkeit der Menschen universal: Alle stehen unter dem Einfluß menschlicher Hybris, und die Zurückweisung der Tragödie menschlicher Korruption führt nur zu neuer Unterdrückung: „Die Hoffnung, daß menschliches Leben in der Geschichte von jedem Makel der Sünde befreit und daß die soziale Existenz des Menschen von jeder moralischen Doppeldeutigkeit freigemacht werden kann, bringt in dem leidenschaftlichen Bemühen, die unerbittliche Beziehung von Sünde und Freiheit im menschlichen Leben zu überwinden, unvermeidlicherweise Böses hervor".[309] Dieses Paradox der menschlichen Situation, das in seiner Begrenztheit wie seiner Freiheit ausgedrückt ist und im Tod zu seiner höchsten Dunkelheit kommt, taucht alles geschichtliche Tun in Schuld. Aber in der Analyse der Gegenwart eröffnet diese Hoffnung der Verzweiflung einen Ausweg durch Kreativität in sozialen Aufgaben.[310] Aber nur in der „teleskopischen Sicht" des Menschen als „Imago Dei" kann der „mikroskopische Blick" der Analyse der Gegenwart die grundlegende „Heimatlosigkeit" des Menschen wahrnehmen und partiell überwinden. „Das Selbst weiß von der Welt, soweit es von ihr weiß, weil es sowohl außer sich selbst wie außer der Welt steht, was bedeutet, daß es sich selbst nicht verstehen kann, es sei denn, wie es von über sich selbst und der Welt hinaus verstanden wird".[311] Dieses „Über-hinaus" ist nicht weltfremd, sondern erreicht seine Erfüllung in einem Du, im Selbst-geben über die Grenzen des selbstsüchtigen Selbst hinaus. „Das Selbst kann nur durch fortgesetzten Überstieg über das Selbst sein wahres Selbst sein. Diese Selbst-transzendenz endet entweder in einer mystischen Weltfremdheit oder es muß in unbegrenzte Verwirklichungen des Selbst im Leben anderer umge-wandelt werden".[312] Niebuhrs Sympathie gilt eindeutig der gegenseitigen Liebe als Erfüllung der sozialen Forderungen geschichtlicher Existenz. Aber das Heraustreten aus dem Ich, um in der Vereinigung mit dem Du wirkliches Selbst zu werden, geht weiter als eine gegenseitige Liebe: „Wirkliche Liebe zwischen Person und Person ist nämlich ein Verhältnis, in dem der Geist den Geist in einer Dimension trifft, in der beide die Uniformitäten und Unterschiede der Natur, die die Menschen zusammenbinden und trennen, überstiegen sind. Dies ist keine einfache Möglichkeit. Jedes Wesen bleibt in gewisser Weise unergründlich für die anderen. Sie ist eine Möglichkeit allein auf dem Wege der Gottesliebe".[313]

In dieser Adaptation des Ich-Du-Prinzips wird deutlich, daß Grund und Ziel von Niebuhrs Anthropologie seine implizite Christologie ist:[314] Nur Vergebung und Rechtfertigung in Christus nehmen „den vollen Ernst der Sünde als einem dauernden Faktor menschlicher Geschichte"[315] wahr. Christus wird wie vorher die Selbst-gebende Liebe, die in ihm ihren Ursprung hat und in seinem Kreuz erfüllt ist, eine „unmögliche Möglichkeit" genannte. In Christus aber ist es Gott, der in ihm als Grund jeder Existenz offenbar ist: „Die biblische Lehre von Schöpfer und Schöpfung ist deshalb die einzige Grundlage, auf der die volle Höhe des menschlichen Geistes gemessen, die Einheit seines Lebens in Körper und Seele aufrecht erhalten, die wesentliche Sinnhaftigkeit seiner Geschichte in der endlichen Welt erklärt und eine Grenze für seine Freiheit und den Selbst-über-stieg gesetzt werden kann".[316]

Der letzte Sinn der Schöpfung liegt im Kreuz und in der Agape, die in ihm offen-bar wird, und in der Auferstehung sich erhält. Hier liegt das Hauptargument von Niebuhrs Anthropologie, so daß Paul Lehmann sagen kann: „Christologie ist der Schlüssel zum Verständnis und zur Interpretation seines Werkes".[317] Dieses angelpunktmäßige Bestehen auf der Christologie zum Zwecke einer theologischen Anthropologie betont die Menschlichkeit Jesu Christi besonders stark. Dieser Akzentuierung entspricht Niebuhrs Interesse am Beziehungsverhältnis von Glaube und Welt. Die Spannung, die zwischen beiden besteht, ist durch die totale Hingabe der göttlichen Agape gelöst: „Die vollkommene Liebe des Lebens Christi endet am Kreuz, nachdem sie in der Geschichte existiert hatte. Sie ist daher über-geschichtlich nicht im Sinn der Errichtung einer nicht-historischen Ewigkeit als dem Ziel für menschliches Leben, sondern in dem Sinn, daß die Liebe, die sie verkörpert, der Punkt ist, wo Geschichte kulminiert und endet".[318] Das geschicht-liche Selbst steht unter dem Urteil und der Vergebung dieser Selbst-gebundenen Liebe, die letztlich allein Geschichte sinnvoll machen kann, Geschichte zu Geschichte werden läßt.

Aber das Selbst ist in der schwierigen Situation des historischen Existierens, in dem eine „Kultur, die es darauf angelegt hat, die Natur zu verstehen, und sich ihrer immer eindrucksvolleren Erfolge in der ‚Eroberung' der Natur rühmt, sich in immer ernstere Mißverständnisse der menschlichen Natur, der Einzigartigkeit des Selbst und seiner dramatisch-historischen Umgebung verwickelt hat".[319]

Im folgenden müssen wir beachten, wie nun das historische Selbst seinen Sinn in der Geschichte in Anpassung und kritischer Distanz finden kann, dazu befähigt durch die über-geschichtliche Bindung an Christus.

c) Geschichte als Interim

Sehr nüchtern bestimmt Niebuhr die Geschichte „als eine lange Reihe von erfolglosen Versuchen, das ersehnte Ziel sozialer Kohäsion und Gerechtigkeit zu erreichen; dabei war das Versagen gewöhnlicherweise in dem Bemühen begründet, entweder den Faktor des Zwanges völlig auszuschalten oder unstatthaft auf ihm zu beharren".[320] Geschichte ist so die von der Vergangenheit in die Gegenwart ausgezogene Linie der Politik „in verschiedenen Graden widerruflicher Erfahrungsmöglichkeit und unwiderruflicher Endgültigkeit",[321] verlängert auf Zukunft hin. Sie ist der Bereich, wo Macht jeden neuen Teilerfolg von „sozialer Kohäsion und Gerechtigkeit" verzerrt. Aber dies ist nur eine Beschreibung von Tatsachen, die die verschiedenen Einflüsse in der Geschichte noch nicht beachtet.

„Das Individuum jedoch, dessen Freiheit vom Naturablauf Geschichte möglich macht und dessen Freiheit über die Geschichte unbegrenzt viele neue Möglichkeiten in ihr schafft, erreicht einen letzten Gipfel der Freiheit, von dem aus er Fragen nach dem Sinn des Lebens aufwerfen kann, die den Sinn des historischen Geschehens selbst in Frage stellen".[322] Um geschichtlich zu leben muß der Mensch also in der Sinnfrage seinen Lebensraum auslegen;[323] und soweit kann und muß der Mensch auch aufgrund seiner Freiheit die Geschichte übersteigen. Die menschliche Begrenztheit bleibt dabei solange anerkannt, als der Mensch die Grenze seines eigenen Überstiegs in einer offenen Zukunft nicht antastet. Er muß also anerkennen, daß „die volle Tragweite der doppelten Idee, daß das ‚Gottesreich gekommen ist' und daß es ‚ankommt', meint, daß die Geschichte ein ‚interim' ist".[324] Die Vorstellung von der Geschichte als einem „interim" betont die Endlichkeit und die noch ausstehende endgültige Erlösung des Menschen und so auch der Geschichte. Grundlegend für eine historische Möglichkeit sind Vorstellungen und Projektionen eines mehr Endgültigen. Ohne diese würde Geschichte „auf die Proportionen der Natur zurückgeführt oder als eine Korruption der Ewigkeit betrachtet".[325] Aber Geschichte bleibt eine Mischung aus Freiheit und Notwendigkeit; sie gibt „dem Bereich der Geschichte seinen besonderen Charakter von Sinn und Dunkel, der teilweisen, aber nicht vollkommenen Verständlichkeit".[326] Grund für diese bruchstückhafte Verhangenheit und Einsichtigkeit ist der vorher schon erwähnte Umstand einer noch ausstehenden Erlösung, die ihre Ankunft in möglichen Erneuerungen ansagt: „Geschichte ist so der Raum unbegrenzter Möglichkeiten für Erneuerung und Wiedergeburt".[327]

Daß es Erneuerung aber nicht Erlösung im historischen Prozeß gibt, hat seinen Grund in Christus, der „Mittelpunkt und Schlüssel für den Sinn der Geschichte ist".[328] In der Offenbarung seiner Selbst-gebenden Liebe liegt die Begrenzung

der Geschichte, weil, wie wir vorher sahen, diese Agape Geschichte zusammenfaßt und beendet, ihr darin aber auch gleichzeitig ihren Sinn gibt. Agape ist
in ihrer richtenden und vergebenden Macht Grund wie Lösung für das „Paradox
der Geschichte", das „anerkennt, daß die kreativen und destruktiven Möglichkeiten menschlicher Geschichte unlösbar ineinander verwickelt sind. Dieselbe
Macht, die menschliche Gesellschaft regelt und Gerechtigkeit ermöglicht, bringt
durch ihr Übergewicht an Macht ebenfalls Ungerechtigkeit hervor".[329] Dies
ist die Ursache des Bösen in der Geschichte: Der Mensch benutzt die ihm gegebene
Gewalt für eine voreilige Flucht aus den begrenzenden Umständen und Unge-
sichertheiten der Geschichte. In einem Verlangen nach absoluten Lösungen und
universalen Durchblicken versucht er, der Logik der Geschichte in immer neuen
Variationen zu trotzen. Dieser Versuch steht in paradoxer Verbindung zum
Verlangen nach einer geschichtlichen Existenz: „Das letzte Rätsel der Geschichte
ist darum nicht, wie die Rechtschaffenen ihren Sieg über die Ungerechten
erreichen werden, sondern wie das Böse in jedem Guten und das ungerechte Tun
der Rechtschaffenen überwunden werden wird".[330] Und dieses Rätsel von
Schuld und Sühne als dauernde Bestandteile der Geschichte kann nicht durch die
geschichtliche Existenz als solche gelöst werden: „Letzten Endes kann nämlich
nur die göttliche Vergebung gegenüber allen Menschen die Verwirrung menschlicher Geschichte überwinden und dieses ganze Drama mit Sinn erfüllen".[331]
Die Antwort des Menschen auf diese Vergebung ist Glaube. Er findet die
Geschichte weder aufgrund von Selbstauslegung noch in Beziehung auf eine
unwandelbare Welt verständlich.[332] Nur in diesem eine Dialektik anregenden
Glauben erhält der Mensch die „unerläßlichen Hilfsmittel zur Lösung der
geschichtlichen Aufgaben, die vor uns liegen".[333] Denn, wie sich gezeigt hat,
„löst die Geschichte nicht das Rätsel der Geschichte".[334] Aber der Glaube hat
eine so enge Beziehung zur Geschichte, daß Niebuhr kategorisch behaupten
kann: „Die Gültigkeit des Christentums ist unlöslich mit der Idee des geschichtlichen Charakters des Menschen verbunden".[335]

d) Zusammenfassung

Ausgangspunkt der Überlegungen von Reinhold Niebuhr war seine Kritik an dem
Immanenzidealismus eines späten, verformten „Social Gospel" der frühen
zwanziger Jahre, das Christus und Kultur identifizierte. Dem stellte Niebuhr in der
Tradition von Rauschenbuschs eschatologischer Vision eine sich in den Verformungen des Ursprünglichen jeweils erneuernde Dialektik entgegen, die die Tragik
in den Bedingungen des Ankommens des Gottesreiches betonte. Gegenüber einer
noch positiveren Sicht der Ankunft der Herrschaft Gottes bei Gladden konfrontiert Niebuhr noch stärker als Rauschenbusch den „American Dream" mit dem
Gericht Gottes. Wirklichkeitsbezug des Glaubens bedeutet für ihn den Konflikt
mit der jeweiligen Kultur. Das ständig mögliche Ende der Geschichte drängt auf
eine Nüchternheit hin, die zu einer ständigen Umwertung aller Werte bereit ist und
auch die Demokratie in diese Konfrontation miteinbezieht.

Eine christologisch begründete Umkehrbereitschaft charakterisiert so Niebuhrs
Vorstellung von Säkularität, die sich selbst und ihre Folgen je neu einer Revision

unterzieht. Darin erfüllt sich das Beziehungsverhältnis von Glaube und Welt in immer neuen Ansätzen: Der Glaube kann so die Selbstgefälligkeit aufheben und den Menschen von individueller und gesellschaftlicher Selbstsucht freisetzen.

Niebuhr sieht diese Säkularität nicht als einfache Möglichkeit; die Tragik der Wirklichkeit besteht zum Teil vielmehr darin, daß der Glaubende immer wieder den Verformungen der Macht entgegentreten muß, die im menschlichen Leben als fortdauerndem politischen Prozeß ständig begegnen. Diese Entwicklung wird durch das Ineinander von Gut und Böse in Gang gehalten, das im Menschen, der Schöpfer und Geschöpf zugleich ist, seinen Ursprung hat und zwar insofern, als er nicht bereit ist, in seiner Freiheit auch seine Abhängigkeit anzuerkennen. Ein Korrektiv für die ideologische Absicherung in einem Freiheitsidealismus sieht Niebuhr in dem Konflikt zwischen dem Selbst und der sozialen Gruppe. In dieser Analyse geht er weit über die Ansätze von Gladden und Rauschenbusch hinaus, da er aufgrund eines im politischen Bereich wahrnehmbaren Säkularisierungsprozesses zwischen der Forderung nach Gerechtigkeit und dem Liebesgebot unterscheidet: Das Liebesgebot hat für ihn im politischen Bereich, in der Auseinandersetzung zwischen Individuum und Gruppeninteresse, keine direkte Geltung, da die politischen Kategorien von der Vernunft bestimmt werden: Diese stellt aber die Forderung nach meßbarer Gerechtigkeit.

Die Liebe dagegen kennt nicht diesen direkten Triumph, da ihr Symbol das Kreuz ist, eine unmögliche Möglichkeit für den Menschen. Zwar stellt das Liebesgebot die geschichtliche Existenz immer wieder in Frage und treibt damit zur Forderung nach Gerechtigkeit an. Aber als Selbstübersteig des Selbst ist die Liebe nicht in sich selbst, sondern in Gottes Liebe begründet und steht in der menschlichen Geschichte in der ständigen Gefährdung der Korruption durch den falschen Gebrauch der Freiheit des Geschöpfes. In der Erkenntnis dieser Tragik und der darin begründeten Bereitschaft zur Umkehr liegt für Niebuhr der Anstoß zur Kreativität des Menschen, in der er in einer in Christus begründeten unmöglichen Möglichkeit den Überstieg über den bloßen Augenblick erreicht. Dies ist der Austausch zwischen „teleskopischer" und „mikroskopischer" Sicht der Wirklichkeit, oder, um in den Kategorien der Theologiegeschichte zu reden, des Ineinander der beiden Reiche.

Die Geschichte ist für Niebuhr also der politische Bereich der Macht, der den Menschen immer wieder die Sinnfrage stellen läßt: Denn als Mischung aus Freiheit und Notwendigkeit erfährt der Mensch die Geschichte immer wieder als „interim". Diese Analyse deckt sich mit dem Geschichtsverständnis bei Rauschenbusch. Wie dieser weiß Niebuhr, daß die Geschichte sich nicht selbst erlösen kann. Säkularität läßt sich also in einer Kurzformel bei Niebuhr als Kreativität in Geschöpflichkeit charakterisieren.

Weil die Sünde als Mißachtung dieser Geschöpflichkeit Konstitutiv menschlichen Lebens ist, sieht Niebuhr in seinem christologisch begründeten Glauben die Geschichte momentan erfüllt in der göttlichen Vergebung, die die Geschichte als solche aber auch offen hält. In seiner Analyse der Tragik der Geschichte und einem daraus resultierenden differenzierteren Geschichtsverständnis geht Niebuhr also über Rauschenbusch hinaus.

3. Sein Beitrag zum Problem der Säkularität – (Kreativität in Geschöpflichkeit)

a) Der Säkularisierungsprozeß

Seine Offenheit für das Politische und seine Geschichtsauffassung stellen Niebuhr vor das neuzeitliche Problem der Säkularisierung. Die Gründe für diesen Entwicklungsgang sieht er in seiner Analyse der Anfänge des Marxismus auf der einen Seite in der „Mechanisierung des modernen Lebens" und zum anderen in der „Zerstörung religiöser Vorstellungskraft". Die Ursache des letzteren war „die unwirkliche Sentimentalität, in die die religiös-soziale Hoffnung in der religiösen Mittelklasse-Gesellschaft abgefallen war".[336]

Der Säkularisierungsprozeß wurde vermittelt und noch beschleunigt durch die erneute Betonung der alten christlichen Lehre von der Rechtfertigung des Selbst, das andauernd in der Sünde lebt, und die in dieser reformatorischen Lehre enthaltene Freisetzung des Glaubenden für ein von seinem Glauben verantwortetes Handeln in der Wirklichkeit. Dieses „autonome" Individuum wird nach Niebuhr zum Hauptthema der modernen Kultur, die „beginnend mit der Renaissance den Gedanken der Individualität über die Grenzen hinauszuheben sucht, die ihr im christlichen Glauben durch das Liebesgebot einerseits und den Gedanken der Geschöpflichkeit des Menschen andererseits gesetzt sind".[337] Ohne diese Begrenzungen endet die Tendenz der Säkularisierung schließlich in der Ideologie einer Selbst-glorifizierung, die die Basis für einen Säkularismus bildet: Die Autonomie degeneriert dann zur Selbst-Rechtfertigung und die Geschöpflichkeit des freien Selbst mißversteht sich selbst als Schöpfung. Der Säkularisierungsprozeß als solcher ist ein Ergebnis der Fähigkeit des Menschen, die unvermeidlichen Bedingtheiten und Frustrationen der Geschichte wahrzunehmen und sie in Kreativität zu übersteigen. Der Prozeß wird ständig weitergeführt, wenn der Mensch versucht, sein eigenes Wesen zu bestimmen und seine Bestimmung in dem Rahmen zu ergründen, der ihm durch seine Existenz als „Imago Dei" gesetzt ist. In der in der Neuzeit wiederentdeckten Tragik der geschichtlichen Existenz wird dann deutlich, daß der Mensch nicht außerhalb seiner gesellschaftlichen Umgebung erlöst werden kann. Diese Einsicht in die Bedeutung der Weltwirklichkeit für das Selbst und die andere von der Autonomie des Individuums bilden die beiden Spannungspole im Verständnis des fortlaufenden Säkularisierungsprozesses, der trotz der tragischen Erfahrungen ein bestimmtes Vertrauen in die Geschichte und „in das zeitliche Geschehen als das, was unserer Existenz Sinn gibt",[338] aufrecht erhält. Dies ist für Niebuhr aber auch der dialektisch angelegte Punkt, wo ein unsachgemäßer Optimismus entstehen kann, der „kein Verständnis für die verwickelten Faktoren des Geschehenszusammenhanges hat, aus dem Personalität hervorgeht".[339] Es besteht die Gefahr der Gleichsetzung Gottes mit einem selbsttätigen Prozeß, ein Zeichen für den Irrtum des Menschen, den Überstieg des Selbst als eine einfache und unbegrenzte Möglichkeit anzusehen. Die bejahende Haltung der Säkularisierung zu Selbst, Gesellschaft und Geschichte steht unter der fortgesetzten Drohung einer Umwandlung in ein abgöttisches Vertrauen. Und diese Dialektik einer säkularisierten Umwelt erhält und bedroht in immer wachsender Verbreitung die gesamte Menschheit seit einer Zeit, als der religiöse Nährboden der westlichen

Kultur endgültig durch den „Einfluß der modernen Wissenschaft und den Druck der technischen Zivilisation"[340] zerbrochen wurde.

Die Säkularisierung steht für Niebuhr unter demselben Einfluß durch die Tragik wie das menschliche Selbst und die Geschichte; deshalb kommt auch in ihr der christliche Glaube erst eigentlich zum Tragen.[341]

Denn er gibt in einer säkularisierten Welt die Möglichkeit, in immer neuen Versuchen einer geschichtlichen, gegenwartsbezogenen Existenz, in Säkularität, einen Säkularismus zu verhindern und zu überwinden.[342]

b) „Applied Christianity"

Niebuhrs Darlegungen über Säkularität können wohl am besten in dem Titel zusammengefaßt werden, den ein eigenes für ihn am Union Theological Seminary eingerichteter Lehrstuhl trug: „Angewandtes Christentum"!

Denn seine Vorbehalte über die Anwendbarkeit des christlichen Glaubens auf die Wirklichkeit bilden die dialektische Grundlage für seine Interpretation von Säkularität, der glaubenden Existenz des Menschen in der Geschichte. Es ist bezeichnend und bestimmend für Niebuhrs wachsendes Verständnis einer „applied christianity", daß er nach der totalen Ernüchterung durch den Zweiten Weltkrieg, wie John C. Bennett behauptet, eine „Offenheit für die mögliche Einzigartigkeit einer jeden geschichtlichen Situation"[343] erreichte.

Grundlage für Reinhold Niebuhrs Theologisieren über Säkularität war, wie sich schon vorher andeutete, sein lebenslanges „Interesse an der Verteidigung und Rechtfertigung des christlichen Glaubens in einem säkularen Zeitalter".[344] Säkularität wird je neu zusammengesetzt aus „einem freien Spiel" des christlichen Glaubens „mit allen Kräften und Bestrebungen des kulturellen Lebens des Menschen",[345] abgeleitet von der Einsicht, daß „es keinen Weg eines Verständnisses des letzten Problems menschlicher Existenz gibt, wenn wir uns nicht eines Strebens nach unmittelbaren Antworten und Lösungen befleißigen".[346] Als solche ist Säkularität eine „zirkulare Beziehung zwischen Glaube und Erfahrung".[347] Die „teleskopische Sicht" des Glaubens muß sich an die „mikroskopische" Dimension der Erfahrung anpassen und zu einem Durchblick der Säkularität führen. Niebuhr fordert eine neue „Askese", nicht eine der „Nicht-Teilnahme", die „in Uneinigkeit mit den tiefsten Einsichten der christlichen Religion"[348] sein würde, noch eine von puritanischer Abstammung, die „ökonomische Macht heiligte . . . Die neue Askese", so schrieb Niebuhr 1927 in der Tradition des „Social Gospel", „muß geistbegabte Techniker hervorbringen, die fortfahren, die Natur zu Gunsten menschlichen Wohlergehens zu bewältigen und zu nutzen, aber die ihre Aufgabe als einen sozialen Dienst verstehen und es verschmähen, einen größeren Teil des Industrieumsatzes anzunehmen, als durch vernünftig begründete und vorsichtig ermittelte Notwendigkeit gerechtfertigt ist. Die neue Askese muß, kurz gesagt, in der Welt, aber nicht von der Welt sein".[349]

Diese Form der Anwendung des christlichen Glaubens wird vom Liberalismus wie von der Orthodoxie gleichermaßen angegriffen: diese verwirft ein Eingehen

des Christentums auf den Säkularisierungsprozeß, jener beklagt die mangelnde
Anpassung an ihn. Unter diesen Umständen muß die christliche Säkularität nicht
nur den Versuchungen durch neue Ideologien in der eigenen säkularen Umgebung
widerstehen, sondern gleichzeitig den ideologieverdächtigen theologischen
Konstruktionen, wie Orthodoxie und Liberalismus sie verkörpern: „Diese apolo-
getische Aufgabe", wie Niebuhr die Überwindung dieser Schwierigkeiten für die
Säkularität nennt, „verlangt, nicht nur mit einer säkularen Kultur, deren
Hoffnungen sich als illusorisch herausgestellt haben, Verhandlungen aufzunehmen,
sondern ebenfalls mit zwei gegensätzlichen Versionen des christlichen Glaubens.
Eine von diesen kleidete den modernen säkularen Glauben bloß in traditionelle
christliche Phrasen; und die andere versuchte, die Wahrheit des christlichen
Glaubens dadurch zu beweisen, daß sie die Entwicklung in Natur und Geschichte,
die die moderne Kultur erschlossen hatte, leugnete und ablehnte".[350]

Säkularität aber ist eine Mischung aus „Illusion" und „Vernunft": Sie weiß um
die Tatsache, „daß auch die höchsten Leistungen menschlichen Lebens mit
sündiger Korruption infiziert sind".[351]

Durch diese dialektisch geformte, genuin christlichen Apologetik wird in Form
von Widerspruch und Zustimmung das Gericht Christi zum Tragen gebracht.
Diese komplexe Aufgabe einer verwirklichten Säkularität wurde von Niebuhr
einmal „die Dichtkunst der Religion"[352] genannt, die aus der Freiheit des
Menschen hervorgeht, das Vorhandene um einer neuen Verwirklichung willen zu
übersteigen, Geschichte zu schaffen. Dieser Überstieg nimmt dem Historischen
zwar seine Normativität, wir bleiben aber in „dieser gegenwärtigen Geschichte mit
allen ihren Konflikten und tragischen Enttäuschungen arroganter Hoffnungen";[353]
so partizipieren wir an den „Belastungen der gegebenen Situation, in der Menschen
verwickelt sind, den Lasten der Schaffung von Frieden, Erreichung von Gerechtigkeit und Vollendung von Gerechtigkeit im Geist der Liebe".[354] Der Mensch
versucht in diesem Überstieg das „unmöglich Mögliche": Indem er sich geschichtliche und natürliche Mächte auf dem Wege ständiger genauer Prüfung unterwirft,
stellt er sich selbst unter das eschatologische Verständnis und den Anspruch eines
Evangeliums, das sich in der Selbstgebenden Liebe Christi am vollkommensten
ausdrückte.

Die kürzeste und treffendste Bestimmung von Säkularität in Niebuhrs Werk ist so
schließlich die einer „genuinen Individualität", einer Balance zwischen den
beiden Tendenzen im menschlichen Selbst und in der Menschheit als solcher,
sich auf der einen Seite zum Zentrum des Universums zu machen und auf der
anderen Seite die Tragik festzustellen, in die das Selbst im Überstieg von Welt und
Geschichte gerät.

In Niebuhrs eigenen Worten: „Eine genuine Individualität kann nur unter solchen
religiösen Voraussetzungen aufrecht erhalten werden, die der gegebenen Einmischung der menschlichen Individualität in all die organischen Formen und
sozialen Spannungen der Geschichte gerecht werden, und dennoch seinen letztlichen Überstieg über alle sozialen und historischen Situationen in den höchsten
Bereichen seiner Selbst-Transzendenz anerkennen".[355] In einer solchen Haltung
steht das Selbst zwischen den Extremen von Optimismus und Pessimismus, ein

Standpunkt, der durch die „Wahrheit der Buße" ermöglicht ist, in der „die wechselnden Stimmungen von Verzweiflung und falscher Hoffnung überwunden sind und das Individuum wirklich frei ist zu einem Leben in Heiterkeit und Kreativität",[356] oder man könnte auch sagen, ein Leben in Säkularität, einer „kreativen Verzweiflung".[357]

Solch ein Leben „genuiner Individualität" wird „das einzige erfolgreiche Zeugnis der Wahrheit Christi" sein, als „ein Leben, in dem die Sorgen und Befürchtungen des Lebens überwunden sind, miteingeschlossen die Furcht vor dem Tod; in dem das Gefängnis der Selbstliebe, des Beschäftigtseins mit dem Selbst, seinen Interessen und Sicherheiten, aufgebrochen ist, so daß das Selbst in ,Liebe, Freude und Frieden' leben kann. Das bedeutet, so frei von Befürchtungen zu sein, daß man kreativ in das Leben anderer eingehen kann".[358]

Diese Sätze zeigen hinreichend, auf welche Weise Niebuhrs Gedanken über die Liebe, den Menschen, die Gesellschaft und die Geschichte in Idee und Haltung der Säkularität verschmelzen. Sie sind schließlich ein Beweis für seine grundlegende Überzeugung, daß Gott sich nicht von der Welt trennen läßt, der Glaube nicht von der sozialen Verantwortung in der gegenwärtigen Wirklichkeit und so Agape nicht von ihrem Kampf für Gerechtigkeit. Säkularität ist für Niebuhr eine Lebensweise an den Kreuzwegen von Glaube und Kultur, die die Versuchungen des Menschen zu einer Gleichwerdung mit der Welt oder einer Weltflucht als solche bloßstellt und ihnen zu entgehen sucht: Der nur pragmatische Wert der Säkularisierung wird nüchtern angenommen und in einer Verbindung mit der Theologie für das gegenwärtige Leben verständlich gemacht.[359] Diese Theologie im „weltlichen Gewand" wurde zu einer Art von „Kritik in Residenz", d. h. Niebuhrs Denken verläßt nie die Front zwischen Evangelium und Welt; sie lebt in Säkularität in der Form einer „Konfrontation mit epochalen kulturellen Strömungen und mit scharfsinnigen Kommentaren über Tagesereignisse und Teilnahme an ihnen".[360] Damit hat er, so urteilt Paul Lehmann, „es – mit einem bemerkenswerten Grad von Erfolg – versucht, die Entfremdung des modernen Denkens von den Einsichten und dem Inhalt des christlichen Glaubens zu überwinden".[361] Ein Anzeichen für diesen Erfolg ist die weite Hörer- und Anhängerschaft, die Niebuhr außerhalb der Universität und in sogenannten säkularen Kreisen hatte. Wenn man über Niebuhrs Theologie sagen kann, daß sie sich „als Antwort auf seine Beobachtung der zeitgenössischen Geschichte und als Ergebnis seiner Gedanken über seine eigene soziale und politische Verantwortung in dieser Geschichte entwickelte",[362] dann ist das sowohl eine Folge wie auch eine Anerkennung seiner Säkularität.

c) Glaube als kritisches Prinzip

In der Darstellung von Niebuhrs theologischer Interpretation stellte sich bisher immer wieder die Bedeutung des Glaubens heraus, so daß wir diesen Begriff noch etwas genauer bestimmen müssen: Glaube war die Antwort des Menschen auf Gottes Vergebung, die der Menschheit in der Selbst-gebenden Liebe Christi angeboten wird. Als Wahrnehmung des Gerichtes gibt der Glaube die notwendigen Hilfsmittel für ein wirkliches geschichtliches Handeln. Der Glaube versteht das

Tragische in der Geschichte; und als in der Welt geglaubter aber nicht von ihr herstammender verhindert er die Umwandlung der Säkularisierung in Selbst-glorifizierung und damit ihren Abfall in säkularistische Ideologien. So vermag der Glaube in der Abkehr vom Säkularismus und seiner monistischen Interpretation von Welt, Geschichte und Selbst auf eine „genuine Individualität" in Form von Säkularität immer neu hinzulenken.

Niebuhr verneint nicht die Möglichkeit einer „genuinen Individualität" außerhalb der Grenzen des Glaubens als „eine reine rationale, obgleich negative Zurückweisung des modernen Säkularismus", die sich für „eine höhere Dimension"[363] einsetzt. Aber nur der christliche Glaube kann in dieser höheren Dimension der Säkularität „ein göttliches Gericht und göttliche Barmherzigkeit" erkennen, „die Wahrheit des Evangeliums", durch die wir in der Lage sind, „das Leben in all seiner Schönheit und seinem Schrecken zu verstehen, ohne von seiner Schönheit getäuscht oder von seinem Schrecken in Verzweiflung getrieben zu sein".[364] Der christliche Glaube bewahrt so vor einer verfehlten Katastrophenstimmung, die versucht, „Geschichte zu einem voreiligen Ende zu bringen".[365] In ihrer dialektisch strukturierten Wirklichkeitsorientierung vermeidet es die Säkularität, „die Charybdis der Lebensverneinung und Weltflucht" anzusteuern, „in dem Versuch, der Skylla der Abgötterei zu entfliehen".[366]

Der Glaube verschwindet im modernen Zeitalter nicht, weil das Selbst im Hinblick auf seine eigenen Erfahrungen und seine eigene Schuld wahrnimmt, daß die Berufung auf die Normalität bloß eine Verschleierung des Tragischen bedeutet. So „vollendet der Glaube unsere Unwissenheit", schreibt Niebuhr am Ende seiner Gifford Lectures, „ohne daß wir seine Sicherheiten als Wissen ausgeben könnten"; und auf der anderen Seite „mildert Zerknirschung unseren Stolz, ohne unsere Hoffnung zu zerstören".[367]

Wie in seiner Anthropologie sind auch für diese Interpretation des Glaubens christologische Aussagen zentral: „Der christliche Glaube beginnt mit und ist gegründet auf der Bestätigung, daß Leben, Tod und Auferweckung Christi ein Geschehen in der Geschichte darstellt, in dem und durch das eine Eröffnung des Gesamtsinnes der Geschichte sich ereignet".[368] Die die Geschichte übersteigende, selbstgebende Liebe Gottes „im Sterben und Auferstehen Christi ist der Schlüssel für die Möglichkeiten des Selbst in der Geschichte. Allem Leben ist diese Norm für seine Selbstverwirklichung gegeben".[369]

Jedes Selbst muß durch diesen Prozeß des Sterbens und Auferwecktwerdens – der schließlich der des Überstiegs über die Geschichte ist[370] – immer wieder von neuem gehen: Nur in je neuer Umkehr ist eine Selbstverwirklichung in Verantwortung möglich, weil das Selbst, wie wir in der Darlegung der Anthropologie sahen, das Geschenk der Vergebung durch Gott mit den Erfolgen des Menschen verwechselt. Deshalb muß „der Stolz und die Selbst-Achtung des Menschen ständig durch einen prophetischen religiösen Glauben in Frage gestellt werden, der weiß, daß der Weise und der Mächtige, der Tugendhafte und der Vornehme, daß in der Tat alle Menschen und alle Kulturen unter einem endgültigeren Urteil stehen als alle Urteile, die sie über sich selbst und alle anderen bringen".[371] Nur ein prophetischer Glaube kann eine Balance zwischen historischem Engagement und dem Überstieg über die Geschichte bringen: Denn Prophetie nach dem Christusereignis verkündigt einen Gott, der „in der Geschichte leidet"[372] und der „seine Majestät und Heiligkeit nicht in ewiger Desinteressiertheit, sondern in erduldender Liebe offenbart".[373] Ein solcher Überstieg über die Geschichte macht den christlichen Glauben vor allem im Hinblick auf seine prophetische Aufgabe „vollkommen weltzugewandt".[374] Diese grundlegende Einsicht war uns schon bei der Darlegung der „Applied Christianity" begegnet. Jetzt kann man aber mit Sicherheit argumentieren, daß die Säkularisierung sich ohne einen prophetischen Glauben in einen Säkularismus verkehrt.

d) Säkularismus als Herausforderung

In der Interpretation des Marxismus kommt Niebuhr erstmals zu dieser Wahrnehmung des Säkularismus. Es bedurfte der persönlichen Erfahrungen seiner christlich-marxistischen Periode in den frühen dreißiger Jahren, um schließlich zu dem kritischen Urteil zu gelangen, daß der „Marxismus eine säkularisierte Version des Messianismus ist, dem die Erkenntnisse der Propheten fehlen, daß das Gericht Gottes mit besonderer Schärfe das auserwählte Volk trifft".[375]

Mit seiner Abkehr vom Marxismus ließ Niebuhr auch sein liberales Erbe hinter sich: „Der Marxismus", schrieb dazu John C. Bennett, „half ihm die Illusionen eines liberalen Progressivismus zu erkennen, und die klassische christliche Theologie ließ ihn die Illusionen des Marxismus durchblicken".[376]

Denn beiden fehlt die dialektische Einsicht in die Wirklichkeit, wie sie der Glaube vermittelt und deshalb bewegen sich beide unweigerlich von einer säkularisierten christlichen Wahrheit zu säkularistischen Ideologien und Utopien: Sie sind Ersatzformen für die verlorene Dimension des Überstieges über die Geschichte in der Umkehr.

Grundlage für den Säkularismus ist, wie gezeigt, irgendeine Form der Selbst-Glorifizierung, die sich weiterleitet „entweder in eine pantheistische Religion, die die Existenz in seiner Totalität mit Heiligkeit identifiziert, oder in einen rationalistischen Humanismus, für den die menschliche Vernunft wesentlich Gott ist, oder in einen vitalistischen Humanismus, der eine einzigartige oder besondere vitale Gewalt im Individuum oder in der Gemeinschaft als seinen Gott verehrt, das heißt als das Objekt seiner unbedingten Loyalität".[377]

Das Selbst unterwirft sich in diesem Säkularismus einem ideologischen oder „technokratischen Zutritt zu den Problemen der Geschichte, der irrigerweise die Oberhand über die Natur mit der Beherrschung von geschichtlicher Bestimmung gleichsetzt", und damit nur „eine sehr alte Verfehlung in der menschlichen Natur" neu zur Geltung bringt, nämlich „die Neigung des Weisen, oder des Mächtigen oder des Tugendhaften, die in allen menschlichen Erfolgen und Ansprüchen enthaltenen Begrenzungen des Menschen zu verschleiern oder zu verneinen".[378] Hand in Hand mit diesem Verlust der Selbstkritik geht der Verfall der Sinnhaftigkeit des Lebens; denn mit etwas Spitzfindigkeit erkennt der Mensch „die Relativität aller menschlichen Ansichten" in dieser entstehenden nihilistischen Kultur, die „einen geistigen Hohlraum" schafft, „in dem dämonische Religionen leicht einzudringen vermögen".[379]

So „leben wir in einer völlig säkularisierten Zivilisation, die die Kunst verloren hat, ihre hauptsächlichen Beweggründe unter irgendeine moralische Kontrolle zu bringen";[380] denn der für eine genuine Säkularität notwendige prophetische Glaube ist aus dem Erfahrungshorizont entwichen.

Der Mensch kann jedoch nicht lange in diesem Vakuum leben und schafft sich neue Sinngefüge, entweder in der Flucht aus der Geschichte auf den Wegen „ontologischer Kategorien, in naturalistischen, idealistischen oder mystischen Begriffen",[381] oder, indem er den historischen Prozeß selbst zum Sinnzentrum macht und sich aufgrund der Lösungen seines eigenen Verstandes etwa einbildet, daß er „eine einfache Harmonie zwischen Selbstinteresse und allgemeiner Wohlfahrt auf jeder Stufe erreicht habe",[382] und, falls noch ausstehend, mit ihrer Erfüllung im Verlauf des evolutionären Prozesses rechnet. Kapitalismus wie Marxismus unterliegen dieser Ideologie. Beide versuchen — durch innerhalb ihrer Systeme errichtete Limitierungen — die ständig anhaltende Suche des Menschen nach Sinn auszuschließen, d. h., daß der „Säkularismus entweder die verschiedenen Formen des Lebens ohne Bezug aufeinander läßt, oder sie auf der horizontalen Ebene der Oberfläche der Natur zu verbinden sucht, in der Verkennung Gottes als des Schöpfers und Zieles der Existenz, in dem allein die Unstimmigkeiten und Ungleichheiten einer endlichen Existenz überwunden werden können".[383]

Neben diesem rationalistisch geprägten Säkularismus steht der eines Naturalismus, der sich leicht in politischen Religionen versteckt, die sich mit nationalistischem Fanatismus verbinden. Die Selbst-Herrschaft nimmt dann entweder die Form des Materialismus an, der materiellen Zuwachs an die Stelle menschlich-moralischer Erfolge setzt, oder die des Nationalismus, in dem die Gemeinschaft den individuellen Stolz ersetzt. Ergebnisse sind dann entweder die zeitgenössischen Erscheinungen von „wirtschaftlicher Gier oder Rassenhaß"[384] oder andererseits die neuen Religionen des „Tribalismus"[385] und Kommunismus, die trotz ihrer systemimmanenten Grausamkeiten nach außen hin auf ihrer Unschuld und Sittlichkeit bestehen. Sie sind Idolatrien, die einen zufälligen Wert verehren und widerlegen einen „reinen Säkularismus", der „religiöse Gebundenheit als eine veraltete Kulturform betrachtet, die stufenweise mit der allgemeinen Ausbreitung aufgeklärten guten Willens aussterben wird".[386]

Niebuhr wendet sich schließlich vor allem gegen einen Säkularismus, der alle seine Hoffnungen in die Erfolge der Wissenschaft setzt: „Es ist ein Teil der moralischen Vernebelung unserer Tage", so schreibt er 1926 „sich einzubilden, daß wir uns die Natur unterworfen haben, wenn in Wirklichkeit die Anwendung der Wissenschaft nicht viel mehr getan hat, als einen Teil der Menschheit dazu zu erniedrigen, bloße physikalische Instrumente eines säkularen Zweckes zu werden, und den anderen Teil dazu zu veranlassen, von Stolz über die physikalischen Instrumente des Lebens besessen zu sein".[387] Der Scientismus übersieht, daß „keine empirische Beobachtung ohne ein Vorstellungssystem möglich ist".[388]

Die bisherige Gegenüberstellung des christlichen Glaubens mit verschiedenen Formen des Säkularismus könnte den falschen Eindruck vermitteln, daß dieser Glaube selbst dem Säkularisierungsprozeß enthoben sei. Aber das Christentum hat seinen Teil an Mitschuld für die gegenwärtige Malaise wegen seiner langanhaltenden „verdunkelnden Rolle gegenüber den Disziplinen der Naturwissenschaft und Philosophie und ihre unverantwortliche Haltung gegenüber der ganzen Aufgabe, die verschiedenen Strukturen der Existenz zu analysieren, sei es in Geologie, Biologie, Astronomie oder irgendeinem anderen Bereich des Seins".[389]

Neben dieser Vernachlässigung profanisierte es die eigene Wahrheit oft genug durch eine totale Identifikation mit geschichtlichen Gemeinschaften, vor allem feudalen, und brachte damit für sich die Geschichte zu einem voreiligen Ende, indem sie die menschlichen Schwächen mit einer göttlichen Aura umgab. Das gab einer säkularen Denkrichtung genügend Anlaß, einen Gott zu denunzieren, der von einem Christentum repräsentiert wurde, das „den reinen Idealismus Jesu mit den ausgeklügelten Nützlichkeiten eines Zeitalters gleichsetzt und versucht, dem sich herausschälenden Kompromiß das Prestige einer absoluten Autorität zu geben".[390]

Niebuhr aber meint, daß die Chance des Christentums für eine theologische und religiöse Erneuerung nur im Befolgen einer dieses Christentum selbst in Frage stellenden Prophetie liegt: Denn „die Kirche ist ständig in der Gefahr, zum Antichrist zu werden, weil sie nicht hinlänglich eschatologisch ist".[391] Sie vermag nur dann in Säkularität zu bestehen, wenn sie sich selbst problematisch bleibt. Andernfalls verfehlt sie ihre Aufgabe, die Prophetie des Evangeliums zu verkünden, die alle Illusionen durchdringt. Nur in je neu begonnener Umkehr wird die Kirche „fähig sein, zum Gewissen der Generation zu reden, ihre Sünden zu rügen, ohne sich eine Rolle der Selbstgerechtigkeit anzumaßen und ihre Verzweiflung zu überwinden, ohne eine Befriedigung in der traurigen Enttäuschung zu finden, in die die hochfliegenden Hoffnungen der Moderne geendigt haben".[392]

Diese programmatische Erklärung Niebuhrs am Ende seines Vortrages vor der „Konferenz für Kirche und Gesellschaft" in Oxford 1937 wirkte nicht nur wie eine Sprengladung bei seinen damaligen Zuhörern, sondern stellt auch die heutigen Kirchen in Frage, die immer noch, wenn vielleicht auch versteckter, in der Gefahr der Selbstgenügsamkeit und der Kapitulation vor den Werten des Zeitalters stehen und deshalb umdenken müssen in einem umkehrbereiten Glauben.

Niebuhr hat diese Aufgabe ernst genommen und es liegt mit an seinem kritischen Einfluß, daß das „amerikanische bürgerliche Denken mit der Unzulänglichkeit seiner eigenen Glaubensüberzeugungen konfrontiert worden ist".[393]

Die amerikanische Kultur, die hauptsächlich von „sektiererischem" Protestantismus und seinem Zug zur Vollkommenheit geformt wurde, hat dieses Bestreben „mit dem säkularen Perfektionismus verschmolzen, der aus der französischen Aufklärung herkommt";[394] sie mündet damit in einer liberalen Selbstgefälligkeit, die durch die Gleichsetzung von Gewinn mit Tugend und Tugend mit geschichtlicher Bestimmung bestärkt wurde, so daß diese Kultur sich als ein „messianisches Bewußtsein" verstehen konnte, als „Stellvertreter, als Treuhänder der Menschheit",[395] ja schließlich als „Gottes amerikanisches Israel":[396] Die Erlangung des Glücks wird zu einer „einfachen Möglichkeit". Diese Zivilreligion hat, so meint Niebuhr, „sowohl unseren religiösen und unseren säkularen, wie auch den sozialen

und politischen Theorien einen Anstrich von Sentimentalität gegeben".397) Die
Produktionsgewinne haben die amerikanische Gesellschaft bis jetzt zu einer
„Selbstzufriedenheit über die eigene Selbst-beherrschung" gebracht, daß „Erlösung
oder die Erfüllung des Lebens als eine bloße Ausweitung des Verstehens"398)
angesehen werden. Das hat dazu geführt, daß in Krisenzeiten nur noch „abwech-
selnde Stimmungen von Furcht und Hoffnung, Glaube und Verzweiflung"399)
übrigbleiben.

Die amerikanische Zivilreligion als ein nationales Phänomen von Säkularismus muß
nach Niebuhrs Vorstellung umkehren, muß sich darauf besinnen, daß „der Bereich
von Geheimnis und Sinn, der die täuschenden Gestaltungen der Geschichte
umschließt und sie schließlich erklärt, nicht mit irgendeinem Schema vernünftiger
Einsichtnahme gleichsetzbar ist. Der Glaube, der im Geheimnis den Sinn zueignet,
schließt unausweichlich eine Erfahrung der Buße für falsche Sinndeutungen mit
ein, die der Stolz von Nationen und Kulturen in das Modell einführt. Eine solche
Buße ist der wahre Ursprung von Nächstenliebe; und wir brauchen notwendiger
echte Nächstenliebe als mehr technokratisches Können".400) Auch gegenüber dem
Säkularismus der spezifisch amerikanischen Zivilreligion hat sich der prophetische
Glaube wieder als der herausgestellt, der im Verlauf des andauernden Säkularisierungsprozesses auch die Gemeinschaft der Glaubenden immer wieder in Frage
stellen muß, weil sie an diesen Entwicklungen und ihren Verformungen teilnimmt.
Dieser Glaube macht als erneuernder prophetischer Antrieb, die „genuine
Individualität" geschichtlicher Existenz möglich, da sein besonderer Charakter
in der Verbindung von Umkehr und Nächstenliebe liegt: Dieses Konglomerat
nennt Niebuhr „humility – Erniedrigung" und bezieht es damit auf die zentrale
christliche Wahrheit von Gottes Kenose in Jesus Christus: „Der Gott, der leidet,
schließt Gerechtigkeit und Barmherzigkeit zusammen".401)

Aus dieser Erkenntnis heraus „sollte der Glaube . . . ein ständiger Ursprung
von Erniedrigung sein; denn er sollte die Menschen anregen, ihren natürlichen
Hochmut zu mäßigen und sich der Relativität ihrer eigenen Aussage selbst
über die höchste Wahrheit bewußt zu werden. Er sollte sie lehren, daß ihre Religion dann wahr ist, wenn sie das Element von Irrtum und Sünde, Begrenztheit
und Bedingtheit anerkennt, das sich selbst in die Aussage über die tiefgründigste
Wahrheit einschleicht".402) Diese Erkenntnis schließt die Forderung einer totalen
Erneuerung von Selbst und Gesellschaft ein, die die Erniedrigung zur Grundlage
nimmt, weil sie weiß, daß nur die, die sich selbst erniedrigen, Erlösung erhoffen
können.

Menschliche Arroganz muß herabsteigen zu einer „Unterwerfung unter das
Absolute"403) und das bis in den Bereich der Kirche; denn „die Religion stellt in
Wirklichkeit genau so oft oder noch öfter fanatische Ansprüche, als daß sie
Nächstenliebe hervorbringt".404) Die Religion muß deshalb wieder lernen, daß
sie in Gottes Gericht über eine sündige Welt miteingeschlossen ist und muß
öffentlich „in bußfertiger Erkenntnis die Unzulänglichkeiten" zugeben, die „das
moderne Zeitalter veranlaßten, dem christlichen Glauben abzuschwören".405)
Gleichzeitig damit hat sie die Erscheinungen von „humility – Erniedrigung"
außerhalb ihrer Grenzen anzuerkennen.406) Nur so kann sie in die Tat umsetzen,

daß die christliche Wahrheit und der Glaube des Menschen nicht sein Besitz sind. Hier steht der Mensch unter Gottes Gericht und erkennt die grundlegende Tragik seines Lebens, daß nämlich seine besten Absichten immer schon den Keim der Korruption in sich tragen.

In einer echten Erniedrigung begrenzt diese Einsicht in die menschliche Tragödie keinesfalls den Wirklichkeitsbezug des Glaubens, sondern sucht ihn vielmehr in seiner geschichtlichen Gegenwart. Gleichzeitig plädiert diese Haltung aber auch für eine „Lässigkeit (nonchalance) des Glaubens", die sich in einem „Maß an Heiterkeit" ausdrückt und in „einer geistigen Entspannung, ohne die alles moralische Bemühen einen übelriechenden Schweiß von Selbstgerechtigkeit und einen Wechsel zwischen fanatischen Illusionen und ärgerlichem Erwachen hervorbringt".407)

Diese „nonchalance" darf der Glaube in der Form der Erniedrigung tragen, weil er die Geschichte als „interim" kennt, wie das Niebuhr'sche Geschichtsverständnis erwiesen hat. Eine sich so erniedrigende Kirche wird auch genügend eschatologisch sein, denn sie weiß, daß letztlich die Frage nach dem Sinn der Geschichte eine nach der Erfüllung der Geschichte ist; diese Erfüllung hat eine „doppelte Bedeutung", nämlich die „eines Endes als ,finis' wie auch als ,telos' ". Dies „drückt gewissermaßen den gesamten Charakter menschlicher Geschichte aus und eröffnet das grundlegende Problem menschlicher Existenz. Alle Dinge in der Geschichte streben auf Erfüllung und Auflösung zu, auf eine vollere Verkörperung ihres wesentlichen Charakters und auf den Tod hin".408) Nur mit diesem Abschluß der Geschichte als „finis − Auflösung" und „telos − Vervollkommnung" besitzen die Zukunft des Menschen und seine Geschichte die Offenheit, die die Erniedrigung unter Gottes endgültiges Gericht und seine Vergebung widerspiegelt. Als „finis" weist das Eschaton nach Niebuhr die individualistischen Erwartungen einer persönlichen Vervollkommnung von oben her zurück, die die gemeinschaftlichen Beziehungen außer acht läßt; denn diese weisen als solche schon in eine auf das Eschaton hin offene Zukunft. Als ein „telos" erwartet der Glaubende das Eschaton als die Erfüllung in der Wiederkunft Christi, nicht „als eine Negation, sondern als eine Transfiguration der geschichtlichen Wirklichkeit";409) denn das Eschaton steht am Ende der Geschichte, obgleich es als solches kein innergeschichtlicher Bezugspunkt mehr ist. In dieser Dialektik ist das Eschaton in seinem Gericht und seiner Vergebung sowohl gegenwärtig als auch noch ankommend und gibt in der Gegenwart schon den Vorgeschmack auf sein „finis" und „telos".

Diese Doppeldeutigkeit der Geschichte und vor allem der präsentischen Eschatologie ist am besten in einer eschatologischen Interpretation der drei Kardinaltugenden der traditionellen Theologie ausgedrückt; in ihr stellt Niebuhr Glaube, Hoffnung und Liebe in den eschatologischen Kontext der Vergebung: „Nichts, was wert ist, getan zu werden kann zu unseren Lebzeiten voll erfüllt werden; deshalb müssen wir durch Hoffnung gerettet werden. Nichts was wahr, schön und gut ist, gibt in irgendeinem direkten Zusammenhang der Geschichte einen vollen Sinn ab. Deshalb müssen wir durch Glauben gerettet werden. Nichts von dem, was wir tun, wie immer tugendhaft auch immer, können wir allein erreichen;

deshalb müssen wir durch Liebe gerettet werden. Keine tugendhafte Handlung ist ebenso tugendhaft vom Standpunkt unseres Freundes oder Feindes aus als von unserem Blickwinkel her. Daher müssen wir durch die letzte Form der Liebe gerettet werden, die die Vergebung ist".[410]

Es gibt vielleicht keine bessere Zusammenfassung und Interpretation von Niebuhrs „Pilgrim Theology"[411] als in diesem Zitat, das die Geschichte zum Bereich von Glaube, Hoffnung und Liebe macht, sowohl in der Erfahrung des „finis" im göttlichen Gericht hier und jetzt, wie auch noch ausstehend, als auch im Wissen um das „telos" der Erfüllung durch Gottes vergebende Gnade, die Leben in der Gegenwart ermöglicht und es auf die endgültige Ankunft des Reiches Gottes hin offenhält. Diese Eschatologie beantwortet die Herausforderung, die in den von verschiedenen Formen des Säkularismus gegebenen Vorbedingungen für eine planbare Zukunft liegt, sei es durch die Festlegung eines Sinnes in voreiliger Beendigung und Einschließung der Geschichte in ihrem eigenen Prozeß oder sei es in der totalen Verplanung von Geschichte in evolutionistischen oder ökonomischen Begriffssystemen, die eventuell apokalyptische Visionen produzieren. Aber eine solche Eschatologie verurteilt ebenso jede Form der Vergötterung der Kirche, die „die eschatologische Bestimmung des Evangeliums, durch die Jesus sein Verständnis des Tragischen ausdrückte, in die Rumpelkammer theologischer Antiquitäten vertrieb".[412]

Allein eine in der Selbst-Erniedrigung, der Säkularität, beharrliche Gemeinschaft von Glaubenden kann und darf sich als „Gemeinschaft der Gnade, die aus Glauben und Hoffnung lebt", verstehen. Als solche muß sie „sakramental sein", fordert Niebuhr in einer Grundlegung von Ekklesiologie und begründet diese Forderung folgendermaßen: „Sie muß Sakramente haben, um ihr ‚Haben' und Nichthaben der letzten Vollendung und Wahrheit zu symbolisieren. Sie muß Sakramente haben, um ihre Teilnahme an der Agape Christi auszudrücken und darf doch nicht vorgeben, daß sie diese Liebe erreicht hat".[413]

Diese „Gemeinschaft der Gnade" ist Niebuhrs letzte Antwort auf die Herausforderung des Säkularismus. Als eine theologische Antwort geht sie auch in eine methodologische Struktur über, nämlich die der Dialektik oder des Paradox. Diese Methode versucht mit der Kategorie der Tragik der menschlichen Lage in Zeit und Geschichte gerecht zu werden. In ihrer Bestimmung des Handelns und der Wirklichkeit übersteigt sie die Grenzen einer bloßen Untersuchungsmethode. Sie kann deshalb als Moment der Säkularität einer letzten Zusammenfassung von Niebuhrs Gedanken dienen.

e) Dialektik – Zusammenfassung

Die Dialektik nimmt den Menschen als geschichtliches Wesen und als Sünder wahr. Sie verhindert einfache Identifikationen und voreilige Schlüsse in der Geschichte und führt zu einem gründlichen Wirklichkeitsbezug, der in der Lage ist, wie Arthur Schlesinger jr. sagt, „das Absolute aus dem Relativen herauszuhalten, aber gleichzeitig das Relative davor zu bewahren, sich als das Absolute mißzuverstehen".[414] In dieser Form ist uns Dialektik bei Niebuhr begegnet: Sie überwand verschiedenste Formen von Dualismus und hielt so die Spannung zwischen Glaube und Kultur lebendig. Sie half, das Verständnis und Verhältnis des Selbst zu Gemeinschaft und Geschichte zu klären. Sie bewahrte Umkehr und Hoffnung als Antworten des Menschen in ihrer jeweiligen Erneuerung. Sie erhielt die Spannung zwischen Geschichte und Eschaton, Auflösung und Erfüllung und schaltete sowohl Verzweiflung als auch Selbstgefälligkeit aus in dem ständig neuen Versuch einer größeren Verwirklichung von Gerechtigkeit unter dem Einfluß der selbst dialektisch strukturierten Agape. In Kürze gesagt heißt das: Die Dialektik ist die Methode der Säkularität; als so strukturiertes Verhältnis des Glaubenden zur Wirklichkeit hält sie die Spannung zwischen dem Säkularisierungsprozeß und dem Glauben aus. In einer Existenz, die zwar in, aber nicht von der Welt ist, gibt Säkularität weiten Raum für eine fruchtbare Beziehung zwischen dem Empirischen und dem Absoluten, der Vernunft und der Vorstellung.

Wir sahen, daß die Dialektik durch einen Überstieg über die Tragik der Geschichte hinaus aufgehoben wird in einer Transzendenz, die in ihrem eschatologischen Charakter übergeschichtlich, nicht aber ungeschichtlich ist. In ihr entwindet sich das Selbst auf dialektische Weise dem Zynismus wie auch der Utopie, weil diese Dialektik „jede geschichtliche Errungenschaft der Unvollständigkeit" überführt und damit „die Heiligung der relativen Werte eines jeden Zeitalters und einer jeden Ära" in Frage stellt; positiv formuliert erfährt der Mensch in der Dialektik „die Tiefe des Lebens, die an jedem Punkt der Geschichte offenbar ist".[415] In dieser Erfahrung der „Tiefe", des Überstiegs zeigt die Dialektik einer genuinen Säkularität ihr Ende an, das in der Vollendung des Reiches Gottes liegt.

Säkularität verbindet Geschichte und Transzendenz in einer solch paradoxen Weise, daß der geschichtliche Augenblick der Gegenwart diese Tiefenbedeutung gewinnt. Dieser Überstieg „erinnert daran", meint Abraham I. Heschel am Ende seiner hebräischen Auswertung von Niebuhrs Denken, „daß das Übel von dem Einen überwunden wird, während er uns dazu anstößt, die Übel eins nach dem anderen überwinden zu helfen".[416]

4. Würdigung Reinhold Niebuhrs

a) Der Theologe

Antrieb für Reinhold Niebuhr war in seinem ganzen Leben „eine realistische Einschätzung der tiefgehenden Relevanz der Theologie zum gegenwärtigen Geschehen".[417] Diesen Realismus muß man als erstes bei der Würdigung seiner Theologie nennen: Er kommt vor allem in seinem politischen Engagement im Kampf um größere Gerechtigkeit immer neu zum Ausdruck.

Für Reinhold Niebuhr ist dieser Realismus „der wirkliche Kern des Problems christlicher Politik: Bereitschaft, Macht und Interesse im Dienst eines Zieles zu gebrauchen, das von der Liebe vorgeschrieben wird, und doch Verzicht auf Selbstgerechtigkeit über das Böse, das in ihnen liegt".[418] Diese Säkularität, die den Anforderungen je konkreter Situationen unter der Leitung eines prophetischen Glaubens offen gegenübersteht, unterscheidet Weg und Ziel geschichtlicher Entwicklung.

Niebuhrs Realismus war keine einfache Errungenschaft, sondern eine allmähliche Entwicklung, die mit der Erfahrung „der gesellschaftlichen Wirklichkeiten eines sich rasch ausbreitenden industriellen Gemeinwesens"[419] in Detroit begann und sich in seiner „intellektuellen Pilgerschaft" fortsetzte, auf der er zuerst „liberale Standpunkte von einer marxistischen Perspektive her" kritisierte und dann lernte, „beide Blickwinkel schrittweise einer christlichen Kritik zu unterziehen".[420] In diesem Entwicklungsgang ließ Niebuhr zwei Quellen seines Wirklichkeitsbezuges miteinander verschmelzen und zwar die Vernunftphilosophie im Pragmatismus von John Dewey und die Theologie der Liebe und der Hoffnung auf das Reich Gottes im „Social Gospel". Er übte an beiden Kritik aber „trat schließlich als der kraftvolle neue Ausleger und Verteidiger von beidem hervor. Es war der Triumph seiner eigenen bemerkenswerten Analyse, daß sie aufnahm, was in jedem wertvoll war, beide rettete, indem er für jedes die Grenzen der Gültigkeit bestimmte und schließlich den wesentlichen Absichten von beiden neue Kraft und neue Vitalität gab".[421]

In Verbindung mit der Theologie von Walter Rauschenbusch haben wir zu Anfang schon die enge Verbindung zwischen Niebuhr und dem „Social Gospel" als solchem festgestellt: Dabei hatte sich trotz der manchmal emotionell bedingten Ablehnung Niebuhrs seine Nähe zu Rauschenbusch gezeigt. Er erbte, wie er dann später auch zugab, vom „Social Gospel" seine Kritik des Liberalismus und seine Tendenz zum Sozialismus. Im geschichtlichen Entwicklungsgang war das Säkularitätsverständnis des „Social Gospel" jedoch für Niebuhr wieder durch das „Wechselbad" einer sich fortsetzenden Säkularisierung gegangen und hatte sich dabei teilweise zu dem Säkularismus eines verfallenden späten „Social Gospel" mit seinem ungehörigen Optimismus entwickelt. Der Angriff auf diese Verfälschung verschaffte Niebuhr einen neuen Standpunkt von Säkularität, der sogar den demokratischen Gedanken herauszufordern wagte. Eine ähnlich kritische Haltung zeigte Niebuhr aber auch immer wieder seinen eigenen Gedanken gegenüber, die er aus seiner gelebten Erniedrigung heraus nicht als letzte Wahrheiten verstanden wissen wollte.

Niebuhr sah in der Ausformung seiner Dialektik Wirklichkeit und Geschichte als Einheit und verwarf die Abtrennung eines gesonderten Sakralbereiches. Seine Theologie und sein enger Gegenwartsbezug machten einen solchen Dualismus für ihn unwirklich. In seiner Theologie lehnte Niebuhr jede Form von „metaphysicism" ebenso ab wie die abgesonderte Gemeinschaft in der Form einer Kirche, wie sie durch eine einfache Identifikation von Kirche und Reich Gottes zustande kommt.[422] Mit seiner Interpretation von Überstieg/Transzendenz griff er eine solche Haltung immer wieder an.

Diese Darstellung hat wohl zur Genüge bewiesen, daß, wie Emil Brunner meinte, „die Bezeichnung ‚Neo-Orthodoxy' ziemlich unglücklich ist, zumal es in der ganzen Welt wohl nichts weniger unorthodoxes gibt als den geistigen Vulkan Reinhold Niebuhr".[423]

b) Der Prediger

Das wird noch deutlicher, wenn wir Niebuhr in der Rolle sehen, in der er seine Arbeit als Theologe verstand, nämlich als Prediger oder, man darf wohl posthum

sagen, als Prophet. Hier treten seine unorthodoxe Haltung und seine gelebte
Erniedrigung noch stärker hervor, wenn er ohne Rücksicht auf ein „Image" seine
Auslegung des Glaubens in der geschichtlichen Wirklichkeit vortrug, gelegen oder
ungelegen, und in der ständigen Bereitschaft, sich wieder in Frage zu stellen oder
erneut herausfordern zu lassen. Er verkündete seine christliche Anthropologie,
angepaßt an die Notwendigkeiten des gegenwärtigen Augenblicks, in einer
„genuinen Individualität" seines persönlichen Lebens so überzeugend, daß
Arthur Schlesinger jr. zu dem Schluß kommt: „Kein Mann hat als Prediger so
großen Einfluß gehabt in dieser Generation; kein Prediger hat in der säkularen
Welt so viel Einfluß gehabt".[424]

Dieses Urteil kennzeichnet die Säkularität, die Niebuhr in seinem Leben und
seiner Theologie auf empirische Weise vorstellte. Die von ihm praktizierte Säkularität war wirklich eine „Spiritualität", die „Himmel und Erde verbindet, so
wie sie waren".[425]

c) Anstöße zu einer amerikanischen Theologie

Reinhold Niebuhr hatte Erfolg mit der Verbindung von analytischem und
empirischem Ansatz im theologischen Denken; diese entwickelte sich eigenständig im Gegenüber zu einer mehr synthetischen und ideengebundenen
Theologie in der kontinentalen Reformationstheologie und europäischem Denken insgesamt. Aus dieser Position heraus konnte Niebuhr der kontinentalen
Theologie und vor allem der Systematik Karl Barths mit einigem Recht vorwerfen,
daß sie in ihrem Zugang zum Verhältnis von Glaube und Welt nicht dialektisch
genug sei und deshalb unfähig, politische und soziale Entscheidungen anzuregen.
Dieser immer noch gerechtfertigte Vorwurf eines Mangels an Säkularität auf der
anderen Seite des Atlantik zeigt jedoch auch Niebuhrs enge Verbundenheit zu
einer ernsthaften amerikanischen theologischen Tradition, die sich in Männern
wie Edwards, Channing, Emerson, Bushnell, Gladden und Rauschenbusch
repräsentiert. In Niebuhrs theologischem Denken wird noch eine stärkere Fähigkeit für den Aufbau einer amerikanischen Theologie deutlich als in seinen
Vorläufern im frühen „Social Gospel". Diese Anlage bestätigt sich dann im Ausbruch eines „neuen Radikalismus" in den frühen sechziger Jahren, auf die wir
zum Schluß des ersten Teiles eingehen wollen.

In einem abschließenden Urteil kann man S. E. Ahlstrom voll und ganz zustimmen, der Reinhold Niebuhr als den sieht, „der während des vergangenen
Vierteljahrhunderts ohne Frage der einflußreichste Denker in der amerikanischen
Theologie war . . . Der Einfluß seines christlichen Realismus ist überall spürbar
und . . . hat seit den Anfängen seines Entstehens zwischen 1930 und 1940 eine
erstaunliche Folgerichtigkeit und Festigkeit gezeigt. Seine ‚Neo-Orthodoxy' stand
hinter und führte in die kreativsten Entwicklungen der Nachkriegszeit, selbst
dann, wenn er persönlich auch nicht immer diesen Vorgängen folgte".[426]

Abschnitt III.

Von „Neo-Orthodoxy" zu theologischem „Radikalismus" — Der theologische Umschwung von den fünfziger zu den sechziger Jahren in Amerika und sein sozialer Hintergrund

§ 1. Das Problem der Beschreibung

Die Absicht, nach der Einzeldarstellung der Gedanken zum Problem der Säkularität bei Gladden, Rauschenbusch und Niebuhr einen allgemeineren Schlußteil über die Weiterentwicklung einer originären amerikanischen Theologie in den letzten zwanzig Jahren folgen zu lassen, trifft auf manche Schwierigkeit.

Denn fast jeder europäische Besucher, der mit einem speziellen Fragenkomplex in die Vereinigten Staaten von Amerika kommt, findet sich nach einiger Zeit der ersten Erfahrungen in derselben Stimmung wie Alexis de Tocqueville, als er vor mehr als 100 Jahren das Vorwort zum 2. Buch über die amerikanische Demokratie schrieb: „Wenn ich meine Beobachtung der Vereinigten Staaten zugrundelege, könnte ich leicht nachweisen, daß die Beschaffenheit des Landes, die Herkunft seiner Bewohner, der Glaube der ersten Gründer, die Aufklärung, die sie erreichten und die Gewohnheiten, die sie mitbrachten, unabhängig von der Demokratie, einen tiefen Einfluß auf ihre Denk- und Gefühlsweise ausgeübt haben und heute noch ausüben."[427] Tocquevilles besonderes Interesse galt dem in USA alles umspannenden Thema der Gleichheit, die in einer egalitären Demokratie wurzelt.

Meine Absicht in diesem Schlußkapitel ist um sehr vieles begrenzter, aber ebenso bestimmt von der Vielseitigkeit der amerikanischen Umgebung, die Tocqueville in seinem Zitat so präzis zusammengefaßt hat. Zu einer abschließenden, mehr allgemeinen Beschreibung des Problems der Säkularität werde ich mich auf dem Hintergrund der Beschreibung von „Social Gospel" und „Neo-Orthodoxy" auf eine Entwicklung in der amerikanischen Theologie beschränken, die sich in den beiden letzten Jahrzehnten abzeichnete. Dabei will ich den sozialen Einfluß aufzuzeigen versuchen, der einen Wandel des Denkens mit heraufführte, den man heute meist als eine Radikalisierung der Theologie beschreibt.[428]

Dieser Wandel der amerikanischen Theologie in den vergangenen Jahrzehnten war wie vordem durch gesellschaftliche Beeinflussung in Denken und Handeln bestimmt. Dabei orientierte die Theologie sich nicht so sehr an der Struktur des Gewesenen oder noch Möglichen, sondern mehr am Gegenwärtigen und Wirklichen. Michael Novak beschreibt die veränderte Konstellation auf ziemlich emphatische Weise: „Der Bezugspunkt wissenschaftlicher Auseinandersetzung für die Theologie ist nicht länger die Physik, sondern die Inanspruchnahme der Sozialwissenschaften. Diese haben die amerikanische Theologie für ein neues Verständnis der theologischen Aufgabe geöffnet . . . Daher werden Theologen aufmerksam für den Unterschied zwischen theoretischer Analyse und einer empirischen Studie von Bekenntnissen und Haltungen".[429] Diese neue Wachheit theologischer Versuche ist die theoretische Grundlage für die neuerlichen Wandlungen. Als Ergebnis der Beschäftigung mit den Sozialwissenschaften ist diese theologische Entwicklung wie andere vor ihr in Amerika ein Anzeichen für Einstellungen und Verhaltensweisen von einflußreichen Randgruppen der amerikanischen Kultur. Die starke Beanspruchung der Theologie durch die Sozialwissenschaften kann nur vom Theologen erfaßt werden, dessen ganze Existenz mit seiner Wissenschaft verknüpft ist. Denn die „Soziologie, so kann man sagen, treibt den Schwindelanfall der Relativität auf die Spitze und fordert das theologische Denken mit nie geahnter Schärfe zur Auseinandersetzung heraus".[430] Die Theologie ist in diesem Gegenüber von tyrannischen Formen der Tradition befreit und doch nicht bloß der gegenwärtigen Situation überantwortet, da ihr Hauptinteresse dem empirischen Geschehen und den anthropologischen Bedingungen in ihm gelten, aus der die Wirklichkeitserfassung des Glaubens sich nährt.

Für die Beschreibung der neu entstandenen theologischen Problematik könnte man verschiedene historische oder soziologische Schemata benutzen: Man könnte sich auf die Darlegung der Beziehung und Rolle der Religion zu sozialen Werten und Vorgängen im Schablonensystem von P. A. Sorokin beziehen. Er strukturierte seine Gedanken über kulturelle Orientierungen in die Fundamentaltypen „gedanklich, idealistisch, empfindungsbestimmt".[431]

Die Methode einer Wissenssoziologie, wie sie Peter Berger und Thomas Luckmann angewandt haben, wäre für eine bloß beschreibende Absicht in gleicher Weise geeignet. Aber die theologische Intention dieser Arbeit über das Problem der Säkularität machen hier — wie schon vorher bei „Social Gospel" und „Neo-Orthodoxy" — die Anwendung des dialektischen Systems von Friedrich Gogarten angemessen: Er versteht, um kurz in Erinnerung zu rufen, die geschichtliche Entwicklung seit der Entstehung des christlichen Glaubens, aber vor allem seit der Erneuerungsbewegung am Ende des Mittelalters, als einen ständig weitergehenden Säkularisierungsprozeß, der durch die Reformation des 16. Jahrhunderts verstärkt wurde und in den sozialen Modellen gesellschaftlicher Entwicklung noch heute am Werke ist. Die Tatsache der Säkularisierung brachte eine Auffächerung der Religion mit sich, die ihre frühere alles umfassende soziale Bedeutung aufhob. Dadurch könnten neue alles umfassende Theorien den früheren Platz und die alten Formen der Religion annehmen und den wirklichkeitsbezogenen Wandel der Säkularisierung in einen Säkularismus verformen, der die geschichtliche Entwicklung als solche nicht ernst nimmt, und für Mißverständnisse der menschlichen Kondition weiten Raum ließ. Vor allem schließt der Säkularismus eine offene Zukunft aus, die nach Gogarten nur dann gegeben ist, wenn Säkularität als bestimmender Teil menschlichen Lebens angenommen, und das heißt gelebt wird. Der Mensch kann in dieser Säkularität bleiben, wenn er das Geschichtsverständnis und das Du-Ich-Prinzip der jüdisch-christlichen Tradition als Antwort für die dauernde Fragesituation annimmt, die durch eine wirklich offene Zukunft entsteht. Die Säkularität läßt diese Zukunft aber auch weiter vorurteilslos bestehen und versucht, sie nicht in Besitz zu nehmen, weil die Gegenwart eben aus der Vergangenheit offen für eine neue Zukunft angenommen wird als Bereich eines wirklichkeitsbezogenen Glaubens. Für die Sozialwissenschaften ist in diesem

Denken freier Raum, und dennoch weist dieses Konzept über eine bloße empirische Analyse auf ein weiteres Bedeutungssystem hin.

Gogartens Säkularisierungsthese mit dem Schema der Dialektik von Säkularisierung, Säkularismus zu Säkularität steht dem Verständnis der Rolle der Theologie nahe, die sie nach Meinung von Peter Berger in den kommenden Jahrzehnten spielen könnte: „Der Mensch projiziert einen letzten Sinn in die Wirklichkeit, weil diese Wirklichkeit selbst letzthin sinnhaft ist und weil sein eigenes Sein (der empirische Grund dieser Entwürfe) den nämlichen Sinn enthält und intendiert. Solch ein theologisches Verfahren wäre, sofern möglich, ein interessanter Anschlag gegen Feuerbach; die Reduktion der Theologie auf Anthropologie würde in einer Rekonstruktion der Anthropologie auf theologische Weise enden".[432]

Die Wahrnehmung einer sozialen Vorwärtsbewegung und ihre positive anthropologisch orientierte, theologische Interpretation im Denkschema Friedrich Gogartens macht die Säkularisierungsthese zu einem brauchbaren Konzept für die neue Form der Theologie, die sich für die USA bei einer Gegenüberstellung mit den Sozialwissenschaften ergibt.

So wird Gogartens Gedankenführung, die im zweiten Teil genauer dargelegt und analysiert wird, als kritischer Raster die Darlegungen des theologischen Umschwungs der beiden letzten Jahrzehnte in Amerika untergliedern. In einem ersten Schritt will ich dabei die amerikanische Szene charakterisieren und dann den damit verbundenen sozialen Wandel darstellen. Danach werde ich die theologische Entwicklung der letzten 20 Jahre nochmals spezifisch umreißen, um schließlich Gogartens Konzept noch einmal explizit mit dem sozialen und theologischen Wandel in Amerika zu vergleichen.

§ 2. Die amerikanische Szene

1. Religiösität

Amerika scheint eine der Kulturen in der westlichen Welt zu sein, die bis vor
wenigen Jahren am stärksten von der Religion beeinflußt worden ist, bzw. noch
immer unter diesem Einfluß steht. Es hatte keine antireligiöse Aufklärung
gegeben, die mit der französischen Revolution vergleichbar wäre, und es kannte
keine antikirchlich orientierte Arbeiterbewegung wie in den vergangenen
200 Jahren auf dem europäischen Kontinent. Selbst die Reformation hatte
keinen gesellschaftsumformenden Einfluß auf die Vereinigten Staaten. Denn es
war die Suche nach einem Leben in reformatorischer Ursprünglichkeit, die die
ersten Siedler an die nordamerikanischen Küsten brachte. Trotz der beabsich-
tigten Trennung von Staat und Religion war es ein religiöses System, das den
gesellschaftlichen Aufbau der Neuen Welt prägte. Clifford Geertz bestimmt diese
noch heute spürbare allgemeine Religiosität „als ein System von Symbolen, das
darauf hinwirkt, daß machtvolle, durchdringende und langanhaltende Stimmungen
und Begründungen in den Menschen errichtet werden, indem es Vorstellungen
einer allgemeinen Ordnung der Existenz formulierte und mit einer solchen Aura
der Faktizität umgab, daß die Stimmungen und Begründungen einzigartig wirklich-
keitsgetreu erschienen".[433] Dieses System der Religiosität war durch Jahrhunderte
ziemlich ungestört am Werk und strukturierte die amerikanische Szene. Vor allem
bestimmte es die Beziehungen der verschiedenen weißen Bevölkerungsgruppen
zueinander und nährte die Vorstellungen der weißhäutigen Amerikaner über ihre
eigene Nation und die Beziehungen ihres Landes zu der sie umgebenden Welt.
Diese Religion als den die amerikanische Gesellschaft vereinenden Aspekt
beschreibt der Sozialphilosoph und Judaist Will Herberg in seiner Studie „Protestant, Catholic, Jew":[434] Er behauptet, daß bei den amerikanischen Einwanderern die Religion „mit der dritten Generation das differenzierende Element
und der Kontext von Selbstidentifizierung und sozialer Lokation geworden
ist".[435] Weil aber der größte Teil der Bevölkerung bis vor kurzem jeweils der
zweiten oder dritten Generation von Emigranten angehörte, entwickelte sich die
Religion zu dem Aspekt amerikanischen Alltagslebens, der Verschiedenheit und
Einheit zugleich ermöglichte. Dieser Anpassungsprozeß überwand die ethnischen
Spaltungen und Rivalitäten der vorhergehenden Generation und stellte die
Religion in den Brennpunkt der amerikanischen Kultur. „Denn ebenso wie wir
die sich entwickelnde Sozialstruktur Amerikas als eine große Gemeinschaft
beschreiben können, die in drei große religiös bestimmte Untergruppen aufgeteilt
ist, aber alle gleicherweise amerikanisch, so könnten wir von einem anderen
Blickwinkel aus Protestantismus, Katholizismus und Judaismus in Amerika als
drei große Linien oder Abteilungen der ‚amerikanischen Religion' beschreiben".[436]
Diese nationale Durchschlagskraft von Religion war so bestimmend, daß selbst
heute noch die religiöse Identifizierung für den durchschnittlichen Amerikaner
mittleren Lebensalters oft unbefragt gilt. Diese „amerikanische Religiosität"
erreichte vor zwei Jahrzehnten ihren Höhepunkt: Die Mitgliedschaft in Kirchen

wuchs von 57 % im Jahre 1950 in acht Jahren auf 67 %, nachdem sie in dem Zeitraum von 1926 bis 1950 bloß um doppelt so viel an Prozent zugenommen hatte wie die Bevölkerung als ganze.[437] Zwei Untersuchungen, die 1952 und 1965 im Auftrage von „The Catholic Digest" durchgeführt wurden, zeigen in beiden Jahren über 90 % der Bevölkerung, die sich mit religiösen Denominationen identifizieren.[438] Diese Art von nationaler Religiosität besagt mehr über den gelungenen sozialen Anpassungsprozeß von früheren Emigranten als über religiöses Verhalten: Selbstidentifizierung wurde nämlich gleichgesetzt mit Zugehörigkeit zu einer der drei großen „Kirchen". Religion konnte nicht mehr mit Berger und Luckmann als Entwicklung eines „geheiligten Kosmos" bestimmt werden, sondern Religion entwickelte sich selbst zu einem solchen Kosmos.

Diese Kosmisierung oder besser Nationalisierung der Religion ist eine echte amerikanische Entwicklung, die darauf angelegt ist, die Religion als solche ihrer Funktion der Kosmoserstellung und Weltkonstruktion zu berauben. Über die dialektische Beziehung dieses Vorgangs zu der Evolution einer „amerikanischen Religion" werden wir später noch reflektieren. Zuvor müssen wir die soziale Implikation einer Selbstbestätigung und einer Stabilität genauer betrachten, die selbstgestecktes Ziel einer nationalen Religiosität ist: Religion wird nämlich als Legitimation und überbrückender Symbolismus für die Nation gebraucht.[439]

Beharrliches Festhalten alter Überzeugungen und religiöser Werte werden zur Substruktur eines sozialen Systems nichtreligiöser Bedeutung.

Diese Stabilität von Religion kann in Amerika nicht ohne eine besondere Aufmerksamkeit für die gesellschaftliche Rolle des amerikanischen Protestantismus verstanden werden. Besonders bedeutsam ist seine Zusammensetzung als ein Konglomerat verschiedenster Denominationen von mehr oder weniger gleicher Bedeutung. Diese Gleichheitsstellung zueinander entstand durch ein soziales Gefüge, das H. R. Niebuhr beschreibt: „In einem sehr weiten Sinne ist es wahr, daß die Kirchen Europas nach ihrer Auswanderung nach Amerika unter dem Einfluß der ‚frontier'-Bedingungen dazu neigten, Sekten zu werden, und daß nach dem Ende der ‚frontier' und der Einrichtung einer geordneten Gesellschaft die Sekten Europas und Amerikas dazu neigten, Kirchen zu werden."[440]

Diese dialektisch verlaufende Entwicklung des amerikanischen Protestantismus zu einem denominationellen Pluralismus[441] brachte in seiner Endphase wiederum einen Bruch zwischen Welt und Glaube hervor. Plötzlich stand wieder ein religiöser neben einen säkularen Bereich: Denn die Mitgliedschaft in einer Denomination verlangte kein besonders vom Glauben geprägtes Verhalten im Alltagsleben mehr. Protestant sein wurde zu einem sozialen Status (wie das Katholik- oder Judesein) und war nicht mehr mit einem in Sendung vollzogenen Bekenntnis verbunden, das Äußerung einer Gemeinschaft des Glaubens ist. „Die meisten Protestanten sind damit zufrieden, den routinisierten Schablonen zu folgen, die von der Kultur des alten Dorfes des Protestantismus des 19. Jahrhunderts bestimmt worden waren ... Der weiße Protestantismus ist eine schlecht organisierte Bewegung und nicht nachdenklich genug über sich selbst, um Einwirkung zu haben".[442] Diese Äußerung des lutherischen Kirchenhistorikers M. E. Marty reflektiert die Stoßkraft einer Religion, wie sie in der amerikanischen Gesellschaft bis hinauf in die frühen sechziger Jahre vorherrschte: Religion als Legitimierung des gesellschaftlichen „status quo" in der Privatsphäre des bürgerlichen Lebens, als „Identifizierung mit der amerikanischen Kultur".[443] Diese Gleichsetzung findet ihren formelhaften Ausdruck im „American Dream", der sich selbst in dem Bekenntnis des „American Way of Life" auslegt.

2. „American Dream"

Dieses kulturelle Konglomerat wurde aus Träumen von Utopia seit den Jahren zusammengeschweißt, als die ersten „pilgrims" im 17. Jahrhundert ihren Fuß auf Plymouth Rock setzten. „Aus einem einzigartigen Grund", so meint der Soziologe Daniel Bell, „feuerte Amerika in den Jahrhunderten nach seiner Entdeckung die Vorstellungen Europas an. Denn im Sich-Entfalten des unberührten Kontinents konnte man den ‚Stand der Natur' erhalten, der einmal nur als Traum verstanden worden war und der eben jetzt als Wirklichkeit da stand . . . Städte des Himmels konnten jetzt in den Prärien Amerikas gebaut werden".[444] Diese Erwartungen wurden zu einem neuen Bekenntnis in der besonderen Form des amerikanischen Protestantismus entwickelt, den man im Sinne von Weber mehr oder weniger als insgesamt sektiererisch charakterisieren muß. Die Vermischung der utopischen Erwartungshorizonte des Christentums und der Aufklärung war für die Entwicklung und das Fortbestehen des „American Way of Life" und das Geschichtsbewußtsein in den Vereinigten Staaten bestimmend. Reinhold Niebuhr umschreibt das auf der existentiellen Ebene folgendermaßen: „Beide, sowohl die säkulare wie die religiöse Ausprägung von Utopia verneinten die wirklichen Probleme der menschlichen Existenz und erwarteten, daß Träume sich auf einfache Weise in Wirklichkeit umsetzen würden".[445]

Unter diesen Umständen ist es nicht verwunderlich, daß die erwartete Autonomie immer wieder in Egozentrismus und Exzentrizitäten abfiel; Rassismus, Sklavenhaltung und ein wachsender Nationalismus wurden durch den Glauben an den geheiligten Status des gegenwärtigen Zustandes geschützt: Denn das erreichte Königreich Gottes bedarf keiner völligen Reform mehr, sondern nur noch einer Zunahme an Weltverbesserung. Das Sendungsbewußtsein des „American Way of Life" erhielt aus dieser Ideologie seine Stärke. Verrat oder Niederlage dieser Religion war für das amerikanische Selbstverständnis für lange Zeit unerträglich, wie es die Opposition gegen die Gedanken von Gladden, Rauschenbusch und Niebuhr durch Jahrzehnte signalisierte.[446] Denn diese Religion hatte ihr Bekenntnis in der Behauptung einer Vaterschaft Gottes und einer Gemeinschaft der Menschen. Bei diesen Ausdrücken für die Würde des Individuums, spielten scharfe Trennungslinien zwischen Denominationen keine Rolle. Denn eine solchermaßen offene Religion konnte nominell nahezu von jedem angenommen werden. Kritiklos, jedoch empfindlich gegen jede Kritik an ihr bestimmte sie lange das Alltagsleben vieler Amerikaner: Denn „der ‚American Way of Life' ist an sich eine geistige Struktur, eine Struktur von Ideen und Idealen, von Bestrebungen und Werten, von Überzeugungen und Regeln; sie stellt alles das zusammen, was sich dem Amerikaner als das Richtige, Gute und Wahre im wirklichen Leben empfiehlt",[447)] schreibt Herberg und charakterisiert diese Struktur als „individualistisch, dynamisch und pragmatisch", bekannt für ihre „nicht aufhörende Aktivität, Ethik der Selbstsicherheit, Verdienstlichkeit und Würde", sie sticht hervor als „humanitär, vorwärtsblickend und optimistisch . . . glaubt an Fortschritt, Selbstverbesserung und ziemlich fanatisch an Erziehung" und legt eine „hohe Bewertung auf die eigene Tugend", ist also alles in allen „idealistisch und moralistisch", und „jede Auseinandersetzung, in die sie ernsthaft verwickelt ist, wird zu einem ‚Kreuzzug' ".[448)]

Dieser praktische Glaube läßt eine Menge von Mitläufern zu, die keine ernsthafte Zugehörigkeit zu einer der Denominationen haben. Die Religion wird, wie Peter Berger es nennt, zu einem „schützenden Dach", unter dem sich der durchschnittliche Amerikaner „ ‚verlieren' darf in dem sinngebenden Gesetz seiner Gesellschaft".[449)] Das Dach wurde so fest, die Religion ähnelte so sehr einer Selbstbestätigung, daß Rosenberg vom heutigen Amerikaner sagen kann, daß er „darin fortfährt, Kirche oder Synagoge zu besuchen oder nicht zu besuchen, sein religiöses Leben wie jede andere unwichtige Angelegenheit − Familie, Golf, oder den ‚United Appeal' − zu behandeln und sich ziemlich wenig über die möglichen Widersprüche zwischen dem, was er glaubt, und dem, was er tut, zu kümmern".[450)] In einem System von vordergründiger Sinngebung und Zugehörigkeitsgefühl ist diese Religion tief in das tägliche Leben des amerikanischen Bürgers eingebunden. So interpretiert Herberg den „American Way of Life" als ein „Symbol, durch das Amerikaner sich selbst bestimmen und ihre Einheit herstellen. Müßte der ‚American Way of Life' mit einem Wort bestimmt werden, würde ‚Demokratie' zweifelsohne das Wort sein, aber Demokratie in einem besonderen amerikanischen Sinn . . . Es ist ein Glaube, der seine Symbole und sein Ritual hat, seine Feiertage und seine Liturgie, seine Heiligen und seine Heiligtümer; und es ist ein Glaube, den jeder Amerikaner bis zu dem Grad, daß er Amerikaner ist, kennt und versteht".[451)]

Damit gibt Herberg in der Tradition von Rauschenbusch und Niebuhr eine Beschreibung eben dessen, was Robert N. Bellah später „Civil Religion"[452)] nennt.

3. Civil Religion

Verglichen mit den Eindrücken von Alexis de Tocqueville herrscht diese Religiosität in Amerika bereits seit langem vor; er spricht über dieselben Tatsachen, wenn er berichtet: „In den Vereinigten Staaten verschmilzt die Religion mit allen nationalen Gewohnheiten und mit fast allen vaterländischen Gefühlen; das verleiht ihr eine besondere Kraft . . . ist eine Religion, an die man ohne Widerspruch glaubt".[453)] De Tocqueville bezieht diesen Einblick auf die demokratische Struktur der Union und formuliert aus seinem Zweifel darüber, „ob der Mensch völlige religiöse Unabhängigkeit und vollständige politische Freiheit gleichzeitig unterstützen kann", folgendes Prinzip über die erforderlichen Einbindungen des Menschen: „Ich muß annehmen, daß er, wenn er keinen Glauben hat, gehorchen muß, und daß er, wenn er frei ist, glauben muß". Die Freiheiten der in diesem

Prinzip enthaltenen Dialektik lassen sich hier nicht auslegen; aber es ist offensichtlich, daß die amerikanische Zivilreligion nach Verbindungspunkten zwischen den frommen und den säkularen Utopien sucht; und dieses Gebiet von sich überdeckenden Interessen hat sich in den letzten Jahrhunderten zum gemeinsamen Glauben der entstehenden amerikanischen Nation entwickelt, ein Vorgang, den bereits Tocqueville vor hundert Jahren kritisch vorhersah: „Das Vertrauen auf die öffentliche Meinung wird eine Art von Religion werden, mit der Mehrheit als ihrem Propheten".[454]

Diese Vorahnung einer Zivilreligion hat sich in Nordamerika erfüllt bis hin zu dem „Wir vertrauen auf Gott!" auf jeder Münze und jedem Dollarschein, wie dem dazugehörigen, wohl umkehrbaren Gemeinschaftsbekenntnis „E pluribus unum". Ein Verständnis von Sünde, Gericht, Umkehr fehlt in diesem zivilen Puritanismus und läßt ihn gerade darum zu einer einheitsschaffenden und vereinigenden Religion werden: „Die Einheit des amerikanischen Lebens ist eine Einheit in Vielfältigkeit; es ist eine Einheit, die auf einen ‚allgemeinen Glauben' baut; trotz Spannung und Konflikt kann er auf der Ebene von ‚interfaith' immer wieder neu etabliert werden".[455] Diese Zivilreligion schafft die Harmonie zwischen Protestanten, Katholiken und Juden; denn alles über allem sind sie Amerikaner.

Deshalb nennt Marty die amerikanische Religiosität eine „blanket"-Religion.[456] An anderer Stelle bezeichnet er Zivilreligion als „religion-in-general" und greift sie vor allem wegen ihres Gottesbildes an, das Gott zu einer kleinen Gottheit macht, „nicht weil er so entfernt ist, sondern weil er so nahe ist, gleich neben uns zusammengekuschelt. Aber wir können seine allgemeinen Züge erkennen. Erstmal ist er verständlich und bestimmbar ... Zum anderen, der verstehbare Gott der ‚religion in general' ist behaglich: Dies ist das Gegenteil der christlichen Lehre von der Inkarnation, in der Gott sich gleichzeitig verhüllt und offenbart ... Eine dritte Eigenschaft des Gottes der ‚religion in general' ist, daß er einer von uns ist, ein fröhlicher, guter amerikanischer Kamerad ... Diese Bewegung auf eine ‚Verpackung' (‚packaging of deity') der Gottheit hin kann nicht nur der Umwelt allein zugeschrieben oder angelastet werden; noch den ‚Säkularisten', die die Christen allzu oft zu schwarzen Schafen und Prügelknaben machen. Der Protestantismus selbst in seinen Wandlungen und Neuerwerbungen half diese Veränderung hervorbringen ... Das förderalistische oder bundeskonforme Idiom im Puritanismus, der Gott dazu zwang, seine Hälfte des Handels zu behalten, war der Beginn des Unterfangens, ihn zu handhaben".[457] Herberg greift die in der Zivilreligion enthaltene Idolatrie und den in ihr wirksamen Nationalismus noch direkter an: „Sie verleiht der Kultur und Gesellschaft letzte Heiligung, indem sie ihnen einredet, daß sie einen gleichlautenden Ausdruck von ‚geistigen Ideen' und ‚religiösen Werten' bilden ... In einem direkteren politischen Sinn dient diese Religiosität sehr leicht als eine geistige Wiederbelebung einer nationalen Selbstgefälligkeit und einer spirituellen Beglaubigung nationalen Eigenwillens ... Deshalb ist die Versuchung besonders stark, die amerikanische Sache mit der Sache Gottes zu identifizieren und unsere unermeßliche und nicht zu leugnende moralische Überlegenheit über kommunistische Tyrannei in Anmaßungen unqualifizierter Weisheit und Tugend zu verkehren ... Unbemerkt wechselt

diese Vermischung von Religion mit nationalem Zweck über in die direkte Ausbeutung der Religion für ökonomische und politische Ziele".[458]

Ich kann diese Darlegung der amerikanischen Zivilreligion nicht ohne eine kurze
Bemerkung über das Verhältnis von Kirche und Staat in den USA abschließen,
die die von Herberg angeführte „Vermischung" noch verdeutlicht: Die konsti-
tutionell bestimmte und formell gewahrte Trennung scheint für einen nicht-
amerikanischen Beobachter praktisch mehr in eine Bestärkung der Zivilreligion
auszuarten, als daß sie ein Zeichen aufgeklärter Haltung wäre. Denn die Trennung
wird immer dann bekräftigt, wenn eine einzelne Denomination aus dem allgemeinen „Glauben" ausbricht. Das Problem von finanzieller Unterstützung für
private Schulen durch den Staat scheint zuerst ein Problem der Einhaltung der
konstitutionellen Bestimmungen. Aber die ganze Stoßkraft der Argumentation
geht verloren, wenn man die direkte Unterstützung bedenkt, die die religiösen
Körperschaften durch ihre Steuerfreiheit erhalten. Dieses wahllos herausgegriffene
Beispiel eines doppelten Standards der sogenannten „Trennung" zeigt die tiefen
Wurzeln der Zivilreligion an, die in ihrer moralischen Unterstützung europäische
Vorstellungen noch bei weitem übersteigt.[459] In dieser Situation einer sich
selbst fortzeugenden Zivilreligion müssen wir die Bereiche aufspüren, in denen
die viel besprochenen Veränderungen der sechziger Jahre geschahen, und müssen
danach fragen, wer die wandlungsorientierten Gruppierungen waren.

§ 3. Die Wandlungen in der amerikanischen Gesellschaft

1. Jugendlicher Aufstand

Seit dem Ausbruch der Studentenrevolte im Jahr 1964 auf dem Campus von Berkeley schrieben viele Amerikaner oft in abschätziger Beurteilung die Wandlungen in der amerikanischen Gesellschaft größtenteils der jungen Generation zu. Dieses Argument hob nicht allein auf den üblichen revolutionären Drang der Jugend ab, sondern wollte auch die Kanalisierung dieser Bestrebungen durch einen erneuerten politischen Stil treffen, der von der kurzen Kennedy-Administration und dem ihr nachfolgenden Mythos eingeführt wurde. Doch der jugendliche Aufstand war in den sechziger Jahren nicht aufzuhalten. Mit ihm wuchs die Wachheit für die Ungerechtigkeiten in der „Dritten Welt" ebenso wie in den eigenen Ghettos: Die Bürgerrechtsbewegung und die Gründung des „Peace Corps" nahmen die hervorbrechende jugendliche Gegenkultur ernst. Aber es war schließlich weniger die „Neue Linke", die die öffentliche Meinung darin bestärkte, die amerikanische Jugend hinter dem Ruf nach Wandel zu sehen, als vielmehr die „Hippie-Bewegung" mit ihrer Betonung von Schönheit und Wahrhaftigkeit und ihrer Ablehnung der amerikanischen „Wegwerfkultur". Die Anklage der Wirklichkeitsfremdheit war schnell erhoben, ohne die den neuen Forderungen zugrundeliegenden Quellen zu beachten.

Eine dieser bedeutenden Ursachen war die, daß die Elite-Colleges der Ostküste zu Anfang des vergangenen Jahrzehnts begannen, ihre Tore für die Kreise der amerikanischen Gesellschaft in erhöhtem Maße zu öffnen, die früher gar nicht oder unterrepräsentiert vertreten waren. Eine weite Verleihung von Stipendien brachte junge Leute aus finanziell minderbemittelten Gruppen als eine Art „Hefe" in die Ausbildungszentren und damit in den Blickpunkt der Gesellschaft. Das Wachstum sozialer Kompliziertheit ist unverkennbar: Die Selbstgenügsamkeit früherer Jahre wandelte sich in eine sich steigernde Selbstkritik.[460] Ahlstrom beschreibt die Ausweitung der „jungen Revolution" folgendermaßen: „Studenten forderten und erhielten größere Freiheit und bewegten sich dann weiter, oft mit starker Unterstützung der Professoren, die Strukturen und Werteprioritäten der höheren Ausbildung generell in Frage zu stellen. Fragen der Loyalität und des Gehorsams gegenüber errichteter Autorität, selbst gegenüber dem nationalen Staat, wurden damit in neuer Intensität wieder eröffnet".[461]

Die Massenmedien trugen diese Bewegung in nahezu jedes amerikanische Haus, wo sie an ihren toten Punkt gelangte. Denn die Offenheit und Fähigkeit der Jugend für das Leben als ganzes, ausgedrückt in Humor und Spiel, Sinn und Hoffnung, Ekstase und Verdammung fand keine Antwort in der unideologisch konservativen Haltung des Durchschnittsamerikaners. Eine kritische Selbstbefragung schien ihre Grenzen bei den Randgruppen der Gesellschaft zu haben; mit diesen zog die Jugend die heilige Ordnung des Pluralismus mit seinen Normen von nationalem Selbstinteresse, Geschäftsorientiertheit und der Notwendigkeit von Erfolg in Zweifel. Eine noch charakteristischere, katalysierende Rolle spielte in diesem Prozeß aber eine lange schon unterdrückte und niedrig eingestufte Gruppe der Bevölkerung der Vereinigten Staaten, die sogenannten „Farbigen".

2. „Black Consciousness"

Seit der Mitte der sechziger Jahre erhielt die bewußte Anerkennung der eigenen Hautfarbe in der schwarzen Gemeinschaft soziale Bedeutung. Jahrhundertelang war man sich unerlaubt bereits der eigenen Gleichheit bewußt gewesen. Die neue „Black Power", die weit über die so benannte politisch-orientierte Bewegung hinausgeht, hatte ihre weitreichende Tradition wenigstens bis zu den schon vor dem Civil War gegründeten afrikanischen Kirchen und seine zeitlich letzte Ursache in der in diesem Jahrhundert begonnenen Bürgerrechtsbewegung.

Eine besonders hervorstechende Figur in dem historischen Kampf um die Gleichberechtigung war Francis J. Grimké (1850—1937), der für über fünfzig Jahre Pastor der schwarzen presbyterianischen Kirche an der 15. Straße in Washington, D.C. war. Sprößling aus dem Verhältnis eines Mitgliedes einer prominenten Familie in South Carolina mit einer seiner Sklavinnen, kannte er das Schicksal seiner Schwestern und Brüder gleicher Hautfarbe aus direkter persönlicher Erfahrung. Mit unübertrefflicher Deutlichkeit stand er für die Emanzipation der Unterdrückten ein: „Die Negerfrage muß gelöst werden und zwar gerecht: Und bevor sie nicht gerecht gelöst ist, wird es keinen Frieden geben. Das ist Gottes Gesetz . . . Bevor seine Menschlichkeit nicht anerkannt worden ist und alle seine Rechte, bürgerliche oder politische, ihm zugestanden worden sind, wird der Neger nicht seine Ruhe bewahren, wird nicht aufhören, laut zu schreien, zu agitieren und Unruhe zu stiften. Er würde ein Narr sein, täte er das nicht".[462] Denn der Neger ist zu allererst ebenso amerikanischer Bürger wie jeder andere, und das Bestehen darauf kann nicht aufhören „solange noch ein mannhafter, sich selbst achtender Neger in diesem Lande lebt".[463] Grimké ist ziemlich desillusioniert und erwartet keine Hilfe von Regierungsseite bei diesem Kampf um die Emanzipation: „Ich rufe nicht zu Gewalttaten auf: Ich sage nicht, daß es für den Neger weise sei, in der Gewalt seine Zuflucht zu suchen; aber, was ich meine, ist dies, daß nämlich manchmal Gewalt das Mittel ist, das Gott gebraucht, um das schlafende Gewissen wachzurütteln und den Rhinozerospanzer der Indifferenz zu durchstoßen".[464] Er hoffte auf einen wirklichkeitsorientierten Glauben als Vorkämpfer für die Emanzipation, sah aber ebenso nüchtern das bisherige Versagen der Christen: „In diesem Kampf . . . gegen die verdammenswerten Rassenvorurteile sind die bekennenden Christen oft seine schlimmsten Feinde, seine bösartigen Hasser und Verführer . . . Wenn ich mich selbst aufgrund irgendeines vernünftigen Grundes glauben machen könnte, daß diese Leute wirklich Christen wären, dann würde mich das in den Unglauben treiben: Ich würde eine solche Religion aufs heftigste zurückweisen. Aber ich weiß, daß sie keine Christen sind: Ich weiß, daß die Religion — ich war drauf und dran zu sagen, die sie bekennen (profess), aber richtiger ist es zu sagen, die sie besitzen (possess) — nicht Christlichkeit ist. Es ist eine schändliche Lüge, das zu behaupten . . . Nein, die amerikanische Kirche ist nur eine Apologie für eine Kirche. Sie ist eine abgefallene Kirche, total unwürdig ihres Namens. Ihr Geist ist ein bösartiger, feiger und verachtenswerter Geist".[465] Denn dieser so inspirierte Glaube hat keine Basis in Jesus Christus und deshalb muß die amerikanische Kirche „Buße tun . . . sie muß ihren Kurs ändern, wenn sie christlich bleiben will".[466] Denn es ist die Schuld hauptsächlich der Kirche, es ist „die Schande von Millionen von weißen Christen in diesem Land, daß der Bruder in schwarz immer noch ein sozial und religiös Ausgestoßener ist".[467] Die Rassendiskriminierung ist für Grimké der lauteste Widerspruch der Sehnsucht nach der Königsherrschaft Gottes. Hier täuscht sich das amerikanische Christentum am stärksten und zeigt deutlich seinen Charakterzug als eine säkularistische Zivilreligion, die Grimké scharf attackiert: „Ich bin mir wohl bewußt", so sagt er nach Kriegsende am 24. November 1918, „daß wir gerne die Ehre zugerechnet bekämen, daß wir ernsthaft an demokratischen Institutionen interessiert sind, daß wir die Welt für die Demokratie sicher machen wollen. Aber es ist die einfache Tatsache, daß wir überhaupt kein Interesse an der Herrschaft wahrer Demokratie haben, die das Recht eines jeden Menschen anerkennt, gleich welcher Rasse oder Hautfarbe, einen Teil, aber einen gleichen Teil an der Regierung zu haben, unter der er lebt".[468] Grimké war trotz aller Desillusionierung noch hoffnungsvoll im Hinblick auf einen Durchbruch eines wirklichkeitsbezogenen Glaubens in den Kirchen auf eine Säkularität, die er „Charakter" nannte. Diese Hoffnung hielt sich noch bis zum Ende einer aktiven Bürgerrechtsbewegung in verschiedenen Weisen durch.[469]

Heute speist sich die Durchschlagskraft aus einer wachsenden Gemeinschaftsorientierung in der schwarzen Bevölkerung der Vereinigten Staaten. James Cone nennt den einzigen plausiblen Grund für die Entstehung dieser gesellschaftlichen Fraktion: „Es ist nicht möglich, ein Volk wegen seiner schwarzen Hautfarbe zu versklaven und zu erwarten, daß es sich nicht der Farbe bewußt wird".[470] Cone interpretiert das Wachstum des schwarzen Selbstbewußtseins als Befreiung und gibt diesem Thema seine theologische Interpretation: Er vertraut nicht – in einem Liberalismus etwa eines Martin Luther King – auf die letztliche amerikanische Güte, sondern greift auf die geschichtliche Parallele der jüdisch-christlichen Tradition zurück: „Gotteserkenntnis meint, ihn in dem geschichtlichen Befreiungsprozeß anzutreffen, wie er in der Gemeinschaft der Unterdrückten erfahren wird".[471] Und für Cone ist es vor allem die Begegnung mit dem Menschen Jesus, die ihn gegen „menschliche Gefangenschaft" kämpfen läßt. Ohne Zögern stellt er die Beziehung zwischen seiner Interpretation von Befreiung und „Black Power" her: „Es ist die Betonung von ‚Black Power' auf Befreiung, die sie ohne Zweifel zu einer Manifestation von Gottes Werk in Amerika macht".[472] Diese Allianz mag vor allem für amerikanische Vorstellungen recht fremd klingen, weil „die Kirchen, wie Negerchristen schon vor langer Zeit voller Gram feststellten, zu den Institutionen mit der schärfsten Rassentrennung nicht nur in den Südstaaten, sondern im ganzen Land gehören. Nichts kann die Tatsache verdecken, daß dieser religiös geheiligte Rassenparochialismus ein schwerwiegender Verstoß gegen die höchsten Ideale des christlichen Glaubens ist".[473] Diese rassistischen Kirchen waren der fruchtbare Boden für Amerikas Zivilreligion und bestärkten in keiner Weise die befreiende Gewalt der alle Menschen ohne Rücksicht auf ihre Hautfarbe umfassen Liebe.

In der schwarzen Gemeinschaft dagegen wächst jetzt eine fundamentale Unruhe für alle unterdrückten Menschen auf diesem Globus. Diese Ausweitung läßt hoffen, daß die allgemeine „Black-Power"-Bewegung – das Wachwerden eines schwarzen kritischen Selbstbewußtseins – in seinem Kampf um Befreiung nicht die Waffen annimmt, die ihr der „American Way of Life" anbietet: nämlich religiös verbrämte „Definitionen von Menschlichkeit, Gewalt, Majestät und Macht".[474] Verzichtet sie auf eine solche Zivilreligion, dann könnte sie zu einer geschichtlichen Antriebskraft werden, die wirklichen Wandel in die amerikanische Gesellschaft bringen würde: Dann wäre sie zu einer offenen Anerkennung der eigenen Fehler gezwungen und zu einer damit verbundenen kritischen Sichtung der Zivilreligion. Auf die letzten Jahre hin gesehen, gab es einige Zeichen und Anfänge eines solchen Wandels, vor allem im politischen Bereich.

3. Politische Verzweiflung

Eine der wichtigsten Tatsachen in der politischen Szene, die Amerika bei weitem mehr betrifft als die anderen Nationen, ist die Wahrnehmung einer Welt *nach* dem kalten Krieg mit all ihren plötzlich auftauchenden Differenzierungen und Tiefgründigkeiten. Die Polarisierung der Periode des kalten Krieges hat einer „Vielfach-Teilung" in internationalen Beziehungen Platz gemacht, deutlich vor allem in den Beziehungen zwischen den wirtschaftlichen Großmächten und den Ländern der so wenig einheitlichen „Dritten Welt". Die militärischen Einmischungen Amerikas und Rußlands im Nahen und Fernen Osten sind nur der sichtbare Teil eines viel größeren verzweifelten Kampfes mit paternalistischen Strukturen.

Neue Vernichtungswaffen haben die einst traumatische Atombomben-Furcht vor die unmittelbare Erfahrung von napalmverbrannten menschlichen Körpern gestellt, vor chemisch vernichtete Waldgebiete und vor den Totalitarismus, der sich in Folterungen, unmenschlicher Einkerkerung und anderen Formen der Freiheitsbeschränkung ausdrückt, Erfahrungen, die den „American Dream" als Hohn erscheinen lassen.

Die Feststellung von W. Herberg gewinnt damit vor allem in USA neue Gültigkeit: „Unsicherheit bestürmt uns an allen Seiten, und doch wird Sicherheit mehr und mehr zur dringenden Notwendigkeit unserer Tage".[475]

Der Dualismus dieses Verlangens ist offensichtlich in den verzweifelten politischen Äußerungen der vergangenen Jahre in Amerika. Religiöse Gemeinschaften scheinen als eine der ersten Gruppen auf diese Entwicklung aufmerksam zu werden. Als öffentlich politische Institutionen spielten sie lange eine Art von Beschützerrolle, waren eine Garantie für eine quietistische, friedliebende Gesinnung. Aber allgemeine Unruhe berührt sie wegen dieser alten staats- und ordnungshaltenden Tradition auch als erste.

Es war vor allem ein auf Umkehr und nicht so sehr auf die Nation bedachter Protest gegen Amerikas Einmischung in Indochina, der Teile der religiösen Führung in den letzten Jahren auf die Ungerechtigkeiten aufmerksam machte, mit denen ihre Nation den „sich entwickelnden" Ländern im Fernen Osten aber auch in Südamerika entgegentrat.[476]

In der allgemeinen Verzweiflung über die Politik in Amerika – sei es aufgrund der Arten der offiziellen Einmischung, oder sei es wegen der Ungewißheit über die erforderlichen nächsten Schritte – konnte die Protesthaltung einiger religiös motivierter Gruppierungen einen Lernprozeß anstoßen, der den amerikanischen Platz innerhalb der Weltbeziehungen neu bestimmt. Diese Aufmerksamkeit könnte zu einer neuen kritischen Selbstidentifizierung führen, weg von dem triumphalen Vertrauen auf die amerikanische Güte und von dem Stolz auf die eigene Nation, hin auf eine Art von „praktischer Flexibilität", die Daniel Bell fordert und „die von zwei notwendigen Erniedrigungen bestimmt wird: einer Wachheit sowohl für die Begrenzungen unseres Wissens als auch für die Offenheit der Geschichte".[477]

4. Allgemeiner sozialer Wandel

Diese Aufmerksamkeit für die begrenzten Möglichkeiten und eine offene Zukunft scheint in Nordamerika zu wachsen; sie könnte Grundlage für eine der eindrücklichsten Wandlungen der modernen amerikanischen Gesellschaft werden. Soziale Mobilität bestimmte eine Nation von Emigranten durch Jahrhunderte. Jetzt muß dieser soziale Faktor neue Dimensionen annehmen, seitdem die Selbstlokation der Amerikaner nicht mehr bloß auf ethnischer und auch nicht mehr ganzheitlich auf religiöser Identifikation beruht. Viele verschiedene Selbstbestimmungen sind damit offen, weil die soziale Mobilität das gleichzeitige Leben in verschiedenen Gemeinschaften ermöglicht.

Ständiges Bemühen um die Anpassung an die neuesten wissenschaftlichen Errungenschaften ließ in einem ersten Schritt die Kernfamilie zu einem Bereich der Ruhe und der friedlichen Zurückgezogenheit werden und damit auch den Ort der Kleinfamilie, die Vorstadt. Aber in der weiteren Entwicklung der Technologie erscheint diese Flucht auf das eigene Selbst als das, was Riesman als „Innengerichtetheit" beschreibt, aber jetzt ohne den ihr ursprünglichen Schutz durch die „Traditionsgerichtetheit".

Der Widerspruch dieses vielförmigen Lebensstils als Umschwung von einem Verhalten, das durch Ziele und Prinzipien bestimmt war, zu dem, das durch Anpassung und Zugehörigkeit geformt ist, scheint dem Durchschnittsamerikaner eine neue Wachheit für seine menschliche Abhängigkeit zu geben. Der Traum ist wachgerüttelt und kann nicht noch einmal von vorne beginnen!

Diese Wachheit zeigt das an, was Daniel Bell „kreative Zerstörung"[478] nennt, einen Mechanismus von Umwandlung und Erneuerung, der durch die technologische Entwicklung in der westlichen Welt als ganzer gefördert wird. Nur diese Aufmerksamkeit auf den Umstand, daß der Mensch von der von ihm selbst gebauten Gesellschaft hervorgebracht und bestimmt wird, kann den Menschen in kritischer Weise „die Gesellschaft und alle ihre Gebilde" als „menschliche Sinngebungen, die in menschlicher Aktivität externalisiert werden",[479] verstehen lassen. Dies könnte eine Ordnung der Erfahrung mit sich bringen, die dem Amerikaner „das moralisch und praktisch schwierige Unterfangen" ermöglicht,

„zugleich auf zwei Ebenen zu leben: nämlich der von Idealen und sogar utopischen Visionen und der der alltäglichen Existenz . . . in geduldiger Arbeit auf wachsende Veränderung im Lichte einer experimentierenden Orientierung auf verschiedene Zukunftsmöglichkeiten hin".[480] Dies würde eine Umwandlung des Bewußtseins beinhalten, das die vergangenheitsorientierte Erinnerung an Träume, die sich nicht verwirklichen, beiseite schiebt und anstatt dessen sich auf die geschichtlich bestimmte anthropologische Situation konzentriert. Ein so geöffnetes kritisches Raster würde die oft täuschende Wirklichkeit in ihrem Einfluß auf den Menschen als Sozialwesen ernst nehmen. Das Leben auf zwei Ebenen würde einen neuen Sinn projizieren, der dann im Stande ist, die früheren Trugschlüsse zu revidieren, ganz im Sinn einer genuinen Säkularität.

§ 4. Der theologische Umschwung

Mit diesem haltungsorientierten Wandel im Blickfeld können wir vielleicht den Umschwung besser verstehen, der im theologischen Denken Amerikas während der letzten 20 Jahre geschah. Man könnte Ahlstrom zustimmen und diese Periode als einen letztlichen Durchbruch einer lange anstehenden „Krise des Relativismus" verstehen, der „durch die rosige Weltsicht des Liberalismus, die weit verbreitete Überzeugung von Amerikas glorreicher Bestimmung und durch die Tendenz eines populären evangelischen ‚revivalism' aufgeschoben worden war, die diese Probleme allesamt ignorieren".[481]

Ignoranz war in dieser Krise nicht länger möglich. Man stellte grundlegende Fragen an die Theologie und Fragende wie Befragte hatten kein gemeinsames Symbolsystem mehr, dem man die Mißverständlichkeit der eigenen Antworten anlasten könnte: „Die alten Grundlagen von nationalem Vertrauen, patriotischem Idealismus, moralischem Traditionalismus und sogar historischem jüdisch-christlichem Theismus waren im Schwimmen".[482]

So mußte sich die Theologie in den sechziger Jahren von neuentstandenen Säkularismen verabschieden, vor allem von einem grundlegenden Fundamentalismus und Verformungen von „Neo-Orthodoxy"; allesamt wurden sie Opfer der „Krise des Relativismus".

1. „Neo-Orthodoxy"

Bei der Vorstellung der Gedanken Reinhold Niebuhrs war uns „Neo-Orthodoxy" in ihrer doppelten Sorge begegnet: Auf der einen Seite die Tragweite des Glaubens in der Wirklichkeit — und damit verbunden die Frage nach seinen Folgerungen für sozialen Wandel — und andererseits die neue Strukturierung dieses Glaubens im Rückgang auf die Quellen von Reformation und Christentum als solchem. In dialektischer Reflexion der geschichtlichen Dimension des Glaubens wurde soziale Ungerechtigkeit karikiert.

Als dann in den frühen vierziger Jahren die Errungenschaften des „New Deal" wie „soziale Sicherheit, erträgliche Vollbeschäftigung und Organisationsrecht der Arbeiterschaft"[483] die sozialen Einwirkungen und Forderungen der früheren Jahre erfüllte, verformte eine späte „Neo-Orthodoxy" die Akzentuierung des besonderen Charakters des christlichen Glaubens in eine unbegründet antithetische Haltung gegenüber der Wirklichkeit und der Gesellschaft und erlag einer verhängnisvollen Anpassung an widervernünftige Kategorien.

Entgegen ihrer ursprünglichen Absicht war „Neo-Orthodoxy" jetzt dazu geneigt, wie der Fundamentalismus sich einen Spezialbereich in der Gesellschaft auszusparen. Aber — so muß man Peter Berger zustimmen — „im Rückblick ist es klar, daß diese Periode den Zug zur Säkularisierung nur unterbrochen, nicht umgewendet hat".[484] „Neo-Orthodoxy" war wie ein spätes „Social Gospel" säkularistischen Tendenzen erlegen. Im Niebuhr'schen Sinne von Tragik hatte es ein popularisiertes Gefühl von Außergewöhnlichkeit entstehen lassen, das zu einer bedeutenden Komponente der religiösen Aufwärtsbewegung in den fünfziger Jahren wurde, einer Mischung aus einer einseitig verstandenen „Neo-Orthodoxy" und einem immer noch wirksamen Fundamentalismus.

2. Religiöses „revival" in den fünfziger Jahren

Dieses neueste „revival"[485] in der nordamerikanischen Geschichte brachte anders als seine historischen Vorgänger keine Zeichen persönlicher Bekehrung oder Verpflichtung mit sich. W. Herberg nennt als Grund für die wachsende Religiosität eine Entwicklung, die wir schon bei der Darlegung des allgemeinen sozialen Wandels nannten: „Die Besinnung auf das Privatleben und damit verbunden eine Reflektion über den Versuch, Sinn und Sicherheit eher in dem zu finden, was grundlegend und unwandelbar ist, als in den fluktuierenden Zufällen sozialer und politischer Aktivität, ist einer der Hauptfaktoren in dem Aufschwung der Religion unter den Amerikanern von heute".[486]

Diese Religion fand in den Kirchen kein kritisches Gegenüber. Sie wurde in den fünfziger Jahren zu dem, was Thomas Luckmann als ein gesellschaftliches Produkt beschreibt; es entstand „eine Situation, in der jeder noch in das ‚offizielle Modell' von Religion sozialisiert ist, aber das Modell von niemandem mehr für bare Münze genommen wird".[487] Große Segmente der amerikanischen Gesellschaft, die sich auf der Suche nach Bestätigung befanden, folgten damals dem leichten Druck der amerikanischen Zivilisation in religiöse Selbstidentifizierung. Sie entflohen damit einem differenzierteren Selbstverständnis, das eigentlich von der technischen Entwicklung der Umwelt gefordert wurde.

Die Religiosität paßte sich der Flucht der Menschen in den fünfziger Jahren an: Denn „der erweckende Geist war gleichmachend und antiintellektuell. Er schüttelte die Gewänder und formellen Liturgien ab und predigte anstatt dessen sein Evangelium und die tosende Hymne".[488] Aber es war nicht das Evangelium des Neuen Testaments, sondern das des ordentlichen, gut gewillten Nachbarn der Vorstadt, mit dem „Song of the Battlefield" und „Stars and Stripes forever" als seinen Symbolen, nicht also eine soziale Kritik oder eine Wachheit für Geschäfts-manipulationen, wie sie selbst noch ein verblaßtes „Social Gospel" gekannt hatte: Es war ein „revival" einer Feiertagsreligion ohne weitere Forderungen als der nach bürgerlichem Wohlverhalten. Selbst das kirchliche Leben wurde zu einer sozialen Angelegenheit. So diente diese Religiosität dem gleichen Ziel wie der Umzug von der anonymen Innenstadt in die Vorstadt: Sie vermittelte einen neuen Gemeinschaftssinn, weil man auf dem Wege der religiösen Gruppenzuge-hörigkeit den vorher in der City unbekannten Nachbarn kennenlernte: Kirchen-beitritt und die Errichtung von Synagogen und Kirchen in den Suburbs waren Zeichen einer sozialen Bewegung; sie machten einen mit der Nachbarschaft als Protestant, Katholik oder Jude bekannt. Indem man zu seiner Denomination stand, vermied man unnötige Trennungslinien. A-religiös zu sein, hätte in der Vorstadt der fünfziger Jahre einen Angriff auf die Werte einer Nation bedeutet, deren Präsident es damals nicht zurückwies, ein „religiöser Führer" genannt zu werden.

Marty hat den gemeinsamen Wertekodex dieser allen Denominationen gleichen Zivilreligion spezifiziert: „Positives Denken, Friede mit Gott, Seelenfrieden, Gemütsruhe, Brüderlichkeit, Erfolg, Amerikanismus".[489] Es war eine schweigende Generation, die diesen Katalog als ihren Lebensstandard anerkannte. Der Protestantismus von „revivalists" wie Norman Vincent Peale und Billy Graham wurde in jenen Jahren nahezu identisch mit amerikanischer Kultur. Die Kirchen waren populär als integrale Gemeinschaften.

Reinhold Niebuhr nannte von seinem Blickwinkel her dieses „revival" naiv und simplizistisch und forderte eine Allianz zwischen Christen und „verantwortungsbewußten, urteilsfähigen Säkularisten" auf der Basis der gemeinsamen Überzeugung „daß das Angebot einer solch simplen Version des christlichen Glaubens als eine Alternative für die unglaubwürdig gewordenen utopischen Illusionen eine Ironie ist. Sie gibt nämlich noch einfachere Antworten auf unlösbare Probleme als diese. Sie durchschneidet alle harten Widersprüche des Lebens und der Geschichte durch das einfältige Versprechen, daß wirklich gute Menschen wirklich gut sein werden".[490] Man spürt hier die Enttäuschung eines Mannes durch, der im ganzen gesehen in seinen Absichten nicht verstanden worden war. Aber mit ihm nahmen manche Amerikaner zu Beginn der sechziger Jahre wahr, daß das sogenannte „revival" der fünfziger Jahre die existentiale Situation nicht geändert hatte. „Der Zusammenbruch aller säkularen Sicherheiten in der geschichtlichen Krise unserer Zeit, das Verlangen nach einer Wiederentdeckung eines Sinnes im Leben, die neue Suche nach Innerlichkeit und persönlicher Authentizität inmitten der kollektivistischen Heteronomien der gegenwärtigen Welt"[491] waren trotz einer formalen Rückkehr zur Religion nicht aufgehoben. Versteht man den Menschen der Zivilreligion als den „Plastik-Menschen" und will man die Verehrung dieses Spielzeugs der Gesellschaft vermeiden, dann gibt David Riesman's Hoffnung eine Perspektive für die vorläufig letzte Periode amerikanischer Theologiegeschichte: Daß nämlich „der Plastik-Mensch bloß eine Stufe der geschichtlichen Entwicklung war, in der Mitte liegend zwischen den weitgehend bunt gestalteten *sozialen* Charaktertypen einer ungeeinten Welt und dem noch weiter voneinander abweichenden *individuellen* Charakter einer vereinten, aber weniger gewaltsamen Welt".[492]

3. Der Umschwung in die sechziger Jahre

Diese Erwartung wurde 1960 formuliert und thematisiert den Wandel, der in jenen Jahren auch im theologischen Bereich stattfand. Der Umschwung hatte seine Grundlage in dem damals allgemeinen Ausdruck von Widerspruch, der Daniel Bell veranlaßte vom „Ende der Ideologie" zu reden.[493] Religiöse Behauptungen waren nicht mehr in sich selbst plausibel, eine Relativierung, die der beginnenden scharfen Kritik an der offiziellen Zivilreligion entspricht. Die Wirklichkeit dieser Religion wurde als wertlos erfahren: Sie war ohne Beziehung zu den alltäglichen Lebenserfahrungen. Die explizite Begegnung mit den Sozialwissenschaften brachten die vorher angedeuteten Wandlungen in der amerikanischen Gesellschaft in den Horizont der Theologie.

Folge davon waren „tatsächliche Angst und Sorge", wie Talcott Parsons sagt, weil die Theologie jetzt mit den „Problemen der Grundlagen des Glaubens und den Definitionen letzter Sinnprobleme" fertig werden mußte; und das in „einer Gesellschaft, in der alle Engstirnigkeiten früherer religiöser Verpflichtungen notwendigerweise in Fluß gebracht sind".[494] Diese Herausforderung steigerte das akademische Interesse an der Theologie und dem Studium der Religionen in USA. In der Tradition einer Wirklichkeitsorientierung des Glaubens in „Social Gospel" und „Neo-Orthodoxy" mußte die Theologie jetzt die drängenden sozialen Fragen über Großstadt und Rasse beantworten helfen. Denn „eine Kluft der Glaubwürdigkeit war zwischen den vorherrschenden Formen traditioneller Theologie und dem säkularisierten Verständnis einer rapid zunehmenden Anzahl von gebildeten Anmerikanern entstanden".[495] Neben dieser mehr intellektuell bestimmten Fragestellung stellte der Aufstieg der „Black Consciousness", der „gründliche Unzufriedenheit und militantes wie gewalttätiges Verhalten ... zu alltäglichen Erscheinungen amerikanischen Lebens"[496] machte, amerikanische Theologen erneut vor die Frage nach der Beziehung von Religion zu Politik und Kultur.

Es waren Randgruppen, die im letzten den Anstoß für eine Radikalisierung der Theologie gaben, und man kann mit ziemlicher Sicherheit behaupten, daß dieser Radikalismus seinen Einfluß mehr durch die Publizität erhielt, die gewisse theologische Äußerungen in den sechziger Jahren hatten, als durch die Eigenschaften dieses theologischen Denkens selbst. Im Abschwung eines religiösen Interesses trugen Zeitungen und Fernsehen theologische Schlagzeilen unter ein Publikum, das Erbauung und nicht radikale Reform und „kreative Zerstörung" erwartete. Die Theologie stand plötzlich im Rampenlicht, weil die Medien sie „in" machten durch die Förderung von „sozialen Aktivisten, Bürgerrechtsführern, gründlichen Experimentierern mit den Liturgien und Formen der Kirche und revolutionären Theologen".[497]

4. Theologischer Radikalismus

Die unter diesem Sammelbegriff zusammengefaßte amerikanische Theologie interpretiert die „Civil Religion" und damit das „revival" der fünfziger Jahre als ein nationales Phänomen von Säkularismus. Rauschenbusch hatte diese Analyse mit seiner Gegenüberstellung von Christus und Kultur angestoßen und Niebuhr entwickelte sie in seinem Verständnis der geschichtlichen Tragik. Zivilreligion war danach ein sich ideologiehaft verfestigendes Phänomen, das in den USA dazu diente, die inneren Zerreißproben mit dem Hinweis auf die Gemeinsamkeit in der Religion zu überwinden: Die wirklichen geschichtlichen und gesellschaftlichen Probleme wurden so für große Teile einer unkritischen Bevölkerung durch den Hinweis auf Amerika als einer Art Königreich Gottes verneint und der Gedanke einer Weltverbesserung ohne differenzierenden Gegenwartsbezug in einem „quasi-revival" suggeriert. So verfestigte sich ein ursprünglich die Säkularisierung wahrnehmender Glaube trotz kritischer Anfragen von Gladden, Rauschenbusch, Niebuhr u. a. immer wieder in der „Civil Religion": Jeder dialektische Schwung zur Überwindung dieses Säkularismus auf eine das Weltbild in Frage stellende Säkularität hin ging verloren; denn man vergaß den eigentlichen theologischen Grund der Säkularisierungserkenntnis.

Hier setzt die radikale Theologie der letzten Jahre mit ihrem Protest ein, da sie durch die Schulung von „Social Gospel" und vor allem von Reinhold Niebuhr der sozialen Entwicklung gegenüber noch hellhöriger geworden ist. Sie stellt fest, daß die Zivilreligion Nordamerikas die gesellschaftlichen Katalysatoren für ein neues Verstehen von Sünde, Gericht und Umkehr nicht wahrzunehmen in der Lage ist. Denn Bürgerrechtsbewegung, neues Selbstverständnis der Jugend und eine sich steigernde „black consciousness" sind Anfragen an den Wirklichkeitsbezug des religiös-bestimmten amerikanischen Selbstbewußtseins. Aber der Säkularismus einer „Civil Religion" wußte keine Antwort auf die wachsende soziale Kompliziertheit.

Die radikalen Theologen fordern daher eine Rekonstruktion in „praktischer Flexibilität". Damit entgehen sie erst einmal der Gefahr, der die späte „Neo-Orthodoxy" erlag: Nämlich dem Aussparen eines bestimmten gesellschaftlichen Bereiches, von dessen erhöhter kritischer Warte aus man das Verdikt über die Gesellschaft fällte. Indem sich die Theologie wieder mitten in die Auseinandersetzungen hereinstellt, nimmt sie die Bemühungen des frühen „Social Gospel" und auch Reinhold Niebuhrs auf, der sich nicht scheute, „schmutzige Hände" zu bekommen.

Der Radikalismus und die revolutionäre Haltung, die man in neuerer amerikanischer Theologie sehen kann, ist demnach nichts völlig Neues. Sie ist vielmehr eine konsequent durchgehaltene Wachheit für die Tiefe und das Ausmaß der Krise, die in der Gesellschaft seit Jahrzehnten am Werke ist. Diese Offenheit für die säkulare Umwelt wurde durch Veröffentlichungen von John Robinson, Thomas Altizer, Paul van Buren, William Hamilton und Harvey Cox popularisiert: Ihre Aufmerksamkeit für die menschlichen Beziehungen untereinander und zur Welt als der eigentlichen Wirklichkeit des Glaubens und ihre positive wie negative Wahrnehmung von Politik und Kultur machte sie für eine weitere, nicht theologisch gebildete Öffentlichkeit verständlich. Mit der in der Verkündigung des „Todes Gottes" enthaltenen Kritik an amerikanischer Zivilreligion kam das Individuum in seiner Trans-Subjektivität als „Du" wieder in den Mittelpunkt; Theologen versuchen jetzt auf offenem Forum den säkularen Sinn des Evangeliums zu ergründen. Auch Ahlstrom relativiert den Neuigkeitsanspruch dieser Entwicklung: „Radikale Theologie ist grundlegend eine Anpassung religiösen Denkens an ein geordnetes Verständnis der natürlichen Welt, das seit über 400 Jahren in zunehmendem Maße an Umfang gewinnt".[498] Gleichzeitig nimmt diese Theologie ein allgemeines Prinzip voll ernst, das James L. Adams so formuliert hat: „Die Bedeutung von ‚Gott' für die menschliche Erfahrung und die Bedeutung einer Antwort auf die Macht Gottes wird zumeist darin offensichtlich, welche institutionellen Konsequenzen, welche Aspekte des institutionellen Lebens die ‚Gläubigen' behalten oder wandeln wollen".[499]

Diese an sich beeindruckende kritische Selbstbetrachtung der Theologie führte aber neuerdings auch zu Ausbrüchen, die Grund für Verwirrungen waren: Eine davon ist der Versuch, die Theologie mit dem Säkularen und seiner Selbstinterpretation völlig gleichzusetzen, ohne das dabei verwandte Interpretationsschema bekannt zu machen oder sogar kritisch zu erkennen. Die „Tod Gottes-Theologie" kommt in vielen ihren Auswüchsen einer solchen Ideologie nahe, indem sie Momente einer Prozeßtheologie in der Nachfolge Schubert Ogdens isoliert betrachtet. Reflexionen hermeneutischer Analyse werden überbetont und eine theologisch verbrämte Sozialkritik wird mit Theologie identifiziert. Dennoch beweist manche impulsive Reaktion auf diese Theologie die Richtigkeit ihres Ansatzes: Die Sinnlosigkeit eines Gott-Geredes ist nur in einer Gesellschaft verständlich, wo Gott einen stabilisierenden Faktor für die Mächte bildet, die die Gesellschaft regieren. So führen die „Tod-Gottes-Theologen" mit ihren Aussagen den bisher stärksten Angriff gegen die amerikanische Zivilreligion, die sich hinter der Rede von Gott zu verstecken sucht und damit Gott zum Garanten ihrer eigenen Werte und Normen macht, bzw. darin diese zu ihrem Gott erhebt.[500] Insoweit diese theologische Kritik „Gott" als Verbrämung politischer Macht verneint, weil sie ihn in der gesellschaftlichen Wirklichkeit nur in seiner Abwesenheit erfährt, ist sie korrekt. Aber diese Negation bildet gleichzeitig den Wendepunkt zu einer neuen Jesus-Metaphysik, die eine sich an die theologische Frage anschließende Sozialkritik außer acht läßt: Theologie ist dann nicht mehr in der Lage, die anthropologische Situation ernst zu nehmen als den Ausgangspunkt für ein neues System von Sinngebung, und führt sich selbst in einen Teufelskreis, der am Ende nur noch Platz für eine analytische Philosophie hat.[501]

Die jüdische Reaktion gegenüber diesem partiellen Ausdruck radikaler Theologie könnte als Korrektur dienen: Die Erfahrung des national-sozialistischen Gemetzels macht ihre Fragestellung in vielem ernsthafter als die philosophische Vernünftelei einer übertriebenen „Tod-Gottes-Theologie": „Juden halten etwas auf einen Gott für die Geschichte und besonders auf einen, der mit der wirklichen Erfahrung des jüdischen Volkes etwas zu tun hat", schreibt Eugene B. Borowitz. Dem Versuch radikaler Theologen, ein neues Sinnsystem aufzustellen, stellt Borowitz dieses Argument entgegen: „Wenn man einen negativen Gott schafft, um die Theodizee zu brechen, kann man der Moralität des Menschen oder menschlicher Würde keinen endgültigen Wert geben".[502] Diese jüdische Ablehnung einer Vertauschung von radikaler Theologie in analytische Philosophie trifft sich mit den Bedenken katholischer Theologen, die sich natürlich noch viel intensiver auf die Wirklichkeit der technokratischen Gesellschaft und der amerikanischen Gegenwart als ganzer einstellen müssen als die darin bereits eingeübten jüdischen Kollegen. Für die amerikanischen Katholiken steht vieles an Verlust oder Gewinn auf dem Spiel, wie es die Entwicklung nach Johannes XXIII. und seinem Zweiten Vatikanischen Konzil zeigt. Die Frage, die Thomas F. O'Dea in diesem Zusammenhang für den nordamerikanischen Raum stellt, kann noch nicht beantwortet werden: „Wird sich die Kirche von Rom auf die stürmischen Wasser des großen Übergangs einlassen, wodurch sie in der Lage sein könnte, sowohl das Christentum zu der zeitgemäßen Relevanz zu führen, die es vergeblich gesucht hat, als auch die Menschen des Westens zu einer tieferen und vornehmeren Schau der Erfüllung zu führen?".[503]

Denn der „Ausverkauf" von Teilen amerikanischer protestantischer Theologie trägt keine Fähigkeit zur Weiterentwicklung mehr in sich, weil einfach manchmal keine anderen „Waren" mehr zurückgeblieben sind als das eigene fraglose Selbst. Deshalb kann in der gegenwärtigen amerikanischen Theologie nur eine Zusammenarbeit der verschiedenen theologischen Strömungen als vernünftige Aufgabe angesehen werden, nachdem reformatorische Forderungen mehr und mehr auch in der katholischen Theologie neue Beachtung fanden. Wichtiger als denominationelle Differenzierungen ist für ein gemeinsames Bemühen die Wahrnehmung der Gleichheit der Probleme, die durch dieselbe Gesellschaft und die gleiche Weltwirklichkeit gegeben ist. Es gibt in theologischen und kirchlichen Gruppierungen Anzeichen dafür, daß eine Auseinandersetzung mit den zeitgenössischen Krisen nicht nur eine kritische und zerstörerische Aufgabe ist, sondern daß sie ebenfalls die „Asche" ist, aus der ein neuer Phönix aufsteigt. Dieser neue Aufstieg kündigt sich zu Anfang der siebziger Jahre in Randgebieten an: So etwa in den Experimenten junger Amerikaner mit fernöstlichem Religionsgut oder den Textänderungen in der Popmusik.[504] Manches Mal scheinen diese Versuche zwar eher Ausflüchten gleich, die aufgrund von Fähigkeiten und Notwendigkeiten verständlich sind, die Houston Smith in seiner Begegnung mit MIT-Studenten kennenlernte: Daß nämlich „der menschliche Verstand bereit ist, alles zu glauben − absolut alles − solange es eine Alternative für die total desakralisierte mechanomorphe Weltanschauung der objektiven Naturwissenschaften bietet".[505] Wenn die Theologie das beachtet, meint das keine Rückkehr zu einer Religiosität, die als Konstruktion des menschlichen Geistes und Versklavung seiner Fähigkeiten kritisiert worden ist. Sondern es könnte der Beginn eines neuen Bedeutungssystems der Wirklichkeit sein und gleichzeitig eine kritische Distanz zu ihm, denn: „Die neue Theologie wurde nicht so entworfen, daß sie für die Masse gefällig ist".[506]

Die Theologie in Amerika scheint auf ihrem Weg dazu, in den kommenden Jahrzehnten eine Aufgabe von ziemlicher Bedeutung zu erfüllen. In ihrer dialektischen Haltung von Bestätigung und Kritik könnte sie eine Forderung erfüllen, die Julian Huxley in unserer Gesellschaft in Entstehung sieht: „Intellektuell zufriedenstellende Modelle des Denkens und emotional erfüllende Formen des Ausdruckes und des Handelns werden dringend gebraucht, um die sich über die Welt hinwegsetzenden Aktivitäten des Menschen erfolgreich zu kanalisieren − die Verhinderung des Nuklearkrieges, kooperative Weltentwicklung, die Steigerung mehr von Qualität als von Quantität, der Aufbau von erfüllenden Gesellschaften und von selbst-transformierenden psychologischen Systemen mit offenem Ende − in einem Wort, die angemessene Ritualisierung menschlicher Bestimmung auf einer evolutionären Grundlage".[507] Dies könnte ein Programm für eine Theologie sein, die die Säkularisierung ernst nimmt und die säkulare Existenz als einen positiven Bestandteil menschlichen Lebens annimmt. Eine solche Theologie würde bestimmt zu einem „Anschlag auf Feuerbach".

§ 5. Der Säkularisierungsprozeß

1. Säkularisierung

Die Kategorie der Säkularisierung hat sich für die Beschreibung des soziologischen Wandels der vergangenen Jahrzehnte innerhalb der amerikanischen Gesellschaft als gültig erwiesen. Es war eine soziale Entwicklung, die vielleicht zuerst das Verständnis der Gebildeten mehr beeinflußte als das Verhalten des Durchschnittsbürgers. Aber selbst für diesen war sie letztlich sowohl in der Entsakralisierung von Konventionen als auch in einem Rückgang bzw. einer kritischen Befragung der Zivilreligion spürbar: In dieser Generation war erstmals die wirkliche Chance für eine Nicht-Religiosität im Sinne der Nichtzugehörigkeit zu einer religiösen Gemeinschaft gegeben. Die Zeit des „Amerikanischen Shinto" (Marty), eines alle umfassenden nationalen Daches von ziviler Religiosität geht unaufhaltsam zu Ende und zerbricht in pluralistische Formen individueller Entscheidungen. Stereotype religiöse Begrifflichkeiten tragen keinen Sinn mehr in sich selbst. „Die Religion steht jetzt in offenem Wettstreit mit all den anderen Stimulantien, die die moderne Metropole anbietet – intellektuell, geistig und materiell – und muß ihre Anhänger auf der Grundlage dessen gewinnen, was sie als wahr anzubieten hat, was sie zu sagen hat, das für die Bestimmung des heutigen Menschen von Bedeutung ist".[508]

Amerika erfuhr eine erste Stufe dieser Entwicklung, als es verschiedene Denominationen unter dem „geheiligten Baldachin" einer allgemeinen nationalen Zivilreligion bestehen ließ.[509]

Jetzt setzt sich der auf Wirklichkeit bezogene Glaube schutzlos den Stimulantien einer möglichen Sinngebung aus. Dabei ist die radikale Theologie der letzte in einer Reihe von konzentrierten Versuchen, in einer „kreativen Zerstörung" wieder einen Raum für die verlorene Übereinstimmung zwischen Glaube und Welt zu schaffen und diesen Raum durch eine ständige, dialektisch geprägte Selbstüberprüfung genuiner Säkularität offenzuhalten. Katholische Theologie in Amerika und anderswo sollte aus diesem Kapitel amerikanischer Theologiegeschichte ihre Ausgangspunkte für eine Antwort auf die Frage von Thomas F. O'Dea wählen: Eine Beantwortung, wie sie der amerikanische Protestantismus in seiner jahrzehntelangen Betonung des „positiven" Denkens gegeben hatte, ist schon allein deswegen jetzt unmöglich, da eine solche Antwort gleich als säkularistische Verformung des Glaubens verstanden würde und als eine Ausflucht katholischen Denkens vor den anstehenden Problemen des Säkularisierungsprozesses; es würde bloß einen weiteren Abfall des Einflusses der Religion bedeuten, der als solcher bei einer Gallup-Befragung 1957 von 14 % genannt wurde, 10 Jahre später aber schon von 57 %.[510] Die erneute Anstrengung der Theologie muß sich auf die rapide Entwicklung des eigenen Wandels beziehen und auf die gemeinsame Forderung der Gesellschaft und des einzelnen nach einer Sinngebung außerhalb der institutionalisierten Religion.

Im Prozeß der Säkularisierung ist nur ein begrenztes und modifiziertes Fortbestehen von Theologie und religiösen Gruppierungen möglich; die vorher fraglos
hingenommene Sakralität ist verloren: „Sektoren der Gesellschaft und Kultur
haben sich von der Herrschaft religiöser Institutionen und Symbole gelöst".[511]
Gogartens Säkularisierungsthese, die in einem Vorgriff den Hintergrund für diese
Darlegungen über das Problem der Säkularität in der amerikanischen Theologie
bildete, kommt hier in den Mittelpunkt. Er behauptete, daß die Säkularisierung
ein manchmal übersehener Keimling der jüdisch christlichen Tradition ist: Die
Befreiung des Menschen von der Verehrung der Schöpfung – durch seine Partnerschaft an Gottes Schöpferhandeln – und die Öffnung der ganzen Welt für den
Glaubenden, dargestellt an der Mündigkeit des Christen, sind die Hauptargumente
von Gogartens These. Sie behauptet, das Ende der Diskriminierung von sakral
und profan und den Beginn einer kritischen Haltung des Glaubenden gegenüber
der ihn umgebenden Gesellschaft. Neben den Anstößen durch die Reformation
war die Betonung auf der Autonomie des Menschen eine erste Form der
Säkularisierung der christlichen Vorstellung vom Menschen als Sohn Gottes.
Marxismus, Kapitalismus und die Entwicklung einer technokratischen Gesellschaft sind vergleichbare Säkularisierungen, die jetzt eine Christenheit herausfordern, die nicht mehr den Anforderungen ihrer eigenen Grundlagen gerecht
wird.

Die Entwicklung ist soweit fortgeschritten, daß man sagen kann, daß die Säku-
larisierung zu einem ständigen Faktor des Bewußtseins des modernen Menschen
geworden ist, und allmählich als ein sich mit der Technisierung verbreitender
weltweiter Trend angesehen werden kann. Als einer der Hauptgründe für diese
Entwicklung wird von Weber, Parsons und Gogarten die Betonung altchristlicher
Lehren durch die Reformation angegeben, die sie als „Ausstattung säkularen
Lebens mit einer neuen Ordnung religiöser Legitimation als Feld ‚christlicher
Gelegenheit' "[512] verstehen. So werden ehemals christliche Normen zu neuen
Modellen säkularisierten Lebens, so wie etwa der calvinistische Erwählungs-
gedanke zu einer Norm amerikanischen Geschäftslebens wurde.[513] Diese
Umformung zieht dann in einem weiteren Schritt oft Nutzen aus dem offenen
Raum, der durch den Verzicht der Religion entstand, weiterhin eine alles
überbauende Macht zu sein. Sie füllt diesen Raum mit einem neuen Bedeutungs-
system, das sie aus einer früheren jetzt säkularisierten religiösen Idee formt.
Diesem gibt sie dann den alten religiösen Totalitätsanspruch. Gogarten nennt
diese Verfälschung des Säkularisierungsprozesses den Anfang des Säkularismus,
einen Vorgang, in dem der Mensch seine Verantwortung für die Welt in eine neue
Sklaverei vor der Welt verwandelt.

2. Säkularismus

„Der Säkularismus, der das amerikanische Bewußtsein beherrscht, ist keine
öffentliche Philosophie. Er ist eine unterschwellige, oft unbewußte Orientierung
von Leben und Denken".[514] Sie begegnete uns in der Dichotomie zwischen
Leben und Wirklichkeitserfassung und in den bekenntnishaften Prinzipien, die wir

unter dem Begriff Zivilreligion zusammengefaßt haben. Die Chancengleichheit der Demokratie ist für manchen Amerikaner zu einem Glaubensersatz geworden und hat den Platz eines geheiligten Kosmos eingenommen.[515] Dieser Säkularismus bahnte zwar vielen Amerikanern der zweiten Generation ihren Weg in die Gesellschaft der neuen Welt. Aber seine Umwandlung der christlichen Ethik in eine säkulare amerikanische Gutheit und seine säkularistische Vereinnahmung des Reich-Gottes-Gedankens im „American Way of Life" ließ eine versklavende Ideologie entstehen.

Diese Säkularismen verfälschen die Säkularisierung, weil „Religion damit zu einer Art Schutzwall wird, den das Selbst gegen die radikalen Forderungen des Glaubens aufwirft".[516] Die Religion der „Gedankenruhe" und des „Seelenfriedens", eines gewollten „revival" der fünfziger Jahre steht unter demselben Urteilsspruch wie Teile der „radikalen" Theologie des vergangenen Jahrzehnts, die eine unreflektierte Gleichsetzung von Säkularem mit theologischem Inhalt versuchten. So entstand neben den drei Denominationen nahezu eine vierte Kraft, nämlich der proreligiöse Säkularismus Amerikas. Er wurde für viele wie die Kirchen zum Ort der Selbstidentifizierung und der Lokation, nur mit dem einen Unterschied, den Andrew Greeley betont: „Die säkularen Philosophen und Theologien verschaffen weder eine Interpretation von letzter Wirklichkeit, die für die meisten Menschen angemessen ist, noch eine Gemeinschaft, zu der man gehören kann, und die ein bezeichnendes Element in der eigenen Selbstbestimmung bildet".[517]

In gewissem Maß entwickelten sich so ganze Kirchen in Amerika zu einer fremdartigen Vermischung von Frömmigkeit und Säkularismus, indem sie „die religiöse Tradition zu einer quasi-säkularen Bestätigung der Teile der christlichen Überlieferung" reduzierten, „in welchen der religiöse und der säkulare Bereich der Kultur übereinstimmen".[518] Dieser Säkularismus kirchlichen Ursprungs bildete auch die Grundlage für den Rassismus der weißfarbigen Amerikaner. Er ist im alltäglichen Leben und unbewußten Verhalten vieler Amerikaner wenigstens ebenso stark, wie der in Europa bekannte Säkularismus wissenschaftlicher und politischer Ideologien.

Denn mit ihm verbindet sich die fundamentale Überzeugung von amerikanischer Überlegenheit und ein paternalistisches Verhalten gegenüber den sich wirtschaftlich aufwärts entwickelnden Ländern der Erde.

Der proreligiöse Säkularismus wie der Rassismus haben beide ihr Ziel in einer individualistischen Autonomie und verschließen so das Individuum gegenüber einer offenen Zukunft, weil sie ihre gegenwärtige Reflexion bloß auf eine Wiederbelebung der Vergangenheit richten. Diese Selbstbezogenheit verfestigt sich noch in Institutionalisierungen, die sich selbst tragen und Objekt erbitterter Verteidigung werden. Der uneingestandene eigene Säkularismus soll durch soziale Formationen bemäntelt werden.[519]

Der Aspekt wirklichkeitsbezogener Hoffnung ist ausgespart, und der Säkularisierungsprozeß wird von quasi-ideologischen Kräften aufgehalten und verfälscht. Nur eine Existenz in Säkularität vermag diese Verkehrung der Säkularisierung rückgängig zu machen.

Säkularität

Säkularität umschreibt eine wandlungsbereite, ständig zu erneuernde Revision, die unsere Wirklichkeitsbezogenheit kritisch begleitet. Die jüdisch christliche Tradition und ihr Glaube, der die Selbstvergötterung kritisch herausfordert, stellen eine solche Form von „Dauerreflexion"[520] dar. Die neuere amerikanische Theologie seit „Social Gospel" und „Neo-Orthodoxy" nimmt wahr, daß diese Säkularität die Suche des Menschen nach einem Bedeutungssystem kritisch begleiten muß. Dieser wirklichkeitsbezogene Glaube weiß, daß „solange, als er diese Suche in Selbstgenügsamkeit verfolgt, auf seiner eigenen Tugend, Weisheit oder Frömmigkeit beharrt, es nicht Gott sein wird, den er findet, sondern ein Idol – das Selbst oder ein Aspekt des Selbst, großgeschrieben, projiziert, objektiviert und verehrt. Der lebendige Gott des jüdisch-christlichen Glaubens wird nicht in selbstgenügsamem ‚Suchen' gefunden, sondern durch ein ‚Treffen' des Herrn, wie ER sich selbst in der göttlich-menschlichen Begegnung eröffnet, von der die Schrift und die Tradition der glaubenden Gemeinschaft Zeuge sind. Er ist ein Gott, der vorwärts geht, um den Menschen in der Mitte des Lebens zu ‚besuchen', und der sich in der Begegnung erschließt".[521]

Säkularität bleibt nicht bei einer Rekonstruktion der anthropologischen Situation und der Geschichte des Menschen in seiner Welt stehen, sondern bezieht sie auf die von der Vergangenheit und einer offenen Zukunft her geprägte Gegenwart. Für einen solchen Glauben endet daher die Suche nach einem Bedeutungsschema nie, weil die Möglichkeit erneuter Begegnung sich immer wieder eröffnet: Ständige Fluktuation und Dauerreflexion sind konstitutiv für ihn, aber andererseits nur möglich, wegen des angedeuteten Geschichtsverständnisses, das die Ambivalenz aufrechterhält. Der Glaubende befindet sich damit in derselben Lage wie der Theologe; diese Lage beschreibt Peter Berger „als folgerichtig beraubt der seelischen Entlastung radikaler Zustimmung oder radikaler Ablehnung. Ihm bleibt nichts anderes übrig, als das Glaubensgut der Religion mit Hilfe eigener kognitiver Kriterien . . . Stück für Stück und Schritt für Schritt zu prüfen und neu zu bewerten".[522] Diese Beschreibung von Berger deckt sich in etwa mit dem, was Riesman über das „gleichzeitige Leben auf zwei Ebenen" sagt. Das säkulare Leben wird in einem anderen Sinn zu einer Versuchung als Parsons sie in der Vergangenheit für das Christentum ansetzte. Früher wollte es „die Kontrolle, wenn nicht sogar die Formung der säkularen Gesellschaft im Sinne der christlichen Ideale".[523] Jetzt lernt das Christentum im Säkularisierungsvorgang seinen Glauben besser kennen: es lernt, seine eigene säkulare Existenz in der Reflexion der Kontinuitäten und Diskontinuitäten seines eigenen Engagements zu bestimmen und den historischen Prozeß für die kommende Geschichte und die zukünftige Entwicklung offen zu halten.[524]

Der Unterschied zwischen der Säkularität eines Christen und der des sogenannten säkularen Menschen liegt in einem verschiedenen Begründungsschema, das aber die gemeinsame Sorge „über menschliche Offenheit und Verantwortlichkeit" nicht voneinander unterscheidet; beide sind „von der Schau einer Stadt bewegt, in der die Menschen Ziel aber niemals Mittel sind".[525] Diese Orientierung in einer vielförmigen Welt läßt die Widersprüche insofern in der Säkularität dialektisch zusammenfallen, als sie im geschichtlichen Prozeß einen neuen Sinn für den Überstieg über diesen schafft; denn sie entflieht diesem Prozeß nicht im Sinne eines früheren Aberglaubens oder einer Ideologie. Säkularität kann daher eine neue Form von „wahrhaftiger Ritualisierung" werden, über die Erik Erikson spricht als „ontogenetisch begründet und doch durchdrungen von der Spontaneität der Überraschung. Sie ist eine unerwartete Erneuerung einer erkennbaren Ordnung in potentiellem Chaos. Ritualisierung hängt daher von der Vermischung von Überraschung und Anerkennung ab, die der Antrieb der Kreativität ist, wiedergeboren aus dem Abgrund instinktmäßiger Unordnung, Verwirrung und Identität und sozialer Gesetzlosigkeit".526)

Säkularität ist für den Theologen eine Gegenüberstellung der Tradition mit den noch nicht kategorialisierten Erfahrungen eines Abgrundes, über den sie ein sich selbst anpassender geheiligter Kosmos hält. Theologie erfährt diese Ungesichertheit der Säkularität in Verbindung mit einer sozialen Gruppe, die sie zu einer Dauerreflexion in „interpersonalen Beziehungen" befähigt, „diesem trügerischen, untergründigen, schwerlich faßbaren, unermeßlichen Terrain, auf dem sich zwei oder mehr Menschen treffen und Worte und Gefühle austauschen".527) Schon diese Beschreibung der sozialen Gruppe als Ausgangspunkt einer Gemeinschaft in Säkularität zeigt deutlich genug, daß ihr die meisten religiösen Körperschaften nicht gerecht werden. Es sind eben doch meist nur die Gemeinschaften von wenigen oder sogar nur zwei Menschen, die eine „wahrhaftige Ritualisierung" versuchen. Aber der Einfluß dieser wenigen ist unermeßlich, wenn wir bloß auf die in diesem ersten Teil erwähnten Theologen und Gruppierungen wie deren Einfluß auf die Kirchen und den sozialen Wandel in Amerika zurückblicken. Diese prophetischen Einzelgänger und Gemeinschaften „müssen dazu dienen, alle Menschen und Organisationen an ihre gegenseitige Unvollständigkeit zu erinnern; sie müssen Mechanismen und eine Umgebung fördern, in der Streitigkeiten untereinander geschlichtet, wenn nicht sogar beseitigt werden; durch ihre eigene Glaubwürdigkeit und ihr inneres Leben müssen sie für die Kräfte Zeugnis ablegen, die eine vereinigte Gemeinschaft, eine objektive Gerechtigkeit und eine Fleisch gewordene Liebe in sich tragen: Das sind die Kräfte, die erhalten, erheben, beleben und erneuern".528)

Dieses Programm ist ziemlich anspruchsvoll, denn es ruft nach einer sozialen Größe, die sich nicht durch Verstand und Willenskraft selbst produzieren kann, sondern durch Ereignisse, Zelebrationen und Hoffnung zustande kommt.

Der neue theologische Ansatz, der sich aus den Wandlungen der beiden letzten Jahrzehnte in den USA ergab, könnte durch seine Wahrnehmung echter Säkularität sich selbst für „eine ernsthafte Rückkehr" vorbereiten, die Teile des Judentums in USA neuerdings erleben „von Seiten junger Leute, die danach verlangen, ihre Entfremdung von einem unethischen, ausraubenden Amerikanismus in etwas zu verwurzeln, das ihnen Antrieb und Ausdauer gibt, diesen zu verändern".529) Gerade dazu könnte eine dialektisch geprägte Säkularität in Amerika fähig sein, die von grundlegenden jüdisch-christlichen Gedanken geprägt ist. In einer Gesellschaft, „die hoffnungslos aussieht mit so vielen hoffnungsvollen Führern vorzeitig in ihren Gräbern", und die „die Tendenz zu irrationaler Zerstörungswut oder zurückgezogenem Gemeinschaftswesen" in sich trägt, könnten Christen und Juden, die ihre Säkularität ständig neu annehmen in der Wirklichkeitsausrichtung des Glaubens, „ein Ausmaß von Transzendenz, Hoffnung und Gemeinschaft zu denen tragen, die von der technokratischen Gesellschaft als solcher, dem amerikanischen Nationalstaat in seiner gegenwärtigen Ausrichtung und von abgetragenen Formen religiösen Lebens und Handelns enttäuscht sind".[530]

Eine so bestimmte Theologie ist in einen Prozeß aufgegangen, der nur zu einer radikalen Erneuerung der eigenen Denkmodelle führen kann oder zur eigenen Auslöschung. Theologie ist durch die Gegenwart, der sie sich aussetzt, zu einer wirklichen Aufrichtigkeit provoziert. In ihrem wachsenden Geschichtsverständnis ist sie nicht mehr durch Institutionen abgesichert und trägt auch offensichtlich kein bloß in sich selbst begründetes Ziel mehr: Sie ist einer offenen Zukunft innerhalb einer Gemeinschaft ausgesetzt, für die sie verantwortlich Erkenntnismaßstäbe vermitteln muß.

Nachdem in den vergangenen hundert Jahren der Industrialisierung und Technologisierung einzelne Theologen den Säkularisierungsprozeß in explizitester Form erfahren und verarbeitet hatten, brachte der theologische Umschwung von den fünfziger zu den sechziger Jahren für die amerikanische Theologie ein breit angelegtes bewußtes Eintauchen in den Säkularisierungsprozeß mit sich, das durch „Social Gospel" und „Neo-Orthodoxy" vorbereitet worden war. Im Gespräch mit diesen theologischen Vorläufern stellten sich dann gleichzeitig Säkularismen heraus, die jetzt allgemeine Kritik auf sich zogen. Diese ideologiehaften Verzerrungen der Säkularisierung müssen immer wieder neu aufgedeckt werden, um „die Unterscheidung zwischen der Verantwortung der Vernunft und der Antwort des Glaubens zu schützen − eine Unterscheidung, die auf keinen Fall eine Trennung verlangt, da es ja der eigentliche Dienst des Glaubens ist, den Menschen für eine genuine Autonomie und Verantwortung zu öffnen".[531]

Diese Säkularität zeichnet sich als „wahrhaftige Ritualisierung" durch ein „gleichzeitiges Leben auf zwei Ebenen" und eine unideologische Beziehung zur Geschichte aus.

Eine von ihr geprägte Theologie könnte dazu beitragen, neue Optionen für eine bedrückte und besorgte amerikanische Gesellschaft zu formulieren, nicht indem sie für bestimmte soziale Institutionen direkt brauchbar wird, sondern indem sie auf Spannungen und Widersprüche in Form neuer Säkularismen aufmerksam macht; sie wird dabei in mancher Hinsicht ein Leben an den Grenzen führen.

Säkularität wird damit − wie im Leben und Denken von Gladden, Rauschenbusch und Niebuhr, um nur wenige zu nennen − zu einem bedeutenden gesellschaftlichen Partner im Prozeß der amerikanischen Geschichte. Es mag sich wie ein Bekenntnis anhören und die Absicht dieses empirisch orientierten Teiles zusammenfassen, was Peter Berger als den Grund für diese Fähigkeit der Säkularität anführt, zu kritisieren und umzuwandeln, ohne sich in der Aktion zu verlieren: „Der Christ hat seine eigene Eschatologie und er kann daher mit den synthetischen Eschatologien moderner revolutionärer Weltanschauungen nichts anfangen. Er wartet auf die *parousia* des auferstandenen Herrn, nicht auf eine vollkommene Gesellschaft, die in der Geschichte gebaut werden soll. Daher kann christliche Rebellion niemals totale Revolution sein. Sie rebelliert gegen Ungerechtigkeit und Unwahrheit mit Leidenschaft, aber ihre Ziele sind begrenzt. Mitleid und Humor dämpfen ihren Zorn. Selbst im Akt der Rebellion lebt der Christ weiterhin in der weiten Welt der Schöpfung Gottes. Er bewahrt sich seine Fähigkeit für Freude und Lachen. Er verwechselt seine eigene Ungeduld nicht mit einer Notwendigkeit der Geschichte".[532] So lebt Glaube in dieser Welt in Säkularität!

ZWEITER TEIL

Zum Problem der Säkularität

bei

Friedrich Gogarten

Abschnitt I. Erste theologische Reflektionen über Wirklichkeit und Glaube

§ 1. Die Überwindung einer individualistischen und innerlichen Frömmigkeit

Als Friedrich Gogarten mit zwanzig Jahren im Sommersemester 1907 in München sein Studium mit Kunstgeschichte, Germanistik und Psychologie begann, war sein späterer Beitrag für die theologische Diskussion noch in gar keiner Weise abzusehen. Er stammte aus einem kirchlich kaum gebundenen Elternhaus in Dortmund. Der Vater starb während der frühen Kinderjahre von Friedrich Gogarten und seiner zwei Geschwister; wohl auch wegen der Wiederverheiratung seiner Mutter verbrachte er die meisten Jahre seiner Gymnasialausbildung außerhalb der Familie. Hier begannen für ihn die Fragen nach dem, was Wirklichkeit eigentlich bedeutet, und in welcher Beziehung Wahrheit zu ihr steht. Frühe Antwortversuche fand er durch die Freundschaft mit einem Mitschüler in Hannoversch Münden, Reinhard Scheffer, und dessen Familie, die ihm durch den nahen menschlichen Kontakt und eine Hinführung zur Kunst und der Zeitschrift „Kunstwart" von bedeutender Hilfe waren.

So wählte Gogarten mit dieser Fragerichtung die genannten Studienfächer. Die ersten Erfahrungen mit ihnen müssen für ihn jedoch derart desillusionierend gewesen sein, daß er schließlich den Mut fand — unter dem Einfluß von Gottfried Traub, dem später amtsentsetzten Pfarrer, den er als Primaner kennengelernt hatte —, im Wintersemester 1907/08 in Jena sein Theologiestudium zu beginnen. Bis 1911 studierte er dann noch in Berlin und Heidelberg.[1] Er selbst schreibt zu diesen Jahren: „Schon aus der Wahl der Universitäten mag deutlich geworden sein, daß meine theologische Entwicklung von vornherein unter dem entscheidenden Einfluß der sogenannten liberalen Theologie gestanden hat. Und zwar war bei dieser Theologie für mich entscheidend ihre unbedingte Offenheit für die Probleme des modernen Geistes und der Versuch, das durch das Heraufkommen dieses modernen Denkens seit dem Beginn des 16. Jahrhunderts in tiefe Krisen hineingeratene Christentum ohne jede Künstelei und in ehrlicher Auseinandersetzung mit den durch diese Krisen gegebenen Schwierigkeiten zu behaupten".[2]

Im Zusammenhang mit der liberalen Theologie kam Gogarten zu einem intensiven Fichte-Studium, zu dem er sich im Sommersemester 1912 zuerst nach Zürich zu Ragaz und Kutter und im Herbst dann für fast ein Jahr nach Florenz begab.[3] Aus dieser Beschäftigung mit dem deutschen Idealismus ging 1914 Gogartens erste Publikation „Fichte als religiöser Denker"[4] hervor. Die Erwartungen, die er mit diesem Studium verband, faßte er im gleichen Jahr am Schluß seines Aufsatzes zum hundertjährigen Todestag des Philosophen zusammen: „Fichte könnte uns helfen, aus unserer schablonisierten und moralisierenden Kirchenfrömmigkeit und aus der intellektuellen und spielerischen Bildungsfrömmigkeit herauszukommen. Er könnte uns helfen, daß wir wieder etwas davon merken, daß

Frömmigkeit etwas ist, das durchaus nicht den Einzelnen allein angeht, sondern das seiner Natur nach etwas ist, das seine Kreise um sich zieht und das vielleicht nur daran zu erkennen ist, daß es Kreise um sich zieht. Fichte könnte uns helfen, daß uns Frommsein zu mehr wird, als bloß Sorge für unsere eigene Seele, daß wir wieder die geheimnisvolle Wahrheit des stellvertretenden Frommseins erfahren, daß wir als fromme Menschen die Schuld des Ganzen tragen und als fromme Menschen die stolze Freiheit des Ganzen haben, immer in der Gottheit zu leben. Ob das in die Kirche führt, oder in irgendeine andere religiöse Gemeinschaft oder in gar keine, das ist gleich. Das Leben Gottes hing noch nie an einer Institution, es ist ganz allein in den Menschen, die im Ganzen leben".[5]

Mit diesen Gedanken formuliert Gogarten fast programmatisch sein Bemühen für die folgenden Jahre, mit Hilfe der idealistischen Philosophie eine Antwort auf die ihn bedrängenden Fragen nach Wirklichkeit und Glaube zu geben. Damit war für ihn das Problem des Verhältnisses von Gott und Mensch verbunden, das bei Fichte als Leben Gottes begegnet, als ein Leben „im Ganzen". Den Gedanken der Gemeinschaft von Gott und Mensch aus Fichtes Spätwerk sieht Gogarten in seinem Fichte-Buch zusammengefaßt im Begriff der Mystik.

1. Die Trennung von Wirklichkeit und Sittlichkeit

Der Entwicklungsgang bewegt sich von der sittlichen Entscheidung des Menschen zu einem mystischen Glauben. Im Willen verändert sich das Wirklichkeitsverständnis des unmittelbaren Bewußtseins: „Damit ist alles aufgelöst in Tätigkeit, in ein unendliches Werden".[6] Die darin zum Ausdruck kommende Selbständigkeit des Ich, die eine mystische Einheit von Gott und Mensch und damit eine wahre Wirklichkeitserfassung ermöglicht, geschieht durch das sittliche Gesetz, das in der vorhandenen Welt eine neue schafft. Diese Neuschöpfung geschieht aber nicht aufgrund der menschlichen Sittlichkeit; denn diese stellt sich in der Wirklichkeitserkenntnis als eine dar, „deren Bewegung ein unendliches Streben sei, das eingestandenermaßen in alle Ewigkeit sein Ziel nicht erreichen könne".[7] Diese Sittlichkeit, die sich selbst als Grund und letzten Zweck allen Daseins versteht, „würde schließlich mitsamt dem unabhängigen Menschen vollständig ins Leere versinken, wenn nicht von vornherein gesagt würde, sie wäre niemals zu verwirklichen".[8] Die Erlösung zu einem Leben „im Ganzen" geschieht nur in der Tätigkeit als dem „unendlichen Werden", in dem sich das sittliche Erlebnis mit der Mystik vereinigt als eine „Einkehr ins Nichts, dies Zurückziehen vom Endlichen".[9]

2. Die Einheit von Gott und Mensch in der tätigen Mystik

Wahrheit kommt für dieses mystische Denken in der Wirklichkeit zutage, da in seinem Mittelpunkt „der Gedanke der Einheit von Gott und Menschen"[10] steht. Fichte hatte in den Atheismusschriften bereits den Weg vom Menschen zu Gott über die gesammelte Selbständigkeit gefordert. In der tätigen Mystik wird diese Selbständigkeit nun zum Handeln Gottes.[11]

Mit diesem Identitätsdenken kommt Gogarten zu einem ersten für ihn befriedigenden Ergebnis in seinem Versuch einer Bestimmung der Wirklichkeit.

Aus der einseitigen Selbständigkeit der Sittlichkeit ist nun in der mystischen Einheit von Gott und Mensch das „alles in allem" des göttlichen Lebens geworden. Diese Einheit ist nicht im Bewußtsein konstruiert sondern ist vielmehr in der tätigen Mystik eine bewußte Verwirklichung der Einheit von Gott und Mensch: Glaube wird damit zu einem Hineinwachsen in die Wirklichkeit dieser Einheit.

3. Das Werden der Wirklichkeit – Neues Geschichtsverständnis

Das unendliche Werden der Wirklichkeit, das in einer tätigen Mystik begründet ist, zeigt sich für Gogarten deutlich in der Kultur, in der sich „das ewig Werdende in immer neuen Formen"[12] offenbart. Die Verinnerlichung des menschlichen Selbständigkeitsstrebens in der Identität von Gott und Mensch läßt die Kultur zu der Wirklichkeit werden, die man als Überwindung einer bloßen „formellen Beherrschung aller sinnlichen Gaben"[13] im Glauben als „Werden aus Gott oder nach Gottes Willen"[14] verstehen kann. Weil diese Kultur aber im Prozeß tätigen Werdens steht, kommt Fichte zum Begriff der Geschichte, den Gogarten als das Gedankenzentrum des Philosophen versteht.[15] Hier prägt sich das Identitätsdenken der tätigen Mystik endgültig aus: Es versteht die Entwicklung des Menschengeschlechts als das zeitliche Leben Gottes, die Gottheit selbst verwirklicht sich in der Zeitlichkeit menschlicher Geschichte.[16]

Dieses neue Geschichtsverständnis ist nur in der Wahrnehmung der Wirklichkeit durch den Glauben möglich: Denn „diese Geschichte ist das für alles logische Denken widerspruchsvolle Bild der ebenso widerspruchsvollen Gottheit".[17] Ein so in die Geschichtlichkeit und das Werden der Wirklichkeit hereingezogenes Gottesverständnis läßt nun keine Aufspaltung der Wirklichkeit durch eine separate Frömmigkeit mehr zu: „Denn ein prinzipieller Unterschied, wie er sonst für die Religion besteht, zwischen der profanen und der heiligen Geschichte ist da nicht möglich, wo auch die Profangeschichte durch und durch Erscheinung und Offenbarung des göttlichen Lebens ist. Die ‚heilige' Geschichte, die Geschichte der Frömmigkeit, handelt dann zwar von den tiefsten und persönlichsten Offenbarungen des göttlichen Lebens, aber man kann sie nicht trennen von der allgemeinen Geschichte. Denn wie diese Offenbarungen zum guten Teil aus dem breiten, ‚profanen' Weltleben hervorgegangen sind, so haben sie auch, je tiefer sie waren, um so stärker auf es eingewirkt und es gestaltet. Auch diese Herkunft aus dem „profanen" Leben und die Wirkung darauf sind göttliche Offenbarungen".[18]

Das Identitätsdenken des deutschen Idealismus über das Verhältnis von Gott und Mensch führt Gogarten also auch zu einer Einheitserfahrung der Geschichte, die die Wirklichkeit nur noch als ganze erfahrbar sein läßt und jede Abspaltung eines Wirklichkeitsbereiches aufgrund göttlicher Offenbarung ablehnt.

4. Die Bedeutung der Gegenwart und des Einzelnen in einer neuen Frömmigkeit

Ist die eine Wirklichkeit auch ständig im Prozeß des Werdens, so verwirklicht sich die mystische Einheit jedoch schon jeweils in dem geschichtlichen Augenblick der Gegenwart: Denn „jeder Augenblick der Entwicklung ist Ewigkeit, wenn er nur im Werden ist und nicht still steht".[19] Dieses Denken bedarf einer neuen „Frömmigkeit, die auf das Ganze geht" und die die alte individuelle Frömmigkeit ablöst. Diese neue Frömmigkeit drängt auf eine Veränderung des Verhältnisses der Menschen untereinander im gegenwärtigen Moment der Geschichte, da sie es wagt, „die entscheidenden Taten Gottes nicht nur in die ferne Vergangenheit und eine noch fernere Zukunft zu setzen. Ihr gehen die Taten Gottes in gleicher Gewalt und in gleicher Schwere der Entscheidung fort durch alle Zeiten, und besonders gewaltig und besonders entscheidungsvoll gerade in der Gegenwart, denn da treffen sie ihr eigenes Leben und Tun".[20]

Dieser durch Geschichte bestimmte Gegenwartsbezug ist für das Selbstverständnis der neuen Frömmigkeit ebenso konstitutiv wie das Verständnis des Einzelnen: „Jeder Fromme weiß, daß sein Leben der Gottheit Leben ist und daß er seine persönliche, für das Gesamtbild nicht unwichtige Eigenart hat".[21]

Der Unterschied zu einer auf Selbstverwirklichung bedachten individuellen Frömmigkeit liegt aber wie beim Geschichtsverständnis in dem Glauben an das eine göttliche Leben, das sowohl die Gegenwart wie die Individualität relativiert. Glaube bedeutet insofern den Verzicht auf die individuelle Freiheit in der Form einer rückhaltlosen und vertrauensvollen Hingabe an die schaffende Gottheit. Die neue Frömmigkeit ist damit „verwirklichte Selbständigkeit befreiten innersten Lebens des Menschen als göttliches Leben",[22] das sich im Werden immer neu verwirklicht. Das Hineinwachsen in die Wirklichkeit der Einheit von Gott und Mensch bedeutet ein Sich-loslassen von individuellen Sicherungen: „Um jene schwere innere Arbeit, den schaffenden Glauben und die rückhaltlose Hingabe an den Gott, den man glaubt, kommt keine ernsthafte Frömmigkeit herum. Es gibt keinen Beweis für Gott, auch keinen geschichtlichen. Ist aber einmal der Zusammenhang mit der Gottheit hergestellt, hat der Fromme es gewagt, sein eigenes Leben als Erscheinung des göttlichen Lebens anzusehen, dann tun sich ihm alle die unendlichen Offenbarungen Gottes in der Geschichte auf, die großen und die kleinen. Die Kraft, die in ihnen liegt, fließt über ihn hin als der breite Strom des göttlichen Lebens, das in der Zeitlichkeit sein Bild schafft. Und die Kraft, die in Jesus erschienen ist, gibt dem Strom die Richtung".[23]

5. Die Dialektik von tätiger Mystik und lebendiger Ruhe

Der auf die gegenwärtige Wirklichkeit bezogene Mensch steht in seinem Gottesbezug also in der doppelschichtigen Bewegung eines „schaffenden Glaubens" und einer „rückhaltlosen Hingabe", der Dialektik von tätiger Mystik, oder anders umschrieben, in der Dialektik von lebendiger Ruhe, die das göttliche Gegenüber zur tätigen Mystik des Menschen charakterisiert.[24] In dieser Dialektik hebt sich der Gegensatz zwischen dem einen Leben Gottes und der zeitlichen Offenbarung auf; dennoch bleibt dieses Identitätsdenken in der Dialektik: Individuelle Sittlichkeit kann die Einheit des Wirklichen nicht selbsttätig schaffen: „Alles ist Sünde, was Gott nicht im Menschen wirkt. Alles was wir tun, ohne es aus unserem innersten Wesen, unserer eigensten Art zu müssen, mag es so groß, so moralisch sein, wie es will, ist Auflehnung gegen den Willen Gottes, Sünde".[25]

Das Werden des göttlichen Lebens, das die Einheit der Wirklichkeit konstituiert, ist nur im einen Leben Gottes möglich; in seiner sich in das Ganze einfügenden Tätigkeit nimmt der Mensch am „Leben der Gottheit selbst" teil. Er muß erkennen, „daß es nur nötig ist, in der Sammlung des Gemütes diesen Gedanken zu fassen und aus ihm heraus zu leben".[26]

An dieser Stelle zieht Gogarten zum ersten Mal eine Verbindungslinie von Fichtes Philosophie zu der theologischen Interpretation von Luthers Rechtfertigungslehre: Im Verständnis des Glaubens als einer „völligen Gleichgültigkeit", die sich in der tätigen Mystik verwirklicht, sieht er den durch Moralismen lange verdeckten Glauben an das Wort Gottes bei Luther wieder lebendig: „Es erinnert mich die Stimmung immer an das, was Luther wohl empfunden hat, wenn er verlangte, man solle das Wort Gottes predigen, das werde schon alles machen. Das Wort Gottes: Bei Luther ist es die Bibel, aber doch nicht nur das geschriebene Wort, sondern erst recht das gesprochene Wort mit seiner lebendigen Kraft und Seligkeit. Bei Fichte ist es ganz Fleisch geworden: Es ist das göttliche Leben, das im Menschen erscheint. Das Wort Gottes oder das Leben Gottes, man stelle es hin, es wird schon seine Wirkung tun; Menschensorgen sind dabei ganz überflüssig. Vollständige Sorglosigkeit, denn Gott schafft, und dabei zugleich schärfstes Verantwortungsgefühl, denn Gott will in mir erscheinen und schaffen. – Das ist die Stimmung des frommen Menschen den Aufgaben gegenüber, die ihm in der Welt gestellt sind".[27]

Glaube steht also in der fruchtbaren Begegnung von Sorglosigkeit und schärfstem Verantwortungsgefühl von Einheit und Trennung, Ruhe und Bewegung. Er prägt das Geschichtsverständnis als Erscheinung des Ewigen im Zeitlichen: „Das ewig fortschreitende Leben als Offenbarung und Symbol der ewigen Ruhe, das ist der Schlüssel zu dieser tätigen Mystik".[28]

Gogarten versteht mit Fichte die Kultur und die Nation als Offenbarung des ewig Werdenden. Die sich damit ergebenden Ordnungen für eine geschichtsbezogene offene Gegenwart waren für Gogarten eine Orientierungshilfe in den chaotischen Entwicklungen während des Ersten Weltkriegs. Die Konfrontation mit der Wirklichkeit machte ihm die Nation zu einer Ordnungsgröße, die die Menschen an Gottes ewigem Leben teilhaben läßt. Aber als solche verstand Gogarten sie nicht wie die zeitgenössische Propaganda in einer nationalistischen Verengung; das kann man natürlich nur verstehen, wenn man die folgenden Gedanken in den Gesamtzusammenhang einer von der tätigen Mystik her bestimmten Wirklichkeitserfassung interpretiert: „Tief ist die Vaterlandsliebe, denn ihr ist das Volk eine eigentümliche Offenbarung des göttlichen Lebens. Und rücksichtslos ist sie, denn nur insoweit das Volk eine solche Offenbarung ist und sie in immer reinerer Vollkommenheit herausarbeitet, steht diese Liebe auf seiner Seite. Alles Selbstische, Eigensüchtige bekämpft sie schärfer, als ein Feind es könnte. Und Politik im gewöhnlichen Stil ist mit ihr nicht zu machen".[29]

§ 2. Neue Frömmigkeit und Weltverständnis

1. Die Bedeutung des Nationalen für das Wirklichkeitsverständnis

Ausgelöst durch den Kriegsbeginn und die Politik, die mit dem Begriff der Nation und der Vaterlandsliebe getrieben wurde, ist Gogarten gezwungen, das nationale Erlebnis und den Einigungsdrang der ersten Kriegsmonate in das Bezugsverhältnis von Ewigkeit und Zeitlichkeit zu stellen. Er lehnt jede Apologie des Krieges ab und will anstatt dessen versuchen, „alle germanische Mode unmöglich zu machen", und die Nation als Ordnungsfaktor herausstellen, ohne „von außen Ornamente an unser Leben anzubacken".[30)] In der Einigungsbewegung des ersten Kriegsjahres meint Gogarten das Volk als die „eigentümliche Offenbarung des göttlichen Lebens"[31)] in der Wirklichkeit erkennen zu können; die von der nationalen Arbeit vergangener Jahrzehnte erwartete Zukunft scheint jetzt Gegenwart zu werden[32)] und die neue Frömmigkeit, „die tiefste Verinnerlichung unseres Willens",[33)] treibt ihre ersten Früchte in einem neuen Wirklichkeitsverständnis hervor. Aber ein Nationalstolz verstellt wie eine individualistische Sittlichkeit den Blick auf das Ganze. Für Gogarten ist das Eigentümliche der eigenen Nation nur Offenbarung unter vielen; sie ist nur dann Ordnungszweck, wenn sie ihre Partikularität im Identitätsgeschehen der Wirklichkeit wahrnimmt; Gogarten stellt so jedes Superioritätsdenken der deutschen Nation in die Schranken des Ganzen.[34)] Denn nur hier wird die neue Frömmigkeit bestimmend für das Weltverständnis.

2. Das neue Weltverständnis als Anlaß zur Religionskritik

Eine so auf die gegenwärtige Wirklichkeit ausgerichtete Frömmigkeit führt unweigerlich zu einer grundlegenden Kritik bestehender Religion und Kirche. Gogarten wirft ihnen mangelnde Lebendigkeit vor, weil sie den Bezug zur Wirklichkeit einschränken. Alle Werte der Gemeinschaft, die „über das private Haus – und Familienleben hinausreichen",[35)] läßt diese Kirche in einer nicht zu verantwortenden Weltabgewandtheit außer acht. „Trotz aller weltüberwindenden Kraft"[36)] muß der Glaube aber die Bindung des persönlichen Schicksals an das Werden des Ewigen in der Geschichte herausstellen.

Die traditionelle Religiosität kennt die Wahrnehmung der Geschichte als zeitlicher Ewigkeit nicht, sondern wendet sich immer nur Einzelphänomenen zu. Das Interesse des von Gogarten dargestellten Glaubens am Ganzen sieht die Trennung zwischen Welt und Kirche, Irdischem und Göttlichem nicht mehr als die eines Widerspruchs, sondern als dialektische Bewegung: „Es ist uns eben alles Welt, und die Kirche steht nicht neben ihr, sondern ist ein Stück von ihr, sogar ein von vielen vergessenes, und Gott suchen wir nicht über der Welt, sondern in der Welt".[37)]

Und Gogarten fährt fort: „Nur daß es für uns neben der Welt gar keine ‚Kirche‘ gibt, als eine metaphysische Wirklichkeit, eine höhere wirklichere Welt, in der Gott den Menschen näher und offenbarer ist als in der gewöhnlichen Welt. Die ganze Welt ist uns ,Kirche'. Wir finden Gott in ihr oder nirgends. Und es gibt für uns auch keinen Heiland, den man nur in der Kirche findet oder dessen Stellvertreterin die Kirche ist. Wir suchen auch den ,Heiland' allein in der Welt, eben in der Welt, die uns ,Kirche' ist, oder in unserer Sprache, in der Welt, die uns Bild und Gleichnis der Ewigkeit ist".[38]

Mit diesem Weltverständnis setzt sich Gogarten von der traditionellen Kirchlichkeit scharf ab, trennt sich in seinem methodischen Ansatz aber auch schon von einem liberalen Verständnis des Identitätsdenkens. ,,Der Gegensatz von Ewigem und Irdischem hat für uns einen anderen Sinn bekommen. Er ist nicht der eine große Riß, der durch die ganze Welt geht und der am Ende der Tage geheilt wird, wenn diese Erde und alle Vergänglichkeit verwandelt wird in die himmlische Herrlichkeit. Auch für uns geht der Gegensatz durch die ganze Welt, aber er ist ein Gegensatz, der gelöst wird und der in der Lösung von neuem entsteht. Er ist der Gegensatz des Gewordenen zum Werdenden, er ist die ewige Entwicklung des Lebens".[39]

Dieser sich dialektisch immer wieder neu aufhebende Gegensatz von Gewordenem und Werdendem überwindet die individuelle Verengung der Religion: Das Säkulum gewinnt eine neue Bedeutung!

So kehrt die weltüberwindende Kraft der Innerlichkeit immer wieder zu ihrem Ausgangspunkt Welt zurück, einer Welt, die ein sich hingebender Glaube ,,zum Ausdruck seiner Geistigkeit umschafft".[40]

Gogarten weist es ab, sich von der Kirche die Frage nach der Christlichkeit dieser neuen Frömmigkeit stellen zu lassen. Sie ist Christentum für alle die, ,,die mit Bewußtsein ganz in der modernen Welt leben und für ihre Notwendigkeiten offen und ihren Aufgaben und ihrer Zukunft folgend versuchen, in ihr voll Ernst und Tiefe fromm zu sein. Welche von unseren Kirchen und wer von unseren Kirchenmännern wagte das eine oder das andere? Sie hinken auf beiden Seiten. Sie allein werfen die Frage unserer Frömmigkeit auf. Und sie haben nicht die Möglichkeit, sie zu beantworten. Und so scheint mir diese Frage nach außen hin gründlich gleichgültig zu sein".[41]

Aber auch von der liberalen Theologie seiner Studienzeit rückt Gogarten durch das immer mehr dialektisch geprägte Identitätsdenken ab. Er wirft ,,liberaler und orthodoxer Frömmigkeit" gleichermaßen vor, ,,in einem ärgerlichen und höchst ,irrgläubigen' Moralismus befangen"[42] zu sein. In diesem Punkt spitzt sich seine Religionskritik zu; denn den Grund für diesen Moralismus sieht Gogarten in dem schon vorher angeführten falschen Weltverhältnis der kirchlichen Frömmigkeit: ,,Überhaupt stammt das meiste von dem, was moderne Menschen von der kirchlichen Frömmigkeit abstößt, ihr Altmodisches, ihr Hinterherhumpeln, ihre ängstliche Unfreiheit gegen irgendwelche Neuerungen, die sie dann doch, wenn sie ein paar Jahre alt sind, mitmacht, ihre kleinstädtische Prüderie, alles das stammt aus der inneren Unwahrhaftigkeit, in der sie lebt, deren sie sich aber nicht bewußt ist. Diese Unwahrhaftigkeit besteht darin, daß die alte Frömmigkeit in ihrer frommen Gedankenwelt ganz auf die Verachtung der ,weltlichen' Dinge und die Gleichgültigkeit ihnen gegenüber eingestellt ist, während sie im übrigen mitten in der modernen Welt lebt und an ihr oft genug sehr tätig Teil hat und dabei nach ganz entgegengesetzten Voraussetzungen denken und leben muß, und nicht die Kraft hat, diese ganze moderne Welt zu verleugnen als die Satanswelt, für die sie sie ja in ihren letzten religiösen Gedanken hält".[43]

Gogarten fordert eine neue Innerlichkeit, die als Frömmigkeit im direkten Verhältnis zur Wirklichkeit, – d. h. in diesen Jahren zu Krieg und Nationalismus, – das Ewige zeitlich werden sieht in der Dialektik ständig neuen Werdens. Diese Sachlichkeit oder „Ursprünglichkeit", wie er im Anschluß an Fichte gerne sagt, soll eine durch Geschäftigkeit und Gewöhnung entstandene Oberflächlichkeit beseitigen. „Unsere Innerlichkeit", so schreibt er 1915 aus seinem Pfarramt in Bremen, „in der freilich das Wissen um die Gleichnishaftigkeit alles irdischen Geschehens sehr stark ist, wirft sich hierin in das große Schicksal der Zeit und nimmt seine wilde Unruhe auf sich, um dorthin zu dringen, wo in dieser Unruhe tief drinnen das Leben in sicherer Ruhe vorwärts schreitet seiner neuen Gestaltung entgegen".[44]

3. Die Rückbindung der neuen Frömmigkeit an Martin Luther

Verweise Gogartens auf Luther sind in diesen Jahren stark von dem Identitätsgedanken Fichtes bestimmt: So sieht er die eigentliche Kraft der neuen Frömmigkeit, die in ihrer Selbständigkeit und der damit verbundenen Freiheit besteht, von Luther herkommen, den er als den „deutschesten Mann"[45] charakterisiert. Denn er hat mit seiner Freiheitssuche „der neuen Frömmigkeit die stärksten Kräfte zugeführt"[46] und ihr unveränderliche Grundlagen gegeben, indem er den Glauben erneut mit der Welt konfrontierte. Nach Luthers Theologie gewann man „die Seligkeit und die Erlösung nicht dadurch, daß man sich von dieser irdischen Welt löste und allein der jenseitigen himmlischen Welt lebte. Das war für Luther ärgste Sünde. Selig und erlöst werden konnte nur der, der sich in die Welt und in ihre Arbeit hineinstellte und seinen Beruf treu erfüllte. In der Welt und im Beruf ‚tat' Gott das seine an dem Menschen".[47]

Obwohl mit Luther dieser Weg des Glaubens in die Welt begann, rechnet Gogarten ihn noch zu der „altgläubigen Frömmigkeit" des Mittelalters; er gab zwar die Impulse für eine neue Weltoffenheit des Glaubens, zerbrach aber noch nicht das „Weltbild der alten Frömmigkeit". Weltabgewandtheit und Weltzuwendung stehen bei ihm noch in einem dualistischen Gegenüber: „Um ihn drehen sich zwei Zeiten".[48]

Daß Gogarten in diesen Jahren Luther mehr noch vom Gedanken der Einheit von Gott und Mensch her interpretiert, zeigt sich vor allem daran, daß er in seinen religionsphilosophischen Darlegungen keinen Platz für die lutherische Zwei-Reiche-Lehre findet. Die neue Frömmigkeit, die er postuliert, findet Gott vor allem im zeitlichen Bereich der geschichtlichen Wirklichkeit, die teilnimmt am Ganzen der Ewigkeit Gottes. Zwar stellt er sich gegen eine Selbstrechtfertigung des Menschen in einer die Welt erhalten wollenden Sittlichkeit und fordert mit dem Verweis auf die Rechtfertigungslehre Luthers die Hingabe des Glaubens in einer tätigen Mystik, die der lebendigen Ruhe Gottes gleichkommt. Aber das vernichtende Moment des Gesetzes taucht in diesen frühen Überlegungen noch nicht auf.

4. Zusammenfassung

1. Angeregt durch die liberale Theologie kommt Gogarten dazu, seine frühe Frage nach dem, was Wirklichkeit ist, und in welchem Zusammenhang Wahrheit zu ihr steht, in der Fichteschen Fragestellung nach dem Beziehungsverhältnis des selbständigen Menschen zu Gott zu einer ersten Lösung zu führen. Das damit gewonnene Identitätsdenken bezeichnet er als eine neue Frömmigkeit, die sich uneingeschränkt der Welt und der Geschichte öffnet.

2. Durch das Gegenüber von Gewordenem und Werdendem erhält die Gegenwart einen entscheidenden Platz in diesem Denken. Die Kategorie der Geschichte steht durch das mystische Erlebnis der Dialektik von Ruhe und Bewegung in einer für das spätere Geschichtsverständnis bedeutenden Doppelheit: Die konkrete Situation ist der Raum des Glaubens oder — anders ausgedrückt — der Einheit von individuell Geschichtlichem mit dem Ewigen. Die Beschäftigung mit Fichte wird zu einem Durchgangsstadium, in dem das Wirklichkeitsverständnis noch auf das Ideale und das Nationale als Ordnungssystem beschränkt bleibt. Die radikal gestellte Gottesfrage von 1920 wird hier zu einer weiteren Fassung von Wirklichkeit führen.

3. Gogarten befindet sich — in diesen ersten Jahren der Lösungsversuche im Horizont des modernen Geistes und der mit ihm für das Christentum verbundenen Krisen — in einer tiefen Unruhe, in einer „mit sich selbst beschäftigten . . . Heimatlosigkeit".[49] Er kam nicht aus einem kirchlichen Raum und konnte sich daher mit den traditionellen Antworten einer von der Wirklichkeit als ganzer sich absetzenden Kirchlichkeit nicht zufrieden geben. Dieses Moment bleibt für seine gesamte theologische Beschäftigung bestimmend.

4. Die von ihm mit Hilfe des Identitätsgedankens der idealistischen Philosophie gemachte Einheitserfahrung der Geschichte, die weder profane noch heilige Bezirke kennt, ist eine frühe erste Grundlegung der Wirklichkeitserfahrung, die später in der Säkularisierungsthese systematisiert wird.

5. Seine selbständige Suche nach einer Antwort auf seine frühe Frage läßt ihn nach Ordnungsmomenten in der Wirklichkeit forschen: Die Nation bietet sich ihm als eine die Kultur spezifizierende Größe an. Wegen einer erneuten Akzentuierung des Nationalen als Grenze des Chaotischen etwa fünfzehn Jahre später muß man hier schon festhalten, daß Gogarten sich gleich gegen eine nationalistische Interpretation wendet, da er mit der Nation als Ordnung nicht diese als solche, sondern vornehmlich das Ganze im Auge hat.

6. Gogarten spricht im Zusammenhang seines Identitätsdenkens zwar davon, daß Gott sich in der Zeitlichkeit menschlicher Geschichte verwirklicht, es fehlt aber noch jeder Hinweis auf eine Christologie. Hier ist er noch ganz der liberalen Tradition verhaftet: Er versteht die Entwicklung des Menschengeschlechts als das zeitliche Leben Gottes. Eine banale Identifikation in Form einer direkten Gleichsetzung unterbleibt aber wegen seines kritischen Geschichtsverständnisses.

§ 3. Das Du-Ich-Verhältnis als konkreter Weltbezug

1. Das religiöse Erlebnis im Du-Ich-Verhältnis

In den religionsphilosophischen Überlegungen der ersten Schriften konzentrierte sich Gogarten auf das Verhältnis von Zeit und Ewigkeit. Eine Konkretisierung des Ewigen fand er, wie wir bereits sahen, im nationalen Aufbruch der ersten Kriegsmonate.

Im Oktober 1917 aber konstatiert er, daß darin nichts lag, das „die Gesamtheit des Volkes bewegte. Das Nationale und der Staat allein geben uns das nicht, wie viele in der ersten Zeit des Krieges hofften. Das haben uns diese Jahre gründlich genug gelehrt".[50] Das, was über das Einzelleben hinausgeht, scheint ihm nun auf dem Hintergrund eines sich verstärkenden Lutherstudiums im religiösen Erlebnis zu liegen. Dieses religiöse Erlebnis ist für Gogarten das Erlebnis des Verhältnisses von Gott und Mensch.

In einem Aufsatz von 1914 hatte Gogarten das Religiöse im Verständnis des eigenen Lebens „als eine von vielen Offenbarungen jenes geheimnisvollen, ewig jungen Lebens"[51] gesehen. Jetzt führt er in sein Religionsverständnis die neue Kategorie des Erlebnisses ein, „ . . . denn das ist schließlich nur möglich zwischen einem Ich und einem Du".[52]

Diese Rückführung des Erlebnisses auf die Du-Ich-Erfahrung ist ein deutliches Anzeichen der in der theologischen Konzentration sich anbahnenden Wende, die J. A. von Wyk als „Übergang von der Romantik des idealistischen Bildes zum Realismus des existentiellen Denkens"[53] charakterisiert. Das Erlebnis von Du und Ich führt aus aller Theorie des Identitätsgedankens heraus in die handelnde Wirklichkeit.

Gogarten nennt als einfache Erlebnisse, die einen religiösen Verweis auf das Du-Ich-Verhältnis in sich tragen, „Ehrfurcht, Demut, Dankbarkeit, innere Sachlichkeit oder Nüchternheit, Schuld, Pflicht, Güte, Glaube"; aber die Verwendung dieser Beschreibungen ist problematisch, da sie „von einem zähen Schleim von Spießbürgerlichkeiten und einer von Gähnreizen schwangeren Moralität umgeben sind".[54] Deshalb zieht Gogarten es vor, das Empfinden des religiösen Erlebnisses im Du-Ich-Verhältnis immer wieder mit Luthers Worten zu umschreiben: „Als wäre er und Gott allein im Himmel und auf Erden und Gott mit niemand denn mit ihm zu schaffen hätt". Nur durch diese Individualität findet der Mensch zum „All-Leben"; denn nur sie weiß, daß im religiösen Erlebnis nicht allein das Ich, sondern das Ich in seiner Bindung durch das Du handelt.

Der Weg der Vereinzelung führt in die Gemeinschaft des Du mit dem Ich als grundlegendem, das Wirklichkeitsverhältnis bestimmenden religiösen Erlebnis. Den Rückzug in die Einsamkeit des Ich gibt es also nur als ein Durchgangsstadium, um dann zu den anderen zurückzukehren, „um ihnen zu helfen und ihnen zu dienen".[55] Die grundlegende Erfahrung von Du und Ich bestimmt als die die Wirklichkeit charakterisierende Kategorie das Gottes- und Nächstenverhältnis des Menschen.

2. Die dialektisch verstandene Gemeinschaft von Gott und Mensch

Das religiöse Erlebnis des Du-Ich-Verhältnisses unterscheidet Gogarten scharf vom vielbesprochenen „religiösen Erleben". Seine damalige Auseinandersetzung mit der Anthroposophie von Rudolf Steiner bringt mehr Klarheit in die erst wohl mehr intuitiv erfaßte Konzeption des konkreten Weltbezugs. Die Spannung zwischen Gott und Geschöpf, die vordem die Dialektik von Gewordenem und Werdendem war, sprengt ein bloßes individuelles „Erleben" und „Interesse". Gogarten geht es entschieden um eine dialektisch verstandene Gemeinschaft von Gott und Mensch.

Das Erleben der Spannung[56] zwischen absolutem Gegensatz und totalem Einssein von Gott und Mensch ist synonym mit dem Glauben. In ihm ist Religion gelöst aus dem isolierten Dasein des Individualismus, aus der Autarkie des Menschen. Er läßt die sinnliche Welt in seiner Geschichtsbezogenheit zur tiefsten Offenbarung werden. Das vermag nicht der Blick der Historie, sondern nur der des Mythos[57] zu erkennen, nämlich „den einen, weit gespannten Tag, den großen Atem, für den all die Jahrhunderte nur im eilenden Flug weilende Minuten sind".[58] Das Erlebnis des Du-Ich-Verhältnisses hat es offengelegt: „Gleichnis dieses unendlichen Lebens" und „Symbol für das Geschehen vieler Jahrtausende" sind die Geschichte der Versuchung, das Abendmahl, der Tod, die Auferstehung des Christus. An ihm ist für Gogarten „wesentlich nur dieses beides: Der Mensch Jesus und der Gott, der sich in diesem Menschen offenbart. Nur dieser absolute Gegensatz, nur dieses trennungslose Einssein".[59] Denn dies ist der Inhalt des Du-Ich-Verhältnisses.

3. Das neue Weltverhältnis als Anlaß zur Religionskritik

Dieser erste christologische Ansatz ist noch stark vom idealistischen Ausgangspunkt Gogartens geprägt, fordert aber auf dem Hintergrund der Gemeinschaft von Gott und Mensch im Du-Ich-Erlebnis ein neues Verhältnis zur Welt: Das Religionsverständnis von „Religion weither" stellt den Frommen aus der bloßen Individualität und aus dem Konglomerat der Masse heraus in das Verhältnis zum Ewigen in der Gegenwart, führt ihn zur Gemeinschaft von Gott und Menschen im gegenüber des Du zum Ich.

Dieser „Bußruf", wie Gogarten im Anschluß an Luther das neue Weltverhältnis charakterisiert, führt seit dem Wirken des Reformators nicht mehr in die Klöster, sondern in die Welt.[60]

In den nachfolgenden Jahrhunderten fand das Säkulum immer mehr seine ihm zustehende Beachtung. Aber die Grundlegung dieses konkreten Weltbezuges ging verloren: „Nun ist die Menschheit diese letzten vier Jahrhunderte in die Welt hinausgegangen und hat geschafft und gearbeitet, erfunden und gedacht wie niemals vorher. Aber sie weiß nicht mehr, daß sie die Freiheit nur haben kann, weil sie im Innersten gebunden ist ... Die Menschheit ließ sich von Luther hinausführen in die Welt und in die Arbeit hinein. Aber nun steht sie mitten in der Arbeit drin und sie weiß nicht mehr, warum, woher und wozu . . . Heute ist die Arbeit ein Mittel geworden, um die Leere der Seele und die Verzweiflung, die aus ihr starrt, zu verbergen und zu unterdrücken".[61]

Der hier erstmals dargestellte Säkularisierungsprozeß und seine Folgen in der Mechanisierung der Arbeit sind implizite Kritik an der religiösen Antwort der Kirche gegenüber den Anforderungen der Wirklichkeit.

Sie hat die reformatorische Lehre vom Glauben, der an die Welt gebunden ist, vergessen und muß den Blick wieder weiten über den „kurzen Erdentag" hinaus, um klarzustellen, in welchem Rahmen die Welt Heimat des Frommen ist: Die Welt ist neu gemacht von Christus, dem Gottessohn. Er lebt als Kraft in ihr, und der Fromme soll ihm nachfolgen nicht nur im Blick auf das, „was Jesus war", sondern mehr mit dem Suchen nach dem, „was der Christus heute noch ist",[62] wie er im konkreten Weltbezug dem Ich in seinem Verhältnis zum Du begegnet.

Ohne dieses Weltverständnis verlor die Kirche ihren Mittelpunkt: „Aus dem ,Wort' sind Wörter geworden. Das ist unsere Not. Mögen die Wörter auch klug, gut, und nützlich sein, sie verhallen, weil sie nicht bis an das Letzte reichen, bis dahin, wo in Gottes Furcht und Demut gehandelt wird".[63]

Gogartens Kritik richtet sich einmal gegen das allgemeine Religionsverständnis aus der Vergangenheit, das seinen Ausgangspunkt nicht von den „Fragen und Rätseln, Nöten und Seligkeiten" der Gegenwart nimmt. Ebenso kritisiert er die mangelnde Ernsthaftigkeit bei denen, die Religion nur als Herkommen und Sitte verstehen. Religion als „Sache des Verstandes und der moralischen Wohlerzogenheit" ist nicht der dem Schöpfer gebührende Dank für das Geschenk des Glaubens.[64]

Seine Kritik zielt letztlich auf die Intellektualisierung der Religion, die mit einer einseitigen Individualisierung verbunden ist. Sein zu dieser Zeit schon differenziertes Weltverständnis vom Glauben her läßt ihn diese „Diesseitsreligion" ablehnen: „Man glaubt, daß sie wie allem Naturgewachsenen und Erdhaftem so auch der Individualität größere Bedeutung geben würde, als das die überkommene Jenseitsreligion getan habe. Man spricht darum davon und glaubt daran, daß sich die Ewigkeit hier im Diesseits offenbare. Das ist sehr gut und schön. Die Gefahr ist nur, daß sich die Ewigkeit im Diesseits verliert. Daß aus der Ewigkeit ein schöner Schein wird, den man um die Dinge legt und mit dem man spielt. Daß man irgendwo in den Glauben hineingerät, als sei die Religion ein Produkt des Menschen und ihre jenseitige Welt nichts anderes als der Widerschein der seelischen Vorgänge im Menschen".[65]

Mit dieser vertieften Religionskritik entfernt sich Gogarten deutlich vom Identitätsdenken seiner ersten durch Fichte bestimmten Antwortversuche und kritisiert so das Religionsverständnis und den unkritischen Weltbezug mancher liberaler Theologen. Von dieser grundsätzlichen Einstellung her lehnt er aber ebenso den Rückzug der Religion auf „die Formel, das Schema, die äußeren Einrichtungen und ,Heilstatsachen' oder eine ferne Geschichte" als unverantwortlich ab.[66] Sowohl die Beurteilung des Evangeliums „als irgendwie göttlich beglaubigte Kundgebungen über Tatsachen (Heilstatsachen nennt man sie), die sich zu einer bestimmten Zeit abspielten", als auch die Trennung zwischen Wunderhaftem und Historischem im Evangelium und die daraus folgende Beurteilung des Historischen als allein Wertvollem verwirft Gogarten[67] ebenso, aber auch die Reaktion der Orthodoxie auf den Historismus in der Verteidigung des Wunderhaften als Historie.[68]

Eine vergleichbare Gefahr des Absinkens der Religion zur bloßen Weltanschauung besteht für Gogarten in der Forderung liberal-theologischer Kreise nach einer Bindung der Religion an die Persönlichkeit Jesu, an den Einfluß seiner Reinheit und Hoheit: Sie wäre für ihn der „Kult des Menschen, wenn auch des edelsten, reinsten und vollkommensten. Man bleibt im Moralischen".[69]

Religion aber geht es nicht darum, „in irgendeiner vergangenen Zeit eine Offenbarung der Ewigkeit zu finden, und zu verehren, sondern sie will in ihrer Gegenwart die Ewigkeit finden".[70] Da sie nicht allein den Tagesbedürfnissen dient, kann sie zwar nicht geschichtslos sein; insofern sie aber nicht nur an den vergangenen Tag gebunden ist, kann sie sich nicht von nur vergangener Geschichte stützen lassen, um ihren eigenen Untergang zu verhindern. Der Blick nach vorn erst eröffnet die volle Perspektive.

Mit dieser Religionskritik von einem konkreten Weltbezug her setzt sich Gogarten seit seiner Schrift „Religion weither" zwischen die üblichen Positionen seiner Zeit. In dieser Situation bleibt ihm nur übrig abzuwarten, ob vielleicht der alte „Mythos", das Evangelium, als „Denken des Glaubens in Gleichnissen und Gestalten", wieder aufbricht. Das Aufgehen in der Individualisierung des liberalen Verstehens oder in der Allgemeinheit des orthodoxen Beharrens sind für Gogarten kein Ausweg aus dieser Situation.[71]

4. Die Frage nach Gott „in suspenso"

Das Ungenügen, das sich in „Religion weither" ankündigte, artikuliert Gogarten im Juni 1920 in seinem sprachlich ungeheuer dichten und dem Inhalt nach für die Anfänge der sogenannten „dialektischen Theologie" bedeutenden Aufsatz „Zwischen den Zeiten":[72] „Das ist das Schicksal unserer Generation, daß wir zwischen den Zeiten stehen. Wir gehörten nie zu der Zeit, die heute zu Ende geht. Ob wir je zu der Zeit gehören werden, die kommen wird? Und wenn wir von uns aus zu ihr gehören könnten, ob sie so bald kommen wird? So stehen wir mitten dazwischen. In einem leeren Raum. Wir gehören nicht zu den Einen, nicht zu den Anderen".[73] Mit vorher nie gekannter Klarheit stellt Gogarten von dieser Situationsanalyse ausgehend die Frage nach Gott als dem Zentrum der Theologie und verwirft mit Entschiedenheit die Versuche, an die Stelle der verfallenen Kultur eine neue zu setzen. Die Absage an die bisherige Theologie ist scharf; Gogarten erkennt den theologischen Lehrern seiner Generation den „besten Willen" zu, über den hinaus sie aber nur „hohl" blieben, und die „Hörer" leer ließen. Ihre Antworten waren nur Antworten auf ihre eigenen Fragen, nicht aber auf die ihrer Hörer. Diese Wissenschaft läßt sich nicht fortsetzen, sie „ist ja innerlich längst am Ende". Ihre Welt kennt nur Geschichte und Entwicklung:

Menschenwerk. Sie ist tot aufgrund ihrer Verwissenschaftlichung. Diese Lehrer bewirkten es selbst, daß sie als solche entlarvt wurden. Getrieben von der Angst, einmal vor die Menschen treten zu müssen und nichts geben zu können, gibt es nur eine Erlösung aus „jenem elenden Versteckenspielen, bei dem man nie wußte, was im gegebenen Augenblick nicht da sein durfte, das Menschliche oder das Göttliche".[74]

Diese eine Erlösung ist die Frage, die sich noch nicht verständlich machen läßt, weil ihre Antwort noch aussteht. Aber ihr Grund ist deutlich: „Wir sind alle so tief in das Menschsein hineingeraten, daß wir Gott darüber verloren. Ihn verloren. Ihn wirklich verloren; es ist kein Gedanke mehr in uns, der bis zu ihm reicht. Sie reichen alle nicht über den menschlichen Kreis hinaus. Nicht ein einziger. Das wissen wir nun. Und es ist uns vor diesem Wissen, als hätten wir vorher nie etwas gewußt".[75] Die Gotteserkenntnis ist nicht positiv, denn „wir erkennen immer deutlicher, was er nicht ist, was er nicht sein kann". Mit diesem Heraustreten zwischen die Zeiten hat das „flimmernde Durcheinander von Göttlichem und Menschlichem in allen unseren Gedanken, Worten und Werken" ein Ende und der Raum für die Gottesfrage wurde frei. Dieses Stillstehen der Zeit ist auszuhalten, bis hier die Entscheidung gefallen ist. „Das ist eine furchtbare menschliche Not. Denn da zerbricht alles Menschliche und wird zuschanden, alles was war und alles was sein wird. Aber darum können wir, begreifen wir nur die Not bis zum Letzten, nach Gott fragen".[76] Der Gedanke, daß die Arbeit an einer kommenden Kultur das Heil bringe, ist abgetan, wie auch die Suche nach Fortschritt und die Bewegung durch „kulturinteressierten Opportunismus". Und die, die jetzt „eine Welt mit Menschenwillen und aus Menschenweisheit" bauen wollen, weil sie den „langen, frommen Irrtum" durchschauten, tun im Letzten nur bewußt das, was ihre Vorgänger taten, wenn sie vom Göttlichen redeten, aber nur Menschenwerk vollbrachten. Wenn sich auch der menschliche Gerechtigkeitssinn, der in der Zeit stehen muß, auf der Seite des Mutes, der Unbefangenheit und der Rücksichtslosigkeit gegen die jetzt abgelöste Zeit befindet: „Unser Blick und unser Denken sucht ein anderes Ziel". Nicht in einem neuen Humanismus liegt die Antwort auf die Frage nach Gott, sondern im Aushalten der Fragwürdigkeit, in der umkehrenden Buße: „Hüten wir uns in dieser Stunde vor nichts so sehr, wie davor, zu überlegen, was wir nun tun sollen. Wir stehen in ihr nicht vor unserer Weisheit, sondern wir stehen vor Gott. Diese Stunde ist nicht unsere Stunde. Wir haben jetzt keine Zeit. Wir stehen zwischen den Zeiten".[77] Dieser Schlußsatz faßt noch einmal zusammen, was man mit dem Titel eines offenen Briefes von F. Gogarten an Emil Fuchs als sein Hauptproblem in diesen Jahren bezeichnen könnte: Die Not der Absolutheit.[78]

Zusammenfassung

1. Gegenüber dem Nationalen und dem Staat als Ordnungsfaktoren zwischen Einzelmenschen und der Gemeinschaft stellt Gogarten in „Religion weither" das religiöse Erlebnis in den Mittelpunkt des Weltbezuges.

2. Dieses Erlebnis wird lebendig in der Begegnung des Du mit dem sich offen zu ihm verhaltenden Ich. Diese ersten Abwendung von einem frühen Identitätsdenken wird bestimmend für den Aufbruch der Fragesituation von 1920 (aus dem Erlebnis der Du-Ich-Beziehung entwickelt sich dann das Verhältnis Anspruch/Verantwortung des glaubenden Hörens). Die Du-Ich-Beziehung drückt erstmals deutlich die Spannung im Gottesverhältnis aus, aufbauend auf der Gottmenschlichkeit Jesu Christi.

3. Das Du-Ich-Verhältnis schafft einen neuen Weltbezug. Es hebt nicht nur Luthers Ruf in die Welt hervor, sondern verdeutlicht auch, daß diese Weltoffenheit in den Werken des Menschen nur wegen ihres Ursprungs im Glauben möglich ist. Damit umreißt Gogarten erstmals die Grundlagen für seine spätere Säkularisierungsthese.

4. Vorerst bleibt aber das Verhältnis von Glaube und Welt noch in der Frage nach Gott eingebunden: Gogarten ist erschüttert über das mangelnde Wirklichkeitsverständnis der offiziellen Theologie und Religion. Deshalb fordert er 1920 – nach eingehenden Lutherstudien während seines bewußt gewählten Exils im Pfarramt in Stelzendorf, einer kleinen thüringischen Landgemeinde, – das Aushalten der Fragwürdigkeit, die die Frage nach Gott „in suspenso" hält. Damit verläßt er in schroffer Weise seinen von Fichte herkommenden Identitätsgedanken und lehnt seine theologischen Lehrer ab.

§ 4. Die radikal gestellte Gottesfrage als erneuerter Bezug zur Wirklichkeit

1. Der Christ in der Gesellschaft – Zum Verhältnis von Glaube und Wirklichkeit

Die Absage an die theologischen Väter, den Kulturidealismus und einen neuen Humanismus durch die alles überschattende Frage nach Gott und durch die Konfrontation der Gottesfrage mit der Wirklichkeit der Gegenwart in dem Aufsatz „Zwischen den Zeiten" wurde zum Programm der gleichnamigen Zeitschrift, die ab 1923 – von Karl Barth, Friedrich Gogarten und Eduard Thurneysen unter der Schriftleitung von Georg Merz herausgegeben – über zehn Jahrgänge hin erschien.[79] Die Voraussetzungen für diese später oft wunderlich anmutende Zusammenarbeit weisen wohl mehr Gemeinsamkeiten auf, als man nachher einräumen wollte. Gerade durch K. Barth, der vom Ende der zwanziger Jahre an die Distanz zu Gogarten ständig zu verdeutlichen suchte, kam Gogarten in den Kreis der jungen Pfarrer. Barths Tambacher Rede[80] im September 1919 hatte Gogarten gehört und, wie G. Merz meint, vielleicht als einziger der deutschen Anwesenden verstanden. Im Thema wie in der Ausführung mußte Gogarten viele seiner eigenen Fragen wiedererkennen, Ähnlichkeiten der Antwortversuche feststellen, den gemeinsamen Weg sehen: Was Gogarten in der religiösen Frage nach der Einheit von Gott und Mensch gesucht hatte, nämlich das gegenwärtige und kommende Verhältnis von Glaube und Wirklichkeit, stellt Barth unter das Thema von Christ und Gesellschaft. Und die Kritik Gogartens am bisherigen Verhältnis von Glaube und Wirklichkeit in der Kirche findet sich bei Barth in der Warnung vor einer voreiligen Identifizierung von Christ ind Gesellschaft. Die bei Gogarten erst in der Auseinandersetzung mit der Anthroposophie explizit christologisch verstandene Kategorie des Ewigen faßt Barth aufgrund seiner kirchlichen Vergangenheit[81] entschieden neutestamentlich: „Es ist in uns, über uns, hinter uns, jenseits uns eine Besinnung auf den Sinn des Lebens, eine Erinnerung an den Ursprung des Menschen, eine Umkehr zum Herrn der Welt, ein kritisches Nein und ein schöpferisches Ja gegenüber allen Inhalten unseres Bewußtseins, eine Wendung vom Alten zum neuen Äon. Ihr Zeichen und ihre Erfüllung das Kreuz!"[82] Das „kritische Nein" und das „schöpferische Ja" begründen aber keine Trennung mehr zwischen Drinnen und Draußen, begründen keinen ausgegrenzten religiösen Bezirk. Religion, die schon bei Gogarten von „Religion weither" nicht mehr den phänomenologischen Bestand bezeichnete, ist nicht identisch mit der „Bewegung von Gott her"; diese Bewegung läßt nicht eigenmächtig Menschendienst zu Gottesdienst werden, sondern wartet auf Gott: „Es gibt nur eine Lösung und die ist in Gott selbst".[83] Denn die Bewegung ist die der Gotteserkenntnis, die ihre Kraft und Bedeutung enthüllt hat in der Auferstehung Jesu Christi von den Toten. Seitdem gibt es diese Bewegung in das profane Leben und seitdem gibt es die Unmittelbarkeit zu Gott, die auch Gogarten beschreibt. Und Gogarten kennt sie ebenso wie Barth nicht als die Eigenmächtigkeit des Menschen, sondern als Entgegenkommen von Gott her. Das ist die Revolution vor allen Revolutionen. Von diesem Begreifen her – Barth bezeichnet es als „die große Beunruhigung des Menschen durch Gott und darum die große Erschütterung der Grundlagen der Welt" – wird die Gegenwart als solche genommen, wie sie ist, und im kritischen Nein weitergeführt in ihrer Bewegung. Damit ist – nach Barth wie Gogarten – der Zeit und der Gesellschaft ihr Sinn in Gott gegeben. Dieser Gegenwartsbezug der Verheißung kann, wie Barth vermerkt, zu einer neuen „metaphysischen Dinglichkeit" und einer „falschen Transzendenz" führen. Nur über eine primäre Bejahung der Welt, so wie sie ist, kommt der Christ zu einem sich nicht in ihr verlierenden Tun: „Nicht in das Tödliche und Gottlose des Weltlaufs schicken wir uns damit, sondern in das Lebendige und Göttliche, das im Weltlauf immer noch mitläuft, und gerade dieses uns Schicken in Gott in der Welt ist zugleich unsere Kraft, uns in die Welt ohne Gott nicht zu schicken. ‚Durch ihn und zu ihm geschaffen'. In diesem ‚Durch ihn' und ‚Zu ihm': Durch Christus und zu Christus hin, liegt die Überwindung der falschen Weltverneinung, aber auch die unbedingte Sicherung gegen alle falsche Weltbejahung".[84]

Dieses Verständnis der Welt als Begegnungsort von Gott und Mensch, des Gegenwartsbezuges der Verheißung, dieses kritische Bewußtsein von Ineinander einer Mitarbeit in der Gesellschaft und einer radikalen Opposition, einer Weltbejahung und Weltverneinung, der gemeinsame soziale Bezug dieses Engagements und die in all dem gegebene grundsätzliche Ablehnung der bisherigen Theologie und Kirchenpraxis mußte eine hinreichende Grundlage für die Zusammenarbeit geben. Das zeigt der Aufsatz „Zwischen den Zeiten" etwa ein halbes Jahr nach der Tambacher Rede deutlich. In der Begegnung mit K. Barth findet Gogarten auf dem eigenen Weg zu neuer Deutlichkeit.[85] Zur Auseinandersetzung wird es später kommen bei der Frage nach der Synthesis als der Frage nach der Verbindung von Immanenz und Transzendenz Gottes: Schöpfung und Erlösung, so führt Barth in seiner Tambacher Rede aus, haben ihre Wahrheit im Gottsein Gottes und Immanenz Gottes bedeutet zugleich seine Transzendenz: Erscheinung dieses „totaliter aliter" ist die Auferstehung Jesu Christi von den Toten. „Jenseits, trans, darum gerade handelt es sich, davon leben wir. Wir leben von dem, was jenseits des Reichs der Analogie ist, zu denen auch unser bißchen Innseits gehört".[86] Die Grundlagen des späteren Mißverstehens sind bereits hier in der dualistischen Formulierung Barths gegeben.

2. Die Dialektik von Weltbejahung und Weltverneinung

Durch die Theozentrik, die in „Zwischen den Zeiten" die Gegenwart als ungeschichtlichen Raum stille stehen läßt, kommt Gogarten zu einem noch ausgeprägteren Wirklichkeitsverständnis. Die Trennung zwischen Göttlichem und Menschlichem ist gegenüber vergangenen Einigungsversuchen wieder neu vollzogen; noch steht aber eine neue Einigung aus und muß ausbleiben in Form einer totalen Vereinigung von beidem, d. h. das Wirklichkeitsverständnis und somit die Stellung zur Welt muß im dialektischen Bezug von Ja zum Nein bleiben. Es muß ein Nein sein, „das seinen Sinn allein bekommen kann aus einem diese ganze Welt neu schaffenden Ja".[87] Die Religion wird sich nur dann nicht als

„die leere Hülle eines längst verwesten Leichnams" erweisen, wenn sie *in* diesem Geschehen steht. Dann wird sie herausgetrieben aus dem „Wirrwarr der Geschichte zu der reinen ursprünglichen Gottestat", die Jülicher als „Barths erneutes Gottesreich" karikierte.[88] Als solches ist das Christentum „allerdings geschichtstranszendent" und es kommt darauf an, „es nicht mit seinen historischen Wirkungen zu vermischen und zu verwechseln".[89] Das Tun in der Zeit erhält seinen Sinn und Geschichte ihre Bedeutung von dem vorausgehenden Handeln Gottes, das als das „von Grund auf Andere in ihm schon Ereignis wurde".[90] Das Handeln Gottes entspricht in seinem Wesen ganz Gott selbst: Denn gegenüber der Welt ist er „der ganz und gar Andere". Diese totale Andersheit Gottes und seines Handelns macht in aller Schärfe die Gottlosigkeit des Menschen deutlich. Seinem Bewußtsein ist der Gedanke Gotte konträrer als alles andere.

Gogarten belegt diese Behauptung in „Die Kirche" mit einer Schilderung, die für sein späteres Verständnis des Säkularismus Bedeutung hat: „Ziehen wir in prometheischem Stolz mit dem Gedanken der Kausalität die unendlichen Welten in unseren Bereich und machen wir, uns selbst vergötternd, das Weltall in dem in sich geschlossenen Weltbild der Immanenz zu einem Teil unserer selbst, so wendet der Gedanke Gott diesen Stolz in die tiefste Demut und die Vergötterung in die totale Versündigung und Gottlosigkeit. Ist Gott nicht nur ein anderes Wort für das Ganze der Welt und für ihre immanente Entwicklung, so ist eben die Welt, die nichts anderes sein will als die Summe aller Kausalitäten und der Inbegriff der Immanenz, Gott – los".[91]

3. Der Bußruf zur religiösen Entscheidung

In seinem Vortrag „Die Krisis der Kultur"[92] auf der Wartburg im Oktober 1920 vor den Freunden der „Christlichen Welt" interpretiert Gogarten diese Erkenntnis Gottes im Hinblick auf die Wirklichkeitserkenntnis. Die Versenkung „in den schöpferischen Grund, aus dem alle Entwicklung aufsteigt",[93] abstrahiert nur von der eigenen Zeit und Wirklichkeit, die man „Gottes vernichtender Helligkeit" vorenthält. Die Theologie der Krisis geht vielmehr aus von dem, was Luther meint, wenn er sagt: „Wenn Gott uns lebendig machen will, so tötet er uns". Der Mensch muß erst „allen Dingen gestorben sein, dem Guten und Bösen, dem Tod und Leben, der Höll und dem Himmel und von Herzen bekennen, daß er aus eigenen Kräften nichts vermag".[94] Diese Haltung beinhaltet die Dialektik von gleichzeitiger Weltbejahung und Weltverneinung: Denn das „Allen – Dingen – gestorben – sein" ist sowohl ein totales Entwerten der Wirklichkeit, wie auch ein „Unbedingtes Werten alles dessen, was es für uns gibt, desselben, was wir total entwerteten".[95]

Und Gogarten macht diese Dialektik im Weltbezug deutlicher: „Diese eine einzige Möglichkeit von der Welt, der Zeit loszukommen, verlangt, daß man sich mit keiner Faser von der Welt und Zeit löst und sie ganz auf sich nimmt, nicht einer Schwierigkeit aus dem Weg geht und alle Verantwortung für alles auf sich lädt".[96]

Totales Entwerten und unbedingtes Werten der Wirklichkeit verbieten die Frage, was jetzt zu tun sei. Denn dieses Fragen zeigt nur, daß der Fragende, der Fromme, sich nicht selbst dem Gericht Gottes ausliefern will, also noch nicht von der Kulturreligion losgekommen ist, sich nicht in Frage stellen läßt, das Gericht nicht an sich vollziehen läßt und damit die Welt, die Kultur dem Gericht Gottes entziehen will. Das Gericht als Gottestat ist nicht in eigener Anstrengung zu erreichen: Denn „Jesus Christus ist selbst die Gottes-Tat, ist selbst die Vernichtung dieser Welt, ist selbst die ursprüngliche Schöpfung. Es ist die einfachste Sache von der Welt, daß Gott den Menschen durch einen Menschen half. Und nur in ihrer letzten, tiefsten, einfachsten Einfachheit ist sie wahr. Aber diese letzte, tiefste, einfachste Einfachheit ist diese, daß man Gott nicht haben kann ohne Gott".[97]

Der Bußruf zur religiösen Entscheidung und diese Entscheidung selbst sind nicht eine Angelegenheit der Eigenmächtigkeit des Menschen, sondern der Mensch gelangt in ihnen zur Gottesnähe. Die Religion als Krisis dieser und jeder Kultur ist zugleich Krisis dieses und jedes Menschen.[98]

Die Geschichte des Christentums muß neu gewonnen werden, im Versuch, „das Verständnis für unsere Situation" zu gewinnen im „unerhörten Gegensatz, unbedingten Entweder-Oder und nie zur Ruhe kommenden Kampf". Und dieser Gegensatz ist der zwischen Mensch und Gott, den der Wunsch am stärksten weiß, wenn er in der Geschichte steht, die „von Gottes ursprünglicher Tat in Bewegung gesetzt"[99] ist. Das Ja zu dieser Tat ist erst ermöglicht durch das ihm vorausgehende Nein. Religion als der Versuch der Vermittlung nach beiden Seiten hin, als „ein Sowohl – Als auch, das heißt, ein zuständliches ruhiges Ineinander dessen, was wir sind, und dessen, was die Ewigkeit ist",[100] hat mit dem Bußruf zur Entscheidung nichts gemeinsam: Denn in ihr gibt es kein dialektisches Werten und Entwerten der Wirklichkeit, kein „Sich-in-die-Mitte-stellen zwischen sich selbst und Gott, wo man aber nicht mehr Dritter ist, auch nicht neben sich und Gott".[101] In dieser Stellung sind alle Sicherungen und Konstruktionen alles „Menschenwerk" zu Fall gebracht. Die Aufforderung zur Entscheidung ist total.[102]

Dieser „Bußruf" blieb nicht ohne Widerspruch. Vor allem E. Troeltsch sah seine Position von seinem früheren Schüler Gogarten angegriffen.[103]

Troeltsch meint, daß die Kultur bei Gogarten dieselbe Kritik erfahre wie die Kirche bei Kierkegaard, und sieht ihn auf der Seite eines radikalen christlichen Dualismus, der der Verflochtenheit des Christentums mit der modernen Welt nicht gerecht wird. Der Versuch Gogartens scheint ihm dem Zerschlagen des gordischen Knotens ähnlich; seine Position ist für ihn uneinnehmbar, da sie „in innerer persönlicher Notwendigkeit begründet" ist.[104] Für ihn liegt im dialektischen Ansatz Gogartens nur das Nein, spürt er nur den „Geschmack moderner Romantiker".

Den Ruf zur religiösen Entscheidung muß er so mißverstehen als eine von vielen religiösen Subjektivitäten, der man nur seine eigene gegenüberstellen kann.[105]

Die Nähe Gogartens zu Kierkegaard dagegen behauptet Troeltsch zu Recht. So meint Gogarten denn auch, daß die zeitgenössische Theologie mit Absicht an Kierkegaard vorbeigeht, aber auch an Franz Overbeck, dem weniger das Unbegreifliche des Christentums Anstoß war, als vielmehr „die moderne Theologie, diese Bemühung, Christentum und Religion der modernen Kultur fast restlos zu assimilieren".106)

Mit seiner religiösen Entscheidung vollzieht Gogarten das, was Overbeck in „Christentum und Kultur" fordert: Um Vorwärts zu kommen hilft nur ein Sich-in-die-Luft-Stellen. Diese Stellung erreicht der Mensch nicht aus sich, sondern sie geschieht ihm durch den Gottesgedanken, der ihn mit allem Menschlichen und so auch der Religion der absoluten Krise aussetzt.

4. Die Auflösung der neuen Absolutheit durch die christologische Antwort

Deutlich distanziert sich Gogarten mit diesen Überlegungen zur Frage „Gott" von seiner früheren Argumentation von Fichte und der tätigen Mystik her. Die Mystik ist nicht mehr das Letzte für den Menschen sondern die Frage ist das „letzte erlaubte Wort und das letzte Erlaubte überhaupt".107) Denn selbst die tätige Mystik stand immer in der Gefahr, bloß das Erlebnis des Einzelnen zu sein: Ihr Versuch, Mensch und Gott zu vereinigen, blieb ihr Werk! Nur die Frage „Gott" vermag den Menschen aus dem Zirkel seines Eigenseins herauszunehmen: Denn diese Frage stellt sich der Mensch nicht selbst, sie wird über ihm gestellt. Die Mystik dagegen bleibt im Bereich der Religion, die versucht, den Unterschied zwischen Gott und Mensch aus eigener Kraft zu überwinden.108) Sie übersieht den „absoluten Gegensatz, das heißt: Der auf der anderen Seite ist der absolut andere; das heißt: Er ist die absolute Frage, die Frage, auf die wir absolut keine Antwort geben können und auf die doch geantwortet werden muß. Denn sie ist die absolute Frage, das heißt die Frage in allen Fragen. Und es bleiben alle Fragen in ihrem letzten Grund und in ihrem letzten fragenden Sinn unbeantwortet, wenn diese Frage nicht beantwortet wird. Und es wird durch sie alles, schlechterdings alles in Frage gestellt".109)

Der Versuch, aus dieser absoluten Frage auszubrechen in eine fromme Gott-unmittelbarkeit kommt dem geschichtsphilosophischen Rausch Fichtes nahe. Aber auch die objektive Gottesfrage nach seiner Existenz ist in diesem Erfahrungsrahmen unsinnig: „Es geht eben und kann in der Gottesfrage immer nur gehen um die Entscheidung, ob Gott verborgen ist oder ob er offenbar ist, ob unsichtbar oder sichtbar, ob unendlich oder endlich. Und diese Entscheidung ist es, die keinem erlassen wird und sie entscheidet über alles".110)

Es ist die Frage nach der Offenbarung als Verhältnis Gottes zu den Menschen, die das Verhalten der Menschen zu ihm bestimmt. Antwort auf diese Frage ist „die reale, sichtbare, hörbare, tastbare Verborgenheit Gottes vor den Menschen, das aber ist der Mensch, iste homo Jesus Christus. Und wenn diese Verborgenheit in ihrer Sichtbarkeit noch nicht genügend charakterisiert ist: Sie ist das Kreuz jenes als vermeintlichen Aufrührers hingerichteten Jesus von Nazareth, von dem die, die ihn sahen, hörten, betasteten, gesagt und geglaubt haben, er sei gestorben als der Sohn Gottes. In diesem Kreuz wird die Verborgenheit der Offenbarung, wird darum in der Verborgenheit der Offenbarung Gott sichtbar".[111]

In der Offenbarung als dem Geschehen von Gott her auf die Menschen hin erhält das Du jetzt seine relationale Begründung. Denn Jesus Christus ist die Bewegung von Gott zum Menschen, ist die Antwort auf die Frage „Gott". Die Objektivität der Gottesfrage gibt es ihm gegenüber nicht. Da Gott in Jesus zu einer historischen Tatsache wurde, ist die „Gottesleere des Menschentums" überwunden; nicht in Form einer menschlichen Gotteserkenntnis, sondern als „Gotteserkenntnis: Erkenntnis, in der Gott sich selbst erkennt".[112] In dieser Erkenntnis ist der Mensch miteinbezogen in die Wirklichkeit Gottes, in die Wirklichkeit des Evangeliums. Denn die Wirklichkeit der Worte über Jesus Christus ist die Wirklichkeit Gottes. Darin ist die Nähe Gottes Distanz und in gleicher Weise seine Distanz Nähe.

Der Glaube an Jesus Christus ist damit Ende allen Menschentums, da diesem eine Grenze gesetzt ist in der Antwort, die Jesus Christus auf die Frage „Gott" ist. Die Dynamik des bleibenden Gegensatzes Gott/Mensch ist damit nicht aufgehoben. Nur ist sie nicht mehr etwas vom Menschen zu bewältigendes, sondern eine in Jesus Christus gegebene Wirklichkeit: „Es werden in ihm, dem Einzelnen, alle aufgehoben; es finden in ihm, dem Vereinzelten, alle die Erfüllung; es werden in ihm, dem Zufälligen, alle zu Menschen des Ursprungs, es werden in ihm, dem Menschensohn, alle zum Gottessohn".[113] Die Krankheit an Gott, für die die Frage „Gott" bezeichnend war, ist geheilt im Augenblick, der als Aufhebung der Zeit durch die Ewigkeit doch Zeit bleibt für die Menschen; nämlich in der Menschwerdung Gottes in „diesem Juden Jesus". Die Unmittelbarkeit des Glaubens zu diesem Geschehen ist Gogarten wichtig gegenüber einer etwa von Troeltsch vertretenen Glaubenserkenntnis durch die Ausdeutung des ursprünglichen Geschehens in der Geschichte. Die Menschwerdung Gottes wird vor allem sichtbar in der Verborgenheit der Offenbarung des Kreuzes. Sie hat eine doppelte Funktion: Denn das Kreuz als deutlichstes Zeichen der Menschwerdung Gottes ist Offenbarung der Sünde und als solche ihre Vergebung.[114] Hier drückt sich die Dialektik von Weltbejahung und Weltverneinung aus: Denn die Erkenntnis der Sünde im Kreuz ist schon die Inanspruchnahme der Hilfe Gottes. So hat die Sünde keine selbständige Realität mehr in dem Glauben, der sie als solche erkennt und der zugleich die Erkenntnis der Menschwerdung Gottes in Jesus Christus ist. Gogarten stützt sich hier auf das Glaubensverständnis Luthers, dem Glauben nur Sehen der bereits vollbrachten Menschwerdung Gottes und Vergebung der Sünden ist, nicht aber Vollbringung dieser Rechtfertigung.[115]

Der Mensch kann von sich aus das Leben nur als Kehrseite des Todes ansehen. Der Glaube aber bricht diese Kontinuität der Immanenz aus der Kraft der Transzendenz, d. h. aus der Kraft des Evangeliums. Dieser Glaube als Annahme von Gottes Hilfe[116] ist die Vergebung der Sünden und damit Kritik am Verständnis Gottes als ethischem Prinzip. Denn Sündenvergebung ist der Bruch des ethischen Anspruchs, ein Verhältnis zu Gott zu schaffen.[117] Gottes Verhältnis zum Menschen, die Gnade, bestimmt vielmehr das Ethische: „Damit sind dem Menschen . . . die irdischen Aufgaben als seine Aufgaben gestellt, und die Frage, ob er überhaupt handeln darf, trotzdem jede Tat unweigerlich sündig sein wird, ist hier, wo sie allein im Ernst gestellt werden kann, auch beantwortet".118)

Das heißt nicht, daß alle Folgen der Verkehrung der Schöpfung und alle Bedrängnis nun abgetan seien.

Aber sie sind jetzt als Unvollkommenheiten Hinweise für den Glauben auf die Göttlichkeit der Schöpfung, weil es auch im Kreuz Erhöhung gab. Die Annahme der offenbaren Verborgenheit dieses Kreuzes im Glauben gibt eine neue Gebundenheit, die mit einer menschlichen Bindung etwa in Form einer Institution nichts gemein hat.119) Sie ist vielmehr die Autorität, die sich aus dem Verhältnis des göttlichen Du zum menschlichen Ich ergibt: Die Autorität dieses Du unterliegt nicht der Zustimmung oder Absage wie jedes menschliche Du. Eine Verbindung zu menschlicher Autorität kann es nur von der Autorität des Gotteswortes her geben.120) Damit ist für den Wirklichkeitsbezug ein neues Ordnungsprinzip gegeben.

5. Zusammenfassung

1. Die Gottesfrage als Frage von Gott her stellt den Menschen mit seiner Kultur und seiner Religion in die absolute Krise, da die Fragwürdigkeit nicht aus menschlicher Eigenmächtigkeit entspringt. Sie geht vielmehr aus dem Entgegenkommen Gottes hervor, der darin eine Unmittelbarkeit schafft, die die gesamte Wirklichkeit in Frage stellt. Die Frage nach „Gott" ist für den Menschen in der Welt deswegen so bedeutsam, weil er mit seiner gesamten Gegenwart hier nach dem Sinn gefragt ist und Wirklichkeit sich erst durch die Antwort auf diese Frage konstituiert.

2. Durch die Frage nach Gott, die eigentlich als Frage „Gott" die Frage Gottes ist, sind Gott und Mensch in einer eine letzte Einigung aussetzenden Dialektik von Weltbejahung und Weltverneinung getrennt. Dieses Gericht Gottes geschieht als ein vorausgehendes Handeln Gottes, dem der Mensch sich als dem Nichts aussetzen muß, was im dialektischen Vorgang dem Ernstnehmen der gegenwärtigen Wirklichkeit als solcher gleichkommt: Gottes Handeln ist „ein Nein, das seinen Sinn allein bekommen kann aus einem diese ganze Welt neuschaffenden Ja". Mit dieser Dialektik geht Gogarten über Barths dualistische Formulierungen hinaus, läßt aber auch das Identitätsdenken beiseite, das ihn früher beschäftigt hatte. Damit schafft er die Voraussetzungen für ein späteres differenziertes Verstehen des Säkularisierungsprozesses: Aus dem Entweder-Oder wird die Haltung der Säkularität hervorgehen, die die Welt als Welt erhält.

3. Vorerst fordert Gogarten dazu auf, daß der Mensch sich in Radikalität zwischen sich selbst und Gott stellen lassen muß in einem „Sich-in-die-Mitte-stellen" der Umkehr. Damit ist jede Kultur in Frage gestellt durch einen Glauben, der erst durch ein totales Entwerten zu einer Gottesbegegnung in geschichtlicher Gegenwart kommen kann.121) Diese Begegnung wäre nicht möglich, wenn die kritische Scheidung von Gott und Welt nur ein Postulat bliebe. Als Frage „Gott" stößt

diese Scheidung in ihrer Wirklichkeitsorientierung aber zur Christologie durch als der unmittelbaren Beziehung zu der Menschwerdung Gottes in dem „Juden Jesus".

5. Die Ordnungserfahrung im religiösen Erlebnis wird damit spezifiziert von der Autorität des göttlichen Du her, das im Kreuz eine neue Bindung schafft.

§ 5. Die kritische Scheidung von Gott und Welt

1. Die Dialektik von Offenbarung und Geschichte

Das Verständnis der Verborgenheit der Offenbarung in Jesus Christus kompromittiert religiöses Denken und Reden und damit ein buchstabenmäßig wahres religiöses Dogma. Diese Offenbarung widerspricht aller Religion, die ein Gottes-verhältnis sucht vorbei an der Geschichte und der „Unlösbarkeit der Problematik unserer Welt". Denn sie nimmt entgegen dem Tun der Religion die ewige Tat Gottes wahr als die Möglichkeit des Unmöglichen in der Menschwerdung Gottes. Diese Wahrnehmung aber ist nicht Ruhe, Sicherheit und Gewißheit, sondern Erschütterung, der fragende, hinweisende Charakter des Glaubens. Als solcher geht der Glaube aber nicht in Projektionen der Idee oder praktischem Idealismus auf, sondern beschränkt sich auf die Positivität des Möglichen und Endlichen, demgegenüber die Krisis der Offenbarung immer wieder Hinweis auf die höchste Wirklichkeit ist, die eben endlich wurde in Jesus Christus.[122]

Von dieser endlichen Erscheinung meint Gogarten, daß sie „Anfang, Mitte und Ende des eigenen Seins und Tuns und Denkens und Anfang, Mitte und Ende von Erde und Himmel"[123] sei und damit Zentralpunkt der Geschichte, nicht aber als ruhender Schnittpunkt kontinuierlicher Linien, sondern als Berührungspunkt divergierender Strahlen, die die Erschütterung durch die Offenbarung und die immer neue Entscheidung darstellen.[124] Die geschichtliche Offenbarung Gottes zu denken ist nur möglich, wenn unser Denken „wie eine zentrifugal rotierende Kugel kein anderes Bestreben hat, als in jedem Augenblick in das Jenseits von seiner Bahn herauszuspringen".[125] Gegenüber menschlichem Denken ist diese Offenbarung etwas grundlegend anderes und neues in der Geschichte und stellt die Geschichte als solche in Frage, bzw. bestimmt ihre Betrachtungsweise neu: Wie für die Geschichte ist die Offenbarung für alles Menschliche Ende und zugleich absolut neuer Anfang. Zwischen jenem Ende und diesem Anfang gibt es keine Entwicklungen: „Da gibt es nur den Hiatus, eben den Tod, das Kreuz".[126]

2. Das neue Verhältnis von Glaube und Welt: Qualifizierte Weltlichkeit

Gegenüber der Bestimmung des neuen Weltverhältnisses in „Religion weither" vom Bußruf Luthers her nimmt seit dem „Bußruf zur Entscheidung"[127] und dem dialektischen Verständnis von Offenbarung und Wirklichkeit das Verhältnis des Glaubens zur Welt eine neue Form an. Durch die dialektische Unterscheidung ist die unkritische Gleichsetzung von Glaube, Kirche und Welt und damit das Sich-Verlassen auf eine vom Menschen zu schaffende Einheit – wie sie als Gefahr auch in der ersten Phase der Entwicklung der Gedanken Gogartens anklang – überwunden zugunsten einer kritischen Scheidung zwischen Gott und Welt.

Trotz der starken Absetzung vom Kulturidealismus und der Akzentuierung der Dialektik von Ende und Anfang stellt Gogarten den Glauben aufgrund dieser Scheidung in die gegenwärtige Wirklichkeit: „Mit diesem Leben, das Jesus Christus uns im Glauben ist, darf unter keinen Umständen, in keinerlei Weise ein Leben neben dem andern, dem realen gemeint sein, in das wir uns in besonderen Andachtsstunden zurückziehen könnten. Sondern es ist unser irdisches, empirisches Leben mit seinem alltäglichen, realen Inhalt gemeint. Denn Jesus Christus ist nicht gekommen, die Frommen zu erlösen, sondern um die Sünder zu erlösen".[128]

Die Kirche hat im Zusammenhang von Sündenoffenbarung und Vergebung allein dienende Funktion: „Denn was soll die Kirche aus dem Evangelium für sich anderes hören, als was sie selbst aus ihm den anderen verkündigt: Sündenerkenntnis und Sündenvergebung"![129] Verzichtet die Kirche gegenüber dem Evangelium auf ihren Machtanspruch, dann führt der Glaube in ein „weltliches Christentum": dieses hat „in gar keiner Kirchlichkeit sein Ziel und sein Wesen . . . , sondern in einer vollendeten, man hat auch gesagt: Qualifizierten Weltlichkeit, die der Universalität seines Schöpfungs- und Erlösungsglaubens entspricht. Ihre Qualifizierung erhielte die Weltlichkeit dieses Christentums eben durch den Gedanken der Schöpfung und der Erlösung, durch Sünde und Gnade".[130] Denn dem Menschen, der dieses Evangelium hört, sind „durch die Vergebung der Sünden die Augen für die Wirklichkeit geöffnet".[131] In diesem kritischen Scheidungsvermögen beschränkt er sich auf die gegenwärtige Zeit, auf die Endlichkeit, in der Gott sich offenbart hat. Als dieser „weltliche Christ" oder, wie Gogarten ihn auch nennt, dieser „protestantische Mensch", entzieht er sich jedem neuen Vergötterungsversuch: „Die Weltlichkeit des protestantischen Menschen ist qualifiziert dadurch, daß ihm die Welt die von Gott geschaffene und die in allen ihren Taten auf Gott gerichtete ist. Sie ist weiter qualifiziert dadurch, daß diese Geschaffenheit der Welt bestimmt ist durch die Schuld. Genauer ausgedrückt: Wir können nicht an Gott, den Schöpfer, glauben, ohne daß wir uns vor ihm schuldig bekennen. . . . Und weiter ist die Weltlichkeit des protestantischen Menschen dadurch qualifiziert, daß ihm im Glauben an die Menschwerdung Gottes dieser Augenblick des Gerichtes zugleich der Augenblick der ewigen Schöpfung ist. So wird ihm in der Erkenntnis der Gnade, die nicht sein kann ohne die Erkenntnis der Schuld, dieser Welt gerade in ihrer Weltlichkeit zu der von Gott ewig geschaffenen. Nur indem er diese Welt nimmt als die durch seine Schuld verkehrte, als die sündige Welt, nur indem er den Augenblick des Gerichtes nicht verläßt und nicht verlassen will, nur indem er also die Welt nicht durch sein Tun heiligen will, nur so wird sie ihm zum Anbruch der ewigen Gotteswelt".[132] Im neuen Verhältnis von Glaube und Welt ist eine Gleichsetzung von Gott und Welt, Mensch und Gott oder Mensch und Welt ausgeschlossen durch die permanente Dialektik von Schöpfung und Erlösung, von Schuldigsein, Ich-Beschränktheit und Vergebung, Ichwerdung durch das Du. Eine so qualifizierte Weltlichkeit verzichtet auf die Schaffung einer vollkommenen Welt und eröffnet damit den Horizont einer neuen Welt.[133]

Diese Erwartung der neuen Welt widerspricht jedem Kulturidealismus, in dem der moderne Mensch versucht, sich selbst zum Gott zu machen, indem er die Kultur sittlich gestaltet. Gegen diese Identifizierung und diese „unkritische Haltung" wendet sich Gogarten mit seiner Dialektik von Du und Ich, seiner kritischen Scheidung von Gott und Welt in einer qualifizierten Weltlichkeit.

Nur in der Dialektik von Ja und Nein, Wertung und Entwertung, von der die Aufforderung zur Entscheidung ausgegangen ist, in der Ambivalenz von Gott und Mensch, Gericht und Erlösung, Leben und Tod in der offenbaren Verborgenheit des Kreuzes sieht Gogarten den Weg zu einem Verhältnis von Glauben und Welt, das als solches nicht Tat des Menschen, sondern Tun Gottes ist.

3. Zusammenfassung

Gogarten kommt jetzt zu einer ersten Konsolidierung seines kritischen theologischen Neuansatzes durch die radikale Frage „Gott", indem er in neuer Weise das Problem der Wirklichkeit und des Weltbezuges bestimmt:

1. Die Offenbarung verändert die Geschichte immer wieder, da sie als die Frage „Gott" mit ihrer Antwort in Jesus Christus alles geschichtliche Geschehen unter den Horizont des Gerichtes, d. h. der Entscheidung stellt.

2. Scheidet der Glaube durch Schöpfung und Erlösung Gott und Welt voneinander, so ermöglicht er einen neuen Weltbezug: Die Wirklichkeit ist jetzt durch diese unterscheidende Dialektik qualifiziert. Überspitzt könnte man sagen: Die geschichtliche Offenbarung verweist an die weltlichen Aufgaben, an das Säkulum!

3. Es ist die Aufgabe der Kirche, das Evangelium so zu verkündigen, daß durch die Wahrnehmung von Schuld und Gnade in der Sündenerkenntnis und -vergebung die Wirklichkeit kritisch erfaßt wird, d. h. Gott und Welt unterschieden werden. Damit kommt es zu einer „qualifizierten Weltlichkeit", die dem Inhalt nach dem späteren Begriff der Säkularität entspricht.

4. In dieser Betonung der Bedeutung einer zu einem neuen Weltbezug führenden Verkündigung deutet sich die bald folgende intensive Beschäftigung mit dem Wort Gottes und dem Hören des Wortes bereits an.

Abschnitt II. Die Bedeutung von Zeit und Geschichte

§ 1. Wirklichkeit und Wort Gottes in ihrer Bedeutung für die Theologie

1. Die Zeitgebundenheit der Theologie

Das vom Bewußtsein der Verantwortung des Glaubens gegenüber der Welt geprägte Denken führt Gogarten in der Mitte der zwanziger Jahre deutlich zu einer selbständigen Weiterführung des theologischen Neuansatzes, der allgemein als „dialektische Theologie" bekannt ist. Diese Selbständigkeit zeigte sich vor allem in den Überlegungen zur Bedeutung des Wortes Gottes, zur Begründung des Ich-Du-Verhältnisses und zum Verhältnis von Glaube und Wirklichkeit und Glaube und Geschichte. Ihren Ursprung haben diese Gedanken in der Bestimmung der Aufgabe der Theologie durch Gogarten: Wenn es Aufgabe der Kirche ist, den Menschen im Glauben vor die Wirklichkeit zu stellen und ihn in einer neuen Wirklichkeitserkenntnis zum Handeln anzuregen, dann muß die Theologie die dazu nötige Vorarbeit leisten, indem sie der „gepflegten Gläubigkeit, die nur die Angelegenheit eines privat und in vom Staat garantierten Ordnungen gesichert lebenden Bürgers oder eines sich von ‚dieser Welt' zurückziehenden Mönchs oder Mystikers sein kann, entschlossen den Rücken kehrt und sich, anders geht das nicht, in strenger theologischer Arbeit zu einem neuen Verständnis des Glaubens, wie Bibel und Reformation es haben, hindurch arbeitet".[134] Nur diese Arbeit verhindert ein Absinken des Glaubens zu einer geschichtsphilosophischen Deutungskategorie, zu dem er für Gogarten in der zeitgenössischen liberalen Theologie geworden ist. Zu verhindern ist dieser Verlust nur durch ein neues Ernstnehmen der Geschichte, durch „ein Denken, das sich ganz auf diese Zeit" konzentriert und „das sich jeder Einstellung auf ein ewiges Wesen, auf ewige Wahrheit entschlägt".[135]

Als menschliches Denken steht für Gogarten diese Theologie immer in der Gefahr, „sich selbst zu sagen" in Form menschlicher Geistesgeschichte; und sie müßte in ihr aufgehen, würde sie ihre Lehre nicht aus dem gesamtkirchlichen Bewußtsein nehmen, d. h. würde sie nicht mit der Kirche hörend unter dem Wort der Bibel stehen. Die Theologie muß also ständig in der Paradoxität der eigenen Aussage oder dem Widerspruch gegen das direkte Verständnis ihrer Aussagen diese Gefahr zu vermeiden versuchen. Das vermag sie, indem sie Gott Subjekt ihres Redens und Denkens sein läßt, d. h. indem sie selbst in der ἀκοή πίστεως stehen bleibt. Damit wendet sich die Theologie gegen jede Weltanschauung, denn sie „ist und bleibt Sorge um das Wort Gottes".[136]

Die zentrale Bedeutung der „Wort"-kategorie für den Wirklichkeitsbezug macht es erforderlich, nach Gogartens Verständnis von Wort und Schrift in den zwanziger Jahren zu fragen.

2. Die Ambivalenz des Gotteswortes in Gesetz und Evangelium

Die Sorge um das Wort Gottes macht für Gogarten schon immer die Tradition der Theologie in der Kirche aus: Nämlich das Verkündigen und Hören des Wortes.

Diese Tradition steht wie die Bibel selbst in der Dialektik des Gotteswortes, d. h.
der Gefährdung, daß das Sich-sagen-lassen in Sich-selbst-sagen umschlägt, daß aus
dem gegen das menschliche Bewußtsein gesprochenen Wort eine Selbsterinnerung
des hörenden Geistes wird. In der kirchlichen Verkündigung wird die Bibel auch
für den Theologen zum Wort Gottes und gewinnt gegenwärtige Bedeutung. In diese
Beziehung zu einer selbst unter dem Wort stehenden Kirche ist die grundlegende
Bedeutung der Bibel für die Theologie einbezogen. In ihrer Abwehr gegen ein
geistesgeschichtliches Verständnis der Bibel kann die Theologie nur Erfolg haben,
wenn sie „die Bibel in ihrem einheitlichen Sinne zu verstehen sucht, nämlich so,
daß Jesus Christus rex est scripturae, qui factus est mihi meritum et pretium
justititiae et salutis. Diese Arbeit muß immer von neuen geschehen".[137] Der so
umschriebene einheitliche Sinn zeigt schon, daß eine Inspirationslehre zum
Aufweis der Wirklichkeit des Wortes Gottes in der Bibel nichtssagend ist; nur die
Verkündigung der Bibel als Wort Gottes selbst in der Verkündigung Jesu Christi
läßt den Glauben an die Bibel als das Gotteswort entstehen: „Denn der wirkliche,
der wirklich-geschichtliche Jesus ist nicht hinter dem Wort, nicht durch das Wort
hindurch zu finden, sondern allein in dem Wort, besser noch: Im Gehorsam gegen
das Wort, durch das er sich als den Christus beweist. Denn er ist der Christus eben
deshalb, weil er das Wort ist".[138] In diesem Wort ist Gott als der Schöpfer
gegenwärtig und nahe, und wird die gegenwärtig erfüllte Verheißung geglaubt,
weil Jesus Christus selbst das Subjekt dieser Gegenwart ist. Zugleich mit diesem
Evangeliumscharakter hat das Wort aber auch die Form des Gesetzes, das nur
Heuchelei und Verzweiflung kennt, weil es in Selbständigkeit das Gebot der
Gottes- und Nächstenliebe erfüllen will. Dieser Gesetzescharakter des Wortes ist
nur vom Evangelium her zu verstehen, wie auch das Evangelium seine Bedeutung
erst von der Erkenntnis der Unerfüllbarkeit des Gesetzes her erhält. Deutlich wird
der doppelte Charakter des Wortes Gottes an der Liebe, „die keinen anderen
Grund hat als den Anspruch des Nächsten an mich, als den Anspruch, mit dem er
will, daß ich für ihn da sein soll, mit dem er mich ruft, den er auf mich geltend
macht, nicht nur auf etwas, was ich ihm geben oder tun soll, sondern auf mich
selbst. Dieser Anspruch ist darum auch auf keine andere Weise zu erfüllen als so,
daß ich mich selbst ihm gebe so, daß ich auf keine Weise etwas für mich selbst
zurückbehalte".[139]

Dieses Sich-weg-geben zeigt deutlich, daß das Wort Gottes nicht Besitz sein kann,
schon gar nicht, weil man eben die Bibel besitzt. Der Herrschaftsanspruch Gottes
kommt in seinem Wort klar hervor durch den Charakter des Wortes als Gesetz
und Evangelium und wird durch die Verkündigung durch Menschen nicht
geschmälert. Hier kommt auch die Stellung des Theologen zum Wort in den Blick.

3. Die Aufgabe der Theologie als Ermöglichung der ἀκοὴ πίστεως

Gottes Wort bleibt seines, weil auch der Verkündiger unter diesem Wort steht.
Denn der Glaube muß sich im Theologen vollziehen, damit er überhaupt als einer,
der das Gesetz erfahren hat, das Evangelium als Betroffener verkündigen kann.

Es ist die von den Theologen wie von der Kirche schwer zu verwaltende Aufgabe, in der Predigt die ἀκοὴ πίστεως zu ermöglichen. Denn Predigt und Hören sind unzertrennbare Teile ein und derselben ἀκοή als des gehorsamen Wortes: In dem Sich-sagen-lassen des Wortes ist Jesus Christus sein Inhalt und so „das Wort, das selbst rechtfertigt. Und nur dann, wenn es einen selbst rechtfertigt, wenn man es sich sagen läßt als das rechtfertigende Wort, nur dann wird man es auch im rechten Sinne als ‚Lehre und das Wort' über die Rechtfertigung verstehen".140)

Was Gogarten in den ersten Jahren seiner „dialektischen Theologie" mit dem Begriff Entscheidung bezeichnet und gefordert hatte, führt er jetzt mit dem Sich-sagen-lassen von Gott her und dem Gehorsam gegen Gott fort. Und hierin, in dem Sich-sagen-lassen von Gott her sieht er die Reinheit der lutherischen Theologie und die Aufgabe der Theologie, damit sie nicht zur Apologetik, Religionswissenschaft oder Weltanschauung wird.

Den Charakter des Hörens im Verhältnis von Welt zu Gott faßt Gogarten schließlich in dem Doppelwort Anspruch/Verantwortung zusammen und erklärt: „Es hat keinen Sinn, davon zu sprechen, daß Gott am Anfang Himmel und Erde geschaffen hat, wenn wir uns nicht verantwortlich wissen dem Anspruch Gottes des Schöpfers, der auch der Herr ist der ganz bestimmten Situation, in der ich mich finde, und der in ihr und nur in ihr seinen Anspruch an uns stellt. Und es hat ebenso wenig Sinn, von Geschichte zu reden, wenn ihr nicht ein zeitlicher Anfang und ein zeitliches Ende durch den Gott gesetzt ist, dessen Anspruch nicht in einer nie zu fassenden und nie zu verwirklichenden Unendlichkeit des Strebens zu verantworten ist, sondern eben in dem, was heute geschieht und morgen geschehen ist".141)

Dieses Verständnis der Geschichte und der Gegenwart aus dem Glauben an Gott den Schöpfer als Anspruch und als Verantwortung, die in Jesus Christus zum Hören und zur Erfüllung gekommen sind, führt zu der Wahrnehmung des Willens Gottes im direkt erfahrbaren Ich-Du-Verhältnis: Dieser Wille Gottes „wird nur in dem Tun erfüllt, das im Hören auf den Anspruch des anderen getan wird. Und nur ein solches Tun ist der Wirklichkeit gemäß, weil die Wirklichkeit dem Menschen ja immer nur im Hören des Anspruches des Anderen gegeben wird".142)

Die Verantwortung dem Anderen gegenüber im gegenwärtigen Augenblick ist die eigentliche Folge des Anspruchs im Wort: Glaube erfüllt sich in der Begegnung mit dem konkreten Du des Nächsten.

4. Zusammenfassung

1. Die Theologie muß die kritische Vorarbeit leisten, um dem Glauben in seinem Wirklichkeitsbezug ein neues Ernstnehmen von Zeit und Geschichte zu ermöglichen. Dabei steht sie selbst unter der ἀκοὴ πίστεως und kann so eine Idealisierung und Illusionierung der Wirklichkeit verhindern.

2. Diesen Schritt von sich selbst weg vermag die Theologie aber nur in der Paradoxität ihrer eigenen Aussagen zu tun. Diese Paradoxität führt sich darauf zurück, daß sich im Wort Gottes Gesetz und Evangelium auf dialektische Weise gegenseitig bedingen.

3. Der Mensch muß sich das Wort Gottes sagen lassen als Aufweis seiner Schuld (Gesetz) und Ansage der Vergebung (Evangelium). Für den Weltbezug meint das, daß für den Glauben in der konkreten Wirklichkeit von Zeit und Geschichte Anspruch als Verantwortung begegnet. Hier ist die frühere Kategorie der Entscheidung (1920) weitergeführt zu einer Hingabe im Bezug zum Du.

4. Damit erfüllt sich der Glaube in der Du-Ich-Beziehung; in ihr artikuliert sich in der geschichtlichen Gegenwart das Hören des Wortes und der Gehorsam.

§ 2. Die erneuerte Du-Ich-Beziehung als Hören des Wortes

1. Die Du-Ich-Beziehung als Anspruch/Verantwortung

Im Du als seinem Geschöpf spricht Gott mit uns, so daß das Ich unlösbar auf das Du des Nächsten bezogen ist. Das Hören auf den Anspruch des Nächsten ist für Gogarten jetzt der „gehorsame Glaube an den Ruf der Stunde als den Willen Gottes".[143)]

Nur im Bezug des Ich auf das Du als Subjekt der Begegnung kann das Wort Beziehung ausdrücken und erweist sich das Hören als unabdingbare Voraussetzung jeder Beziehung. Damit steht die Beziehung der Menschen zueinander vor der so oft als uranfänglich dargestellten Freiheit des Ich. Denn aus der Verantwortlichkeit und dem Anspruch des anderen kann das Ich nicht ausbrechen, da es der Wirklichkeit nicht entfliehen kann. Ebenso wenig vermag es aber auch sich wirklich hörend, d. h. nicht sich-selbst-sagend, gehorsam, also deutungslos und bedingungslos dem Anspruch des Du zu verantworten ohne die Freiheit von der Knechtschaft durch die Vergebung im Wort Jesu Christi.

Diese Verantwortung gegenüber dem Anspruch aber ist die Liebe, die das Gesetz vom Menschen fordert, die er aber aus sich selbst nicht tun kann, sondern die im Glauben geschieht, ausgelöst in dem Anspruch des anderen als dem Anspruch und Geschenk des Schöpfers. Hier allein ist Sprechen und Hören des Wortes Jesu Christi möglich und − im Vollzug − Zeichen seiner Herrschaft. Entzieht der Mensch sich dieser Wirklichkeit der schlechthinnigen Offenheit für alle Menschen in Jesus Christus durch Ich-bezogene Auflehnung, dann macht er den Menschen zum Mittel oder zur Sache. Die Ichverschlossenheit ist die Negation des Glaubens.[144)]

2. Die Situationsgebundenheit des Glaubens

Der Rückzug auf sich selbst widerspricht also der Bestimmung des Glaubens als konkreter Begegnung von Du und Ich: Denn „dieser Glaube ist nicht die allgemeine Annahme einer Hypothese oder eines Mythos von dem Anfang oder der Entstehung der Welt. Sondern er ist die Anerkenntnis der bestimmten Situation, in der ich mich gerade befinde, als zur Schöpfung gehörig, als mir gerade so und nicht anders von Gott bereitet und darum von mir anzuerkennen. Damit ist gesagt, daß es Glauben nur gibt als Anerkenntnis und nicht als Erkenntnis: daß der Glaube also nie ohne ein Gegenüber ist. Er ist nicht ohne Inhalt, nicht ohne Gegenstand. Aber nicht er selbst ist sein Inhalt. Sondern sein Inhalt ist immer nur die konkrete Situation und nie etwas Allgemeines".[145)] Und in dieser konkreten Situation in der Gegenwart ist Begegnung mit dem Du konstitutiv für den Glauben. Damit wendet sich Gogarten gegen ein Glaubensverständnis aus dem geistigen Kern des Menschen, das unweigerlich zu einer Wirklichkeitsferne des Glaubens führt: Denn hier fällt das kritische Moment des Glaubens im Du weg, und Glaube wird zur Innerlichkeit, die zwar die gesamte Welt zu umfassen meint, aber der konkreten Wirklichkeit gegenüber nur Hilflosigkeit kennt. Diese Weltanschauung sieht sich als Herr der Situation.

Der Glaubende dagegen ist Diener dieser Wirklichkeit. „Der Glaube ist also nicht eine neue Ansicht über die Wirklichkeit, sondern er ist ein von Grund auf neues und anderes Verhältnis zur Wirklichkeit. Der, der glaubt, wird durch die Wirklichkeit, die sich im Glauben seiner bemächtigt, ein neuer, ein anderer Mensch, als der er vorher war. Glauben heißt also nicht, sich der Wirklichkeit bemächtigen mit Hilfe einer bestimmten Deutung und Auffassung ihres Sachverhaltes, deren es Tausende gibt".[146] Denn Wirklichkeit meint die durch die Schöpfung konstituierte Gegenwart von Du-Ich-Bezogenheit.[147] Diese Wirklichkeit ist nicht mehr geprägt von Ordnungen, die dem Menschen seine Bedeutung verleihen wie früher einmal, sondern bestimmt durch hörende Menschen, die in ihrem Gehorsam die Wirklichkeit gestalten.

Die Sphäre des Geschöpflichen ist also der einzige Raum der geschichtlichen Wirklichkeit. Sie ist nicht irgendein Vorstellungsgebilde, sondern begegnet im konkreten, wirklichen anderen Menschen, der mit seinem Anspruch Verantwortung hervorruft. Nur Aberglaube könnte hier versuchen, durch ein Schema, das er der Wirklichkeit überwirft, ihrer Herr zu werden und sich dem durch den Anspruch geforderten Dienst zu entziehen.

3. Die Erschließung des wirklichen Du in Jesus Christus

Und doch tritt dieser Aberglaube für den Menschen immer wieder an die Stelle der unvoreingenommenen Wirklichkeitsannahme im Dienst am Du, nämlich in dem Versuch, Herrschaft über andere zu erlangen. Der Mensch könnte nicht mit eigener Kraft aus diesem Aberglauben herausfinden, wenn nicht Jesus Christus der „Mensch schlechthin" wäre, „der die Not der Menschen, und das ist die, daß der Mensch seiner Wirklichkeit auf jede Weise auszuweichen versucht, an seinem eigenen Leben, in seinem eigenen Tun und Leiden, sich erfüllen läßt. So ist er der, der in seiner Gleichheit mit den Menschen — es ist die willentliche Gleichheit des willentlichen, liebenden Sich-gleichstellens — in schärfstem Gegensatz zu den Menschen steht. Aber dieser schärfste Gegensatz Jesu Christi zu den Menschen — es ist sein bedingungsloser Gehorsam gegen den Willen Gottes — ist nicht zu verstehen ohne seine völlige Gleichheit mit ihnen. Und umgekehrt ist diese völlige Gleichheit nicht zu verstehen ohne seinen schärfsten Gegensatz zu den Menschen".[148] Diese christologische Begründung läßt den Glaubenden ganz in der Wirklichkeit aufgehen. Er kann ihr nicht mehr ausweichen, weil in Jesus die Wirklichkeit bereits erfüllt ist. In seinem Wort als Anspruch ist er das Zentrum der menschlichen Existenz in der Beziehung von Du und Ich, von Mensch zu Mensch.[149]

Die Bindung, die für Gogarten zwischen Wirklichkeit und Du-Ich-Beziehung besteht, dürfte in dieser christologischen Auslegung endgültig deutlich geworden sein: Es gibt keinen Weg zur Wirklichkeit über die Abstraktion des Du. Ist aber das Verhältnis zum Anderen offen, dann ist die ganze Wirklichkeit erschlossen.

Diese Begegnung aber ist ein Wagnis: „Denn vor der Gesichertheit, die es in ihr gibt, steht die völlige Ungesichertheit, ja die bedingungslose Preisgabe der eigenen Existenz".[150] Aber nur in „dieser bedingungslosen Preisgabe" eröffnet sich die Wirklichkeit als die Schöpfung Gottes, weil sie Begegnung mit dem Anderen als Geschöpf ist.

In der Anerkenntnis des Du[151] bekommt der Mensch erst eigentlich sein Ich-sein und entscheidet sich für die geschichtliche Wirklichkeit als die einzige Form der Gottesbegegnung.

„Gott erweist sich als mein Herr in den Gelegenheiten meines Lebens, in allem, was mir unter die Hand kommt . . . Und dadurch, daß ich ihn darin meinen Herrn sein lasse, dessen Wille ich tue und auf den ich mich verlasse als auf den, der mir darin das Leben, der mir darin *sein* Leben geben will, liebe ich ihn. Nun sind aber alle Gelegenheiten meines Lebens, ist alles, was mir unter die Hand kommt, bestimmt durch den Nächsten . . . Und darum heißt Gott seinen Herrn lieben *in concreto* seinen Nächsten lieben wie sich selbst".[152] Der Nächste ist entsprechend diesem Wirklichkeitsverständnis der in den jeweiligen Gelegenheiten des Lebens Nahe. Die Liebe zu ihm durchbricht alle eigenen Sicherungen und wird sich selbst durch eine feindschaftliche Reaktion des Du nicht in seiner Wirklichkeitserkenntnis, die Liebe ist, beirren lassen. Denn in der unbedingten Verantwortlichkeit gegenüber dem anderen hat der Mensch seinen Sinn, den er sich selbst nicht geben kann. Diesen Sinn erfährt der Mensch erst, indem Jesus Christus sich ihm als das im anderen begegnende wirkliche Du erschließt.

4. Das Sich-sagen-lassen des Wortes Gottes im Du als fordernder Wirklichkeit

„Der Sinn der irdischen Welt kann nun auf keine Weise mehr sein, daß sie Transparent für eine über sie hinausliegende jenseitige, metaphysische Wirklichkeit ist, sondern ihr Sinn ist lediglich der, daß ich in ihr dem Nächsten begegne, daß sie Raum und Zeit und Gelegenheit ist, in der ich mich als Gehorsamer oder Ungehorsamer beweise".[153] Diese Wirkung des Wortes auf die Wirklichkeit ergibt sich aus dem Hören des Gotteswortes im eigenen gegenwärtigen Leben, in dem die Menschen Vergebung ihrer Sünden erfahren durch ein so gestaltetes Sich-sagen-lassen des Wortes in der Bibel. Diese Bindung von Wort an Wirklichkeit ist für Gogarten ausschließlich: „Immer wieder ist es die Wirklichkeit mit aller ihrer Not, vor der wir bettelarm und ganz und gar hilflos stehen und in die wir unbarmherzig hineingestoßen werden. Denn in ihr allein spricht Gott sein Wort zu uns. Er redet nicht ‚im Winkel‘ mit uns, nicht da, wo wir uns auf uns selbst zurückgezogen haben, um auf die Stimme unseres Inneren zu hören, auch nicht da, wo wir uns durch eine richtige Theologie oder eine rechte Lehre oder gar durch Frömmigkeit und eigene Erfahrung gesichert glauben, sondern nur da, wo wir ganz und gar ungesichert sind, wo wir gar nichts haben, worauf wir uns verlassen können".[154]

Denn eine Trennung von Wort und Tat würde noch nicht die überragende Stellung des Wortes Gottes wahrnehmen: Es steht über Wort und Tat des Menschen und begegnet nur in seiner Komplexheit in der Form der fordernden Wirklichkeit. In dieser Wirklichkeit entscheidet sich der Mensch für Leben oder Tod, indem er sich dem Wort Gottes beugt oder nicht. Entscheidet er sich in dieser Wirklichkeit für das Leben, dann verzichtet er darauf, sich in seinem Denken eine absolute Wahrheit zu geben, indem er versucht, seine Entscheidung auf letzte allgemeine Prinzipien zurückzuführen. Denn durch das Wort Gottes in Jesus Christus und damit durch das im Anspruch zur Verantwortung gestellte Du-Ich-Verhältnis ist diese Wirklichkeit die einzig wirkliche, und es gibt keine hinter ihr liegende, die mit Hilfe der Metaphysik gefunden werden könnte.

5. Zusammenfassung

1. Die Sündenvergebung des Wortes Gottes setzt das Ich frei zum verantwortenden Hören, d. h. zum Du-Bezug. Die Du-Ich-Beziehung ist also bestimmt durch den lutherischen Rechtfertigungsgedanken, der damit auch den Weltbezug bestimmt. Dieser Zusammenhang wird in der Säkularisierungsthese voll zum Ausdruck gebracht werden.

2. Die Wirklichkeitserfassung der Du-Ich-Beziehung ereignet sich in der Liebe als der Offenheit für alle Menschen in der Situationsgebundenheit von Zeit und Geschichte. Damit wird das in der Beziehung von Mensch zu Mensch erfahrene Du spezifiziert als die Autorität des göttlichen Du.

3. Nur in der ständig erneuerten Bereitschaft zum Dienst in der Offenheit gegenüber dem Du kann der Mensch die Wirklichkeit erfassen und sich nicht im eigenen Anspruch des Ich verlieren.

4. Durch Jesu Gegensatz und Gleichheit zu den Menschen kann der Glaube diesen Schwebezustand der Du-Ich-Beziehung als Hören des Wortes erhalten. Gottes Herrschaft ist damit ganz konkret die Du-Ich-Beziehung als Struktur im gesamten Bereich des Wirklichen und nicht eine zeit- und geschichtlose metaphysische Konstruktion.

§ 3. Das durch die Du-Ich-Beziehung eingeschränkte Kirchenverständnis

1. Die Geschichte in der Dialektik von vergangenem Du zu gegenwärtigem Ich

Ihre letzte Eindeutigkeit erhalten Wort und Wirklichkeit — und damit auch Gogartens Gedanken über die Kirche — erst in einer Darstellung seines Geschichtsverständnisses. Das Wort Gottes hatte sich als geschichtliches gezeigt, da es die Wirklichkeit begründet und schafft. Geschichte ist daher nicht verstanden als etwas Vergangenes als bereits Geschehenem, sondern vielmehr als etwas durch das Wort ständig gegenwärtig Geschehendes. Denn im Wort ist Gottes Anspruch auf Herrschaft stets gegenwärtig. Damit ist diese Geschichte ein Geschöpf des Schöpfers und kann als solche nicht ein Deutungsbegriff gegen den Glauben sein; Glaube erhält Geschichte vielmehr in ihrer ihr wesentlichen Offenheit.

Die innere Nähe von gegenwärtigem Geschehen und Geschichte zeigt sich aber noch deutlicher darin, daß Gogarten die Du-Ich-Beziehung als Konstitutive der Geschichte versteht: Geschichte ist die Begegnung von geschichtlich-konkretem Du und geschichtlich-konkretem Ich. Sie ereignet sich als Vergegenwärtigung von Vergangenem, als dialektisches Verhältnis von vergangenem Du zu gegenwärtigem Ich. Diese Dialektik läßt sich nicht aufheben in einer Einheit, in der das Vergangene in der Gegenwart des geschichtlichen Geschehens aufgeht. Menschen können als Geschöpfe in der Geschichte, die als solche ebenfalls Geschöpf Gottes ist, seine Gegenwart nur in dieser Dialektik von Vergangenem und Gegenwärtigem erfahren, die das Gegenwärtige auf Kommendes hin offenhält. Geschichte ist damit eine auf das Personale bezogene Bezeichnung für das Du-Ich-Verhältnis: „Geschichte ist nur, was mich als Vergangenes gegenwärtig zur Entscheidung ruft, was als konkrete Wirklichkeit seinen Anspruch an mich stellt, was mir als Du gegenwärtig begegnet und mich anspricht und mich durch diesen Anspruch unlösbar an sich bindet".[155]

Wo das Vergangene nicht mehr als Gewußtes und kausal Erklärbares, sondern als in der Gegenwart des Ich auf dieses bezogenes, vergangenes Du begegnet, da wird die Wirklichkeit zur Geschichte, zu einer Geschichte, die nicht Entwicklung, sondern Entscheidung ist. In ihr ist das existentielle Problem der Geschichte gelöst, d. h. nur vom Glauben als verantwortlichem Hören des Anspruchs des konkret gegenwärtigen Du her läßt sich Geschichte erkennen.[156]

Insofern dieses Hören aber auch immer Erkenntnis des vorhergehenden Sich-selbst-sagens ist und damit Einsicht in die eigene Sündhaftigkeit und die der Anderen, ist das Hören Unterscheidung von Welt und Welt, Du und Ich, die nur vom Wort Gottes her möglich ist. In diesem Wort wird Geschichte gegenwärtig und als Erkenntnis des Willens Gottes in der unbedingten Verantwortung gegenüber dem Anspruch des Anderen ist diese Vergegenwärtigung der Glaube an den drei-einigen Gott. Dieses Wort „ist die Gegenwart des dreieinigen Gottes oder, was dasselbe heißt, des geoffenbarten Gottes eben in dem Worte Jesu Christi, daß er die Kirche gegeben hat, auf daß sie es verkündige".[157]

2. Die Kirche als deutungslose Beziehung auf das Wort

Die Kirche ist also integrierender Bestandteil des Wortes. Sie ist die auf das Wort hinführende Gemeinschaft, da das Wort als Anspruch des Glaubens nie Wort eines einzelnen, sondern immer nur Wort einer Gemeinschaft sein kann. „Denn ein solches Wort kann nur im Teilhaben an der Geschichte gesprochen werden, die durch den Namen des dreieinigen Gottes bezeichnet ist".[158]

Die Kirche hat also die Aufgabe, durch die Verkündigung des Wortes in der Predigt den Anspruch des Wortes als Verantwortung im Verhältnis des Du zum Ich und in der Vergegenwärtigung des Vergangenen im gegenwärtigen Geschehen deutlich zu machen und damit den Menschen vor die Wirklichkeit als Gottes Schöpfung und Erlösung zu stellen. Inhalt dieser Predigt kann nur Jesus Christus sein als Gegenwärtiger in dem Anspruch des Vergangenen an das gegenwärtige Ich. Es kann ihr nicht um Deutung vergangener Geschichte gehen. Denn das würde voraussetzen, daß man hier zwischen verschiedenen Möglichkeiten wählen könnte und damit eigenmächtig bliebe gegenüber dem Gedeuteten und damit auch unverbindlich. Der Anspruch aber fordert Bekenntnis, das weder eigenmächtig noch unverbindlich sein kann, da es direkt von dem Anderen als Du abhängt.

Solange Jesus Christus also Inhalt der Verkündigung bleibt, besteht nicht die Gefahr, daß die Kirche sich selbst oder sogar das Wort zum Mittel macht, Eigenes zu predigen. Kirchliche Verkündigung führt so in die ἀκοὴ πίστεως, was kritische Aufgabe gegenüber den Menschen wie auch gegenüber sich selbst bedeutet. Kirche ist also da, „wo das Wort Jesu Christi gesprochen und gehört wird und wo in diesem Hören auf das Wort Jesu Christi auch das Wort des Bruders gehört wird".[159]

In Verantwortung gegenüber dem in der Geschichte erfahrenen Du führt die Kirche deutungslos vor die Wirklichkeit. Damit nimmt sie ihre Pflicht wahr, gegen die Vertauschung des Kulturfortschritts mit dem Kommen des Reiches Gottes eben diese Verkündigung zu setzen. Denn es ist gerade die Aufgabe der Kirche, in der deutungslosen Beziehung auf das Wort sich und jenen, denen das Wort gilt, alle Sicherheiten und alle Souveränität zu nehmen und in die unmittelbare Beziehung von Mensch zu Mensch als Ausdruck der Herrschaft Gottes zu führen.

Diese Konzentrierung der Kirche auf das Wort als sündenvergebend und gemeindestiftend begründet für Gogarten gleichzeitig den Verzicht auf Kirchenspekulationen und sakramentalen Reichtum.[160] In beidem könnte das Wort versachlicht werden und damit die Lebendigkeit seines Anspruches in der gegenwärtigen Wirklichkeit verlieren. Dieselbe Gefährdung sieht Gogarten in den Versuchen des Idealismus und Historismus: Birgt der Idealismus die Gefahr, daß „alles zeitliche Leben und Geschehen entwertet und unwirklich"[161] wird, so der Historismus die Möglichkeit des Abgleitens in Geschichtsphilosophie, die als Deutung des Geschehens nicht mehr Glaube und Offenbarung sein kann; es handelt sich bei beidem letztlich „um ein Selbstverständnis des Geistes aus sich selbst und um die Erkenntnis seiner, des Geistes, überzeitlichen Gesetze".[162] Das der Kirche für die Welt anvertraute Wort wird hier dann zum Besitz genauso wie in den Deutungsversuchen der Kirche. Aber nicht in allerlei Deutungen des Wortes, sondern in deutungsloser Beziehung auf das Wort, in dieser Konfrontation mit der Wirklichkeit kann die Kirche das ihr anvertraute Wort selbst hörend verkündigen: „Und es stünde anders um die Kirche und anders um die Welt, die Kirche würde anders die Not der Welt erkennen und für sie das heilende Wort zu sagen wissen, wenn sie es wüßte und von Grund auf wahr haben wollte, daß ihre Not dieselbe ist, wie die der Welt und daß die Not, die Sünde der Welt ein und dieselbe ist, wie ihre eigene, der Kirche Sünde und Not".[163]

Zusammenfassung

1. Die Geschichte ist durch das Wort etwas ständig gegenwärtig Geschehendes, denn der vergangene Anspruch des Du konstituiert die gegenwärtige Verantwortung des Ich.

2. In diesem geschichtlichen Hören des Wortes als einem Sich-sagen-lassen erkennt der Glaubende seine Schuld des Sich-selbst-sagens. Durch diese Spezifizierung kann er Welt von Welt scheiden.

3. Damit ist die Wirklichkeit selbst — und kein abgesonderter Bezirk — Ort von Schöpfung, Erlösung und Heiligung, d. h. Ort der Offenbarung Gottes. Nur im Bezug zur Wirklichkeit kann Gottes Wort gehört werden: Glaube ist also konstitutiv auf Welt angewiesen!

4. Gogarten umschreibt den Glauben an Gott als den Schöpfer hier erstmals als verantwortlichen Wirklichkeitsbezug, der um seine Erlösungsbedürftigkeit in Jesu Gesetzeserfüllung weiß. Dieses spezifische Verständnis des Schöpfungsglaubens spielt in der Systematisierung der Säkularisierungsthese eine bedeutende Rolle.

5. Die Kirche als neue Gemeinschaft hat ihren Sinn im Dienst am Worte Gottes: Sie muß durch ihre Verkündigung die Verantwortung des Menschen immer neu ermöglichen und dabei auf eine Deutung des Wortes durch ihre eigene Existenz verzichten. Denn diese Deutung geschieht in der Beziehung des Du auf das Ich in der neuen Gemeinschaft.

6. Eine Kirchenspekulation verliert den Wirklichkeitsbezug ebenso wie Idealismus und Historismus, da sie im Sich-selbst-sagen stecken bleiben. Hiermit ist das Phänomen des Säkularismus erstmals umschrieben.

Exkurs: Die Kritik von E. Przywara

Die Veränderungen, die die theologische Weiterführung des Neuansatzes durch die Totalität der Gottesfrage für Gogarten gebracht hat, lassen sich deutlich an der Kritik ablesen, die Erich Przywara in einer Reihe von Aufsätzen in den zwanziger Jahren an der „Schule Barth-Gogarten-Thurneysen" übt. Da sie vor allem Gogarten betrifft, soll sie hier in Kürze dargestellt werden, um letztlich die Aussagen Gogartens noch genauer zu profilieren.

1923 sieht Przywara vom lutherischen Ansatz her in der Gottesfrage diese Theologen den falschen Weg von der Allwirksamkeit Gottes zu seiner Alleinwirksamkeit gehen und das ausgewogene Verhältnis von Immanenz und Transzendenz verlieren.[164] Das „passive Ergriffensein vom allein wirklichen und allein wirksamen Gott" und damit die totale Ablehnung alles menschlichen Tuns ist eine Fixierung, die für die Weiterführung des Neuansatzes bei Gogarten nicht mehr zutrifft. Denn Gott und Wirklichkeit, Glaube und Welt sind ihm in dialektischem Zueinander verbunden. Przywara kritisiert dann 1928 an den Ausführungen über Glaube und Geschichte in „Ich glaube an den dreieinigen Gott", daß die Trinität nicht als Gott, sondern als „grenzhaftes Bezugszentrum einer Phänomenologie der sich auf ihn beziehenden Akte"[165] gesehen wird. Er meint darin einen Umschlag von Theozentrik in Anthropozentrik feststellen zu können, gegenüber dem die katholische Spannungseinheit von Transzendenz und Immanenz steht. Dies Urteil ist schwer nachzuvollziehen, da die einzigartige Stellung des Wortes Gottes und sein Anspruch in der Wirklichkeit des vergangenen Du nicht durch diese Überlegungen einer Seinsphilosophie gemessen werden kann. Denn die Spannung von Transzendenz und Immanenz verlagert sich in der existentialen Interpretation in das dialektische Verhältnis von Wort und Hören, Anspruch auf Verantwortung. Mag zu Anfang das Sich-in-die-Luft-stellen die Gefahr einer einseitigen Interpretation in sich getragen haben, so steht Gogarten jetzt im dialektischen Spannungsfeld von Wort und Wirklichkeit, Glaube und Geschichte, das dem Vergleich mit einer bloßen Anthropozentrik nicht entspricht. Denn die Beschränkung auf die Frage vom Menschen her ist Rückbesinnung auf den eigenen Geschöpfcharakter und damit Annahme der Erlösung in Jesus Christus, verkündigt durch die Kirche im Hören auf das Wort. Diese Annahme der eigenen Existenz wagt auf die Gottesfrage keine Definition von Gott als dem Schöpfer, Erlöser und Heiliger, sondern kann in ihrem glaubenden Blick auf die Wirklichkeit als gegenwärtiger Geschichte nur beschreiben, was sie als Schöpfung, Erlösung und Heiligung erfährt.

Przywara sieht die Situation von 1923 wohl richtig, wenn er sagt: „Erst *über* Gottes Offenbarung im ganzen Bereich der Diesseitigkeit atmet der unspürbare Hauch der reinen Jenseitigkeit Barth-Gogarten-Thurneysens".[166]

Damit trifft er aber nicht mehr die Weiterführung Gogartens, der sich durch die Interpretation des Entscheidungsbegriffes in Anspruch/Verantwortung ganz der Wirklichkeit als dem Ort der Offenbarung Gottes geöffnet hat. Diese Kritik an der Kultur ist praktisch — und doch nicht neu kulturbildend. Gott ist für den Theologen Gogarten in dieser Zeit weder ein unerfüllbares Ideal noch verliert er sich durch die Hinwendung zur Wirklichkeit in der Welt. Denn durch das Hören und den damit verbundenen Verzicht auf ein Sich-selbst-Sagen bleibt das Verhältnis von Gott und Mensch in der Spannungsweite der Gottmenschlichkeit Jesu Christi.

Die Kritik Przywaras an Gogartens Theologie als „Entwertung und Entheiligung zum mindesten alles empirisch Geschehenden zu Gunsten einer Alleinwertigkeit eines ‚idealen Sollens'"[167] beruht auf Przywaras Gottesverständnis, das an der ‚analogia entis' als dem Gott über uns und in uns und seiner von hier her geprägten Interpretation des Augustinus-Wortes vom ‚Deus interior et exterior', als Gott in allem und über allem, ableitet. Ein Verständnis dieses augustinischen Satzes von der Bestimmtheit der Wirklichkeit durch die Existenz her scheint für Przywara auszuscheiden. Nur über eine ‚theologia entis' sieht er das Wort aus einer Beschränkung befreit und eine Entleerung der Schöpfung vermieden.

Dennoch scheinen die Positionen Przywaras und Gogartens nicht so weit voneinander entfernt, da beide um eine deutlichere Darstellung des Verhältnisses von Gott und Mensch bemüht sind in einer neuen Beschreibung der Wirklichkeit, in der sich Glaube und Welt treffen. Das kommt vor allem dann zum Ausdruck, wenn Przywara vom „Koheleth-Atem" des menschlichen Tuns spricht[168] und dem notwendig dazukommenden Ja Gottes, dem der Schöpfungs- und Erlösungsglaube bei Gogarten entspricht. Dieser geht aber über Przywara hinaus in der Beschreibung und Bewertung des Du-Ich-Bezuges, der Gott nicht mehr in sich, sondern „in einer letzten innern, innerlich notwendigen Relation zum Menschen"[169] sieht, dabei aber Gott die überragende Stellung beläßt in der Ernstnahme des Glaubens. Przywara aber erblickt hier die Grundlegung eines Subjektivismus, der ihm schließlich − durch den Vorwurf der Anthropozentrik gegen das „ökonomische" Trinitätsverständnis bei Gogarten − auch in dessen theologischer Weiterführung nicht überwunden scheint. Diese Beurteilung dürfte wegen der eigentlichen Nähe in der Sache auf eine verschiedene philosophische Akzentuierung zurückgehen, die von Seiten Gogartens die Existenz des Menschen als Ich und Du in den Mittelpunkt stellt, und damit eine neue Bestimmung von Wirklichkeit und Geschichte, darüber aber nicht die Gottesfrage vergißt, da sie integriert ist in das Bezugsverhältnis von Du und Ich: Sogar mehr als das, weil die Frage nach Gott dieses Verhältnis von Du zu Ich begründet und so eigentlich Wirklichkeit schafft.

Trifft diese Beurteilung der Weiterführung der radikal gestellten Gottesfrage durch E. Przywara nicht Gogartens Ansatz, − zumal die Gottesfrage dazu diente, einen neuen Ausgangspunkt theologischen Redens und glaubenden Handelns zu finden − und ist durch die Hinwendung zur Wirklichkeit die Gefahr des Subjektivismus eingeschränkt, so stellt sich doch die Frage nach den Kriterien dieses Handelns in der Wirklichkeit. Die Anforderung des Du als Anspruch zur Verantwortung in der gegenwärtigen Geschichte zeigt die Richtung und Art des Handelns an. Der Charakter der Forderung ist nur erkannt in dem Wort Jesu Christi, das zugleich Rechtfertigung dieses Handelns ist. Offen bleibt nur das Problem der verschiedenen möglichen Wege zur Erfüllung dieser Forderung und der Möglichkeit, im Versuch des Handelns, zur kritischen Einsicht der Schuld zu kommen. Daß die allgemeine Feststellung des Sich-sagen-lassens und des Sich-selbst-sagens jeweils Anwendung finden kann, ist im Rahmen dieser Theologie klar. Ein weiteres Kriterium liegt in der ganzheitlichen Offenheit gegenüber dem Du, die aus dem gehorsamen Hören folgt, und damit der Liebe des Nächsten als dem gerade gegenwärtigen Du.[170]

Die insoweit angeführten Kriterien werden durch die Aussagen über die Kirche noch erweitert. Die Unmöglichkeit einer Theologie außerhalb der Kirche ist sicher ebenfalls ein Kriterium, wenigstens für den Theologen. Dennoch bleibt es ein offenes Problem, die Wirklichkeit als solche als die Äußerung des Willens Gottes anzunehmen, weil darin das Moment des Verfehlens dieses Willens und der Schuld noch nicht deutlich wird. Gleichzeitig bleibt die Möglichkeit einer falschen Interpretation der Wirklichkeit oder einer blinden Übernahme ungerechtfertigter

Forderungen nicht ausgeschlossen. Dennoch kann die Theologie Gogartens aber nicht als bloß systemstabilisierend verstanden werden, da in der ganzheitlichen Offenheit gegenüber dem Du die Möglichkeiten einer ständigen Umkehr gegeben ist.

Diese noch wenig abgesicherte Argumentation Gogartens ist verständlich, da er sich gegen eine Theologie und eine Kirche wendet, die den von ihm gestellten grundlegenden theologischen Fragen ausweicht. Diese Position der Kritik hält ihn zu dieser Zeit noch davon ab, nach den letzten Kriterien des Handelns in der wirklichen Gegenwart zu fragen,[171] und ein kritisches Prinzip in die Beziehung von Glaube und Geschichte einzubringen.

Das Problem wird sich später durch Gogartens Verhalten während der ersten Monate des Naziregimes und die Konflikte durch die Teilung der evangelischen Kirche akut stellen.

Bevor an diesem Beispiel und seinen Folgen vor allem in den Schriften nach dem Zweiten Weltkrieg eine Antwort auf die letzten Kriterien des Handelns in der Wirklichkeit und damit des Glaubens versucht werden kann, muß die Entwicklung verfolgt werden, die zur Haltung Gogartens 1933 führte; denn aus ihr wird sich später die Ermöglichung dieses kritischen Handelns im geschichtlichen Augenblick ergeben und ein Kriterium für das vom Glauben bestimmte Handeln in der Wirklichkeit der gegenwärtigen Geschichte abzeichnen. Diese Entwicklung auf 1933 hin aber ist durch eine immer deutlicher werdende theologische Anthropologie Friedrich Gogartens gekennzeichnet.

Abschnitt III. Versuche zu einer theologischen Anthropologie

§ 1. Der wirklichkeitsbezogene Mensch

1. Die Analyse der Gegenwart und ihrer Ordnungen

Wie gezeigt wurde, geht es Gogarten in seiner theologischen Arbeit der ausgehenden zwanziger Jahre nicht um eine Anthropozentrik, wie ihm verschiedentlich vorgeworfen wurde. In der Spannung zwischen Wort und Wirklichkeit, Glaube und Geschichte entsteht für ihn vielmehr das Problem, die Möglichkeiten einer theologischen Anthropologie zu klären.

Daß es sich dabei um die Klärung von Begriffen und um das Vorfeld einer systematischen Theologie handelt, weiß Gogarten. Aber es geht ihm hier in erster Linie um den Menschen, mit dem Gott zu tun hat, und der in allem Denken der Theologie auf Gott hin deshalb mit einbezogen ist. Gogarten sieht von der Wirklichkeit der Offenbarung her die grundlegende Bedeutung einer theologischen Anthropologie: „Den Menschen verstehen als den Menschen dieser Geschichte des Abfalls von Gott, die freilich, das ist nun allerdings auch zu sagen, die damit, daß sie als solche von dem am Kreuz gestorbenen Gottesknecht geoffenbart wird, als die Geschichte Gottes geoffenbart wird, der die Welt also liebt, daß er seinen eingeborenen Sohn gab (Jo 3, 16) – ich sage, den Menschen als den Menschen dieser Geschichte verstehen, das ist das Thema einer theologischen Anthropologie".[172] Worum es Gogarten bei dieser theologischen Ausrichtung geht, macht er deutlich in der Besprechung von Barths Publikation „Die christliche Dogmatik im Entwurf", die ihm die Frage der Anthropologie nicht eingehend genug behandelt: „Denn wenn nach einem guten Wort Barths ‚das Menschenwort, das dem Gotteswort Raum schafft, geboren wird in dem Engpaß zwischen dem biblischen Offenbarungszeugnis und dem Menschen der Gegenwart' (S. 422), dann kann auch nur in diesem Engpaß die theologische Arbeit gedeihen. Das heißt nur dann, wenn man sich und anderen deutlich machen kann, wer der Mensch der Gegenwart ist".[173]

Von diesem Gegenwartsbezug der Theologie, der auf dem Hintergrund der bisherigen Darstellungen verständlich ist, spricht Gogarten also in seiner Forderung einer theologischen Anthropologie. Wie Luther und Kierkegaard will er bei dieser Frage nach dem glaubenden und dem sich Gott entziehenden Menschen nicht religionswissenschaftlich und religionsphilosophisch sondern theologisch verstanden werden.[174]

Gogarten hofft durch eine Rückführung des Glaubens auf die Erlösung und der aus ihr verständlich werdenden Schöpfung der Welt wieder ihre grundlegenden Ordnungen bewußt zu machen und sie von den „materialistischen" und „idealistischen Ideologien" wieder zur „nüchternen, vernünftigen Erkenntnis ihrer einfachen Gegebenheiten" zu bringen.[175]

Auch „evangelische Kulturprogramme" gehören zu diesen „idealistischen Ideologien", die das wirkliche Hören auf Gottes Wort unmöglich machen: „Es kann und darf nicht die Aufgabe und Absicht des erlösten Menschen, der Christenheit sein, diese Welt und ihre Ordnungen zu ver-‚christlichen‘, an sie die Maßstäbe ‚christlich-sittlicher‘ Ideale anzulegen. Sondern es kann und darf nur darauf ankommen, die Ordnungen der Welt in ihrer einfachen, natürlichen Gegebenheit zu erkennen. Nur dann, wenn der Erlösungsglaube das tut, nur wenn er den Menschen in aller Demut in die gegebenen Ordnungen und damit mitten in die Welt hineinstellt, so daß das, was der erlöste Mensch da tut, jeder ordentliche Nichtchrist gerade so tun kann und, wenn er seiner vernünftigen Einsicht in die Dinge folgt, auch tun wird, nur dann ist der Erlösungsglaube wirklicher Glaube. Nur dann ist er imstande, das natürliche Licht der Vernunft in der Welt wieder zu entzünden, das heute durch den irrsinnigen Traum von der Freiheit und dem Selbstbewußtsein des Menschen, das heißt von der Göttlichkeit des Menschen ausgelöscht ist“.[176)]

2. Die Bedeutung des Rechtfertigungsglaubens für das Wirklichkeitsverständnis

Dieser „irrsinnige Traum“ ist identisch mit dem Streben des Menschen, sich vor Gott durch sein eigenes Tun zu rechtfertigen. Aber „durch kein Tun kann der Mensch Gottes Willen erfüllen. Er kann ihn nur erfüllen durch ein Nicht-mehr-Tun, das das Sich-Tun-lassen dessen ist, was Gott ihm tut“.[177)] In dieser Haltlosigkeit, im Verzicht auf die eigene Rechtfertigung ist der Mensch mitten hineingestellt in seine Wirklichkeit, die durch die Offenbarung Gottes „alle menschliche Selbstherrlichkeit und Selbstgenügsamkeit“[178)] zerbricht.

Und in diesem Zerbrechen liegt die „Besinnung . . . auf das Leben, das am Kreuz von Golgatha über den Tod gesiegt hat und das allein unser wahres Leben ist“.[179)] Erst in diesem Zusammenbruch alles menschlichen Tuns, im radikalen Rechtfertigungsglauben, ist der Verweis auf ein nüchternes Verständnis der Wirklichkeit gegeben, das nicht mehr die eigene Begründung in dieser Wirklichkeit sucht, sondern in ihr als Gottes Offenbarung schon jeweils hat, nämlich als Anfechtung.

Die so beschriebene Wirkung des Rechtfertigungsglaubens hebt die weltanschauliche Sicherung des Glaubens auf. Durch die in der Verborgenheit Gottes in Jesus Christus erschlossene Geschichte erhält die Wirklichkeit einen neuen Sinn. Deshalb muß die Theologie auch „ihren Ansatz in dieser dem unbekannten Gott erschlossenen Geschichte suchen. Sie tut dann nur, was Luther von ihr gefordert hat: Sie beginnt nicht *a summo,* sondern *ab imo*“.[180)] Im Ausgang „ab imo“ zerbricht die Geschichte wie der gegenwärtige Mensch an Gott: Darin aber erschließt sich ihr Sinn. Denn das Zerbrechen macht „die Wirklichkeit des menschlichen Lebens als verantwortlich offenbar“.[181)] Und diese Verantwortung entsteht dadurch, „daß man die Geschichte erkennt und versteht, die in der Schrift bezeugt wird, und daß einem diese Geschichte zur eigenen wird“.[182)] Auch die Theologie muß bei ihrer Formulierung eines Bekenntnisses diese Verantwortung wahrnehmen. „Es bleibt also gar nichts anderes übrig, als daß die Theologie in aller Bewußtheit ihre Arbeit im Zusammenhang und in der Auseinandersetzung mit den geistigen Bewegungen der Gegenwart tut. Sie muß schon auf das hören, was diese Zeit geistig beherrscht, und sie muß ernst nehmen, was diese Zeit bitter ernst nimmt, wenn sie den Menschen dieser Zeit sagen will, was ihnen zu sagen ihre Aufgabe ist".[183] Ohne diesen Bezug auf die jeweilig gegenwärtige Wirklichkeit würde sich rechtfertigender Glaube verlieren. Denn nur im geschichtlichen Augenblick ist Vertrauen auf den schaffenden und darin rufenden Gott möglich, nur hier ist das Bekenntnis zum Wort Gottes keine Farce. Allein in dieser Wirklichkeit gibt es Schuld und Vergebung, Gesetz und Evangelium. In ihr hat sich die Theologie mit der Weisheit auseinanderzusetzen, „mit der je eine Zeit in die Fraglichkeit menschlicher Existenz eine Antwort zu geben versucht".[184]

Denn der Rechtfertigungsglaube läßt es nicht zu, den Glauben mit einer Zeitgemäßheit zu vertauschen. Denn er meint den Menschen „nicht so, wie er in der Welt lebt, sondern so, wie er Gott gegenübersteht. Aber wir stehen ja nicht außerhalb der Welt Gott gegenüber, sondern mitten in der Welt ... Wir haben in der Welt mit Gott zu tun da, wo die Tiefen unserer Existenz aufgeschlossen sind, wo die Gründe sichtbar werden, auf denen sie ruht, in die sie verwurzelt ist und sein muß, wenn sie nicht zu einem tollen und wilden Wirrwarr werden soll".[185]

Diese Grundlagen der Existenz sind die Gegenwärtigkeit des Heils als Ermöglichung der Gottesbegegnung. Dieses Wirklichkeitsverständnis von der Gegenwärtigkeit des Heils her verweist aber auch auf seine Zukünftigkeit, das heißt die Erwartung der Erlösung.[186]

Zusammenfassung

1. Das Ziel einer theologischen Anthropologie ist es, den Menschen in seiner Abwendung von Gott zu sehen, was auf der anderen Seite heißt, Gott in seiner Zuwendung in Jesus Christus zu erkennen.

2. Dazu muß erst einmal der Mensch der Gegenwart in seinen Ordnungen erkannt werden. In diesem Erkennen erweist sich bereits der Widerspruch zwischen den geschichtlichen Ordnungen und dem widervernünftigen Freiheitswahn des modernen Menschen. Hier bereitet sich die kommende Interpretation des Gesetzes und der Herrschaftskategorie vor.

3. Da diese Erkenntnis der Ordnungen nur innerhalb des gegenwärtigen Geschehens gewonnen werden kann, stellt der Erlösungsglaube den Menschen mitten in die Welt.

4. Hier schafft der Rechtfertigungsglaube ein Korrelationsverhältnis zur Wirklichkeit, das in seiner kritischen Anlage dem Phänomen der Säkularität entspricht: Der Glaube kann so nicht umschlagen in eine Zeitgemäßheit oder eine Weltanschauung, da er im gegenwärtigen Augenblick keine endgültige Sicherung findet.

5. Gerade darum kann der glaubende Mensch aber — nur gesichert durch den Anruf des Wortes Gottes — sich im Du des geschichtlichen Augenblicks, mitten in die Welt begeben, d. h. sich durch Zeit und Geschichte angehen lassen.

§ 2. Die Politische Ethik

1. Das Politische als Konsequenz des Ich-Du-Verhältnisses

Hatte sich im vorigen Abschnitt gezeigt, daß das Wirklichkeitsverständnis des Rechtfertigungsglaubens Geschichte erst eigentlich ermöglicht, so wendet Gogarten in dem, was er 1932 als „Politische Ethik" veröffentlicht, diese Erkenntnis der Zeitgebundenheit des Glaubens extensiv auf das Verhältnis zum anderen an. Vom Gedanken Luthers her, der alle Menschen in der gegenseitigen Abhängigkeit durch die Hörigkeit sieht, beschreibt Gogarten den Menschen als politisches Wesen „in dem Sinn, in dem der Mensch von Gott als politisches Wesen, das heißt gebunden an seinen jeweiligen Nächsten, von ihm her lebend und seiend, von allem Anfang an geschaffen ist und wie der Mensch von ihm erhalten wird".[187]

Nur in dieser Gemeinschaft ist die Selbstbehauptung des Menschen überwunden und politische Existenz möglich. Den Inhalt der neuen Gemeinschaft faßt Gogarten unter dem Begriff „polis" zusammen: „In der Polis ‚gibt' es den Menschen immer nur als hörigen. Denn sie hält den Menschen in der Hörigkeit: Als Glied der Polis ist er nicht für sich, sondern ist er je vom andern her".[188] In diesem grundlegenden Sein erfährt der Mensch Begrenzungen aufgrund von Verantwortungen, die er vom anderen her hat, und in seinem Gehorsam eine endgültige Grenze gegenüber Gott. Diese letzte Grenze wird aber nur deutlich in den zeitlichen Begrenzungen, die wiederum nur vom endgültigen Hören her ihren Sinn erhalten.

Diese Struktur der Wirklichkeitserfahrung wird deutlich an dem Ineinander von Gottes- und Nächstenliebe, das Grundlage der politischen Existenz des Menschen ist: „Gott schafft die Menschen, indem er ihnen die Liebe zum Leben gibt. Das Leben, so wie er es ihnen gibt, ist Liebe. Nicht nur so, daß er die Menschen liebt, sondern indem er sie, sie liebend, schafft, gibt er ihnen, daß sie in der Liebe zueinander das Leben haben. Indem er sie von ihm her seiend für ihn da sein läßt, gibt er ihnen, daß sie voneinander her seiend füreinander da sind".[189]

2. Das Gesetz als Begründung der Herrschaft des Staates

Die zeitlichen Begrenzungen, d. h. die ethischen Forderungen des Gesetzes haben aber ihren Ursprung nicht in dieser im Ich-Du begründeten Existenz. Sie gewinnen ihren Einfluß erst durch den Widerspruch zur politischen Existenz, das heißt durch das Böse-Sein. In ihm tritt jetzt das „Du sollst" als Gesetz entgegen.

Aufgabe des Staates ist es nun, als Vertreterin der Polis durch ihre „Man tut das und das"-Forderung die Macht des Bösen zu bannen. Die staatlichen Ordnungen bestehen also um der Sündigkeit des Menschen willen, und erfüllen nur von ihr her ihren politischen Sinn. Die Aufgabe des Staates, der Obrigkeit ist es also, das Vom-andern-her-sein und das Für-den-anderen-dasein in den äußeren Erscheinungen zu schützen, den Haß und das Gegeneinandersein im staatlichen Gesetz einzuschränken. Die Funktion des Staates ist innerhalb des politischen Raumes, der die

Existenz total umgibt, von großer Bedeutung: Denn der Staat übt durch seine „Man tut das und das"-Forderung Herrschaft aus und profiliert so den ihm gegenüberstehenden Glauben.

Anders ausgedrückt: „Da, wo man Autorität und Gehorsam in ihrem eigentlichen, also seinsmäßigen Sinn für das menschliche Leben wesentlich behauptet, da versteht man den Menschen so, daß er sein Sein je vom anderen her hat".190)

Diese politische Existenz, so folgert Gogarten unter dem Eindruck der zeitgenössischen Verwirrung, macht wegen der Sünde des Menschen die grundsätzliche Forderung autoritären Zwanges notwendig. Sie schränkt die Freiheitsforderung humanistischen Denkens ein. Denn diese Forderung ist die des „homo faber", der über sich und die Welt zu verfügen meint: Anstatt über sich selbst zu verfügen, verfällt er der „Despotie der sogenannten Verhältnisse".191) Denn hier vergißt der Mensch die grundlegende Funktion des Glaubens „jene Erkenntnis offen zu halten, die der Mensch im Hören auf die Forderung des ‚Du-sollst' macht. Das ist die Erkenntnis der Verfallenheit an die Macht des Bösen".192)

Nur in dieser Erkenntnis und dem Wissen um die Erlösung gibt es Freiheit: Sowohl Freiheit von der Verfallenheit an das Böse als damit auch Freiheit vom Gesetz und damit der Autorität des Staates.

Diese Freiheit ist nur möglich wegen des Rechtfertigungsglaubens, der die Hörigkeit der „Du-sollst"-Forderung nicht mehr zur Knechtschaft werden läßt. Der aus dem Ich-Du-Verhältnis abgeleitete Gedanke des Gehorsams wird hier zu einem systematischen Begriffsfeld von Gesetz und Evangelium erweitert und auf das allgemein Politische angewandt.

In der „Du-sollst"-Forderung ist also die Funktion des Gesetzes zugrunde gelegt. Denn das Gesetz ist das in die „Man tut das und das"-Forderung umgesetzte „Du-sollst", ist die Bewahrung des durch den Glauben Gerechtfertigten vor großer Schuld, die er im Sich-Versagen gegenüber dem ihn fordernden Anderen auf sich lädt. Um dieser Schuld willen gibt es das Gesetz und um ihretwillen besteht die Notwendigkeit der Erfüllung des Gesetzes.193)

Hat so das Gesetz einerseits die Funktion, den Blick auf das Herrsein Gottes offen zu halten, so dient es andererseits dem Aufbrechen des Selbstgefühls derer, die sich selbst zu genügen meinen. In diesem Aufbrechen erfährt dann der Mensch, „daß ich Gott hörig bin, daß ich in Gottes mich wollendem Willen meine Existenz habe".194)

Das Gesetz als solches ist aber nie eindeutig: Denn so, wie es seine Funktion ist, den Menschen auf die frei gewählte Hörigkeit gegenüber dem erlösenden Gott hinzuweisen und diese Hörigkeit ihn vor einer Verwechslung von Welt und Gesetz bewahrt, so kann dasselbe Gesetz ihn — wie auch die Herrschaft des Staates selbst — aus dem politischen Bereich herausführen zu einer Abgeschlossenheit in sich selbst in dem nicht zu erfüllenden Versuch der Gesetzeserfüllung, dem Versuch, in der Erfüllung des Gesetzes ewiges Leben, Erlösung zu erreichen — selbst in der Form des ideologischen Staates.

3. Der Verzicht auf die menschliche Selbstmächtigkeit

Aufgrund dieses Verständnisses des Politischen und des Gesetzes hinterfragt der Glaubende die Selbstverständlichkeiten seiner Zeit: Denn Wahrheiten, Ordnungen und Gültigkeiten einer jeden Zeit müssen offen gehalten werden für die von Gott herkommende endgültige Wahrheit, die Erlösung von der Sünde, die diese Selbstverständlichkeiten der menschlichen Selbstmächtigkeit entzieht.

Nur im Verzicht auf die eigene Selbstmächtigkeit kann der Mensch vor Gott zu sich selbst kommen. Nicht die Erfüllung der vielen Forderungen des Gesetzes ist also Hinwendung zu Gott, sondern der Verzicht auf das eigene Selbstvertrauen. Die Humanität – als Grundlage dieses Bauens auf die Selbstmächtigkeit – hat nach Gogartens Meinung durch den Ersten Weltkrieg und seine nachfolgenden Ereignisse – vor allem durch den Versailler Vertrag und seine Folgen – einen solchen Stoß erfahren, daß die Menschen wieder zurückfinden müssen zu ihrer ursprünglichen Abhängigkeit und der darin grundgelegten politischen Art ihrer Existenz.[195]

Sie müssen bei Luther wieder lernen, daß der Mensch zwar für sich verantwortlich ist, nicht aber vor sich, sondern vor Gott, und in ihm vor der in Jesus geschehenen Erlösung.[196] Aufgabe der Kirche und der Theologie ist es, im Bewußtsein der Gefahr der Knechtschaft unter dem Zeitgeist „in der verantwortlichen Bestimmtheit durch die eigentliche Not der Welt, und das ist ihr gewissensmäßiges in sich selbst Gefangensein, ihr das Wort" zu sagen, „das sie erlöst".[197] Gogarten sieht aber die Kirche und die Theologie seiner Zeit ebenfalls in sich selbst gefangen, verstrickt in dem Vertrauen auf ihre eigene Selbstmächtigkeit: „Und diese Tatsache, daß heute in der Theologie und dementsprechend in der Kirche das Evangelium individualistisch und darum unpolitisch verstanden wird, ist der eigentliche Grund dafür, daß die Kirche heute der Welt nicht leisten kann, was sie ihr als die, die Gottes schaffendes, erlösendes und heiligendes Wort zu verkündigen hat, leisten sollte".[198] Würde sie es leisten, dann könnte sie den Menschen als den herausstellen, der sich selbst nur verstehen kann, wenn er sich von seinem Mit-den-anderen-Menschen-Sein her sieht; und nur so ist Geschichte möglich und verstehbar, nicht aber allein vom Individuum her.[199] Die Privatisierung des Glaubens führt zu seinem Verlust und so schließlich zur Despotie des Gesetzes.

4. Die Hörigkeit gegenüber dem Du

Die bisherigen Darlegungen über die politische Ethik machen deutlich, daß es sich bei ihr um eine Weiterführung und Neuinterpretation des Ich-Du-Verhältnisses der zwanziger Jahre handelt. Über die Frage nach dem Menschen der Gegenwart als der Frage nach einer theologischen Anthropologie kommt Gogarten zu einer Zuspitzung seiner Theologie in dem Versuch einer Antwort auf diese Fragen: Die Einschätzung der Autorität und des Gesetzes vom Rechtfertigungsverständnis her und die überpointierte Betonung von Gottes Herr-Sein verwerfen die Selbstmächtigkeit und ermöglichen eine politische Existenz, ein Von-einander-her-sein.

Diese politische Existenz sieht Gogarten im trinitarischen Verhältnis des Sohnes vom Vater her vorgezeichnet. Die diesem Verhältnis zugrundeliegende Liebe ist Voraussetzung für die Hörigkeit gegenüber dem Du, die sich äußert „wo ein Mensch in seiner ganzen Existenz bestimmt ist von einem Anderen und wo er sich dieser Bestimmtheit nicht widersetzt, wo er auf jegliches An-und-für-sich-sein verzichtet. Dieses vorbehaltlose Mit-dem-Andern-sein, Von-dem-Andern-her-sein ist Liebe. Echte Liebe kann darum unmöglich in dem An-und-für-sich-sein des Menschen begründet sein. Ein Mensch, der liebt, hat sich seines An-und-für-sich-sein-wollens, seines Frei-sein-wollens begeben. Denn er ist nun in seinem Sein bestimmt von und aus dem Andern und nicht mehr aus sich selbst".[200]

Das Mit-dem-Andern-sein ist nur möglich durch das vorgängige Für-uns-sein Gottes und damit Ausdruck für das Sein des Menschen von Gott her. Die Hörigkeit Gott gegenüber wird erst wirklich in der Hörigkeit gegenüber dem jeweiligen Du. „Das heißt aber, als dieser selbst bin ich meiner Verfügung entnommen; ich gehöre nicht mir, sondern ich gehöre dem, dem ich verantwortlich bin; als dieser selbst bin ich dem Anderen hörig, und ich bin ihm dafür verantwortlich, in welcher Weise ich ihm hörig bin".[201] Nur im Verstehen vom „Grundwort Ich-Du" her erschließt sich die Wirklichkeit und in ihr Gottes Wille, das heißt, wenn menschliche Existenz nicht mehr im Verhältnis „Ich-Es" der Natur gegenübergestellt wird. Denn das Mit-einander-sein ist der stets neu einsetzende Versuch, „Gottes Willen als Forderung und Gabe, Gesetz und Evangelium"[202] zu folgen. Das Leben, die Wirklichkeit, vollzieht sich in diesem Übergang, geschieht zwischen Du und Ich und zwar nicht Kraft der Verfügung des Ich, sondern aufgrund der schon bestehenden Verantwortung vor jeglicher Entscheidung. Vieles von der ursprünglichen Ich-Du-Lehre ist hier also wieder aufgenommen bei einem erneuten Versuch, Mensch und Wirklichkeit in einem gemeinsamen Bezugsfeld zu sehen. Als neues kritisches Moment ist das Gesetz herausgearbeitet worden, das den Menschen in seiner Selbstherrlichkeit blamiert und unterjocht. Handeln des Glaubenden wird durch diese Erkenntnis in eine ethische Dimension gestellt.

5. Die Ungesichertheit der politischen Existenz

Das, was Gogarten unter Ethik versteht, kann für ihn nur eine Explikation des angeführten Politischen sein, d. h. eine Explikation der Feststellung der gegenseitigen Hörigkeit. Wegen der Bosheit der Menschen verwirklicht sich diese Hörigkeit zumeist im Verhältnis zu den Gesetzen des Staates, da allein hier dem Auswuchern der Individualisierung eine allgemeingültige Grenze gesetzt ist. Denn nur hier kommt, wie schon dargelegt, die „Du-sollst"-Forderung zur Geltung als das Verlangen des „Man tut das und das". Und weil ihre Grundlage das „Du sollst" Gottes ist, haben die „Man tut das und das"-Forderungen der staatlichen Gesetze ethische Relevanz.

Es gibt keine Identifizierung mit ihnen und keine Gesicherheit durch sie. Denn diese Gesetze stehen wie die menschliche Geschichte selbst in der Gefährdetheit der Verkehrung. Im Wirklichkeitsbezug der Ethik gibt es den Menschen nicht mehr ganz als „alten Menschen", noch ganz als „neuen Menschen". Denn „das Leben, zu dem der neue Mensch kommt", ist wegen der Ungesichertheit der politischen Existenz „für ihn da in der Hoffnung; eben: Er kommt zu diesem Leben".203)

Im gegenwärtigen, ungesicherten Augenblick fragt der Mensch also nach dem Willen Gottes, der aus der Wirklichkeit, der politischen Existenz in der Hörigkeit gegenüber dem Du deutlich wird. Das Gesetz hält dabei offen für die Forderung Gottes und schafft so Kriterien, die Selbstverständlichkeiten der Zeit zu hinterfragen oder mit Gogartens Worten: „Aus dem geschichtlichen Augenblick heraus, so wie wir ihn verstehen, die Frage nach Gottes Willen stellen, das heißt also, nach Gottes Willen fragen in dem Wissen um die uns heute von Gott gestellten Aufgaben, aber ohne daß wir diese Aufgaben als Kinder unserer Zeit aus den Selbstverständlichkeiten dieser Zeit verstehen, sondern so, daß wir fragen, ob wir uns in diesen Selbstverständlichkeiten in der Weise selbst verstehen, wie wir in und aus Gottes Willen wir selbst sind".204)

6. Zusammenfassung

In der Klärung der politischen Existenz versucht Gogarten in diesen Jahren den Weltbezug des Glaubens zu formulieren, der durch die Selbstmächtigkeit des Menschen gestört ist:

1. Der Mensch hört das Wort Gottes im geschichtlichen Du und steht damit als politisches Wesen in der Hörigkeit als Abhängigkeit vom Du des Nächsten.

2. Diese Abhängigkeit in Form der Verantwortung gegenüber den Anderen hat seinen Grund in der Liebe Gottes, die die Menschen voneinander her und so füreinander da sein läßt.

3. Im Versuch der Existenzbegründung allein im Ich widerspricht der Mensch der für ihn grundlegenden politischen Existenz. Diese Verschuldung gegen die personale Verantwortung macht die Gesetzesforderung des Staates in Form des „Man tut das und das" notwendig.

4. Diese Autorität und Herrschaft des Staates soll das Gegeneinander der Menschen einschränken und das in der Wirklichkeitsbeziehung des Glaubens bestehende Für-den-anderen-da-sein schützen.

5. Damit überträgt Gogarten die Problematik von Gesetz und Evangelium – herkommend von seiner Anwendung des Rechtfertigungsglaubens auf das Wirklichkeitsverständnis – auf die „Du sollst"-Forderung der staatlichen Herrschaft (Gesetz) und das Voneinander-her-sein und Füreinander-da-sein der politischen Existenz (Evangelium), die zur neuen Umschreibung des Du-Ich-Bezuges wird.

6. In der Gestalt des Gesetzes kann und darf die Herrschaft des Staates aber nicht mehr als ein Anstoß sein, die freigewählte Hörigkeit gegenüber Gott in der Verantwortung gegenüber dem Du zu verwirklichen.

7. Denn nur diese Bindung bewahrt vor dem Säkularismus, der Gesetz und Welt miteinander verwechselt und dann versucht, in Selbstmächtigkeit der Herrschaft des Staates so weit Genüge zu tun, daß der Staat zum Selbstzweck wird.

8. Der wirklichkeitsbezogene Mensch verzichtet auf jede Form des An-und-für-sich-sein-wollens, da er die Wirklichkeit in der Beziehung zum Du erfaßt. In dieser Säkularität sind alle Selbstverständlichkeiten hinterfragt.

9. Das Gesetz und die Herrschaft des Staates haben also ganz allein die Funktion, den Menschen immer wieder offenzuhalten für die Erkenntnis seiner Ungesichertheit, Ausgegrenztheit und Gefährdetheit (Sünde) und so auf den zum Leben kommenden „neuen Menschen" hinzuweisen.

Nur in diesem differenzierten Verständnis der politischen Existenz kann man den konkreten Wirklichkeitsbezug Gogartens in der kirchenpolitischen Situation Anfang der dreißiger Jahre verstehen, nämlich als eine Auslegung seines Verständnisses vom Verhältnis von Glaube und Welt.

§ 3. Die Bewährungsprobe der Herrschaftskategorie

1. Die Unterscheidung von Staat, Gesellschaft und Kirche

In seiner politischen Ethik wollte Gogarten eine Metaphysizierung und Moralisierung des Evangeliums vermeiden und den Glauben für die Probleme der Gegenwart öffnen. In diesem Versuch sieht er sich zu Anfang 1933 konfrontiert mit der staatlichen Entwicklung in Deutschland, mit der Übernahme der Staatsgewalt durch die Nationalsozialisten und mit dem Konflikt innerhalb der deutschen evangelischen Kirche.

Von seinem theologischen Standpunkt einer politischen Ethik her wird eine Stellungnahme notwendig und manche meinen, daß er — trotz eines neuen kritischen Prinzips im Gesetz — nochmals wie zu Beginn des Ersten Weltkrieges in eine nachher nicht zu verantwortende Euphorie für den Staat und das Nationale verfallen sei, dieses Mal nicht aufgrund einer als Ordnungsgrenze verstandenen Nation, sondern wegen einer Überbetonung der Herrschaftskategorie. Um die Motivation von Gogartens Haltung zu den „deutschen Christen" und der „jungreformatorischen Bewegung" noch deutlicher werden zu lassen, muß sein Staatsverständnis genauer dargestellt werden, als es schon vorher im Zusammenhang mit dem Gesetz geschehen ist. Gogarten unterscheidet den Staat streng von der Gesellschaft: Im Staat ist der Mensch einer Macht untertan, in der Gesellschaft versteht er sich als seiner selbst mächtig. Das seit Jahren auf Lösung wartende soziale Problem kann nach Gogartens Auffassung nicht von einem Gesellschaftsverständnis, sondern nur von einem Staatsdenken beseitigt werden, das Herrschaft und darum auch Autorität kennt. In der Gogarten eigenen Interpretation von „politisch" gesehen sind Staat und Gesellschaft zwei verschiedene Erscheinungsformen des Gesetzes, und als solche haben sie teil am Schöpfungsverhältnis Gottes zu den Menschen.[205]

Der Staat ist „eben, wie Burckhardt sagt, ein ,Notinstitut' . . . oder, wie die Alten sagten: *poena et remedium peccati*. Es wird durch ihn in der Tat nur ganz äußerlich eben nur durch seine Zwangsgewalt, durch das Schwert das Von-einander-her und Für-einander-da-sein gewahrt. Der Staat ist um des Bösen willen da, um dem offensichtlichen, dem ganz äußerlichen Unrecht zu wehren".[206] Seine Aufgabe ist es die „ganz äußerliche Hörigkeit" zu erhalten, da die Menschen sonst „die Sklaven der Dinge und so zwangsläufig verantwortungslos gegeneinander" werden.[207] Die Erkenntnis, daß sie ihr Leben durch den anderen als Schöpfungsgabe Gottes haben, bleibt nur im Staat erhalten. Der Staat ermöglicht in dieser Weise die Existenz der Menschen, gefährdet sie als Verkörperung des Gesetzes aber gleichermaßen. Denn der Staat wird „die Hand nach der ewigen Herrschaft über den Menschen über seine Seele und sein Gewissen" ausstrecken, „wenn nicht die Kirche das Zeugnis von Gottes erlösender Herrschaft über das Gewissen der Menschen und damit das Wissen um die teuflische Macht des Bösen lebendig erhält. Ohne die Kirche, die das tut, zerstört das Böse auch den Staat".[208] Gogarten sieht, das sollte man nicht verkennen, die Gefahr des totalitären Staates, der — wie das fordernde Gesetz — den Menschen unterjocht. Aber wie die Rechtfertigungsgnade dem Gesetz seine vernichtende Kraft nimmt, so ist – in gewissem Maße vergleichbar – die Aufgabe der Kirche im Gegenüber zum Staat bestimmt: Denn die Kirche bricht die Macht der Sünde „durch die Verkündigung des Evangeliums im Glauben an ihren himmlischen Herrn";[209] der Staat hingegen bannt nur das Böse, so wie es das Gesetz tut.

Die eigentliche Aufgabe des Staates ist es also, mit Hilfe des Gesetzes das Verständnis des Menschen für den anderen offen zu halten, und ihn so dem privatisierten Dasein zu entheben.

Diese gemeinschaftsbildende Funktion des Staates sieht Gogarten seit Beginn der Herrschaft der Nationalsozialisten erfüllt, die den privaten Menschen hinter dem in der politischen Verantwortung stehenden zurücktreten läßt. Für die Kirche ist das ein Signal, den totalen Anspruch des Evangeliums wieder wahrzunehmen und herauszustellen, damit nicht „eine politische Bewegung auf das kirchliche Gebiet übertragen wird, und das kirchliche Tun politischen Gesetzen und Einflüssen unterworfen"[210] wird. Gegenüber dem neu empfundenen Anspruch des Staates muß die Kirche den Herrschaftsanspruch Jesu Christi setzen. Dieser Anspruch trifft den Menschen zwar ebenso in seiner irdischen Wirklichkeit; aber diese im Glauben an Jesus Christus empfangene Existenz, seine politische Existenz, unterliegt nicht dem Anspruch des Staates: „Sie ist seine ganze *irdische* Existenz, aber sie ist nicht seine *ganze* Existenz. Das Gesetz, das in ihr regiert, herrscht in seiner ganzen *irdischen* Existenz, aber es herrscht nicht, es darf um seines ewigen Heils willen nicht in seiner *ganzen* Existenz herrschen. Es herrscht um der Sünde willen".[211] Und ihr und dem sündigen Menschen gegenüber hat die Kirche die Aufgabe der Verkündigung der Rechtfertigung in Jesus Christus, das heißt der Verkündigung der Vergebung, die sie gegen jeden anderen Totalitätsanspruch zu verteidigen hat, sei es dem eines ideologischen Gesellschaftsverständnisses oder dem eines totalitären Staates.

2. Der staatliche Schutz der politischen Existenz in der nationalen Ehre – Gesetzeserfahrung

Dieser Anspruch der Kirche verneint nicht die Existenzermöglichung durch den Staat, sondern schränkt ihn auf den Bereich der Ehre ein, „die Voraussetzung ist für Vertrauen, Liebe, Befehl, Gehorsam, Treue usw.".[212] Diese Ehre als Kern des Nationalen steht nämlich in der Gefahr, daß sie „eine mehr oder weniger willkürlich erdachte Idee von der Eigenart eines Volkes wird".[213]

Das Volkstum, das Nationale haben wohl im Rahmen des Staates eine untergeordnete Form der Existenzermöglichung.[214] Aber das Volksgesetz hat für Gogarten die gleiche „Man tut das und das"-Funktion wie das Staatsgesetz: es öffnet den Menschen wieder für die „Du-sollst"-Forderung als Voraussetzung für das Evangelium.

Diese Öffnung des mit sich selbst und in sich selbst verstrickten Menschen erwartet Gogarten von der einsetzenden national-sozialen Bewegung: Durch die Klarstellung des Gesetzes in Staat und Volkstum, das heißt durch den darin enthaltenen

Hinweis auf die Notwendigkeit einer politischen Existenz, soll ihr Ursprung in der Verkündigung des Evangeliums als der Botschaft von der Erlösung wieder deutlich werden. Die Erfahrung der Herrschaft im Staat ist Voraussetzung der Annahme des Herr-seins Jesu Christi, so wie die Gesetzeserfahrung, das heißt die Erfahrung der eigenen Schuld und der Unfähigkeit das Gesetz in seinen vielfältigen Forderungen zu erfüllen, Voraussetzung für die Annahme der Rechtfertigung Gottes ist.

Das meint Gogarten, wenn er das Wort Gottes versteht „als das Gesetz, das uns in unserem irdischen Leben und seinen Verhältnissen begegnet. Das heißt, das Gesetz Gottes begegnet uns in einzelne Gebote gefaßt, in den Forderungen des Staates, des Volkes und der Sitte".[215]

Sie treiben den Menschen in der Wirklichkeit zu Christus. In der Erfahrung des Totalitätsanspruches des Nationalen im Staat muß die kirchliche Verkündigung ansetzen. Gogarten will eine Sakralisierung des Volksgesetzes gerade damit vermeiden, daß er es so dialektisch gebraucht.

Gegen seine Kritiker verteidigt er sich mit seinem Wirklichkeitsverständnis: „Ich weiß, natürlich weiß ich, daß die Gesetzeserfahrung, ohne die es keinen Glauben gibt, nicht ohne weiteres die ist, die wir heute am Staatsgesetz und am Volksnomos machen können. Aber ich weiß auch, daß es zu dieser Gesetzeserfahrung nicht im leeren, im geschichtslosen Raum kommt. Gott ist unser ewiger Herr, aber es hat ihm gefallen, es in Zeit und Geschichte zu sein. Er ist unser Herr, in seiner ewigen Gottheit. Aber er fordert uns in der Larve irdischer Herrschaft und irdischer Ansprüche".[216]

3. Totales Ernstnehmen der Wirklichkeit: Die Phase der „Deutschen Christen"

In seinem auf die Wirklichkeit ausgerichteten Glauben fordert Gogarten den „Einsatz unserer ganzen Existenz" in der „zeitlichen Welt".[217]

Hinter der Larve des staatlichen Anspruchs auf Herrschaft und Autorität sieht er die Bedeutung der Erlösung wieder deutlich werden.

Gegenüber Barths Warnung vom Juni 1933 vor dem Verlust der „theologischen Existenz"[218] durch eine Hinwendung zur politischen Lage, die man „für eine gute Sache" hält, und seiner gleichzeitigen Warnung vor dem Ungenügen gegenüber dem zu verkündigenden Wort und der alleinigen „Führerschaft" Christi, meint Gogarten, „daß wir allerdings unsere ‚theologische Existenz' verwirken, das heißt, daß wir unsere Pflicht als Theologen nicht erfüllen und daß wir unseren Glauben nicht bewähren, wenn wir nicht mit allem Ernst darüber nachdenken, in welcher Weise uns Gottes Führung durch die politischen Ereignisse Anlaß gibt, seinem Wort neues Gehör zu schenken".[219] Das ist für Gogarten der Grund, mit der Glaubensbewegung „Deutsche Christen" für kurze Zeit zu sympathisieren, weil er hier den geschichtlichen Ort des Theologen vermutet „an dem sich entscheiden wird, was an unseren Kirchen ist".[220] Er hofft für wenige Monate, daß dem Wort

Gottes unter den veränderten Verhältnissen des Staates in der Reichskirche neue Geltung zukommen würde. Aber eine Gleichsetzung von Evangelium und Volkstum lehnt er ab, da dieses in Bezug zum Evangelium nur die Funktion des Gesetzes trage.

Aufgabe der Kirche sei es vielmehr, „wie sie zur Zeit der Reformation gesagt hat, was das Evangelium in seiner Einheit mit dem Gesetz bedeutet und es uns gerade dadurch in seiner Reinheit neu geschenkt hat",[221] dieses Verhältnis neu zu bestimmen und damit auch das Volkstum zu seiner Eigentlichkeit und Sicht seiner Grenzen zu führen.

Es geht ihm um „eine dem Wort, allein dem Wort der Schrift unterworfenen Lehre und Verkündigung der Kirche. Dazu bedarf es des vollen und rückhaltlosen Einsatzes in die gegenwärtige Zeit und in ihre Aufgaben. Ich habe", so verteidigt sich Gogarten in der Schrift „Ist Volksgesetz Gottesgesetz?" gegenüber seinen Kritikern, „mehr als einmal, und längst bevor es ‚Deutsche Christen' gab, darauf hingewiesen, daß wir nur dann zum Bekenntnis und zum rechten Verständnis der heiligen Schrift kommen können, wenn wir aus dem gewissensmäßigen Selbstverständnis unserer Zeit heraus nach Bibel und Bekenntnis fragen".[222]

Gogarten wehrt sich deshalb dagegen, daß man sein politisches Urteil, daß durch die staatliche Umwälzung die Menschen wieder unter ein Gesetz gestellt seien, als theologisches Urteil hinstellt und als eine „göttliche Sanktionierung der nationalsozialistischen Staatsform für alle Zeiten".[223]

Die Bekenntnisbewegung scheint ihm den neuen Charakter der Herrschaft und damit des Gesetzes zu verkennen. Sie versteht die Herrschaft Gottes und sein Gesetz falsch, da sie in der Angst vor den Dämonien des Staates und des Volkes den Kampf gegen eine Weltanschauung mit dem gegen Dämonien verwechselt, den Kampf gegen andere mit dem Kampf gegen sich selbst. Gogarten aber meint, „daß die Kirche ihre Verkündigung von diesem Aufruf her, das heißt selbst aufgerufen durch das, was heute geschieht, auszurichten hat. Und zwar nicht nur in einer halben und darum falschen Erkenntnis der Lage und darum in falscher Opposition, sondern in der ganzen Erkenntnis der Lage mit ihrer Verheißung und ihrer Versuchung".[224]

Mit dieser Haltung steht Gogarten — eigentlich wie Barth, jedoch mit seiner ihm eigenen theologischen Akzentuierung eines totalen Ernstnehmens der Wirklichkeit, — zwischen den Bewegungen, als Mahner für beide Seiten. Er hatte sich mit den „deutschen Christen" von Anfang an nicht identifizieren können; er hatte nur gehofft, hier vielleicht die Grundlagen für eine den gegenwärtigen Menschen verständliche, weil von den Selbstverständlichkeiten der Zeit ausgehende Verkündigung des Wortes entstehen zu sehen. Doch spätestens ab Mitte November 1933 war der Bruch auch nach dieser Seite hin deutlich. Hatte er in seinem Sympathisieren mit der Bewegung versucht, die Gleichsetzung von Evangelium und Volkstum zu vermeiden, um damit der Verkündigung eine freie Position gegenüber dem politischen Geschehen als Auswirkung des Gesetzes zu erhalten, so sieht er sich mit den Entwicklungen vor allem nach einer Sportpalastkundgebung im November 1933 zu einer offiziellen Distanzierung gezwungen.[225]

Durch eine – von ihm stets vermiedene – Sanktionierung des politischen Geschehens sieht er jetzt den „biblischen Grund, auf dem die Kirche Jesu Christi sich aufbaut, verlassen": Die Ablehnung des alten Testamentes, die Verehrung Jesu Christi als einer heldischen Gestalt (als Grundlage eines artgemäßen Christentums), die Darstellung der Sündhaftigkeit des Menschen als von einer zerbrochenen Knechtsseele aufgebracht, den Ausschluß, fremdblütiger evangelischer Christen lehnt Gogarten ab als Aufbau einer „völkischen Kirche" und Verrat der „deutschen evangelischen Kirche an die ‚deutsche Glaubensbewegung' und ans Schwärmertum". Glied der Kirche Jesu Christi kann die deutsche evangelische Kirche seiner Ansicht nach nur bleiben, wenn sie das Evangelium von Jesus Christus anheben sieht mit der alttestamentlichen Verheißung, Jesus bekennt als den, „Gottessohn, der für unsere Sünden am Kreuz gestorben und um unserer Gerechtigkeit willen von Gott auferweckt worden ist", die Rechtfertigung allein aus dem Glauben bekennt und die Taufe als die Gemeinschaft des Heiligen Geistes als Grundlage der Kirche versteht, und nicht die Blutsgemeinschaft.

Die Unterschiede sind deutlich benannt und Gogarten macht 1934 klar, daß es ihm bei seinem Interesse an den „Deutschen Christen" nur darum gegangen war, die Kirche für die Wirklichkeit aufzuschließen, damit sie in ihr das Evangelium verkündigt: „Denn es war wichtiger, daß dieser Einbruch in die Kirche geschah, selbst wenn dabei mancherlei Schaden angerichtet wurde, als daß eine in diesem Augenblick doch nur historische, um nicht zu sagen, antiquarische Reinheit des Bekenntnisses und der Verkündigung der Kirche gewahrt wurde".[226] Die Motivation seines Handelns ist also auch 1933 noch der auf den gegenwärtigen Menschen hin spezialisierte Neuansatz der zwanziger Jahre mit dem Affront gegen eine kulturbezogene Religion und eine unkritisch weltbezogene Kirche. Und auch seine Reaktion auf die Entwicklung in der „Glaubensbewegung" entspringt hier, wenn man seine Ablehnung mit hineinbezieht, die er 1932 schon gegen ein „Deutsches Christentum" äußerte: Mit einem solchen Christentum „verfällt man aber unweigerlich in Bezug auf Kirche und Christentum dem liberalistischen Denken. Denn von einem ‚deutschen Christentum' kann man nur sprechen, wenn man das Bekenntnis des christlichen Glaubens zu Jesus Christus als dem menschgewordenen, gekreuzigten und auferstandenen Sohn Gottes nicht ernst nimmt, und wenn man sich aus dem ‚Christentum' willkürlich gerade das auswählt, was das liberalistische Denken, dem man huldigt, erfassen kann. Dann bleibt vom Christlichen gar nichts übrig. Denn der christliche Glaube steht und fällt mit dem Bekenntnis zu dem gekreuzigten und auferstandenen Herrn".[227]

4. Zusammenfassung

1. Die Herrschaftskategorie hat sich, so muß man feststellen, wegen ihrer leichten Vertauschbarkeit mit der nationalsozialistischen Ideologie nicht bewährt. Ihr Ziel, gegen die Selbstverständlichkeiten der Zeit auf die Gesetzesfunktion des Staates und dem seiner Autorität untergeordneten Volksgesetz zu verweisen, um so als Ordnungsgrenze das Böse herauszustellen und abzuwehren, wurde verfehlt.

2. Trotz dieses Fehlschlages des konkreten Wirklichkeitsbezuges, – der wohl größtenteils auf die zeitgebundene Mißverständlichkeit von Gogartens Äußerungen zurückgeführt werden muß, aber auch auf seine Verkennung der Situation, die darin eingeschlossen liegt, – bleibt es richtig, was Gogarten mit seinem Ernstnehmen der Wirklichkeit forderte: Die Kirche allein kann den Menschen die erlösende Herrschaft Gottes verkündigen, sie kann es aber nur in ihrer Beziehung zu Zeit und Geschichte. Sie darf diese Funktion nicht dem Staat oder einer Ideologie überlassen, da diese sich an die Stelle Gottes oder zwischen Gott und den Menschen stellen. Aber die Kirche darf sich ebensowenig in diesen Weg stellen, indem sie sich als konkurrierende Weltanschauung neben die Geschichte oder den Staat stellt. Diese Haltung vermutete Gogarten bei der „Bekenntnisbewegung".

3. Es ging Gogarten im Sommer 1933 also keinesfalls um eine religiös/kirchliche Verbrämung nationalsozialistischen Gedankenguts, sondern vielmehr um die Aktualisierung einer qualifizierten Weltlichkeit in der Wahrnehmung der politischen Existenz: In einer kritischen Annahme der staatlichen Herrschaft will er diese auf ihre Gesetzesfunktion beschränken, indem nämlich die Verkündigung des Evangeliums ihr die Selbstverständlichkeiten nimmt. Sein Bemühen um die Abwehr eines vom Individualismus geprägten Chaos ließ die Verwechslung der Autorität, die aus der Verantwortung gegenüber dem Du hervorgeht und Ordnungsgrenze der politischen Existenz ist, mit der Herrschaftsfunktion des Staates und seinem Gesetz, das Ordnungsgesetz gegenüber dem Bösen ist, zu leicht aufkommen. Die Sicherungen für eine Weltlichkeit der Welt müssen aufgrund dieser Erfahrungen – jedoch im gleichen Zusammenhang des Wirklichkeitsbezuges – neu beschrieben werden.

Exkurs: Der Abschied von „Zwischen den Zeiten"

Den Weg, den Gogarten schon früh in den zwanziger Jahren mit seiner Frage nach dem Verhältnis des Glaubens zur Wirklichkeit und zur Geschichte begonnen hatte und über das Ich-Du-Verhältnis zur Frage nach einer theologischen Anthropologie weiterführte, die vom Hören auf das Wort Gottes geprägt ist und von der politischen Existenz folgerichtig auf das Problem der Autorität stieß, um dann zu einer klareren Verkündigung des Evangeliums mit Hilfe einer Auslegung des politischen Geschehens um 1933 als einer Interpretation des christlichen Gesetzesverständnisses zu kommen, diesen Weg meinten viele seiner Freunde nicht mit ihm gehen zu können.

Die Streitfrage spitzte sich zu in dem Problem des Bekenntnisses. Gogarten verstand es als „das Zeugnis davon, wie die Kirche jeweils an dem Worte Gottes, so, wie es in der Heiligen Schrift von den Aposteln und Propheten bezeugt ist, festgehalten hat".[228] In dem „jeweils" war der auch jetzt notwendige Gegenwartsbezug des Bekenntnisses gefordert und damit der Punkt der Auseinandersetzung genau bezeichnet. Barth sieht in dieser Haltung, die das Volkstum in einem solchen Maße ernst nimmt, eine Fortsetzung des Neuprotestantismus. Wenn dies auch eine gründliche Verkennung der Intention Gogartens ist, kann eine kritische Betrachtung doch hier ihren Ansatzpunkt haben, da Gogarten nicht klar genug und wohl nicht oft genug auf sein Verständnis des Volkstums als Gesetz im Gegenüber zum Evangelium verwiesen hat: Manche Wendung in der Darlegung des Autoritätsproblems konnte Barth die Vermutung der „Aufrichtung des Menschengottes des 18. und 19. Jahrhunderts"[229] nahelegen. In dem Bruch von 1933, der in dem Ende der Zeitschrift „Zwischen den Zeiten" äußerlich sichtbar wird, kommt aber auch ein schon lange gehegtes, unterschwelliges Unbehagen Barths an der theologischen Fragerichtung Gogartens zum Vorschein, die er mehr an philosophischen und ethischen Grenzfragen, am Problem einer theologischen Anthropologie, ausgerichtet sah, als an den für Barth eigentlichen Problemen von Theologiegeschichte und Dogmatik. Barth will endgültig Geschichtsphilosophie und Theologie voneinander getrennt wissen und stellt deswegen seine Mitarbeit an „Zwischen den Zeiten" ein: Kein Mißverständnis über diese ihm notwendige Trennung soll möglich sein. Barth geht es zwar wie Gogarten um die Verkündigung des Wortes Gottes. Nur an der Frage, wie es sowohl rein als auch verständlich gepredigt werden könnte brechen die Meinungen auseinander. E. Thurneysen macht das in seinem Abschied von ZZ deutlich, wenn er sagt, daß es darum geht, „ob der politische Aufbruch den ganz anderen Aufbruch dem Worte Gottes entgegen, zu dem wir in der Kirche (wahrhaftig auch durch das Geschehen der Zeit!) gerufen sind, in sich aufnehmen, in sich hinein verschlingen darf und kann oder nicht".[230] Aber auch Thurneysen trifft die differenzierte, aber durchaus in manchen Zügen mißverständliche Haltung Gogartens nicht, weil für diesen die Identifizierung von Evangelium und Volkstum ausgeschlossen bleibt und damit in seinem Denken die Gefahr einer „neuen Gestalt der alten Umklammerung" nicht besteht.

Trotz der verschiedenen Wege, die er und Barth seit längerer Zeit gingen, konnte Gogarten den Bruch von 1933 nicht verstehen: Ihm schien es wichtig, daß die Kirche „aus ihrem eigenen Wesen und aus ihren eigenen Kräften . . . aus der Offenbarung Gottes in Jesus Christus und aus dem treuen Zeugnis davon"[231] an der inneren geistigen Erneuerung des Volkes teilnimmt, in der sich die politische Umstellung vollenden muß. Darum hat für ihn „die Kirche nicht abseits von dem geschichtlichen Leben des Volkes ihren Platz . . . , sondern mitten darin und in der intensivsten Teilnahme". Die scharfe Alternative von Barth „Schrift oder 1933", die in einem historisch verkürzten Rückblick uns heute für die spätere Entwicklung teilweise gerechtfertigt zu sein scheint, war für Gogarten unverständlich; denn Gogarten meint mit seinem kurzweiligen Eintreten für die Glaubensbewegung, dem Barth nur das abschätzige Wort „Kairos-Philosophie" zuerkannte, genau das zu tun, was Barth selbst vom Suchen Gottes sagt, das immer „ganz und gar im Raum der Welt und unter Eindrücken von allerhand geschichtlichen Stunden vor sich gehen und deren Art an sich tragen wird".[232]

Von daher scheint Gogarten der Gegensatz „Schrift oder 1933" fiktiv. In einem Brief an Georg Merz schreibt er deshalb, „daß wir Theologen nicht in vornehmer Indifferenz gegenüber den politischen Geschehnissen verharren dürfen, sondern daß wir allerwichtigste Aufgaben haben. Schweigen können wir jetzt auf keinen Fall . . . Man muß Staat und Volk, die, ich will mich vorsichtig ausdrücken, mit Gesetz zu tun haben und Gesetz in irgendeiner Weise handhaben und repräsentieren, ernst genommen haben, um sich im Namen des Evangeliums gegen sie wenden zu dürfen, wenn sie ihre Grenzen überschreiten".233)

Die Folgen des Bruches zwischen Barth und Gogarten und die Einstellung des Erscheinens von „Zwischen den Zeiten" nahmen der Kirche in den folgenden Jahren viel an möglicher Diskussion und multiformer Einheitlichkeit im Handeln, mit dem sie den Fehlentwicklungen „im Namen des Evangeliums" hätte entgegentreten können. Ursprung des Bruches ist eindeutig die unterschiedliche Einstellung Barths und Gogartens zur Frage der Wirklichkeit: Gogarten sieht diese Zeit mit dem gegenwärtigen Menschen als wirklich an und so als den Ort, wo die Entscheidung als Zeugnis für die Offenbarung Gottes in Jesus fallen muß entsprechend den Forderungen, die aus der Gegenwart sich den Menschen stellen. Barth stellt dem seinen Ausgangspunkt einer radikalen Unterschiedenheit von Zeit und Entwicklung entgegen, ohne in erster Linie nach den möglichen Gemeinsamkeiten in der gegenwärtigen Wirklichkeit zu fragen.

Die Gefahr von Gogartens Ansatzpunkt liegt in der Verkennung und Mißverständlichkeit seiner Interpretation des Nationalen und des Staates als Formen des Gesetzes, gegenüber denen die Botschaft der Erlösung zu verkündigen ist. Gogarten verwendet dabei den Begriff der Herrschaft, der im politischen Geschehen der frühen dreißiger Jahre ein anderes Begriffsfeld hatte als in der Rechtfertigungslehre Luthers, zu unkritisch. So entstehen Mißverständnisse und die im Zerbrechen des Sünders grundgelegte „politische Existenz" kann von zeitgenössischen Opportunisten vorschnell aktualisiert werden: Wird aber der grundlegende Unterschied von Staatsgewalt und Herrschaft Christi vergessen, kann es zur Ineinssetzung von Geschichte und Willen Gottes kommen. Das Hören auf das kritische Wort des Evangeliums ist dann nicht mehr möglich. Diese Gleichsetzung scheint Barth bei Gogarten vermutet zu haben, obwohl es Gogarten gerade um ihre Vermeidung ging.234)

Abschnitt IV. Systematisierung des Weltbezuges in der Hinführung auf die Säkularisierungsthese

§ 1. Erste explizite Umschreibung von Säkularisierung und Mündigkeit

Eine Gleichsetzung von Wirklichkeit und Gottes Wille ist Gogarten, wie wir gesehen haben, nicht möglich, weil er den Unterschied zwischen Glaube und Welt vom Evangelium her deutlich sieht: Denn sonst wäre der Raum der Geltung des Gesetzes vertauscht mit dem des Evangeliums und es würde „jene entsetzliche ‚Vertrödelung des Göttlichen in die Welt', die man heute Säkularisierung nennt"[235] beginnen. Die Unterscheidung zwischen Glaube und Welt veranlaßt aber ebenso dazu, auf eine Umgestaltung der Welt nach „Maßstäben des Evangeliums" zu verzichten. Denn dahinter verberge sich nur der Versuch, das Evangelium zu einem Stück der Welt zu machen: Damit würde die Gelassenheit der Gemeinde als der Gemeinschaft des Glaubens gegenüber der Welt verloren gehen. Ihre einzige Aufgabe gegenüber der Welt aber ist es, „daß sie sie zur Erkenntnis ihrer eigenen Verlorenheit bringt".[236] Die ständige Gefahr des Absinkens in die Welt überwindet die Gemeinde nicht aus eigener Kraft. „Nur in der Erkenntnis Jesu Christi, im Glauben an ihn als den, der ihre Gerechtigkeit ist und der das Gesetz aufgehoben hat, können sie und müssen sie immer von neuem die Welt überwinden. Und sie werden sie nur überwinden, insofern sie Gemeinde des Herrn sind, in der das Gesetz nicht mehr gilt und in der statt dessen lauter Vergebung ist".[237]

Nur in diesem Glauben gibt es eine Unabhängigkeit von der Welt und eine Überwindung der Selbstverständlichkeiten der modernen Geistigkeit, die in dieser Zeit für Gogarten im liberalistischen Denken aller Prägung zum Ausdruck kommt. Im Glauben erkennt dann der Mensch, „daß diese moderne autonome Geistigkeit eine Säkularisierung des christlichen Glaubens ist, in dem der Mensch freilich aller irdischen Herrschaft entnommen wird und für sich selbst steht und fällt; aber das geschieht bei ihm um den Preis, daß er seiner als eines der Herrschaft der Sünde und des Todes Verfallenen und aus ihr in die Herrschaft Jesu Christi Geretteten gewahr wird".[238]

Eine ähnliche Aufhebung der total individuell und autonom gedachten menschlichen Existenz begegnet außerhalb des Glaubens nur in der staatlichen Ordnung und ihrer Eingrenzung des Individuums,[239] aber ohne die Freiheit von der Welt, die rechtfertigender Glaube schenkt.

In dem, was Gogarten jetzt noch Säkularisierung des christlichen Glaubens, später dann Säkularismus nennt, wird also die Unterschiedenheit von Schöpfer und Geschöpf mißachtet; aufgrund der Autonomie des Menschen wird das Gegenüber des fordernden und erlösenden Gottes die Frage nach Unheil oder Heil, ausgeschlossen. Damit entfällt aber die eigentliche Begründung der Welt als säkularer, da sie sich als solche jetzt nicht mehr von „einem Letzten, das über die Welt, das Säkulum hinausgreift",[240] her versteht.

Und so erschleicht sich das Säkulum, das sich als Säkulum nicht mehr erkennt, die Letztlichkeit, die es selbst begründet. Der eigentliche Grund der Säkularisierung

liegt also darin, daß „entscheidende Erkenntnisse des christlichen Glaubens . . .
ihren eigentümlich dialektischen Sinn verloren"[241] haben. Die daraus entstehenden
Probleme lassen sich nur lösen, indem man diese Erkenntnisse wieder auf die
Dialektik zurückführt, die sie in dem das Letzte erkennenden Glauben haben. Erst
dann wird der Mensch als der erkannt, der nicht von sich aus die Gemeinschaft
und sich selbst begründen kann. Staat und Nation als Darstellungen des Gesetzes
können das nicht leisten und auch nicht die Lehre von der „Wahrung und Hut
anvertrauten Bluterbes und des damit verbundenen Schicksals",[242] die Rassenideologie der Nationalsozialisten.

Auch aus diesem extremen Phänomen der „Säkularisierung", die aus dem Selbstverständnis der menschlichen Existenz in der Selbstmächtigkeit erwächst, kann nur
der Glaube herausführen zu einer der Wirklichkeit und so der Welt als Säkulum
gerecht werdenden Haltung. „Denn nicht zuletzt durch die säkularisierten Glaubens-
erkenntnisse, die als selbstverständliche Wahrheiten in das abendländische Denken
eingegangen sind, ist das Christentum zum Schicksal der abendländischen Menschheit geworden, dem sie auf keine Weise aus dem Weg gehen kann".[243] Die erste
Umschreibung der Säkularisierungsthese entsteht also aus Gogartens Unbehagen
und Enttäuschung über die politische Entwicklung von 1933, die nicht die erhoffte
Neubesinnung auf den Glauben brachte, und in der weder ein Aufbruch der
Nation noch der Kirche geschah; auf beiden Seiten entstanden nur neue Auflagen
der altgewohnten „Vertrödelung des Göttlichen in der Welt" bzw. der Verkennung
der Wirklichkeit auf Seiten der Kirche!

Diese Verkennung auf Seiten der Kirche äußert sich deutlich in einer „Sprache,
die schon durch ihre Fremdheit einen sakralen, theologischen Eindruck macht.
Dadurch wird aus dem Christlichen und Kirchlichen etwas, was sich schon durch
seinen sprachlichen Ausdruck deutlich von allem Profanen und Weltlichen
unterscheidet". Mit diesem Hinweis begann Friedrich Gogarten den Vortrag
„Kirche des Glaubens und Kirche als Ordnung im Volk. Zur Frage des sogenannten
kirchlichen Raumes", den er am 4. Januar 1938 auf dem Pfarrkonvent in Dünne
hielt.[244] Wie sich im folgenden zeigen wird, bildet er ein wichtiges Bindeglied zur
Theologie Gogartens nach dem Zweiten Weltkrieg.

Gogarten beschreibt die geschichtliche Lage in knappen Worten: „Für das moderne
Bewußtsein ist jederlei sakralisierte Frömmigkeit schlechterdings unglaubwürdig".[245]
Das Gottesverhältnis des christlichen Glaubens hat aber mit dieser Entsakralisierung
nicht nur das neuzeitliche Denken geprägt, sondern auch jede Weltanschauung
bloßgestellt. Diese Entsakralisierung oder, wie Gogarten später sagt, diese Säkularisierung hat ihren eigentlichen Grund in der Reformation und kommt überall dort
zur Wirkung, „wo die Gedanken und Erkenntnisse des reformatorischen Glaubens
zur geschichtlichen Wirkung auf das geistige Leben gelangt sind".[246] Die Säkularisierung hat aber nicht allein die weltanschauliche Größe Christentum zerbrochen,
sondern die damit angestoßene „wissenschaftliche Aufklärung der Umwelt des
Menschen" hat „jegliche Sakralisierung besonderer Gesetze, Institutionen, geschichtlicher Größen schlechthin unglaubwürdig gemacht".[247] Damit hat die Wirklichkeit
eine neue Einheitsdimension gewonnen.

In dieser Wirklichkeit kann der Mensch nicht mehr auf eine sakrale Weise mit Gott umgehen, sondern Gott geht mit ihm um, so daß der Mensch ihm allein in der Wahrheit seines Herzens, seines ganzen Menschseins dienen kann. Der Glaube kann sich deshalb nicht in einer wie immer integrierten Humanität verlieren, denn der Mensch hat im Gesetz die Grenze seiner selbst in seiner Schuld erkannt. In ihr ist er gefangen, aber auch frei, wenn er nämlich in seiner Sündenerkenntnis auch schon die Botschaft der Erlösung hört von einer Kirche, die sich nicht neben die Wirklichkeit stellt, weil sie weiß, daß Gesetzeserfahrung nur im irdischen Raum möglich ist, nicht aber in der Kirche selbst: „Denn sie hat und kennt kein Gesetz, so gewiß sie die Gemeinschaft des Glaubens ist. Und sofern sie im irdischen Raum lebt, bleibt er, was er ist, und wird nicht ihr Raum. Denn sie hat auf der Erde keinen Raum neben dem anderen".[248] In der einen geschichtlichen Wirklichkeit erfährt der Mensch Urteil und Vergebung. In diesem Zusammenhang stößt Gogarten erstmals zu einer für seine Nachkriegstheologie bezeichnenden, positiv-differenzierenden Sicht des neuzeitlichen Autonomiestrebens durch, wenn er schreibt: „Dilthey hat in seinem großen Aufsatz über Lessing (Das Erlebnis und die Dichtung, 4. Aufl. 1913, S. 150) das eigentliche Motiv dieser Aufklärung als das Streben nach der ‚Mündigkeit des Geistes‘ bezeichnet . . . In dieser geistig-sittlichen Mündigkeit oder Selbstverantwortung will der Mensch der durch den christlichen Glauben entsakralisierten Welt um die sittliche Ordnung seiner Welt wissen. In ihr allein kann er um sie wissen".[249]

Zeitlich früher als Bonhoeffer in seinen Briefen aus dem Gefängnis in Tegel wertet Gogarten die Mündigkeit des Menschen im Gesamtzusammenhang einer wirklichkeitsorientierten Theologie positiv. Diese „Selbstverantwortung wacht . . . eifersüchtig darüber, daß ihr nicht die Fesseln einer fremden Sittlichkeit angelegt werden, durch die sie ihrer Mündigkeit beraubt wird. Sie kann darum auch nicht dulden, daß in dem sogenannten kirchlichen Raum eine fremde Sittlichkeit herrscht. Denn dieser Raum gehört zum Lebensraum des in der Welt verantwortlich, in Mündigkeit lebenden Menschen".[250] Über die Kategorie der Verantwortung und das Thema der Mündigkeit, das die Entsakralisierung heraufbrachte, kommt Gogarten also jetzt bereits zu einer differenzierten Sicht des neuzeitlichen Säkularisierungsprozesses, den er in den Horizont eines kritischen Wirklichkeitsbezugs stellt.

Diese Mündigkeit entspricht dem späteren Begriff der Säkularität, der uns in Form einer durch den Rechtfertigungsglauben ermöglichten qualifizierten Weltlichkeit — als Erhaltung der Welt als Welt — schon begegnet ist.

Die theoretische Fassung der Kritik im Phänomen der Säkularisierung und die erste positive Sicht der Mündigkeit des neuzeitlichen Menschen werden in den Arbeiten nach dem Zweiten Weltkrieg in mancher Abwandlung und Differenzierung zu einem Begriffsschema der dialektisch angelegten theologischen Aussagen erweitert. Grund dafür dürfte die in den nun folgenden Jahren noch stärker gereifte Erkenntnis sein, daß sich der Glaube ständig in der Konfrontation mit dem eigenen Absinken in die Welt befindet und deshalb ein kritisches Moment in diesen Prozeß eingebaut werden muß, um der Wirklichkeit des geschichtlichen Augenblickes gerecht zu werden.[251]

Zusammenfassung

Die ersten Umschreibungen des Phänomens der Säkularisierung sind noch ambivalent, sind noch nicht geprägt durch das dialektische Beziehungsverhältnis von Glaube und Welt wie in der späteren Säkularisierungsthese:

1. Die „Säkularisierung" ist zuerst der Inbegriff eines bindungslosen, weil verantwortungslosen Selbständigkeitsstrebens, das Welt und Gott nicht mehr voneinander zu trennen weiß. Gogarten wird diese Mißachtung der Unterscheidung von Schöpfer und Geschöpf später Säkularismus nennen.

2. Ziel seiner Bemühungen ist es, dem Phänomen der „Vertrödelung des Göttlichen in die Welt" gegenüber den dialektischen Sinn der Erkenntnisse des christlichen Glaubens zu restituieren.

3. Seine Kritik wendet sich vor allem gegen die Verkennung der Wirklichkeit auf Seiten der Kirche, die in einer sakral anmutenden Sprache Glaube und Welt in zwei unterschiedliche, nebeneinander existierende Bereiche aufteilt.

4. Die Wirklichkeit ist aber durch die im christlichen Gottesverhältnis grundgelegte Entsakralisierung der Welt nur noch eine einzige: Jede die Wirklichkeit aufspaltende Weltanschauung, auch eine kirchlich/christliche, zerbricht an diesem durch die Reformation wieder lebendig gewordenen Gottesverhältnis.

5. So lebt der Glaubende in Mündigkeit mitten in der Welt und wehrt jede fremde Sittlichkeit ab, die ihm die Verantwortung für seine je neue Gestaltung der Wirklichkeit nehmen will. Nur in der Stellung des Menschen vor Gott − verantwortlich für die Welt − ist diese Mündigkeit/Säkularität von einem weltanschaulichen Mißverständnis befreit.

6. In einer so verstandenen verantwortungsbestimmten Mündigkeit beginnt für Gogarten eine endgültig positive Rezeption des Säkularisierungsprozesses.

§ 2. Die Selbstpreisgabe als kritisches Prinzip der Wirklichkeitserfassung

1. Die menschliche Selbstmächtigkeit als Krise der modernen Welt

Mit einer schweren Erkrankung im Jahre 1938 beginnt für Friedrich Gogarten eine Periode des Schweigens, in der er neben jeweils vier Predigten in den Jahren 1940 und 1941 nichts veröffentlicht. Die Arbeit an dem Buch „Die Verkündigung Jesu Christi" beginnt in diesen Jahren. Gogarten verbleibt jedoch schweigend in einer offensichtlichen Protesthaltung gegenüber der staatlichen und theologisch-kirchlichen Entwicklung.[252)]

Eine Predigt zur Wiedereröffnung der Universität Göttingen führt 1945 seine Nachkriegsschriften an, die zunächst versuchen, das nach der Katastrophe noch Verbliebene zu sammeln und das, was geschah, offen zu sehen.

Dieses Sichten geschieht unter dem Thema, das ihn bereits vor 1938 bewegte, nämlich das des christlichen Glaubens, der in seiner Konfrontation mit der geschichtlichen Wirklichkeit und der damit möglichen Säkularisierung zum Schicksal des Abendlandes geworden ist. In seiner Göttinger Predigt fragt Gogarten nach dem Fundament, auf dem nun das neu zu bauende Haus der Zukunft errichtet werden solle. Das alte hat sich durch den Zusammenbruch als unbrauchbar herausgestellt; es „war die Entscheidung für den Menschen als das Fundament der ganzen menschlichen Kultur und Geschichte".[253)]

Diese Mißachtung der Geschöpflichkeit hatte zu dem erlebten Schwund von Recht und Gerechtigkeit geführt. Und Gogarten klagt sich und seine Zeitgenossen an, die er auffordert, sich „darüber klar zu werden, daß es sich bei dem Bittersten von allem, was uns widerfahren ist, nämlich daß der Geist unseres Volkes durch solche Selbstbewunderung, Frechheit und Menschenfurcht so fürchterlich entstellt wurde, nicht um Zufälligkeiten handelt, nicht nur um etwas, was uns unter brutalem Terror aufgezwungen ist, sondern dem gegenüber wir durch lange währende Verkümmerung der Gegenkräfte zumindest anfällig waren, und daß da eine lange Entwicklung mit eherner Folgerichtigkeit zu ihrem bitteren Ende gekommen ist. Der erste Schritt zu etwas Neuem muß die klare Erkenntnis hiervon sein. Diese Erkenntnis trifft uns alle, die wir da sind, hart. Denn wer von uns könnte sagen, er habe in gar keiner Weise mitgetan bei dem, was geschehen ist?"[255)] Gogarten stellt damit das Nazi-Regime und seine Folgen in den größeren Zusammenhang der Krise der modernen Welt. Sie machen nur den „Schrecken der Haltlosigkeit, in der sich die menschliche Welt heute befindet"[256)] noch größer und die Suche nach dem verlorenen Umfassenden verzweifelter.

Gogarten sieht für die „imperialistische Tendenz" des Nationalismus das Versagen der Kirche verantwortlich, eine Antwort zu geben auf die „Frage nach dem Umfassenden, ohne das es keine Welt, sondern nur Chaos für den Menschen gibt".[257)] Ähnlichkeiten zum Krisenbewußtsein nach dem Ersten Weltkrieg, das sich so ausdrücklich in dem Aufsatz „Zwischen den Zeiten" widerspiegelte, sind offensichtlich. Selbst die Formulierungen klingen verwandt: „Wir erleben ja am eigenen Leibe ein Weltende. Gewiß nicht das Ende der kosmischen, aber durchaus das Ende der geschichtlichen Welt, in der wir bisher lebten, deren wir mächtig zu sein meinten und in der wir eine relativ gesicherte Existenz hatten".[258]

Dieses Weltende äußert sich auch im Verlust der Menschlichkeit zugunsten der Rationalität des Menschen:[259] „Sein Tun ist unmenschlich, weil es sachlich ist, gebunden an das Gesetz der Sachen und ihre Notwendigkeiten. Es ist aber in einem noch viel tieferen Sinne unmenschlich, weil eben der heutige Mensch in dieser Sachgebundenheit seine Selbstherrlichkeit erweisen muß".[260] Dies ist kein Restaurationsdenken, das sich in die Gesichertheit des mittelalterlichen Abendlandes zurücksehnt.[261] Es ist vielmehr der Versuch einer Analyse von Phänomenen seit dem Beginn der Neuzeit, die sich als Krise der modernen Welt zusammenfassen lassen. Diese Krise hat ihren Grund in einem sich in dieser modernen Welt entwickelnden „weltanschaulichen Gebilde" in dem „die Selbständigkeit des Menschen sich krönte mit der Idee einer ausschließlich in ihr begründeten Humanität".[262]

Nicht Humanität oder Selbständigkeit des modernen Menschen als solche sind die Angriffsziele Gogartens, die er für die katastrophale Entwicklung verantwortlich macht, sondern ein bindungs- und grenzenloses Mißverständnis dieser sich von ihrem christlichen Ursprung wegentwickelnden Gedanken. Fatalerweise hat diese Entwicklung, die Gogarten jetzt wertungsfrei als Säkularisierung bezeichnet, ihren Ursprung in der durch Luther eingeleiteten Trennung von Weltanschauung und Glaube, die in der Reformationszeit eine dem biblischen Ursprung entsprechende Erneuerung bedeutete: Denn sie führte zurück in die „freimachende Kraft der Bindung"[263] des biblischen Wortes und zurück zum Vertrauen in den schöpfungsmächtigen Gott. Gogarten will jetzt gegenüber einer selbständigen und unmenschlich gewordenen Humanität des zwanzigsten Jahrhunderts wieder Luthers Gedanken einer Verantwortung für die Welt beleben: „Er hat . . . wesentliche Eigentümlichkeiten mit dem modernen Geist gemein. Das ist die radikale Entsakralisierung und Verinnerlichung der Religion. Damit zusammenhängend die Einsetzung des weltlichen Lebens in seine Eigenständigkeit. Und schließlich, die, wenn auch in mancher Hinsicht noch nicht vollzogene, so doch grundsätzlich ermöglichte und zugestandene Freigabe der menschlichen Vernunft an ihre eigene Gesetzlichkeit. Aber gerade in dem, worin Luther dem modernen Geist gleich zu sein scheint, unterscheidet er sich von ihm auf das tiefste".[264]

2. Die Begründung der Autonomie des Menschen in seiner Selbstpreisgabe

Alle drei zugleich Luther und dem modernen Geist zugeschriebenen Attribute – Entsakralisierung und Verinnerlichung der Religion, Eigenständigkeit des weltlichen Lebens und Freisetzung der menschlichen Vernunft – lassen sich zusammenfassen unter dem Thema der Autonomie des Menschen. Gogartens Verständnis dieser Autonomie wird uns seine Opposition gegen die neuzeitliche Humanität verdeutlichen. Es geht Gogarten nicht um die Ablehnung einer Entwicklung von vier Jahrhunderten: „Es kann sich heute kein Mensch mehr, ohne zu einem Don Quichotte oder vielmehr zu einer Karikatur dieser Karikatur zu werden, diesem Denken und der Verantwortung, die die moderne Menschheit mit ihm auf sich genommen hat, entziehen".[265] Denn der christliche Glaube ist Vorläufer des modernen Selbstbewußtseins, indem er den Menschen aus dem Zusammenhang der Welt löste, in den der griechische Geist trotz aller Selbstbesinnung ihn immer noch einband.

Aber die Begründung der Verantwortung verdeutlicht Gogartens Opposition: „Denn im christlichen Glauben geschieht dieser Herauslösung wegen der Bindung des Menschen an Gott. Der christliche Mensch hat sein Selbstbewußtsein im Glauben an Gott. Es ist das demütig-stolze Selbstbewußtsein des Geschöpfes vor dem göttlichen Schöpfer. Von hier weiß er sich aufs Neue in das Ganze der nun von ihm als Gottes Schöpfung begriffenen Welt eingeordnet. Für den Menschen des modernen Selbstbewußtseins dagegen fällt diese Begründung seiner Herauslösung aus dem ganzen der Welt fort. Sie hat ihren Sinn stattdessen allein in seiner Selbstbehauptung der Welt gegenüber. In dieser Freiheit seiner selbst hat er das Leben, kommt er zum eigentlichen Leben. Und die Welt, aus der er sich herauslöst, steht auch insofern im Widerspruch zu ihm als sie ohne eigentliches Leben ist. Sie wird zum toten, neutralen Material, dem gegenüber er sich als Schöpfer weiß".[266] Diese Verkehrung von Schöpfer und Geschöpf ist der Hauptvorwurf Gogartens gegen das Autonomiestreben neuzeitlicher Humanität. Die Haltung, die Gogarten dem gegenüberstellt, ist „nicht die Freiheit *von* den irdischen Bindungen, sondern die Freiheit *zu* ihnen".[267] Denn die Selbstreflexion des Glaubenden erschließt diesem „eine neue Dimension seiner Existenz. Eine Dimension, in der er nicht ist, was man in der Welt ist und sein kann. Die darum auch nicht mehr umschlossen ist von den irdischen welthaften Bindungen".[268] Diese Befreiung ereignet sich in der schon im AT immer wieder geforderten Selbstpreisgabe des Menschen: „Der Mensch selbst muß den Weg wagen in die Wirklichkeit, in der er nicht mehr sich selbst gehört, in der er Gott preisgegeben ist",[269] d. h., daß er „einer sein soll, der er nicht ist".[270] Mit der Existenzphilosophie gesprochen geht es hier um die „Eigentlichkeit" des Menschen. Er ist in der Gottesbegegnung in die „Enge"[271] getrieben, wo es um ihn und seine Freiheit geht. Diese Preisgabe an Gott bedeutet aber Freisetzung für die Welt: „Nur in solcher Gebundenheit hat der Mensch der Welt und den in ihr geltenden Bindungen gegenüber echte Freiheit, nämlich eine, die ihn nicht der sein Menschentum ruinierenden Bindungslosigkeit preisgibt".[272]

Die Begründung der Autonomie in der Selbstpreisgabe des Menschen an Gott bedeutet keine Heteronomie des menschlichen Handelns und ebenso wenig einen auf Gottes Tun sich verlassenden Quietismus. Gogarten sagt das deutlich, wenn er den Menschen beschreibt, von dem er redet: „Er ist Mensch, er ist er selbst, nur im immer neuen Ergreifen seines innersten Angewiesenseins".[273] Und diese Angewiesenheit fehlt der neuzeitlichen Humanität, weil „der moderne individualisierte und subjektivierte Mensch das Gegenüber verloren hat, in dem diese Individualisierung und Subjektivierung ursprünglich begründet war. Er gründet sie stattdessen in dem *Bathos* seines Sich-selbst-Erlebens".[274]

3. Die Weiterführung des Du-Ich-Verhältnisses

Dieses „Gegenüber" als „innerstes Angewiesensein" auf das „Schöpfersein Gottes"[275] äußert sich in der Persongebundenheit des Menschen. Hiermit führt Gogarten seinen Gedanken über das Du-Ich-Verhältnis aus den frühen zwanziger Jahren weiter aus, indem er bereits damals die Offenheit für das Du als Grundlage des Nächstenverhältnisses herausgestellt hatte. „Wo einer sich dem anderen öffnet", schreibt er jetzt in „Die Kirche in der Welt", „erfährt er an sich eine Verwandlung von Grund auf; er bleibt nicht, der er war. Schon dieses, daß er sich ihm öffnet, ist nicht etwas, was er aus eigener Kraft tut. Es widerfährt ihm. Er erfährt, er erleidet es zugleich damit, daß er nun dem anderen, indem er sich von ihm empfängt, gehört".[276]

In dieser Personengebundenheit — im Nächstenverhältnis von Vertrauen, Liebe, Gehorsam und Treue — ist das Gottesverhältnis beschlossen: „Mit Gott haben wir nur dann zu tun, wenn unser Ich, wenn das, was Mensch ist in uns, wenn wir als Person, wenn wir in Person, wenn die unfaßbaren Kräfte in uns sich aufgerufen wissen, durch die wir mit anderen Menschen und zwar mit dem, was wiederum Mensch ist in ihnen, in Beziehung stehen".[277]

Als in dieser Weise sich selbst von Gott Empfangender geht es dem Glaubenden in seinem Nächstenverhältnis nicht um die Aneignung des anderen: „Jedes echte personhafte Handeln meint die Person des anderen und ist auf seine Antwort aus".[278] In dieser Offenheit ist „Personsein dasjenige Sein, das ich empfange im Hören des Wortes, in dem sich mir ein anderer verspricht".[279] In der Dialektik von Sich-Empfangen im Sich-geben im Personsein[280] also ist der Glaube als Personsein vor Gott charakterisiert: „In der Forderung des Glaubens wird mehr gefordert als der Mensch tun kann. Denn in ihr wird er selbst gefordert".[281] Was also hier geschieht ist nicht Passivität des Empfangenden, sondern „allerhöchste und gesammelste Aktivität. Aber diese Aktivität ist doch nur möglich aus dem heraus, was Gott am Menschen tut, was er ihm gibt".[282] Die Nächstenliebe erweist also, was wir aufgrund dieser Personengebundenheit Glaube nennen und in ihr entscheidet sich das Gottesverhältnis:[283] „Bei beiden handelt es sich um dieselbe Wirklichkeit".[284] Gogarten drückt diese Interpretation von Wirklichkeit und Glaube pointiert aus: „Daß die Wirklichkeit Gottes, ihre uns zugewandte Offenbarung nirgendwo anders ihren Ort hat als in dem Verhältnis der Menschen zueinander, daß Glaube und Unglaube sich einzig und allein an dem Verhältnis zum Nächsten entscheiden, das ist der tiefe Sinn des Liebesgebotes Jesu".[285]

Nur in diesem von der Welt und ihren Dingen nur zu leicht verstellten und bedingten Leben"[286] ist „das ganze Tun und Leben des Menschen"[287] betroffen. In dieser Betroffenheit aber ist für den Menschen sein sich selbst begründendes Autonomiestreben aufgehoben in eine totale Offenheit: „Er ist bereit, das göttliche Leben zu empfangen, das ihm im Nächsten begegnet".[288]

Es wäre falsch, Gogarten hier einer Beschränkung auf den innermenschlichen Bereich zu bezichtigen. Denn, wie gezeigt, ist die Liebe „primär nicht die Liebe zum Nächsten, sondern die Liebe Gottes zu den Menschen",[289] wie sie sich im Du Jesu Christi offenbarte.

176

§ 3. Die Begründung der Kenose in Jesus Christus

1. Glaube und Liebe als Sich-Empfangen von Gott her

„Die Sendung Jesu ist der Bezug Gottes auf die Welt; durch sie erweist sich Gott als unser Gott. Sie, die Sendung selbst, ist die Offenbarung . . . Jesus wird nicht nur gesandt, damit er die göttliche Wahrheit der Welt mitteilt, sondern in seinem Gesendetwerden geschieht unmittelbar diese Wahrheit. Und anders als in diesem Geschehen gibt es die Wahrheit nicht. Er selbst also ist die Wahrheit. Er selbst, das ist Jesus als der Gesandte".[290] In Jesu Für-die-anderen-Dasein offenbart sich Gott; in seiner Liebe „zu den verlorenen Menschen begegnet uns also unmittelbar Gottes eigene Liebe".[291] Wie Luther will Gogarten in seiner Christologie von der Menschheit Jesu ausgehend das Für-uns-sein Gottes beschreiben: „So ist der Mensch Christus *der* Mensch, dessen ganze Existenz nichts ist als das Tun Gottes. Und er ist Gegenstand des Glaubens lediglich, insofern er dieses Tun Gottes ist".[292] In Jesus begegnet „Gottes eigener Anruf an die Menschen"[293] und diese Begegnung ist durch ihn „ein Angriff von rücksichtsloser Schärfe auf den Menschen, der sich in Selbstmächtigkeit aus seiner Welt und aus sich selbst versteht".[294] Antwort auf diesen Anruf ist der Glaube, der sich in Jesus von Gott her empfängt, und das Loslassen des Selbst in einer auf das Du hin orientierten Liebe: „Weil diese Bindung mich an den Nächsten bindet, zu dem mir jeder, der mir begegnet, jeden Augenblick werden kann, wirkt sie tief hinein in das welthafte Leben".[295]

Gogarten formuliert in Anlehnung an seine Frage „Gott" aus „Zwischen den Zeiten" die ihm in den Jahren der Bedrückung entstandene christologische Antwort im Bezug auf Jesus so: „Aber daß wir ihn als unser Gegenüber wiedergewinnen, daß wir wieder von ihm wissen, das ist nicht anders möglich, als so, daß wir im entschlossenen Aufunsnehmen unserer geschichtlichen Situation nach ihm fragen".[296] Dieser die geschichtliche Wirklichkeit der Welt des Menschen völlig ernst nehmende Ansatz baut christologisch auf Jesu Menschsein als dem „Gefäß für das göttliche Geheimnis, dem Schatz in irdenen Gefäßen"[297] auf.

2. Die Ermöglichung einer neuen Erschlossenheit durch den Tod Jesu

Die Bindung an das welthafte Leben und an den Nächsten in ihm, die Begründung der Offenheit und die Ermöglichung alles dessen im Gegenüber Gottes wird deutlich an der gesamten Existenz Jesu, erreicht seinen Höhepunkt an Deutlichkeit aber im Tode Jesu am Kreuz von Golgatha: „Das Kreuz ist der tödlichste, hoffnungsloseste, verfluchteste Tod und zugleich das Leben, das keinen Tod kennt".[298]

Die Paradoxie des Glaubens, der Jesus sich in seiner Liebe bis in den Tod hinein aussetzte, meint auch das Wort vom Schatz in irdenen Gefäßen. Die Verbindung der Schriftstellen 2 Kor 4,7 ff. und Röm 4,17, die für die gesamte Theologie

F. Gogartens von sehr großer Bedeutung ist, kulminiert im Kreuz als der „Hoffnung gegen alle Hoffnung". Denn das Kreuz ist Ursprung eines neuen Lebens, „das, weil es im lauteren Empfangen vor Gott gelebt wird, keine welthafte Bedingung, keine Grenze und kein Gesetz, das in der Welt gilt, kennt".[299] So ist das Kreuz der Punkt einer neuen Erschlossenheit, in der der Glaubende wie Jesus „keine andere Legitimation als sich selbst"[300] hat.

Ermöglicht der Tod Jesu aber eine neue Sicht des ungesicherten Menschen, dann schließt das eine neue Akzentuierung des Du-Ich-Verhältnisses ein: „Sein und Nichtsein, wie sie uns von Gott kommen, erfahren wir aber an dem uns begegnenden Menschen, an dem, den die Bibel den Nächsten nennt. Denn wir können nicht an unserer Wirklichkeit vorbei an Gott glauben. Unsere Wirklichkeit haben wir, so gewiß wir Menschen sind, in dem Anruf des Nächsten und in unserer Verantwortung vor diesem Ruf".[301] Der Aussichtslosigkeit ungesicherten Menschseins ist in der Maxime des Kreuzes die Spitze genommen: „Soll der Mensch Mensch sein, so muß er lieben".[302] Die Widersprüchlichkeiten dieser neuen Erschlossenheit sind in der Kenose Jesu aufgehoben.

3. Die Kenose als Anstoß für die Dialektik von Weltverneinung und Weltzuwendung

Gogarten sammelt die Aussagen über die Kenose in einem der Schlußkapitel seines Buches „Die Verkündigung Jesu Christi" in der Feststellung: „Der eigentliche Ort des Menschen, das ist seine Nichtigkeit vor Gott".[303] Es ist die Situation des Menschen als eines Stürzenden, dem kein Halt mehr gegeben ist, der ganz dem Bewußtsein der Aussichtslosigkeit seines Sturzes hingegeben ist, eine Situation, die aber nur in ihrer christologischen Parallelität ausgehalten werden kann: „Wo der Traum der Gottgleichheit in jeder Gestalt, in der wir ihn uns mit unseren Ideen und Ideologien vorgaukeln können, ausgeträumt ist, und wo dem Menschen als seine Wirklichkeit nichts als seine Menschheit in ihrer tiefsten Erniedrigung und Ohnmacht übrig geblieben ist, da erst ist die Tiefe der ‚Menschheit' erreicht, in die man Christus ‚nicht tief genug hinabziehen kann'; denn erst in ihr begegnet einem Jesus in seiner geschichtlichen Wirklichkeit, die zugleich die unsere ist".[304]

Die Kenose ist, wie schon angedeutet, auch der Punkt, an dem Gottes Offenbarung geschieht, ist die Situation, in der er sich bewähren muß am Nichts, „das selbst nichts mehr ist als das aus der Armut des Nichts-mehr-habens, des Nicht-mehr-wissens-wohin und des Nirgendwo-mehr-zu Hause-seins geschehende Bitten, Suchen, und Anklopfen, von dem in der Bergpredigt die Rede ist".[305] Wenn wir damit also sagen, daß der Grund des Glaubens in der Kenose liegt, so heißt das im Rückblick auf das vorher vom Kreuz Gesagte, daß der Glaube am Kreuz entsteht. Denn nur hier ist der Mensch eigentlich in Frage gestellt und konfrontiert mit der Fleischwerdung Gottes, in der er ihm ähnlich wird bis hin zur Vernichtung.

Bringt die Kenose nun mit der Bewährung am Nichts für den Glaubenden auch eine Weltverneinung mit sich? Sicher nicht im Sinne einer Verneinung der Welt als solcher, da sie für den Glaubenden erst einmal Gottes Schöpfung ist. Bei der

Negation kann es sich nur um ein Verhältnis des Menschen zur Welt handeln, die er immer wieder in seiner Selbstmächtigkeit zu „dieser" Welt macht, nämlich der „Welt der Sünde und Gottfeindlichkeit".[306] Seine Überlegenheit über die Welt beweist der Glaubende, wenn er die Verantwortung für die Welt annimmt, ohne sie dabei zu „dieser" Welt werden zu lassen: „Also nicht die Welt an sich, sondern die sich in sich selbst abschließende, die den Menschen in sich einschließende, ihn umschließende Welt ist es, von der sich zu lösen, von der sich freizuhalten, der Mensch durch das Evangelium aufgerufen wird".[307]

Dieser Aspekt der Weltverneinung war uns in der Zeit vor dem Zweiten Weltkrieg in der Bedeutung des Rechtfertigungsglaubens für die Wirklichkeitserfassung begegnet: Dort wurde eine sich in der Gesetzeserfüllung bzw. in der Verabsolutierung des Staates begründende Überformung und Vereinnahmung der Wirklichkeit abgelehnt. Allein das Evangelium kann, wie wir damals sahen, diese Schuld erkennbar machen, die Selbstmächtigkeit aufbrechen; es gibt aber gleichzeitig auch die Befreiung von der Gesetzeserfüllung in der allein von Gott herkommenden Erlösung.

Diese Erlösung führt Gogarten jetzt in seiner christologischen Zentrierung dem Menschen vor Augen: Die je neue Anerkennung der Nichtigkeit seines Tuns, in dem der Mensch Gott nicht gerecht werden kann, führt den Glaubenden vor die Kenose des Todes Jesu, stellt ihn also in die Dialektik von Weltverneinung und Weltzuwendung.

Diese kenotische Situation ist schwer beschreibbar, weil es ein ständiges Bewegen zwischen Ja und Nein, Annehmen und Geben ist, eine ständig neu zu formulierende Antwort auf das von Gott in seiner Offenbarung in Jesus gesprochene Entweder-Oder. Es ist „auf gar keine Weise aus dem Nein zur Welt zu vollziehen, sondern ganz allein aus dem Ja zu Gott . . . Die Worte Jesu, die von dem Entweder-Oder sprechen . . . rufen nicht auf zur Abkehr von der Welt, sondern zum bedingungslosen Vertrauen auf Gott".[308] Die Kenose muß also verstanden werden als Weltentsagung in der Weltzuwendung, eine Haltung, die dem Menschen aus sich selbst heraus nicht möglich ist, sondern nur in dem nun in vielerlei Weisen beschriebenen Sich-los-lassen.

Gogarten greift zur Verdeutlichung zu einem Bild, das Luther vom Psalmisten übernommen hat: Es beschreibt den Glaubenden als einen, „der wie der Vogel auf dem Dach tief in der Nacht außer dem Haus der Welt, in dem sie alle schlafen, allein wacht, noch nicht im Himmel, und auch nicht in der Welt".[309] Der so charakterisierte Mensch ist der zwischen Gott und Welt oder, wie Gogarten ihn an anderer Stelle nennt, der, „der sich aus dem Nichts empfängt, aus dem Gott ihn ruft, und was er in diesem Rufen wird, ist die Antwort auf diesen Ruf, die ohne ihn ohne Sinn und Wesen ist. Diese Antwort ist er selbst, ist er, wie er Person ist, vor Gott".[310]

4. Das Ende der Weltumschlossenheit in der vertrauensvollen Hingabe

In seiner Rede bei der Beerdigung von Max Planck im Oktober 1947 zitiert Gogarten eine Beschreibung des Verstorbenen über die Haltung des Menschen vor Gott, in der Planck einmal sagte: Es gibt „für einen besinnlichen Menschen nur zwei Arten der Einstellung dem Leben und der uns in ihm begegnenden höheren Macht gegenüber, zwischen denen er wählen könne: Entweder Angst und feindseliger Widerstreit oder Ehrfurcht und vertrauensvolle Hingabe".[311] Gogarten meint diese letzte Charakterisierung, wenn er von dem Menschen vor Gott als dem zwischen Gott und Welt spricht. „Vertrauensvolle Hingabe" meint den Menschen als Glaubenden, der nicht mehr bedingt ist durch die Verkettung, die „diese" Welt ihm aufzwingt, nachdem er sie durch sein Gott-gleich-sein-wollen verkehrt hat. Gogarten spitzt diese Aussagen im Hinblick auf das Neue Testament zu, wenn er sagt: „Der Mensch, der nichts mehr hat, worauf er sich verlassen kann, als allein Gott, dieser, wenn ich so sagen darf, weltlose Mensch in seinem Verhältnis zu Gott, das ist das einzige Thema des Neuen Testamentes".[312] Diese Weltlosigkeit aber schließt die Persongebundenheit, dieses „In-bezug-sein" auf das Du mit ein, durch das der Mensch sich auszeichnet.

Die Stellung des Menschen in der Welt ist also charakterisiert durch „die Freiheit des Gebundenen, die Selbständigkeit des Sich-Empfangenden".[313] Dieser Ausbruch aus der Weltumschlossenheit ist typisch für den christlichen Glauben und entspricht seiner Forderung nach dem Personsein des Menschen vor Gott: „Vor Gott Personsein, das heißt in einem zugleich, sich als solche von Gott empfangen und als solche von ihm gefordert werden . . . In beidem, sowohl in dem Sich-als-Person-von-Gott-empfangen, wie auch in dem Von-Gott-als-Person-gefordert-werden, ist das rechte Verhältnis zur Welt miteingeschlossen. Und das ist dieses: Die Welt verstehen als die Schöpfung Gottes und sie zugleich verstehen als die, deren Herr der Mensch ist, die also das von ihm, wenn auch nicht geschaffene so doch gestaltete, und in dieser Gestalt zu verantwortende Gebilde ist. So nur, indem dieses beides von ihr gilt, daß sie zugleich göttliche Schöpfung und menschliches Gebilde ist, ist die Welt dem Menschen wirklich und wahrhaftig Welt".[314] Beziehung zu Gott und zur Welt stehen damit in einem sich dialektisch ergänzenden Verhältnis zueinander, nämlich dem, daß der Mensch „in der Welt vor Gott Person ist". In dieser vertrauensvollen Hingabe als Zeichen der Hoffnung des Glaubenden ist die Weltumschlossenheit als Gottferne beendet: „Personsein vor Gott, das will besagen, daß in der Person, die der Hoffende ist, Gott in seiner aus dem Nichts alles schaffenden Gottheit gegenwärtig ist. Personsein vor und aus Gott, das ist also das durch die Hoffnung bereitete im ‚Brauche' Gottes sein".[315] Die Persongebundenheit des Glaubens im Nächstenverhältnis beschreibt somit die aktive Seite des sich von Gott her empfangenden Personseins.

Zusammenfassung

Nach dem Zweiten Weltkrieg stellt sich für Gogarten im Chaos die Frage nach dem die Wirklichkeit Umfassenden mit neuer Schärfe: Bei seinem Antwortversuch geht er von einer Analyse der Mündigkeit des Menschen aus, die sich in der neuzeitlichen Bindung an Sachen in Selbstherrlichkeit und Chaos verrannt hat:

1. Das Autonomieverständnis, das Entsakralisierung, Erkenntnis der Weltlichkeit des Säkulums und Vernunftfreiheit geschaffen haben, differenziert Gogarten

von ihrer unterschiedlichen Interpretation im Glauben und im modernen Selbst-bewußtsein her: Hier behauptet sich der Mensch gegenüber einer zur Sache herab-gesunkenen Welt in seinem Selbst, das er nicht mehr als Geschaffenes anerkennt. In der Bindungslosigkeit vermeint das Selbst seine Mündigkeit zu artikulieren.

2. Diese neue Umschlossenheit bricht der Glaube in seiner Bindung an Gott als den Schöpfer auf. Wie wir sahen meint der Schöpfungsglaube die Annahme der Stellung mitten in der Welt als von Gott so gewollt: Der Mensch steht somit kritisch in der Welt in Freiheit zu den irdischen Bindungen.

3. Diese Bindungen sind im Nächstenverhältnis zusammengefaßt: In der Offenheit gegenüber dem Du gibt der Mensch sich auf dem Weg in die Wirklichkeit Gott preis und ist damit den Selbstverständlichkeiten der Zeit und ihrer Bindungslosig-keit entnommen. In der Liebe als Selbstpreisgabe entscheiden sich Glaube und Unglaube; in ihr empfängt der Mensch seine Selbständigkeit.

4. Das Verständnis der Selbstpreisgabe des Menschen als eines Sich-empfangens von Gott her hat seinen Grund im Versprechen Jesu (Evangelium). In seiner Liebe zu den verlorenen Menschen gibt er sich in der Kenose des Kreuzes selbst auf und offenbart Gott: Denn das Lebendigmachen der Toten ist die eigentliche Paradoxie des Glaubens.

5. Im Du-Ich-Verhältnis kann sich der Glaubende im Vertrauen auf die Kenose Jesu aus seiner Selbst-Verschlossenheit aufbrechen lassen: In der Ungesichertheit der Wirklichkeitserfahrung, die im Anruf des Nächsten (Wort) und der Verant-wortung vor diesem Anruf (Glaube) besteht, ist der Mensch in Jesus an Gott gebunden.

6. Die Nichtigkeitserfahrung in der Selbstpreisgabe der Liebe konfrontiert den Menschen im Kreuz Jesu mit der Menschwerdung Gottes: In dieser Konfrontation, die im je neuen Wirklichkeitsbezug entsteht, muß die dialektische Stellung des Glaubens zwischen Weltverneinung und Weltzuwendung aufbrechen.

7. Diese dialektische Stellung läßt sich als vertrauensvolle Hingabe charakteri-sieren, als Verantwortung für die Welt aus der Verantwortung vor Gott. Hier wird das Problem der Säkularität bereits thematisch. Sie hat sich aus der Einsicht in die Rechtfertigung des Menschen allein durch Gott und das christologische Verständnis der Kenose herauskristallisiert.

§ 4. Der erneuerte Weltbezug des Menschen als Sohn und Erbe

1. Die Subjektivität des christlichen Glaubens

Die Existenz des Menschen prägt sich nach dem Neuen Testament im Empfangen und Geben des Personseins im Nächstenverhältnis aus. „Christlicher Glaube lebt, wie wir gesehen haben, in der reinsten Subjektivität".[316] Gogarten meint damit nicht die Subjektivität eines Subjekt-Objekt-Schemas, sondern die des personalen Seins, das, weil es empfangen und nicht hergestellt ist, – das meint nicht in der Selbstgenügsamkeit der Autonomie des Menschen begründet ist, – die Trennung der Wirklichkeit von seiner eigenen Existenz in Form eines Objektes nicht zuläßt.

Denn der Ort des christlichen Glaubens, der christlichen Wahrheit, ist nicht eine „wie immer objektiv verstandene Wirklichkeit", sondern sie geschieht „in einer durch nichts von außen her zu sichernden und zu bestimmenden Subjektivität".[317] Gogarten wendet diese Wahrheitsaussage zurück auf seine Argumentation bezüglich des Personseins: „Nur in der Subjektivität des durch die an ihm geschehende Wahrheit Gottes auf sich gewendeten Menschen haben die Aussagen des christlichen Glaubens ihre Wahrheit".[318] An anderer Stelle nennt Gogarten diese Subjektivität auch Inwendigkeit. Sie ist Folge des Anrufes Gottes und meint das dem Ruf Antwort gebende Personsein, das keinen Halt mehr in sich und in der von ihm geschaffenen, ihn umfassenden Welt hat. Es handelt sich bei dieser Inwendigkeit nicht wie im modernen Subjektivismus um die Auffassung, daß das Göttliche im Menschen und in seinem Geist immanent sei, sondern Inwendigkeit meint die durch das Gegenüber in Jesus zu sich selbst kommende Person, die sich wehrlos und ihrer Nichtigkeit bewußt Gott preisgibt im Empfangen der eigenen Existenz durch das Kommen des Sohnes. In Jesus fordert Gott vom Glaubenden, ihn seinen Gott sein zu lassen. Die Erfüllung dieser Forderung Gottes ist das Geschenk der Sohnschaft für den Menschen.

2. Die Sohnschaft als Grundlage der Mündigkeit

Sohnschaft äußert sich in der Verantwortung für die Welt, die dafür sorgt, daß die Welt Welt bleibt. Der Glaubende wird diesem Sohnsein aber nur gerecht in der dialektischen Doppelbewegung von Weltverneinung und Weltzuwendung, die Gogarten mit Goethes Worten als die „ewige Synkrisis und Diakrisis", als die „schwerer Dienste tägliche Bewahrung" charakterisiert. Sohnschaft läßt sich nicht auf einen individuellen Bereich reduzieren, sondern ist als Verantwortung vor Gott Herrschaft über die Welt: „So wird also, wenn denn das Mit-Christus-Leiden und das Mit-ihm-Auferstehen im Glauben geschieht, das Mit-sein Gottes mit der Welt in diesem Glauben wahrgenommen, und es wird eben damit in ihm die Herrschaft über die Welt ausgeübt, die des Sohnes ist".[319]

Und das bedeutet den Ruf des Glaubenden in seine je gegenwärtige, konkrete Existenz, in der sich sein Herrsein über die Welt bewähren muß.

Der Mensch der Neuzeit scheint in spezieller Weise dieser Sohnschaft gewahr zu werden; denn er empfängt sein Erbe in einer Welt, „die ihm, indem er sie begreift und erforscht, in einem grundsätzlichen fast unbegrenzten Maße zur Verfügung steht".[320] Die damit verliehene Mündigkeit hat ihre Grundlage aber in einem „doppelten Zugleich . . . das für das Menschsein in der Welt gilt, nämlich das des Personseins als eines von Gott empfangenen wie von ihm geforderten und das Zugleich der Welt als göttlicher Schöpfung wie als eines Werkes des Menschen".[321]

3. Freiheit und Verantwortung der Sohnschaft

Gogarten bezeichnet die in diesem doppelten Zugleich umschriebene Freiheit am liebsten mit einem griechischen Wort, das des öfteren in den neutestamentlichen Schriften begegnet: παρρησία. Er lehnt die Übersetzung des Wortes mit „Freudigkeit" ab und setzt an dessen Stelle die „Freidigkeit" der lutherischen Ausdrucksweise. Denn hier scheint ihm der ursprüngliche Sinn des Wortes — Redefreiheit und Freimütigkeit — näher. Es dient ihm zur Bezeichnung dessen, was die Sohnschaft dem Erben ermöglicht: „In dieser Freiheit wird der Mensch sich selbst erschlossen, wie Gott ihn vor sich sein läßt. Indem er so für Gott da ist, ist er auch für sich da, und er kann sich in dieser Freiheit auch auf sich selbst wenden, und — auf sich gewendet bleiben. Dann aber wird aus dem freien Willen der eigene Wille, der eigenes will und nicht mehr auf Gott schaut".[322] Diese Gefahr ist in der Freisetzung durch den Schöpfer enthalten, die sowohl Ermöglichung wie Verlust der rückhaltlosen Offenheit der Sohnschaft bedeuten kann.

Gogarten erweist diese Fatalität der Freiheit am deutschen Idealismus und am Marxismus. Der Konzentration der idealistischen Philosophie auf die Freiheit des Menschen wirft er vor, den Menschen zur Idee des Geistes werden zu lassen.[323]

Geht der Idealismus so von seinem Ansatz her am „konkreten wirklichen Menschen" vorbei, so scheint der Marxismus diesen in seiner geschichtlichen Existenz und seiner gesellschaftlichen Eingebundenheit ernst zu nehmen. Aber auch der Marxist handelt mit perfektionistischen Idealen, denn er „denkt den Menschen von der zu ihrer Vollendung gekommenen Welt her, und infolgedessen greift er am wirklichen Menschen vorbei".[324] Beide Denkmodelle versuchen, den Menschen seinem Angewiesensein auf Gott zu entziehen, indem sie ihn aus seiner Verantwortung für die konkrete Situation als Antwort auf den Ruf zur Sohnschaft entheben. „So geschehen also die aktuelle, konkrete Erkenntnis der geschichtlichen Stunde und die Erkenntnis des Wortes Gottes in eins und nicht die eine vor der anderen und nicht die eine ohne die andere".[325]

In dieser Verantwortung ist dann der Glaubende auch von jeder weltanschaulichen Ausprägung des Gottesverhältnisses befreit; „die Gott-,fremdheit' der Wissenschaft ist dann der Ausdruck der Ehrfurcht vor Gott".[326]

Denn der Glaubende braucht die Wahrheit nicht in der Wissenschaft zu suchen, weil sie ihm in der Erkenntnis Gottes als des Schöpfers gegeben ist. Das erst ermöglicht ihm sein In-der-Welt-sein, das in der Freiheit und Verantwortung der Sohnschaft kein Zur-Welt-gehören wird.[327]

Aus diesem Verständnis der Sohnschaft spricht eine ungeheure Zuversicht auf den Vater, in der sich der Erbe total von ihm her empfängt. Gogarten bezeichnet diese Haltung in seinen theologischen Aussagen nach dem Zweiten Weltkrieg als Gehorsam. Hier liegt damit eine erhebliche Akzentverschiebung gegenüber der Darstellung der „politischen Ethik" vor: Gehorsam wird nicht mehr gegenüber dem Gesetz erfahren, das in der Herrschaft des Staates und im Volksnomos begegnet, sondern als christologisch interpretierte Selbstpreisgabe gegenüber dem konkret erfahrbaren Du: „Denn Gehorsam gegen Gottes Willen bedeutet nicht nur, in vorbehaltlosem Vertrauen von Gott das Leben, und das heißt sich selbst, empfangen, er heißt zugleich, in der unbedingten Hingabe an den Nächsten, in der die göttliche Forderung des vorbehaltlosen Vertrauens zu Gott ihre konkrete Erfüllung findet, dieses Leben in der Beziehung zum Nächsten leben. In dieser Beziehung ist dann auch dem Nächsten dieses Leben erschlossen".[328] Verfehlt der Mensch diesen Gehorsam, so erfaßt er nicht die Wirklichkeit, die ihn umgibt, er verfällt der Sünde.

4. Die Sünde des Menschen als Verfehlung der Verantwortung

„Sünde, das ist die Selbstmächtigkeit des Menschen, mit der er sich selbst verwirkt, und ihre unvermeidliche Folge ist die Verschlossenheit des Menschen in sich selbst, mit der er sich zu verhüllen sucht, daß er seine Freiheit und damit sein Person-sein vor Gott verwirkt hat".[329] Mit der Sünde gerät der Mensch also in eine unüberwindbare Isolierung Gott und damit der Welt gegenüber, sein Verhältnis zu Gott und damit zum Nächsten wird zerstört.[330]

Dieses Verständnis von Sünde wird nun dadurch unkonventionell, daß Gogarten nie von Sünden spricht als einzelnen Fehlhaltungen, sondern nur von der einen Sünde, als die er die Selbstmächtigkeit des Menschen versteht.[331]

Die Sünde ist Ausbruch aus der Stellung des Menschen zwischen Gott und Welt, ist solange „Wirrnis des Fliehens im Suchen und des Suchens in der Flucht, solange wir es nicht wagen, im Zunichtewerden vor Gottes Angesicht wir selbst zu sein . . . Die Nichtigkeit, die wir vor ihm zu bekennen haben, behält darum immer ihren zwiefachen Sinn, den der Schuld und den des Lobpreises und des Dankes für seine Gnade".[332] Der letzte Satz verdeutlicht die Nähe, die der Unglaube zum Glauben hat – und umgekehrt. Denn beide haben mit dem Sich-versagen vor Gott und der Annahme des Angebotes zum Leben zu tun. Diese Entscheidung aber fällt im jeweiligen Augenblick der konkreten Wirklichkeit und das ist der Grund, weshalb Gogarten die Moralisierung des Glaubens in der Rede von Sünden ablehnt: „Sobald die Sünde nicht mehr in ihrer Aktualität gefaßt wird, sondern als Zustand, wird sie nicht mehr in Bezug auf das Gottesverhältnis verstanden, und alle Aussagen über sie werden notwendig falsch".[333] Ist der Mensch in dieser unausweichlichen Aktualität seiner Existenz der Ungläubige, so wird er auch im Hier und Jetzt zum Glaubenden in der Liebe Gottes, die ihm die Sünde seines Autonomiestrebens offenbar macht: „Erst wenn er sich verstehen kann, als den, der, indem er sich von Gott empfängt, er selbst ist, so wie der Liebende es ist vor dem Geliebten, ist er im Stande, seine Sünde zu erkennen".[334] Im Kontrast zu diesem Sich-

Empfangen des Liebenden von dem Geliebten her ist die Sünde begründet im eigenständigen Besorgen. Diese Haltung zeigt, daß der Mensch „das von Gott Besorgtwerden seines Seins" vergißt, „daß er sich mit diesem Besorgen seiner selbst in sich verschließt; daß er meint, darin sich selbst genügen und in sich selbst heil sein zu können".[335] In dieser Selbstmächtigkeit hat der Mensch „nicht *etwas* verloren, sondern *sich selbst* ".[336] Verfehlt er so seine Verantwortung, dann geht ihm auch das „doppelte Zugleich" von empfangenem und gefordertem Personsein und von der Welt als Schöpfung Gottes und des Menschen verloren. „Wenn irgendwo dann wird es in der Schuld offenbar, daß wir Menschen Wesen sind, die in der Welt leben müssen und die zugleich in einer anderen Wirklichkeit leben, die welthaft nie zu fassen ist. Wir sind aus der Welt und sind zugleich nicht aus der Welt. Wir können darum nicht nur als solche leben, die aus der Welt sind. Wir müssen immer beides: Als die, die nicht aus der Welt sind, müssen wir aus ihr sein und in ihr leben und als die, die aus der Welt sind, müssen wir solche sein, die nicht aus ihr sind".[337]

Zusammenfassung

1. Die Subjektivität des christlichen Glaubens meint das sich in der Antwort auf den Ruf Gottes im Nächsten total hingebende Personsein. Dieses personale Sein kann die Wirklichkeit nicht mehr in Form eines Objekts von sich abtrennen.

2. Eine so beschriebene Subjektivität begegnet zuerst in Jesus, der in ihr sich als der Sohn Gottes erweist. Darin eröffnet er den Glaubenden die Sohnschaft.

3. Sohnsein ist Herrschaft über die Welt mit dem Ziel, sie in ihrer Welthaftigkeit zu erhalten. Als solches ist es Voraussetzung der Mündigkeit. Diese Haltung entsteht immer wieder aus dem doppelten Zugleich von der Welt als Schöpfung Gottes und Werk des Menschen, von der Sohnschaft als Forderung und als Geschenk.

4. Dieses doppelte Zugleich leitet sich aus dem Hören des Wortes in Gesetz und Evangelium her; es hält die Wirklichkeitserfahrung in Verantwortung und Freiheit offen: Nur in der Welt kann der Mensch den Ruf Gottes vernehmen und ihm in Verantwortung und Freiheit für diese Welt in Form der Beziehung zum Nächsten gehorchen.

5. Der Ungehorsam als Sich-verschließen des Menschen im eigenen Ich ist die eigentliche, verantwortungslose Sünde; er ist Schuld gegenüber Gott und dem in ihm verkannten Nächsten: Denn hier verläßt der Sohn die ihm eigene Stellung zwischen Gott und Welt, die jetzt durchgängig dialektisch verstanden wird. Der Mensch ist Sohn vor und aus Gott, Erbe für und in der Welt.

§ 5. Durchführung der dialektischen Ansätze des Wirklichkeits-
verständnisses

1. Gesetz und Sünde

Die im Glauben begründete und den Glauben begründende Dialektik im Weltbezug
finden wir in Gogartens Gesetzesverständnis systematisch durchgeführt. Die
Forderung dessen, was Paulus das Gesetz Christi nennt, stellt den Menschen vor
seine Sünde. „Gottes Gesetz, das die mit der Gabe der Existenz verbundene
Forderung eben dieser Existenz ist, kennt nur eine einzige Forderung, daß ich
Gott gehöre, und zwar in demselben Sinn, indem ich von seinem Wort aus dem
Nichts in das Sein vor ihm gerufen bin".[338] Damit ist die Enge der Welt gesprengt
und die Schwachheit zu ihrem Ruhm gelangt. Im sohnhaften „Erfüllen" dieser
Forderung – als Bekenntnis des Menschen zu Gott in Beantwortung des dem
zugrunde liegenden Bekenntnisses Gottes zum Menschen in Jesus – geschieht die
Rechtfertigung, ohne die der Mensch in der Wirklichkeit nicht existieren kann:
„Entweder läßt er sich durch Gott rechtfertigen im Hören seines Wortes oder er
macht den Versuch, sich selbst durch die Welt und ihre Gestaltung in seinem Werk
zu rechtfertigen".[339] Tut der Mensch das, dann kehrt sich das Gesetz, das zu
seiner Umkehr dienen sollte, wider ihn und zerstört ihn mit den vielfältigen
Anweisungen des Gesetzes „dieser" Welt. Mit der Erfüllung dieses Gesetzes meint
der Sünder dann, eine Nähe zu Gott schaffen zu können, die aber gerade das
Gottsein Gottes verkennt. „Es heißt . . . Gott die Ehre seiner Gottheit nehmen,
wenn man ihn nicht als den versteht, der seine Gaben allen umsonst schenkt".[340]
Dieses „umsonst" schließt aber ein, daß das den Menschen anklagende Gesetz im
Glauben als der Erfüllung seiner Forderung aufgehoben ist. Denn das Gesetz will
den Menschen an seinen Ort vor Gott bringen, sich aber nicht zwischen Mensch
und Gott stellen. Das geht bei weitem über das pharisäische Gesetzesverständnis
hinaus, das mit dem Gesetz die rechte Beziehung zu Gott herstellen wollte und so
im Gesetz die Welt als die Welt Gottes verstand, das heißt, das Gesetz zu einem
die Welt schaffenden und sie in ihrem Bestand sichernden Element machte.[341]
Die christliche Interpretation des Gesetzes dagegen wendet den Blick von dem,
was gefordert wird, auf den, der diese Forderung stellt. Damit werden alle
Vermittlungen im Gottesverhältnis aufgehoben, und die welthaften Bindungen
erhalten ihren ihnen zukommenden Stellenwert in der Schöpfung, deren Herr der
Glaubende in seiner Sohnschaft ist. „Das Gottesverhältnis, so wie Jesus es versteht,
verträgt kein Gesetz . . . Spricht man schon vom Gesetz, dann kann es sich nicht
um eine Vielfalt von Geboten handeln, sondern nur um die eine einzige Forderung:
Gehorsam gegen Gott . . . Der Gehorsam gegen Gott, wie Jesus ihn versteht, ist
nicht getan mit einer Erfüllung der Gebote, die auf dieses oder jenes gehen . . .
Gott gehorsam ist einzig und allein der, der sich ihm ausliefert. Denn er allein läßt
ihn wirklich Gott sein. Er allein gibt Gott, was ihm gehört, nämlich sich selbst".[342]
Dies zeigt, wie eng das Gesetz an das Verhalten des Glaubenden gebunden ist, das
Gogarten Gehorsam nennt. Nur in ihm als der Offenheit gegenüber dem Nächsten
kann der Mensch in der Welt leben, nicht aber in der sklavischen Erfüllung eines

Gesetzes, das die Welt verabsolutiert: „Gesetz und Christus schließen einander aus".343)

Das Gesetz wird dem Menschen so „zu einem Mittel, die Ordnung der Welt und damit das Weltsein der Welt, soweit er das mit seinen Werken vermag, zu bewahren".344)

Eine Gesetzesfrömmigkeit würde diese Funktionalität des Gesetzes aufheben und wäre ein Versuch des Menschen, „sein Vertrauen zur Welt mit dem Vertrauen zu Gott zu verbinden".345) Die Lehre vom Gesetz dient also dazu, den Menschen zu einer Personalität zu führen, die nicht in der Sünde, das heißt der Verfallenheit „dieser" Welt besteht, sondern in dem Gehorsam des seine Freiheit von Gott empfangenden Sohnes. Dann ist aber „diese Freiheit, in der der Mensch in einer solchen, seine Existenz begründenden Weise für Gott frei ist . . . die erfüllte Verantwortung des Menschen vor Gott".346)

Das über Sohnschaft, Freiheit und Verantwortung, Sünde und Gesetz Gesagte hatte notwendigerweise in manchen Zügen einen stark individualistischen Anschein, da es seine Begründung in der Subjektivität des Glaubenden hat. Aber schon die Ausführungen über das in dieser Subjektivität begründete Nächstenverhältnis haben den Menschen und sein Heil in dem Gesamtzusammenhang der geschichtlichen Situation gezeigt. Im folgenden kommt es darauf an, diesen Zusammenhang noch etwas deutlicher hervorzukehren, um damit ein Mißverständnis der Theologie Gogartens zu vermeiden.

2. Kirche und Welt

Bei der Weiterführung des Du-Ich-Verhältnisses nach dem Zweiten Weltkrieg hatten wir bereits gesehen, daß „ein Wort geschieht, auch ohne daß es lautlich gesprochen wird, überall, wo sich ein Mensch als Person einem anderen öffnet und mit seinem ganzen Sein zuwendet".347) Auch kirchliche Verkündigung muß so gestaltete „Antwort auf das gehörte Wort"348) sein. Denn „daß dieses Personsein des Menschen in der Welt wieder eine Wirklichkeit ist, das meint das Neue Testament, wenn es von der Kirche spricht. Daß es eine Wirklichkeit wird in der Welt, das ereignet sich in der Verkündigung der Kirche. Und darum ist die neutestamentliche Kirche die Kirche des Wortes".349)

Wenn dieses Wort aber je in der personalen Zuwendung laut wird, dann bedeutet das zweierlei: Einmal befindet sich Kirche dann in einem ständigen Gründungsakt: „Wo Kirche ist, da wird sie immer neu, immer gegenwärtig gegründet. Nur so ist, nur so geschieht Kirche unter uns Menschen".350) Andererseits aber bedingt die Aktualität des Erweises, daß Gott unser Gott ist, eine Existenz der Kirche im Hier und Jetzt der Welt. Gogarten schließt sich hier an Schliers Interpretation des Epheserbriefes an: „Die Kirche ist nicht ein Bereich neben anderen, sondern sie ist die Welt. Aber die Welt, wie sie ist als die, die in Christus ihr Haupt empfangen hat".351) Diese Zuordnung der Kirche zur Welt will vermeiden, daß die Kirche zu „etwas" in der Welt wird, das „darauf aus ist, die Welt festzumachen und sie in sich zu runden und zu schließen".352) Wie in der personalen

Zuwendung die Offenheit des Sich-Zuwendenden auf die Öffnung des anderen aus ist, so soll die Kirche in der Welt diese aufbrechen und offenhalten. In ihrer Verantwortung für das aktuelle sittlich-politische Geschehen bleibt sie so in einer reinen Weltlosigkeit, indem sie eben die Welt mit der Freiheit des göttlichen Wortes konfrontiert in der ihr „zugehörigen Öffentlichkeit".[353] Durch diese Verkündigung in ihrem „In-der-Welt-Sein" steht die Kirche aber in der Gefahr eines selbstgefälligen Sich-Verschließens, „die sie nur im ständigen Hören des sie aus der Welt rufenden Wortes überwinden kann".[354] Sie ist aber nur deshalb aus der Welt herausgerufen, damit sich diese wieder als Schöpfung erkennt, das heißt, daß sie von ihrer sie umschließenden perfektionistischen Auffassung vom Menschen und seiner Freiheit, ihrem Gesetz abrückt und den gegenwärtigen Augenblick in seiner scheinbaren Sinnlosigkeit und seinem Versprechen ernst nimmt, als Geschenk des die Welt schaffenden Gottes. „Damit, aber auch nur damit, daß die Kirche so das Gesetz, das in der Welt gilt, auf sein nur-weltliches Maß zurückbringt, ist ihre Predigt, wie man heute gerne sagt, ,politisch'".[355]

Exkurs: „Politische Theologie" bei Johannes B. Metz

In diesem politisch-säkularen Kontext versucht Johannes B. Metz das Verhältnis von Glaube (Kirche) und Welt zu interpretieren: Die „Weltmystik" des Ignatius von Loyola scheint ihm dabei ein gelungener Ansatzpunkt, denn dort kommt der Glaube nicht vor „als konkurrierender Sektor innerhalb des Weltverhältnisses des Menschen, sondern als Horizont, als Voraussetzung von Weltverständnis und Weltwürdigung, Glaube als verborgene, aller Weltbegegnung innerliche und doch in ihr sich nicht erschöpfende Suggestion zur Weltbejahung".[356] Welt ist dann Weg Gottes, auf dem er den Menschen begegnet, das heißt der Mensch muß sein unendliches Wesen in verantwortlicher Lebensentscheidung binden, wobei er die Welt ganz weltlich sein läßt: Weltannahme ist Weltfreisetzung „gläubiger Nachvollzug der Deszendenz Gottes in Welt".[357] Das Weltverhältnis bleibt bei Metz dann aber immer noch „diastatisch", weil Gott „allein im unverfügbaren Geheimnis seiner Liebe der Ort aller echten Konvergenz zwischen Glaube und Welt" ist; „für uns aber bleibt diese Einheit innerweltlich und innergeschichtlich unverfügbar. Für uns bleibt die durchschaubare Angenommenheit der Welt in ihrer Weltlichkeit ein eschatologisches Ereignis, auf das hin wir in Hoffnung existieren".[358] Der Unterschied zwischen Welt und Welt ist so in die Jenseitigkeit Gottes verlegt, um die Inkarnation nicht in einem bestimmten Sektor der Welt zu nivellieren. Zur Bewahrung vor der Weltlichkeit des Glaubens ist die Zeit nach Christus „Zeit der Kirche"; denn im Kreuz als der „Stunde" Christi ist Zeit zu einem innergeschichtlichen Ende gebracht, Kirche also „die Auszeitigung des in ihr vollbrachten Endes aller Zeiten".[359] Kirche und Welt stehen in einem Antagonismus, der im Widerspruch der Welt, deutlich am Kreuz Christi, begründet ist. Dem steht nach Metz nicht entgegen, daß der eigentliche Lebensraum der Kirche die Welt ist, da sie ja in der Inkarnation grundsätzlich angenommen ist.

Die Weltbeziehung des Glaubens ist also bestimmt durch das „Kreuzesschicksal" der Kirche, das in ihrer „geschichtlichen Erscheinung . . . in der Welt"[360] besteht. So verschuldet die Eigenmächtigkeit der Welt nach Metz die Kirche. Anstelle einer je neu in der geschichtlichen Situation zu erlangenden Säkularität im Gespräch des Glaubens mit der Welt tritt für ihn die Kirche. Die autonome Welterfahrung verliert dadurch an ursprünglichem Wert, weil sie verkürzt wird von einem totalen Säkularisierungsprozeß auf einen bloßen „Hominisierungsprozeß" hin. Dieser ist dann „Flucht mit der Welt ‚nach vorn' ", da eine „schöpferisch-kritische Eschatologie"[361] zugrunde liegt. Hier ist dann auch die Grundlage für eine von Metz befürwortete „politische Theologie". Sie geschieht in der vom Kreuzesereignis ausgezeitigten Geschichte, die keinen neuen Boden mehr kennt, da mit der Deszendenz Gottes seine Transzendenz nur noch deutlicher wurde. Als „Dienst für alle" steht diese politische Theologie „im Geist der biblischen Hoffnung", aus der „christliche Weltflucht entspringt".[362] Das politische Handeln ist für Metz so wie das Kreuzesereignis partielle Weltüberwindung aufgrund von Welterleiden.

So enggeführt wie das säkulare Handeln scheint auch das Verständnis von Metz über den Säkularisierungsprozeß: Welt „kann sich ihr ‚Lager' nur mehr bauen auf dem Eigentum der Kirche. Welt kann — um es kurz zu sagen — im Gegensatz zum Kreuz nur mehr existieren als säkularisiertes Christentum. Die Ausbildung eines konkreten Welt- und Geschichtskörpers ohne das Kreuz kann nur mehr geschehen als Säkularisation und damit wieder als direkte Bejahung des Kreuzes".[363] Die Säkularisierung ist nach Metz demnach eine Bekundung für „das Kreuz als bleibendes Existential der christlichen Geschichtsökonomie",[364] einer antagonistischen Bejahung der Welt. Diese muß der Glaube „ständig auf Gott hin übersteigen", um sie „in ihrer Nicht-Göttlichkeit, in ihrer Weltlichkeit sichtbar"[365] zu machen.

Also liegt für Metz das kritische Prinzip des Glaubens, der die sich in ihm verweltlichende Welt nicht verläßt, in einer verhüllten Geschichte, die dem unverfügbaren Zugriff Gottes ausgesetzt ist, die aber offenbar wird in der Kirche; denn die Freiheit des Glaubenden „ist die gehorsame Erschlossenheit unserer Herzen aus allen innerweltlichen Verfestigungen und Verschüttungen heraus für den einmaligen, unvergleichlichen Zuspruch jener ‚Stunde', in der Gott uns unser in Gnade und Barmherzeigkeit entworfenes Wesen zuspricht: In der ‚Stunde' des Kreuzes".[366] Die Weltlichkeit des Menschen ohne Abfall in einen erneuten Säkularismus gibt es also nur im Horizont des Christusereignisses, in dem die Hominisierung der Welt zum Vollzug kam. Denn in ihr liegt nach Metz die moderne Erfahrung des Numinosen: In der „angenommenen und geübten zwischenmenschlichen Erfahrung ‚liegt' eine Chance für den Menschen der hominisierten Welt, Gottes Nähe selbst zu erfahren und aus der Kraft dieser Gotteserfahrung jener ungeheuren Gefahr der Enthumanisierung entgegenzuwirken, die sich am Horizont unserer Welt heute abzeichnet".[367] In gewisser Weise ist das Wort also reduziert auf das Kreuzesgeschehen als Kulminationspunkt, das aber auch mehr einen gesamt-inkarnatorischen Charakter trägt als den der Kenose. Dieses zum Prinzip erhobene Kreuz als Widerspruchsbeispiel der Welt gegenüber erfaßt geschichtliche Gestalt in der

Kirche und ihrem politischen Handeln in der Brüderlichkeit, das bestimmt ist von der im Kreuz gestifteten christlichen Hoffnung; diese verweist die Welt auf ihren eschatologischen Charakter: „Sie muß noch werden, was sie durch die Tat Jesu Christi schon ist: Der neue Äon".368) Deshalb ist das Weltverhältnis des Glaubenden operativ, was nicht meint, daß Zukunft herabgemindert würde zu „Korrelat und Projektion unserer eigenen latenten Möglichkeiten".369) Nur ein „hybrider Säkularismus" verfiele in eine solche Zukunftsbemächtigung, die ihm aber lange durch das Weltverständnis der Christenheit aufgezwungen wurde. Die Kirche muß in der Erkenntnis dieser ihrer historischen Fehlhaltung ihre den Säkularisierungsprozeß auslösende Funktion bejahen. Metz hat im Vergleich zu Gogarten und den amerikanischen Theologen keine ausgeprägte Interpretation eines Säkularismus, der auf einem verfehlten Schöpfungsverständnis basiert, da er ja auch den Prozeß der Verweltlichung der Welt in der „Stunde" Christi anheben sieht. Diese fast ontologische Interpretation des Kreuzes macht eine Sicht der Kenose als Grundlage von Geschichte und mit ihr verbundener genuiner Säkularität nicht möglich. Die diastatische Funktion der Kirche gegenüber der Welt ist, verglichen mit Gogartens dialektischem Verständnis von Glaube und Welt, nahezu sakramental und die Interpretation des Säkularisierungsprozesses verdeckt ekklesiologisch.

3. Schöpfung und Eschatologie

In ihrer „politischen" Predigt erfüllt die Kirche an der Welt ihre eigentliche Verkündigungsaufgabe. Indem sie die Welt als Schöpfung darstellt, stärkt sie das Bewußtsein, daß die Welt nur Welt ist, und nicht Mittel der Rechtfertigung, die allein aus Gottes Gabe kommt. Sie hält damit die Welt und den Menschen in ihr offen auf die Zukunft Gottes hin. Diese Zukunft aber ist die $\beta\alpha\sigma\iota\lambda\epsilon\iota\alpha$ τοῦ ϑεοῦ. So wie Jesus die Welt als noch nicht zur Schöpfung gekommen und doch schon Schöpfung seiend verstand, ebenso ist auch die Zukunft Gottes in seiner Basileia bereits angebrochen, wie noch zu erwarten. Denn „das Reich Gottes oder wie man besser übersetzt: das Königtum, die Königsherrschaft Gottes besteht in seinem schaffenden Geben und darin, daß der Mensch in diesem schaffenden Geben Gottes sein Leben hat".370) In dieser Bindung Gottes an die Schöpfung erweist sich die Herrschaft Gottes als höchste Bejahung des Lebens, das im Neuen Testament identisch ist mit dem von Gott geschenkten Pneuma: „Pneuma ist, so könnte man vielleicht zusammenfassend sagen, das Leben, das Christus in die Welt, besser in die Schöpfung hineinlebt, wodurch eben an die Stelle der Welt, die aus sich leben will und die darum, um sich nicht ganz von Gott zu lösen, des Gesetzes bedarf, wieder die Schöpfung tritt".371) Dieses die Zukunft Gottes initiierende Tun in Jesus Christus stellt die Verbindung von Schöpfung und Eschatologie her.

Für Gogarten behandelt das Neue Testament das kommende Weltende anthropologisch und nicht kosmologisch. Das läßt den christlichen Glauben die Welt nicht feindlich ansehen, sondern in Nüchternheit die jeweilige geschichtliche Gegenwart als Augenblick verstehen, in dem die Welt durch ihr bloßes Weltsein dem Menschen die Freiheit des Sohnes ermöglicht. Dieses Verhältnis ist wirklich geworden durch die Verkündigung Jesu, in der er sich als die Erfüllung der verheißenden Zukunft ansagte. So hat die Gegenwart als durch den Glauben bestimmt, das heißt als Schöpfung, eschatologischen Charakter und ist nicht durch die Erwartung der Erfüllung negiert, sondern auf sie hin geöffnet: „Vor allem und in und über allem ist und bleibt zukünftig die Zukünftigkeit Gottes".372)

4. Das spekulative, moralische und mythologische Mißverständnis der christlichen Wahrheit

Ein in dieser Weise „un-welthafter", geschichtlicher Glaube ist unterschieden von einem kulturell zu verstehenden Christentum und übt Kritik an ihm. Ist der Glaubende im christlichen Glauben offen, um in den „Brauch" Gottes genommen zu werden, das heißt die Welt Welt sein zu lassen, so kommt der Mensch im Christentum gefährlich nahe zur Abkapselung seines empfangenen Seins in einer institutionalisierten Vereinigung, die zu Unrecht den Namen Kirche trägt. Der Glaube wird im Christentum dermaßen verändert, daß er die Zukünftigkeit Gottes verkehrt in ein Schon-Besitzen.

In seinem Aufsatz „Die christliche Wahrheit" fächert Gogarten dieses Mißverständnis auf in das spekulative, moralische und mythologische. Das spekulative Mißverständnis hat seine denkerische Begründung in der das Bewußtsein aufspaltenden Philosophie Descartes, die damit Grundlage der modernen Selbstbehauptung des Ich ist. In ihr bleibt das spekulative Denken dann aber auch stecken: „Da das spekulative Denken von der Wahrheit des Menschen ausgeht, so kann es niemals und auf gar keine Weise bei der Gottes ankommen".373)

Das moralische und das mythologische Mißverständnis haben ihre Ursache in der im spekulativen Denken vollzogenen Zentrierung auf das Ich. Im moralischen Mißverständnis meint der Mensch durch sein eigenes ethisches Handeln sein Leben nach der Wahrheit des Glaubens einrichten zu können. Luther hat sich in seiner Theologie energisch gegen diese Verflachung des Glaubens in der Umklammerung durch das Ethische gewehrt, weil es eine Vorwegnahme der für Gott offenen Zukunft ist. Diese Zukunft nämlich liegt in der vertrauensvollen Hingabe des Menschen selbst, in seiner Existenz zwischen Welt und Gott, „allein und einsam außer dem Haus". Denn „nur wo wir in der Nichtigkeit unseres Aus-uns-selbst-sein-Wollens bereit sind, uns aus seiner uns ins Leben rufenden Gottheit zu empfangen, erkennen wir seine Wahrheit".374)

Dieses sich empfangende Personsein ist auch Kritik an dem mythologischen Mißverständnis, das zur Verkehrung des Glaubens in Religion führt. In der Religion kommt es zu einer unverantwortbaren Vermischung von Gott und Welt: „Sie ist darum immer der Versuch, mit den Mitteln der dem Menschen bekannten und vertrauten Welt, diese fremde Macht zu beeinflussen und das Verhältnis zu ihr unter Bedingungen zu stellen, die ihm verfügbar sind. Religion ist darum im tiefsten immer Unglaube, der sich aber als Glauben gibt und versteht".375) Eine Erscheinung dieser Verfügbarkeit ist die Frömmigkeit der Religion, die die Kenose Jesu bagatellisiert in allen möglichen Übungen und Verrichtungen, in denen sie sich offen wähnt gegenüber Gott. Aber auch eine Kirche, die sich als sakramentale

Gnadenanstalt verstehen würde, fiele unter das Verdikt, bloß mythologisches
Mißverständnis der christlichen Wahrheit zu sein. Denn wie das spekulative und
moralische Mißverständnis versucht eine solche Kirche alles Geschehen auf sich
selbst zu zentrieren. Damit aber verfehlt sie sich und die ihr anvertraute
Verkündigung. Und in der Theologie führt dieses Mißverständnis schließlich
zu einer Objektivierung selbst des Wortes Gottes. Aber „Gott und sein Wort ob-
jektivieren heißt ihn leugnen".[376)]

5. Zusammenfassung

Anhand von Gesetz, Kirche und Schöpfung wurde gezeigt, in welcher Weise
Gogarten die dialektischen Ansätze für das Wirklichkeitsverständnis durchführt:

1. Das Gesetz wird jetzt nur noch in seiner Beziehung zur Sohnschaft gesehen:
Der Mensch kann das Gesetz nur in seinem Sohnsein „erfüllen", d. h. das Gesetz
hat die Funktion, den Menschen immer wieder auf seine vertrauensvolle Hingabe
an den Vater und Schöpfer zu verweisen. In ihr nimmt er die Wirklichkeit als
Geschenk an. „Umsonst" rechtfertigt ihn Gott, wenn er sich ihm als Sohn
zuwendet und so die Welt frei gestaltet, nicht aber in der Welt seine Selbstrechtfertigung sucht.

2. Die Kirche ist die sich im Nächstenverhältnis ereignende Gottesbegegnung,
nicht eine Institution. Die Verkündigung der Kirche ist daher bereits Antwort auf
das Wort, für das sie in ihrer Verkündigung öffnet. Steht Kirche so in einem
ständigen Gründungsakt, so hält sie die Welt als Welt offen, ermöglicht Mündig-
keit/Säkularität. In ihr ist sie ganz wirklichkeitsorientiert, was bedeutet, daß sie
den gegenwärtigen Augenblick als zur Schöpfung gehörig herausstellt.

3. Schöpfung ist aber nicht etwas bereits vollendetes, sondern wartet noch auf
seine endgültige Erfüllung in der Zukunft Gottes als seiner Königsherrschaft, die
aber in Jesus in der Welt bereits angebrochen ist. Die Gottheit Gottes ist damit
der Verfügung der Welt entnommen, die Welt in ihrem Weltsein ermöglicht, für das
der Mensch als Sohn verantwortlich ist in der durch die Eschatologie geöffneten
Wirklichkeit der Schöpfung.

4. In der philosophischen Ich-Spekulation und der mit ihr verbundenen Aufspaltung der Wirklichkeit in Subjekt und Objekt, wie auch in dem auf dieser
Spaltung beruhenden moralischen und mythologischen Mißverständnis der Wirklichkeitserfassung des Glaubens geht die ihm eigentümliche Dialektik verloren.
Die Welt wird dann als Objekt betrachtet, das von Sittlichkeit und Religion
beeinflußt wird: Das Weltsein der Welt wird dadurch verkannt und die Geschichte
in verschiedene Zuständigkeitsbereiche aufgespalten.

§ 6. Das Ende der Unterscheidung von Profan- und Heilsgeschichte

1. Das „doppelte Zugleich" des geschichtlich gebundenen Glaubens

Glaube in der Welt ist: „Leben im Tod, Kraft in der Schwachheit, Gerechtigkeit in der Sünde, und zwar: göttliches Leben im Sterben des Menschen, Gottes Kraft in der Schwachheit des Menschen, Gottes Gerechtigkeit in der Sünde des Menschen. Jedenfalls ist es so in der Welt, und niemals wird es anders in ihr sein. Wir aber sind in der Welt. Auch wenn wir glauben. Sonst glaubten wir nicht, sondern wir lebten im Schauen. Aber das tun wir nicht, solange wir hier auf Erden sind".[377] In diesem „doppelten Zugleich" eines an die Geschichte der Welt gebundenen Glaubens wird die Erschlossenheit der Geschichte auf Zukunft hin in dialektischer Weise offenbar. Es ist „die Eigentümlichkeit des Glaubens, daß er nicht von der einen zur anderen übergeht, sondern daß er diese beiden Wahrnehmungen, die der Nichtigkeit, der der in sich selbst heil sein wollende Mensch mitsamt seiner Welt verfallen ist, und die der schöpferischen Macht, mit der Gott sich eben an diesen ‚nichts' als Gott erweist, in ihrem Widerspruch erträgt".[378] Diesen Widerspruch nimmt der Glaubende auf sich nicht aus eigener Kraft, sondern aus der Sicherheit, die der Augenblick hat als zu Gottes Schöpfung gehörige Aktualität: „Denn Gott spricht mit mir *in ipso statu vitae, in quo vivo* ".[379]

An der Offenbarung Gottes in Jesus liegt es, daß der christliche Glaube so eng an den geschichtlichen Augenblick und die Geschichte im ganzen gebunden ist: „Ein Glaube an Jesus Christus also, der meinte an etwas glauben zu dürfen oder gar zu müssen, was vor dieser Geschichte oder nach oder gar über oder jenseits von ihr seinen Platz hätte, wäre nicht der christliche Glaube . . . Denn er würde seine Geschichtlichkeit nicht ernst nehmen".[380] Nimmt der Glaube seine Geschichtlichkeit aber so ernst, dann wird ihm die Geschichte „der unaufhörliche Kampf des Menschengeschlechts darum, daß seine Welt Welt bleibt".[381]

In dieser Verantwortung gibt es keine Unterscheidung mehr zwischen Profan- und Heilsgeschichte, weil eben im Menschen alle Geschichte ununterscheidbar vor Gott steht. In dieser Einheitserfahrung ermöglicht der Glaube das neuzeitliche Geschichtsdenken.

Dieses vergißt zu leicht die geschichtsermöglichende Tat Gottes: „Jesus in der Geschichtlichkeit, in der er sich der schlechthinnigen Zukünftigkeit der Geschichte und damit dem Geschick der menschlichen Existenz in der Welt aussetzt".[382]

Eine solche Verkennung sieht Gogarten in der Geschichtsforschung wie der Geschichtsphilosophie: Bleibt die erste bei der Geschichtstatsache und ihrer jeweiligen Relativität stehen, so greift die andere mit ihrer Idee des Übergeschichtlichen über die Geschichte hinaus und nimmt dem Augenblick die Offenheit auf die Zukünftigkeit Gottes.[383] Nur der sich empfangende Glaube besitzt ein wirkliches Verhältnis zur Geschichte, weil er das Geheimnis, das Gottes Schöpfung ist, bewahrt und nicht bloß rationalisierend wahrnimmt, in einer planend vorweggenommenen Zukunft: „Da der Glaube, wie wir gesehen haben, sich ohne jede

Vorwegnahme der Zukunft aussetzt und sie darum die reine Zukünftigkeit sein läßt, welche die Gottes ist, so ereignet sich in dieser Geschichte das totale Ende dessen, was der Mensch und die Welt von ihrer Vergangenheit und Gegenwart und der von diesen aus vorwegzunehmenden Zukunft her sind, und eben in diesem Ende beginnt zugleich die Ganzheit des Menschen als des Sohnes und der Welt als der Schöpfung Gottes. Das ist die Geschichte Gottes mit dem Menschen und mit dessen Welt".[384]

Nirgendwo anders als hier muß sich Theologie auch ihren Gegenstand suchen, weil „sich in der Offenbarung nichts als Geschichte ereignet, also nichts, was jenseits oder über der Geschichte gesucht oder geglaubt werden müßte".[385]

Gemeinsam mit dem Glauben ist sich die Theologie aber einer Gefährdung bewußt, die dem neuzeitlichen Geschichtsbewußtsein größtenteils abhanden gekommen ist. Gogarten benennt diese Unterscheidung, wenn er den für seine Interpretation der Bedeutung der Geschichte für die Theologie wichtigen Aufsatz „Theologie und Geschichte" so zusammenfaßt: „Hat man einmal begriffen, daß Geschichte eine Wirklichkeit ist, die zu verfehlen wir immer in Gefahr sind, eben weil es unsere, der Menschen, Wirklichkeit ist, dann wird man auch verstehen, wie notwendig es ist, sie in ihrem Ursprung aufzusuchen, der ja kein anderer als ein geschichtlicher sein kann. Und das ist die Offenbarung Gottes in dem geschichtlichen Menschen Jesus von Nazareth, der der Christus ist".[386]

2. Der Zusammenhang zwischen Geschichtlichkeit und Entmythologisierung

Die Konsequenz einer solchermaßen an der Geschichte ausgerichteten Theologie ist es, „daß all ihr Fragen und Denken auf die Wirklichkeit und das genus des Wortes Gottes geht".[387] Sie wird versuchen, „dieses Eine trotz der zum Teil mythischen Einkleidung, in der es in der Bibel erscheint, in seiner Geschichtlichkeit rein und unmißverständlich"[388] zu erfassen. Schon deshalb wird Theologie das in Jesus geschehende Einssein mit dem Vater und mit der Welt nicht in zwei Wirklichkeiten in Form einer Heils- und einer Profangeschichte aufspalten, noch wie in der mittelalterlichen Geschichtsauffassung „das genuin christliche Verständnis der menschlichen Existenz und ihrer Welt als einer geschichtlichen durch die sie beherrschende Metyphysik"[389] verdecken. Theologie weiß aber auch um die neue Gefährdung, die ihr selbst in der der Geschichtsgebundenheit des Glaubens so nahe stehenden Existenzphilosophie droht: Es ist die Gefahr, daß das Selbst- oder Existenzverständnis zu einer subjektiven Geltung gebracht wird. Damit wäre dann weder das ursprüngliche Verständnis der Existenzanalyse noch die im Glauben erhaltene Verantwortung gewahrt. Denn in ihr wie in der Existenzphilosophie kommt es darauf an, daß das „In-der-Welt-Sein", als das sie die menschliche Existenz versteht, diese Verantwortung auf den ‚Ruf' hin aussagt, der sie, die menschliche Existenz, zu sich selbst ruft. Denn auf diesen ‚Ruf', dem sie verantwortlich ist, kann sie nur mit sich selbst antworten".[390] Auf das Neue Testament zurückgewendet ist damit beschrieben, was Rudolf Bultmann mit seiner Entmythologisierung der neutestamentlichen Verkündigung meint.[391]

Es handelt sich bei der Entmythologisierung also um einen Aspekt der Systematisierung des Welt- und Geschichtsbezuges, den Gogarten in vielerlei Weise beschrieben hat: Als das durch das Sohnsein ermöglichte Herrsein des Menschen, als die darin enthaltene Autonomie des Menschen in seiner Selbstpreisgabe, die in der Persongebundenheit ihren Ausdruck findet, als Geschichtsgebundenheit des Glaubenden durch Gesetz und Sünde wie Freiheit und Schöpfung und als das in allem Genannten enthaltene neue Verhältnis des Menschen zur Welt durch die in Jesus erschlossene Selbstmitteilung Gottes.

Gogarten weiß um den Berührungspunkt, den die existentiale Interpretation des Neuen Testaments und seine Säkularisierungsthese haben: „Um ein Weltgeschehen handelt es sich hier wie dort und nicht nur um eine Sinnveränderung von einzelnen Vorstellungen und Begriffen. Nur wenn jenes, nämlich das Weltgeschehen, das, indem sich in ihm die Vergeschichtlichung der Welt ereignet, ihre Säkularisierung ist und umgekehrt, gesehen und verstanden wird, kann auch die eigentümliche Sinnveränderung der Vorstellungen und Begriffe in ihrer für das Verständnis der neutestamentlichen Verkündigung allerdings überaus wichtigen Bedeutung begriffen werden".[392] Versteht man diese Interdependenz in der Vergeschichtlichung der Welt richtig als einen wirklich weltverändernden Prozeß, der als solcher nicht abgeschlossen ist, weil sonst die Zukünftigkeit negiert wäre, dann ist es leicht einzusehen, daß die Darstellung der Theologie Gogartens nach dem Zweiten Weltkrieg die Explikation seiner sich ihm entwickelnden Säkularisierungsthese ist; sie ist der Motor seiner bisher dargestellten theologischen Aussagen über Sohnschaft, Autonomie, Gesetz und Kirche. Wir wollen sie nun im folgenden zusammenfassend darstellen, nachdem von ihr vorher schon immer andeutend oder vergleichend die Rede war.

Abschnitt V. Die Säkularisierungsthese als Modus der Wirklichkeitserfassung

§ 1. Der Säkularisierungsprozeß

1. Die Tatsache der Säkularisierung

„Der Mensch des christlichen Glaubens ist der schlechthin freie, von seiner Welt nicht mehr umschlossene Mensch. Er ist, was dasselbe besagt, der Mensch, der nicht mehr durch das ‚Gesetz' gebunden ist. Denn ‚Gesetz' ist immer die umfassende Ordnung der Welt. Dieser Mensch steht seiner Welt selbständig gegenüber. Aber er tut das, weil und insofern er der schlechthin durch und an Gott Gebundene ist. Von daher empfängt die Freiheit dieses Menschen und die Selbständigkeit seiner Welt gegenüber ihren eigentümlichen Sinn. Er ist seiner Welt gegenüber frei, weil er der im Glauben aus Gott und nur aus ihm Lebende ist".[393] Der so durch seine Freiheit von der Welt als Freiheit für Gott charakterisierte Glaube ist der Ausgangspunkt für die Beschreibung des Säkularisierungsprozesses.[394] Denn die Säkularisierung der Welt hat ihre Begründung in der von dieser Freiheit herrührenden Freigabe der Vernunft. Es ist also in diesem Prozeß eine doppelte Bewegung enthalten: Nämlich die Freisetzung des Menschen von der Welt im Glauben, die die Freiheit des Menschen für Gott mit sich bringt, und die Säkularisierung dieses Glaubens in der Freigabe der Vernunft, die der Grundlage des Glaubens im Gebundensein an Gott nicht mehr bedarf. Diese Trennung von Glaube und Welt ist aber nur oberflächlich definitiv. Denn es bleibt eine grundlegende Einheit in „dem Worte Gottes, wie es als Gesetz und Evangelium gehört werden muß, und zwar nicht im allgemeinen, sondern hier, jetzt, in den epochalen Wenden und Katastrophen dieser Welt ebenso wie in den kleinen und für den von ihnen betroffenen doch so großen des persönlichen Lebens".[395]

Diese Einheit trotz der Unterschiedenheit findet sich in Luthers Lehre von den zwei Regimenten, die Gogarten als Anstoß für den neuzeitlichen Säkularisierungsprozeß versteht. „Gerade aus seiner tiefen totalen Gebundenheit an das Ewige folgt die ebenso tiefe und totale Freiheit für das Weltliche".[396] Diese Einheit von Gebundenheit und Freiheit ist die Bewegung innerhalb des Prozesses der Säkularisierung, die trotz der Freigabe der Vernunft den Menschen nicht aus dem christlichen Glauben löst. Hier bleibt der Glaubende in seiner Stellung zwischen Gott und Welt und, wie wir sahen, heißt das zwischen Evangelium und Gesetz, das ihn an die Sünde seiner Weltverfallenheit erinnert. Die Lehre von den zwei Reichen ist also eine doppelte Reflexion des Menschen, in der er sich in zweifacher Weise als ganzer zu erkennen vermag.

Diese doppelte Reflexion ist aber, wie einleitend festgestellt, nur der eine Teil des Säkularisierungsprozesses, der aber den anderen freisetzt in Form einer „Verwandlung ursprünglich christlicher Ideen, Erkenntnisse und Erfahrungen in solche der allgemein-menschlichen Vernunft ... Das von der Vernunft Erkannte und Erfahrene wird aus einer Wirklichkeit Gottes zu der des Menschen; aus einer

Wirklichkeit, die bis dahin als eine allein von Gott gewirkte und darum allein dem Glauben zugängliche erschien, wird eine, deren Urheber der Mensch kraft seiner Vernunft ist. Mit deren Erkenntnissen und Erfahrungen schafft und gestaltet fortan der Mensch, sich selbst verantwortlich, diese Wirklichkeit".[397] Dieses Ergebnis der Reflexion über die Welt konnte nur entstehen, wenn Gott als der in Freiheit setzende das Gegenüber dieses Denkens war. Ohne diesen in seiner Freiheit die Natur beherrschenden Geist, den wir auch den Geist der modernen Wissenschaft nennen können, kann der Mensch der Neuzeit nicht mehr menschenwürdig leben; ohne ihn käme er in eine Knechtschaft, die seinem Sohnsein nicht entsprechen würde. Die Säkularisierung in ihrer zweifachen Ausformung ist also für den Menschen ebenso Existenzbedingung wie die auf Gottes Zukünftigkeit hin offene Geschichte.

Es geht Gogarten in seiner Säkularisierungsthese also darum zu zeigen, daß die Selbständigkeit des Menschen gegenüber der Welt ohne die Mitwirkung des christlichen Glaubens nicht möglich gewesen wäre, eines Glaubens, der wie Jesus „sein Leben aus reiner Aktion, in einer ungeheuren Positivität"[398] lebt, d. h. der Glaube eines konkreten Menschen in seiner geschichtlichen Situation. Diese Situation besteht aber für den Menschen der Neuzeit in der Selbständigkeit seiner Welt, die als die säkulare in einer tiefen Zweideutigkeit verharrt, der gegenüber der Glaubende die Haltung des fragenden Nichtwissens auf die Zukünftigkeit Gottes hin behalten muß. Diese Zweideutigkeit läßt sich nicht überwinden, indem man als Theologe versucht, die Säkularisierungserscheinungen aufzuhalten oder zurückzubilden. „Die Aufgabe der Theologie ihnen gegenüber . . . wäre, sie als Erscheinungen, die nun dem Humanum angehören, zu erkennen, und den Glauben von ihnen zu unterscheiden. Die Theologie muß das tun, um den rechten, wirklichen Glauben in den Blick zu bekommen, der zwar zu allen Zeiten derselbe ist, der aber nicht zu allen Zeiten denselben Ort im geistigen Kosmos des Menschen hat".[399] In dieser Abgrenzung und Bestätigung des Säkularisierungsprozesses allein kann das „Humanum" von einer „idealistisch-religiösen Bedeutung" frei gehalten werden. Das gilt vor allem gegenüber dem Denken des deutschen Idealismus, der in seiner eigenen idealistischen Spekulation und der seiner Folgeerscheinungen die Gefahr in sich trägt, selbst den Glauben zu säkularisieren: Das „würde bedeuten, daß der Glaube sich von sich selbst löste, daß er sich selbst aufgäbe. Das ist Unsinn. Die Säkularisierung ist nicht ein Vorgang, der von der Vernunft bewirkt wird, sondern sie geschieht vom Glauben aus . . . Wo aber der Glaube aufgehoben wird, da zerstört man nicht nur ihn, sondern man hebt damit auch das Gegenüber zu Gott auf, indem das Personsein des Menschen begründet ist. Man zerstört dann also mit dem Glauben auch das Personsein des Menschen".[400]

Diesen Tendenzen gegenüber geht es vielmehr um ein stets erneutes Bemühen, das Weltverhältnis des Glaubens zu bestimmen, dem Problem, das die „dialektische Theologie" in ihren Anfängen bewegte und die Gedanken Gogarten bis jetzt nicht los ließ.

Der Geschichtlichkeit kann sich der Glaube nicht entwinden mit dem Hinweis auf die nachchristliche Entwicklung der Säkularisierung. Er mag vielmehr angesichts des Überhandnehmens der Säkularisierung in der Neuzeit ihre Begrenzung werden, so wie er ihre Begründung ist. Damit aber ist die Frage gestellt, „nach dem, was der Säkularisierung legitimerweise unterliegt, wie auch danach, was ihr, da es seinem Wesen nach nicht zum Säkulum gehört, entzogen ist".[401] Gleicherweise kommt es darauf an, die idealistisch-religiösen Bedeutungen neuer Umschlossenheiten aufzudecken, die sich unter dem Argument der Säkularisierung ins neuzeitliche Denken eingeschlichen haben.

2. Der Abfall im Säkularismus

Um dieses Aufdecken geht es Gogarten, wenn er vom Säkularismus spricht. Hiermit beschreibt er einen Teil des Prozesses, den man heute in einer undifferenzierten Umgangssprache Säkularisierung nennt. Der Säkularismus „entsteht, wenn jenes fragende Nichtwissen dem Gedanken der Ganzheit gegenüber nicht durchgehalten wird. Man gibt dann entweder das Nichtwissen, oder die Frage preis. Demgemäß kann der Säkularismus in sich wieder zwei verschiedene Gestalten annehmen. Meint man auf die Fragen, die das ganze angehen, eine Antwort geben zu können, dann entsteht der Säkularismus der Heilslehre oder Ideologien, die in der Neuzeit in großer Zahl, eine nach der anderen und viele nebeneinander entstanden sind und nach deren Anweisung man das Heil, also das Ganze, meint verwirklichen zu können und zu sollen . . . Meint man dagegen jene Fragen, die das Ganze angehen, beiseite lassen zu müssen, da man sie doch nicht beantworten kann, dann entsteht der Säkularismus, der latent oder offen jede Frage für nutzlos und unsinnig erklärt, die über das bloß Sichtbare und Greifbare hinausgeht; man bezeichnet diese Art von Säkularismus neuerdings als Nihilismus".[402] Die Auflösung der Zweideutigkeit der Welt in den Säkularismus als Ideologie oder als sogenannten Nihilismus ist die Zerstörung des fragenden Nichtwissens des Glaubens. Die Gefährdung, die die Säkularisierung in der Form einer im Glauben angenommenen Selbständigkeit mit sich bringt und die als Charakteristikum des Menschseins existenzbegründend ist, wird im Säkularismus einem einseitigen Lösungsversuch unterworfen, der die Welt als die, die sie ist, aus der Bindung durch die göttliche Offenbarung herausreißt. Das heißt, wie wir vorher sahen, daß damit „diese" Welt entsteht. Mit dieser Feststellung ist die Verbindung zu der vorhergehenden Darstellung der Theologie Gogartens einsichtig, da wir in ihr schon immer vom Säkularismus sprachen, etwa in der Ich-Bezogenheit, der metaphysischen Überformung der Wirklichkeit, dem Sich-selbst-Sagen des Wortes, der Aufspaltung der Wirklichkeit durch eine Kirchenspekulation oder der Geschichte in Profan- und Heilsgeschichte. In all diesen Phänomenen äußert sich, „daß der Mensch das Geschöpf mehr ehrt als den Schöpfer".[403] Im Säkularismus verschließt er sich gegen Gott und kapselt damit die Welt in sich ab und sich selbst als ihr Gefangener, der eigentlich Freiheit und Sicherheit suchte. Denn „wo der Mensch Gottes Schöpfersein, um es direkt greifen zu können, in die Sichtbarkeit des Geschaffenen übersetzt, da geht ihm die Wahrheit Gottes, das ist sein Gottsein, in der Lüge seiner Verehrung des Geschöpfes verloren. Und dies ist die Lüge dieser Verehrung, daß der Mensch in ihr eine Sicherung durch das Geschöpf sucht, die ihm nur in der Verehrung Gottes widerfahren kann".[404)] Wie er sich aber von Gott empfängt, kann der Mensch sich nicht selbst behalten wollen, sondern muß die grundlegende Offenheit seiner Persongebundenheit in dem nicht endenden Schöpfungsgeschehen wahrnehmen. Das Verhängnis der Neuzeit ist es aber, daß sie diese Offenheit nicht gewahrt hat, zumeist in einer Reaktion gegen eine welthaft gewordene Kirche, die die Selbständigkeit des Menschen nicht aus ihren Ordnungen entlassen wollte. Die Welthaftigkeit dieser Kirche ließ den eigentlichen Bereich des Glaubens offen, weil sie sich mit allen möglichen Verantwortungen und Regulierungen befaßte; sie ermöglichte so die Entstehung der Ideologien, die diesen leeren Raum nun ausfüllten. Die eigentlich säkulare Substanz der Ideologien wie etwa Nation, Menschheit, Ich oder Fortschritt nahm einen religiösen Charakter an. Der vorher an Gott gebundene selbständige Mensch wird in diesem Säkularismus „zum Werkzeug der Theorie".[405)] Für den Menschen bedeutet es, daß die „Welt, über die er herrschen soll und über die er zu herrschen meint . . . Gewalt über ihn"[406)] gewinnt. Aber selbst in seiner Instrumentalität meint er noch seiner selbst mächtig zu sein.

Dies ist nicht mehr die um ihre Abhängigkeit von Gott wissende Kenose, sondern der totale Selbstverlust des Menschen an das Nichts, der für Gogarten vor allem in der Vermassung der modernen Gesellschaft zum Ausdruck kommt. Sie ist die tödliche Folge des Säkularismus als „Anhäufung von Menschen, die aus jeder Bindung gelöst sind, weil sie jeder für sich den Anspruch machen, freie, ihrer selbst mächtige Individuen zu sein".[407)] Indem der Mensch hier versucht, in seiner Individualität sich selbst zu behalten, verliert er auch noch seine eigene Existenz an eine im gleichen Bemühen versinkende amorphe Gesellschaft: „Aus der Freiheit des Sohnes ist Furcht und Knechtschaft geworden; aus dem Segen der Sohnschaft Fluch, aus dessen Bann sich der Verfluchte nicht lösen kann. Mit einem Wort: die Sohnschaft und ihre Verantwortung, die verwirkt sind, werden zur Sünde".[408)]

Aber diese Verkehrung begegnet nicht nur in den angeführten idealistisch-religiösen Bezügen, die der durch den Glauben selbständig gewordene Mensch im Säkularismus der Ideologien zu sich und seiner Welt herstellt. Sie entstehen auch im Glauben selbst, wenn dieser der ihm in der Säkularisierung gestellten Aufgabe nicht gerecht wird. Der Glaube nimmt dann nicht wahr, daß die Säkularisierung unaufhaltsam die Existenz des Menschen und seine Welt ergriffen hat und damit das Problem der Geschichte und der Geschichtlichkeit in den Mittelpunkt gerückt wird; aus dieser Verantwortung flüchtet er sich in ein Für-wahr-Halten verbunden mit der Zielsetzung, die Welt zu verchristlichen: Dies ist die Basis eines „christlichen" Säkularismus.[409)] Die Doppelsinnigkeit des Neuen Testamentes geht verloren, und mit ihr der Anrufcharakter der Situation. Der Glaubende aber weiß: Da „wo die Welt sich dem Menschen verschließt, da erschließt sich ihm Gott".[410)] Der säkularistisch geprägte Mensch dagegen, der weder um seine eigenen Grenzen noch um die seiner Welt weiß, versucht, über diese Verschlossenheit hinaus eine ihn konstituierende Einheit mit der Welt zu finden. Dabei verfällt er der Maßlosigkeit seiner Existenz und geht seiner Wirklichkeit verlustig! Denn er nimmt nicht wahr, daß die Verlassenheit der Welt ihren Schöpfungscharakter zeigt, in dem allein die Ganzheit der Welt und die Einheit des Menschen mit ihr beschlossen ist. Wird diese sich ergänzende Dialektik mißachtet, dann hören Welt und Mensch auf, Schöpfung zu sein: „Der Mensch wird zum Fabrikator und die Welt zum Fabrikat. Zwischen diesen aber gibt es keine Einheit; sie sind im letzten nur ein ödes, sinnloses Einerlei".411)

Nur ein fragendes Nichtwissen, das „sich je und je neu gewinnt in dem Wagnis der Begegnung mit dem nie begriffenen und nie zu begreifenden Geheimnis"412) des Mitseins Gottes mit der Welt kann aus dem Wahn des Säkularismus wieder in die „säkularisierte Sohnschaft" führen. Sohnsein aber meint, wie wir sahen, im Fragen und Befragtwerden zu verbleiben in der konkreten Situation der geschichtlichen Existenz.

In ihr „hält man es aus, daß die Welt ‚nur' Welt ist; man erkennt in ihr nicht nur die Grenze der Vernunft, die dieser damit gesteckt ist, daß ihr zwar der Gedanke des ganzen als der höchste ihr mögliche zu denken aufgegeben ist, daß sie aber die Frage, vor die sie damit gestellt ist, nicht zu beantworten vermag und daß sie mit diesem Gedanken über ein fragendes Nichtwissen nicht hinauskommt".413) Damit aber ist beschrieben, was Gogarten in seiner Nachkriegstheologie als Säkularität bezeichnet.

3. Die Haltung der Säkularität

Sie meint den Menschen in der Verantwortung: „Sein Sein, wie er es von Gott empfängt, hat er in ihr zu verantworten".414) Das aber geschieht in der Nüchternheit des In-der-Welt-Seins des Menschen. Denn in der Geschichte wirkt Gott sein Heil, das er in Jesus Christus offenbar gemacht hat. Die Antwort des Menschen in der Säkularität bezeichnet Gogarten nach einer Formulierung in Röm. 12,1 f. als λογική λατρεία,415) eine Haltung, die dem Schöpfersein Gottes gerecht wird im Gebrauch der eigenen Vernunft, das heißt: „Es gibt also keine Beziehung des Menschen zu Gott, die nicht zugleich eine zur Welt ist und umgekehrt".416) Denn in der Gabe der Sohnschaft fordert Gott die aus der Vernunft geleistete Verantwortung für die Welt vor ihm. In dieser Antwort des Menschen auf das ihn in seiner Existenz betreffende Wort werden seine weltgestaltenden Kräfte frei: „Denn der säkulare Mensch, das ist der seiner selbst mächtige und der für die Welt als seine verantwortliche, mit einem Wort: es ist der geschichtliche Mensch".417) Nur in seiner Geschichtlichkeit bleibt der Mensch in der Säkularität. Eine religions- oder geschichtsphilosophische Interpretation seines Daseins würde versuchen, das Dunkel der Zukunft auszuschließen, dem der Glaubende als säkularer Mensch in seinem fragenden Nichtwissen ausgesetzt ist. Die — uns seit den ersten Darstellungen des Du-Ich-Verhältnisses immer wieder begegnende und neu interpretierte — Verantwortung aber steht einer solchen vorweggreifenden Planung entgegen: Sie ist „ein ‚frei Ergeben und fröhlich Wagen' auf das nicht vorwegzunehmende Zukommen der Geschichte".418)

Das verantwortende Annehmen der Zukunft ist die Weise, wie die vom Glauben frei gesetzte Geschichte im Humanum der Welt gelebt und gedacht wird. Es gibt hier eine vom Glauben unabhängige Säkularität, die in der ständigen Gefahr des Abfalls in den Säkularismus steht, wenn sie die Zukunft in ihrer Planung der Gegenwart vereinnahmen will. Nur das richtige Verhältnis von Zukunft zur Zukünftigkeit erhält die Säkularität: „Wohl weist diese Zukunft hin auf jene Zukünftigkeit, aber sie darf unter keinen Umständen mit ihr verwechselt werden. Sie darf das nicht um der Zukünftigkeit willen, der sich der Mensch dann versagen würde. Tut er das, so verliert er nicht nur die Zukünftigkeit, sondern auf die Dauer auch die Zukunft. Im christlichen Glauben wird dieses eigentümliche Doppelverhältnis der Zukunft zu der Zukünftigkeit bewahrt, weil er der Zukünftigkeit erschlossen ist".[419] Diese Erschlossenheit ist das Geschenk Gottes in Jesus, in dem er die Zukünftigkeit seiner selbst erschlossen hat. Das dieser Zukünftigkeit eigentümliche Schon und Noch-Nicht drückt Gogarten aus, wenn er vom Menschen in diesem Doppelverhältnis sagt: „Daß er in diesem Sich-entstürzen unaufhaltsam der Stunde einer letzten, endgültigen Verantwortung entgegeneilt, die eben jetzt anbricht".[420] Die Komponente des Noch-Nicht meint in dieser Aussage: Nur in dem „Sich-entstürzen" als der Offenheit der geschicht-lichen Existenz auf die Zukünftigkeit hin vermag der selbständig gewordene Mensch auch ohne den christlichen Glauben in der Säkularität zu bleiben. Denn sie erkennt in der Vernunft, daß die Zukünftigkeit der Geschichte und allem Geschichtlichen ein Ende setzt. „Diese Vergänglichkeit ist aber die des von der Zukünftigkeit gesetzten Endes. Das heißt, der Mensch, der dieses Ende erkennt, weiß zugleich von einem von derselben Zukünftigkeit gesetzten immer neuen Anfang. Denn er wird in der Erkenntnis des Endes zugleich von der Zukünftigkeit befragt, ob er in dem von ihr in diesem Ende gesetzten Anfang zu bestehen vermag".[421] Das bedeutet, daß der Mensch, „sich der Zukünftigkeit aussetzend, sich aus ihr empfängt. Eben weil er der sich der Zukünftigkeit Aussetzende ist und sich aus ihr empfängt, darum besteht sein Sein im Noch-nicht-sein".[422] Der in der Zukünftigkeit dem Menschen je neu gegebene Anfang stellt die Frage nach dem Wozu, die der geschichtliche Mensch aber nicht mit sich selbst beantworten darf. Sonst fällt er aus dem Noch-nicht-sein des Sich-entstürzens hinaus und verliert damit seine Säkularität. Denn mit einer Antwort auf das Wozu des immer neu gegebenen Anfangs würde die Zukunft in der Gegenwart abgeschlossen, wie es Ideologie und Nihilismus versuchen, die entweder wegen des neuen Gestaltwerdens den Zerfall nicht mehr wahr haben wollen oder wegen des offensichtlichen Zerfalls ein neues Gestaltwerden negieren. Die Komponente des Schon aber verweist auf die bereits jetzt anbrechende Verantwortung: Diese Antwort mit sich selbst kann der Mensch nur geben in seiner Persongebundenheit, indem er sich in seiner aktuellen Gegenwart, die Zerfall und neues Gestaltwerden ist, dem Du eröffnet, dem Du, in dem sich die Frage nach Gott stellt. Das aber meint, „daß er radikaler und entschlossener, als die Resignation und die Verzweiflung es tun, sich dem Nichts aussetzt, das sich da vor ihm öffnet, und daß er eben darin sein totales Angewiesenseins auf Gott ergreift und so sich selbst empfängt als den, der aus dem göttlichen Ursprung ist".[423] Bleibt der Mensch in dieser Weise in seiner Säkulari-tät, dann ist er der Glaubende, den wir ausführlich in seiner Beziehung zur Welt beschrieben haben. Die Aufgabe seines Glaubens gegenüber der Säkularisierung „wäre demnach die, ihr dazu zu verhelfen, daß sie in der Säkularität bleibt . . . indem er unablässig zwischen Glaube und Werk, zwischen der göttlichen Wirklichkeit des Heils und der irdisch-weltlichen Bedeutung alles menschlichen Tuns unterscheidet".[424]

Die Kirche als Gemeinschaft dieser zwischen Gott und Welt stehenden Menschen kommt damit eine nahezu prophetische Funktion zu. Weil Jesu Sendung nicht an die Kirche, sondern an die Welt ging, „kann und darf die Kirche nie in sich geschlossen sein. Wenn es in der Welt ein offenes Gebilde gibt, dann ist es die Kirche. Offen für Gott und, weil sie offen ist für Gott, darum offen für die Welt. Daran, daß Kirche ist, hängt das Heil der Welt, denn allein in der Kirche kann sich die Welt öffnen für Gott und so immer von neuem werden was sie ist: Schöpfung Gottes".[425]

Weil die Kirche aber in dem Versuch, die Säkularität zu erreichen und zu erhalten, sich selbst immer wieder als offenes Gebilde zum Geschenk erhält, hofft Gogarten, daß auch für die in Konfessionen aufgespaltene Kirche ein neues Leben beginnt: „Es könnte sein, daß darüber, wenn jede der vielen Kirchen das auf ihre Weise mit der rückhaltlosen Entschlossenheit täte, die allein dieser Stunde gerecht wird, aus den vielen Kirchen die una sancta würde".[426]

Exkurs: Säkularität bei Simone Weil und Raymundo Panikkar

Sieht man diesen Begriff einer „una sancta" im Zusammenhang von Gogartens Wirklichkeitsverständnis, in dem die Kirche sich durch ihre Konstitution im Du-Ich-Bezug im ständigen Gründungsakt befindet, dann darf man die folgenden Überlegungen von Simone Weil wohl als genuine Weiterentwicklung von Gogartens weltumgreifendem „Ökumene"-Verständnis ansehen: Die Schönheit der Welt „jeder reine und echte Abglanz dieser Schönheit in den Künsten und in der Wissenschaft, der Anblick der Heimlichkeiten des menschlichen Herzens in solchen Herzen, die von religiösem Glauben leer waren . . . die Liebe zu diesen Dingen, die außerhalb des sichtbaren Christentums stehen, hält mich außerhalb der Kirche fest".[427] So schreibt sie im Mai 1942 aus Casablanca an P. Perrin. Die Kirche bringt für sie die Gefahr eines „irdischen Vaterlandes" mit sich. Aber „die Kinder Gottes sollen hienieden kein anderes Vaterland haben als das Universum selbst, mit der Gesamtheit aller vernunftbegabten Geschöpfe, die es enthalten hat, enthält und enthalten wird. Dies ist die Heimat, die ein Anrecht auf unsere Liebe hat".[428] Und in dieser Liebe zur Welt vereinigt sich für Simone Weil die menschliche Liebe mit der Gottesliebe, denn in der Welt und den irdischen Dingen liebt sie die Gesamtheit der Schöpfung. Diese Liebe ist ermöglicht durch die Menschwerdung Gottes: „Gott hat das Weltall erschaffen, und sein Sohn, unser erstgeborener Bruder, hat für uns dessen Schönheit erschaffen. Die Schönheit der Welt ist Christi zärtliches Lächeln für uns durch den Stoff hindurch. Er ist wirklich gegenwärtig in der Schönheit des Alls. Die Liebe zu dieser Schönheit entspringt dem in unsere Seele herniedergestiegenen Gott und geht auf den im Weltall gegenwärtigen Gott".[429] Mit nahezu mystischer Sicherheit steht Simone Weil in dieser Säkularität. Durch Christus ist der Mensch „dem Ei der Welt entschlüpft"[430] und kann die irdischen Dinge in ihrer Ganzheit lieben und so frei mit ihnen umgehen. Das ist kein Entfliehen aus den irdischen Realitäten und dem in ihnen gegenwärtigen Unglück, weil Gott selbst „bis in die äußerste Entfernung, den unendlichen

Abstand von sich selber hinausgegangen ist. Dieser unendliche Abstand zwischen Gott und Gott — äußerste Zerreißung, Schmerz, dem kein anderer gleichkommt, Wunder der Liebe —, dieser Abstand ist die Kreuzigung. Nichts kann von Gott entfernter sein als das, was zu seinem Fluch gemacht worden ist".[431] Die Kenose Gottes ist das klarste Zeichen für die unbeschreibbare Weite und Unzerreißbarkeit der göttlichen Liebe. Sie ist Grund der menschlichen Freiheit, gebannt vom eigenen Unglück und den Notwendigkeiten irdischen Lebens den Blick frei zu haben in einer die Welt liebenden Säkularität. Aus dieser aber folgt: „Solange es Unglück innerhalb des sozialen Lebens gibt, solange staatliche Unterstützung oder private Almosen, solange Strafen unvermeidlich sind, solange wird auch die Trennung der bürgerlichen Einrichtungen und des religiösen Lebens ein Verbrechen sein".[432] Simone Weil fordert vom Glaubenden in der Welt eine neue Katholizität, die sich ganz hingibt in ihrer Liebe für die Gesamtheit der Schöpfung in den Notleidenden und Verfolgten, so wie sie selbst es in ihrer schweren Krankheit und dem eigenen Verfolgtsein als Jüdin anderen Geknechteten gegenüber getan hat. Ihre Säkularität erlaubte ihr keine kirchliche Ausrede! Die befreiende Botschaft Christi gilt nicht einem Sonderdasein der Kirche, sondern dem gesamten Universum. Deshalb kann Simone Weil nicht der Kirche beitreten, weil sie sich nicht „von der ungeheuren und unglücklichen Masse der Ungläubigen" trennen will, „ihre Farbe annehmen" will, „und zwar damit sie sich so zeigen, wie sie sind und ohne sich mir gegenüber zu verstellen; weil ich sie kennenlernen möchte, um sie so zu lieben, wie sie sind. Denn wenn ich sie nicht liebe, so wie sie sind, dann liebe ich nicht sie, und meine Liebe ist nicht wahr".[433]

In der säkularisierten Welt und wegen des säkularistischen Materialismus eines Großteils der Menschen wäre ein Kirchenbeitritt für Simone Weil Verrat und Flucht. Sie wollte versuchen, „der Öffentlichkeit die Möglichkeiten eines wahrhaft inkarnierten Christentums vorzuleben",[434] das nicht aus seiner Säkularität ausbricht, weil es ausharrt „an jenem Schnittpunkt des Christentums mit allem, was es nicht ist ... ἐν ὑπομονῇ",[435] in einem „labilen Gleichgewicht"; dieses veranlaßte Weil, in Gleichmut auf der Ebene der Vernunfteinsicht alle Ideen ausnahmslos gelten zu lassen, „mit einbegriffen zum Beispiel den Materialismus und Atheismus".[436] Diese Indifferenz basiert für sie auf täglich erneuerter Gottesliebe, die auch diesen Ideen mit der Zeit ihre Bedeutung zukommen läßt. Die Universalität des Glaubens muß explizit werden und die Heiligkeit sich dem gegenwärtigen Augenblick anpassen: Dies ist „beinahe so etwas wie eine neue Offenbarung des Weltalls und der menschlichen Bestimmung".[437] Denn Glaube wird schamlos in seiner Verformung in der Kirche und kehrt zurück auf den Weg zu seiner Heiligkeit nur in einem Hinblicken, das dieser auf Liebe aufgebaute Glaube ermöglicht.

Diese Säkularität verleiht aber auch allem einen neuen Charakter: „Der Nächste, die Freunde, die religiösen Gebräuche, die Schönheit der Welt, sinken nicht etwa zu unwirklichen Dingen herab, nachdem die unmittelbare Berührung zwischen der Seele und Gott stattgefunden hat. Im Gegenteil, dies alles wird dann erst wahrhaft wirklich. Vorher waren es halbe Träume. Vorher war es ohne jede Wirklichkeit".[438]

Simone Weil hat dieses Beziehungsverhältnis von Glaube und Welt nicht nur in leuchtender Klarheit durchdacht – mit den Mitteln der Philosophie und angeregt durch die mathematischen Naturwissenschaften, – sondern persönlich gelebt und mit ihrem Leben besiegelt.

Die folgenden Gedanken dürften in ihrer Universalität wohl an die „Ökumene"-Forderung Simone Weils heranreichen und sie fortsetzen: Sie entstammen Begegnungen mit dem indischen Theologen und Religionsphilosophen Raymundo Panikkar, der das Verhältnis von Glaube und Welt heute zugespitzt sieht in der Beziehung von Säkularisierung und „worship". Seine These ist, „daß nur Verehrung/Gebet verhindern kann, daß die Säkularisierung unmenschlich wird, und daß allein die Säkularisierung die Verehrung davor bewahren kann, bedeutungslos zu werden".[439] Denn der Säkularisierungsprozeß ist in unserer Zeit ein unausweichliches Faktum, das noch in der Entwicklung steht, die Verehrung des Gebetes aber durch alle Zeiten, Religionen und Kulturen hin eine den Menschen begründende Dimension, ohne die er nicht existieren kann. Der Mensch steht also heute in einem universalen Horizont, vor dem „alle Religionen sektiererisch und alle Humanismen leer sind". Er bedarf einer „Liturgie", um der Isolation zu entfliehen, die die heutige Welt drohend in sich trägt. Diese muß eine Kommunikation herstellen in der Tiefe der Wurzeln menschlicher Existenz, wo die Verehrung ihren Platz hat. Aber die Kommunikation muß stattfinden im säkularen Raum dieser Zeit: Der „liturgische" Ort ist die „konkrete Versammlung am bestimmten Ort, die Stimme des Geistes, das Leben mitten auf der Straße oder in der Einsamkeit des eigenen Zimmers, das Haus, oder – warum nicht? – das Studio des Künstlers und auch des Theologen!".[440] Denn die Säkularisierung, Phänomen ziemlich aller Kulturen, reduzierte die heiligen ungeschichtlichen Bereiche bis zu ihrem Verschwinden und durchwirkte die Welt mit Geschichte und Wirklichkeit.

In der Säkularität des Glaubenden kommt die Gebetsverehrung los von ihrem Blick nach hinten, befreit durch „die Erfahrung der Narrheit des Kreuzes und der Verrücktheit der Weisheit".[441] Hier ist er befreit von jeder Heteronomie, aber auch von bloßer Autonomie; und es ist eine Haltung ermöglicht, die Panikkar „Ontonomie" nennt: Sie ist „ein Grad von Wachheit, die, nachdem sie ihre individualistische Haltung ebenso wie ihren monolithischen Blick auf die Wirklichkeit abgestreift hat, das gesamte Universum eine gewisse Einheit bilden sieht, so daß die Bestimmung eines einzelnen Seienden weder selbst gegeben noch von oben bestimmt ist, sondern Teil eines Ganzen ist, das eben durch diesen Teil entdeckt wurde oder dessen Folge ist. Ontonomie ist die Realisierung des ‚Nomos', des Gesetzes des ‚On', des Seins, auf einer solch tiefen Ebene, wo die Einheit die Diversität nicht beeinträchtigt, sondern wo diese vielmehr die einzigartige und angemessene Bekundung von jener ist. Sie beruht auf dem ‚Specular'-Charakter der Wirklichkeit, in der jedes Teil das ganze in einer ihm angemessenen Weise widerspiegelt".[442]

Die ‚Ontonomie' des verehrenden säkularen Menschen sieht „alle inneren Ordnungen eines jeden Tätigkeitsbereiches, einer jeden Seinssphäre im Licht des Ganzen".[443] Jeder Dualismus oder jede metaphysische Aufspaltung ist in diesem

Verstehen aufgehoben, da es die Wirklichkeit „theandrisch" erfaßt; für ein solches Wirklichkeitsverständnis müßte der christliche Glaube wegen seines Grundes in Jesus Christus eintreten.[444] Die Subjekt-Objekt-Spaltung ist hier überwunden und die menschliche Erfahrung an Zeit und Geschichte gebunden, gerade weil sie ihnen nicht mehr ihre Bindung verdankt, sondern an ihnen teilhat.

Die Verehrung ist konstitutiver Teil „theandrischer" Existenz, weil sie den ganzen Menschen beansprucht in ihrem Einschluß einer „tempeternity" als fundamentaler Dimension der Wirklichkeit. Die darin enthaltene schöpferische Dynamik hebt den Individualismus von Menschen, Dingen und Gott selbst auf. So ist die „Ontonomie"/Säkularität in der Lage, Säkularisierung und Verehrung nebeneinander bestehen zu lassen, sich gegenseitig ermöglichend und weiterhin anregend. Sie macht eigentliche Säkularität möglich, nämlich eine Wahrhaftigkeit, die Spontaneität, Universalität und Konkretheit miteinander verbindet; sie erschließt die „theandrische" Dimension weltlicher Wirklichkeit.

Zusammenfassung

Nach den ausführlichen theoretischen Darlegungen von Gogartens Theologie über das Weltverhältnis des Glaubens anhand des dialektischen Dreischritts „Säkularisierung-Säkularismus-Säkularität" könnte es wieder einmal den Anschein haben, als wenn es sich um sehr abstrakte Probleme einer „Dauerreflexion" handle. Wie wir früher schon im Du-Ich-Verhältnis sahen, so handelt es sich auch bei der Säkularität nicht nur um „in die Weite greifende Überlegungen", die nur an Wendepunkten des Lebens von Bedeutung sind: „Im Gegenteil, so etwas wird höchstwahrscheinlich aktualisiert an Vorkommnissen und Erscheinungen des täglichen Lebens, die an und für sich von geringer Bedeutung sein mögen, in denen aber aus irgendeinem, vielleicht ganz zufälligen Anlaß das ganze der Existenz eines Menschen auf dem Spiele steht".[445] Diese Alltäglichkeit der Säkularität gilt es vor allem erst einmal festzuhalten.

1. Säkularisierung – in der Dialektik jetzt als neutraler Begriff verwendet – bedeutet, daß der Mensch nicht mehr von der Welt umschlossen ist, deren Gesetz ihn vorher in Abhängigkeit hielt. Die Vernunft ist freigesetzt durch den Glauben, der die Bindung des Menschen an Gott umschreibt.

2. Die Trennung von Glaube und Welt wird durch das Gegenüber Gottes und seines Wortes aufrechterhalten. Das Wort als Gesetz und Evangelium ermöglicht immer wieder die für die Säkularisierung erforderliche Stellung des Menschen zwischen Gott und Welt.

3. Das fragende Nichtwissen nimmt die geschichtliche Situation je neu als Eröffnung der Wirklichkeit an, in der sich Glaube und Welt begegnen.

4. Das Gegenüber Gottes in der Erfahrung des Du-Ich-Bezuges schafft also je neu diese Wirklichkeit, in der der Mensch er selbst sein kann in einem in sich gültigen Säkulum, das aber nur in seiner Fraglichkeit Ganzheit besitzt.

5. Legt man diese Ganzheit aber in einer endgültigen Antwort fest oder entsagt der Fraglichkeit als sinnlos, dann wird die Welt in Ideologie oder Nihilismus wieder zu dem den Menschen Umschließenden, ihn in sich Abschließenden. Die Zweideutigkeit der Säkularisierung hebt sich auf im Säkularismus.

6. Im Säkularismus wird die Welt in vielerlei Formen göttlich verehrt. Das Schöpfersein Gottes, das der Welt gegenüber unsichtbar bleibt, wird dinghaft ausgelegt. Das geschieht vor allem in einem Individualismus, der sich selbst als Grundlage der Welt versteht. Er mißachtet die Offenheit der Persongebundenheit des Ich im Du und führt letztlich zu seinem Gegenteil, der Vermassung.

7. Eine große Mitverantwortung für den neuzeitlichen Säkularismus trägt die institutionalisierte Kirche, die sich mit ihrer Verkündigung konkurrierend neben die Welt gestellt hat und so eine Weltanschauung verbreitete.

8. In ihr wird der Glaube selbst zu einem utopischen Säkularismus, der die Welt „verchristlichen" will. Der dialektische Anspruch des Wortes in Gesetz und Evangelium, der dem Glauben selbst gilt, geht im Vertrauen auf das gerechtmachende Werk der Weltgestaltung verloren.

9. Nur der Wagnischarakter des Glaubens in der Welt stellt die Säkularisierung in die fragende Obacht des geschichtlich-gebundenen Sohnes, der die Frage nach dem Ganzen nicht mit seinem Werk beantwortet, sondern die Antwort dem Zu-kommen Gottes überläßt.

10. In der Nüchternheit dieses fragenden Nichtwissens bleibt die Welt in ihrer Weltlichkeit erhalten und die Säkularisierung damit ein andauernder Prozeß.

11. Die Wahrnehmung der Geschichtlichkeit der Wirklichkeitserfahrung ist somit grundlegend für die Säkularität.

12. Dieses „Sich-entstürzen" geschieht immer neu in der Begegnung mit dem Du, in der sich die Gottesfrage stellt, die je neu Anstoß zur Säkularität ist. Allein in diesem Zusammenhang kommt der Kirche prophetische Funktion zu.

Die Säkularisierungsthese in ihrem dialektischen Dreischritt von Säkularisierung, Säkularismus und Säkularität ist die letzte und wohl am meisten vollendete Fassung von Gogartens Versuch einer Bestimmung dessen, was Wirklichkeit ist, und dem darin enthaltenen Bemühen, das Verhältnis von Glaube und Welt zu klären.

Abschnitt VI. Letzte Ausprägung der theologischen Dialektik

In mancher Hinsicht schließt Gogarten in seiner dialektisch gefaßten Säkulari-sierungsthese den Bogen seiner Gedanken zu einem Kreis, an dessen Ausgangspunkt das Menschenbild Fichtes und einer national bestimmten Romantik stand. In der Entwicklung über das Lutherstudium, die Allianz mit Barth, Turneysen und Merz, die Ausprägung einer theologischen Anthropologie und den Gang in die innere Emigration nach dem Scheitern seiner „Politischen Theologie" nach 1933 hin zu einer expliziten denkerischen Durchdringung einer von ihm lange schon durch-dachten und gelebten Säkularität hat sich der Blick geweitet auf eine immer weniger ausschließliche Thematik, die schon im beginnenden Lutherstudium der Zeit des Ersten Weltkrieges vorrangig war: Den Weltbezug des Glaubens!

Diese Suche nach der Säkularität, dargestellt an immer neuen Aspekten des Wirklichkeitsbezuges, kommt von der Mitte der fünfziger Jahre an zu einer offen-sichtlichen Konsolidierung. Deshalb soll im nun folgenden Schlußkapitel der Versuch unternommen werden, Gogartens Theologie anhand der Publikationen seiner letzten Lebensjahre zusammenzufassen. Die dabei unumgänglichen Wieder-holungen mögen vielleicht dem Vorherigen zu mehr Deutlichkeit verhelfen.

Auf dem Weg dieser Zusammenfassung werden uns durchweg die Predigten Gogartens von 1938 bis 1954 begleiten, die in ihrer Anlage ein gelungener Aufweis der Konvergenz zwischen den beiden letzten Denkphasen Gogartens sind.

§ 1. Die Vollendung der Sohnschaft in der Säkularität

„Jesus", so sagt Gogarten in einer Predigt aus dem Jahr 1940, „hat im letzten Grunde in der Tat nichts anderes getan, als daß er aus dem Verhältnis des Menschen zu Gott alle und jede Bedingung wegräumte . . . Er hat den Menschen eine Freiheit zu Gott und zugleich eine Freiheit zur Welt gegeben, an der wir heute noch lernen. Es ist dadurch eine Bewegung in die menschliche Geschichte gekommen, wie es sie vorher nie gegeben hat. Freilich ist uns damit eine ungeheure Entscheidung aufgegeben. Denn durch diese Freiheit zur Welt ist dem Menschen eine unendliche Macht anvertraut, die ihn in einer Weise zum Herrn der Welt und seines Lebens in der Welt gemacht hat, wie frühere Geschlechter es auch in ihren kühnsten Träumen haben nicht ahnen können . . . Diese unbegrenzte Freiheit des Menschen zur Welt wird nur dann ein Segen für ihn sein und ihm nicht zum Fluch werden, wenn sie ihren Sinn empfängt aus seiner Freiheit zu Gott".[446] Diese sich in der Welt bewährende Sohnschaft muß jede Selbstgerechtigkeit moralischen Handelns meiden, die ja nur ein Versuch wäre, „das Ganzsein der Welt dadurch in irgendeiner Weise herzustellen".[447] Die Säkularität also, die sich in der Sohnschaft begründet, ist nicht der Verzicht auf Werke, sondern ihr Tun in dem Bewußtsein, daß das neue Ganzsein der Welt in Jesus Christus und nicht in den Werken begründet ist. Diese verantwortliche Vernünftigkeit des Sohnes bewirkt, daß er „die Wirklichkeit, die sich ihm entgegenstellt, klar und nüchtern erkennt, und daß er den Entscheidungen, die sie von ihm fordert, nicht aus dem Wege geht".[448] In dieser Sachlichkeit spiegelt sich die Säkularität als „das fröhliche, offene, verwegene Vertrauen, das keine Umstände macht, das nichts weiß von Hemmung und Verstellung".[449] Diese παρρησία weiß, „daß sie vor einer unerschöpflichen Zukunft steht. Und weil sie das tut, lebt sie in einer seligen Gegenwart: in der Gegenwart des Vaters".[450] Diese Gegenwart aber ist die je konkrete Situation mit dem dem Menschen jeweils konkret Nächsten, durch den ihm der Augenblick und seine Anforderung bestimmt wird. „Läßt sich also der Mensch von diesem Vorgang in der Nähe an-gehen, in der er ihm hier wider-fährt, so bleibt ihm keine Möglichkeit, sich als der, der er in der bestehenden Welt ist, vor ihm zu behaupten. Als dem auf diese Weise An-gegangenen bleibt ihm nur übrig zu begreifen, daß er selbst es ist, der hier gerufen wird, daß er zur Stelle sei. Ist dies die Situation, in der sich der Mensch in der ihm je eigenen Welt befindet, dann ist es diese Welt, in der ihm sein Geschick begegnet und in der er vor die Entscheidung gestellt ist, sich entweder in dieses zu schicken und so das Leben zu gewinnen, das ihm darin bestimmt ist, oder sich ihm zu verweigern und so dieses Leben zu verlieren".[451]

So ist letztlich die Bruderschaft der Söhne das Kriterium der Säkularität: „In ihr, dieser Bruderschaft, hat die Welt ihren Bestand, in ihr ist sie heil und hat sie das einzige Heil, das es für sie gibt. Und wenn die Welt ihren Bestand in etwas anderem sucht als in dieser Bruderschaft, dann hört sie auf, heil zu sein, und verfällt ihrem Unheil".[452] Denn der Bruder ist gemäß der Bergpredigt der Weltenrichter und das alltägliche Leben das Weltgericht, nämlich die Frage, „ob ich drin blieb in dem, was ich in der Welt bin oder ob ich mich hinausrufen ließ in das gleiche nackte, ungesicherte Menschentum, aus dem der andere nach mir ruft".[453] Im Hinausrufen-Lassen wird die Freiheit der Welt gegenüber als Bestandteil jener Freiheit deutlich, „in der das ‚Gesetz' als der ewige Wille Gottes erfüllt wird".[454] Säkularität hat als Vollendung der Sohnschaft ständig diesen Doppelaspekt. In ihr „geschieht . . . die Verwaltung der Welt als des von Gott dem Menschen bestimmten Erbes auf zweierlei Weise. Einmal darin, daß der Mensch in der sohnhaften Freiheit für Gott die Welt als die Schöpfung Gottes bewahrt. Zum anderen in der Freiheit der Welt gegenüber, die er dadurch hat, daß er von der religiösen Verehrung der Welt und ihrer Mächte frei geworden ist. Jene erste Weise ist nur im Glauben möglich. Diese zweite Weise mitsamt der für sie nötigen Freiheit ist zwar für den Christen begründet in seinem Glauben an Gott, den Herrn Himmels und der Erde. Geleistet, geübt werden muß diese Freiheit von der Vernunft".[455]

§ 2. Die endgültige Wirklichkeitserfahrung in der Säkularität

1. Der Glaube der „leeren Hände"

Erhaltung der Säkularität in der Freiheit für Gott und Fortführung des Säkularisierungsprozesses in der Freiheit gegenüber der Welt weisen dem Glaubenden seinen Platz in dieser Welt da an, „wo Not und Leid wachsen und wo die Wirklichkeit uns am härtesten und fühlbarsten angreift".[456] Dieser Glaube, der Säkularität ermöglicht, hat leere Hände, die sich in das hineinstrecken, „was wir nicht wissen und nicht sehen und nicht haben".[457]

Nur in einer solchen Offenheit leerer Hände, die von Weizsäcker als „ständige Selbstkorrektur" beschreibt, gibt sich der Sohn selbst ganz dem Vater zur Antwort und verzweifelt nicht vor der Grausamkeit und Sinnlosigkeit menschlichen Schicksals. Denn in aller Nähe zu den Tiefen des Lebens kennt der Glaube eine Distanz, mit der dieselbe Nähe ein enges Ineinander kennt. Denn wenn Gott „zugleich der in seiner Ewigkeit allem Begreifen des Menschen Unzugängliche wie auch der in dem irdisch-zeitlichen Geschehen mit diesem Handelnde"[458] ist, dann hat dieses paradoxe Ineinander auch seine Bedeutung für die Wirklichkeitserfassung, d. h. „wer im Ernst mit diesem Gott zu tun bekommt, bekommt es zugleich mit der Welt zu tun, wie sie dieses Gottes Schöpfung ist und in der er nach dem Willen Gottes lebt. Es gibt daher kein Heil oder Unheil für den Menschen, das nicht auf das engste zusammenfällt mit dem Heil oder Unheil seiner Welt".[459] So lebt der Glaubende in der Welt, aber nicht aus ihr, da er vor Gott als der Sohn in Verantwortung für die Welt steht. In diese leeren Hände der „‚Umkehr' aus allem vorwegnehmenden Tun"[460] ist also die Herrschaft über die Welt gelegt![461]

Nur, „indem der Mensch seine eigene Gestalt und sein eigenes Geschick in der Gestalt des Gekreuzigten und in dem Geschick, das diesem am Kreuz widerfährt, wiedererkennt",[462] wird er dem ihn aus dem Nichts rufenden Schöpfungsakt Gottes selbst zur Antwort! Nur in der Erfahrung der eigenen Nichtigkeit ist glaubendes Hören eröffnet, das heißt: Glauben kann der Mensch nur mit leeren Händen!

2. „Media morte in vita sumus"

In dieser Ohnmacht des Menschen vor Gott anerkennt der Glaubende die Herkunft seiner Existenz aus der Schöpfungsmacht des Vaters und hört auf aus der Welt und dem in ihr geltenden Gesetz zu leben. Ohne Erkenntnis und Anerkenntnis dieser Nichtigkeit entsteht Säkularität nicht.[463]

Diese Einsicht wird aber erst möglich seit der Menschwerdung Gottes, die ihren deutlichsten Ausdruck in der Erniedrigung des Kreuzes gefunden hat, in dem sich die Menschheit Christi vollendet, da er das Geschick seiner Brüder annimmt. Jesus begibt sich in eine Wirklichkeit, in der er „als der in der reinsten Hoffnung

auf den reinsten Gott Hoffende lebt".[464] Nur für den Menschen, „der es über
sich bringt", der tiefsten Niedrigkeit von Jesu Menschsein „in seinem eigenen
Menschsein zu begegnen",[465] gewinnt die Aussage Bedeutung: Media morte in
vita sumus! Denn allein durch das Nichts hindurch, das heißt theologisch durch
die Menschheit Jesu, kann der Mensch die Herrlichkeit Gottes erfahren. Jesu
tiefste Niedrigkeit lag darin, „daß er, indem er der bestehenden Welt der Nächste
wurde, das auf ihr liegende Verhängnis als sein eigenes auf sich nimmt, um es
zu wenden".[466] Die Erniedrigung des Glaubenden steht also in der primären
Nachfolge der Nächstenschaft Jesu durch die Anerkennung der Verantwortung
für diese Welt vor Gott. In dieser unmittelbaren menschlichen Wirklichkeit
vertraut der Glaubende wie Jesus auf die das Nichts überwindende Liebe
Gottes.[467] Sein gesamtes verantwortliches Handeln wird so ein Sterben, das
Leben in sich trägt. Aus der Tiefe der Seinsverkehrung wird daher im Glauben
göttliches Sohnsein, so wie aus dem Kreuz neues Leben in der Auferstehung
entstand: Gottes Zu-künftigkeit ist in Jesus Christus für alle Welt erschienen als
unvorwegnehmbares Geschenk! „Und in diesem Sinne ist der christliche Glaube
eine reine Zukunftserwartung".[468] Zukunft aber nicht so sehr als zeitlich-inner-
weltliches Kommendes, sondern als Zu-kunft Gottes, die sich in Jesus angesagt
hat: Media morte in vita sumus!

3. Die Zu-kunft Gottes als „Spiel"

Gott kommt auf uns zu in der Gegenwart des Hier und Jetzt, die Teil seiner
ewigen Gegenwart ist. Was das bedeutet, faßt Gogarten in einer Predigt 1949 so
zusammen: „Zwischen ihm, der der Zukünftige, der auf uns Zukommende ist,
und uns gibt es dann kein sicheres oder auch nur einigermaßen sicheres Gestern
und Heute und Morgen mehr, in dem wir uns immer noch so oder so einrichten
könnten. Sondern es gibt nur noch eins: wachen und warten".[469] Und gerade
das macht die Säkularität aus, die die Schöpfung und die Sohnschaft zwischen
den Zeiten je neu bedenkt in der Bereitschaft zur Umkehr in brüderlicher
Gemeinschaft. Denn Umkehr ist immer wieder notwendig von der falschen
Suche nach Sicherheit, die als Gefährdung des Glaubens und so der Säkularität
in einer geschichtlichen Welt begegnet. Die Zu-künftigkeit Gottes in der Geschichte
ist so ein „Spiel Gottes", in dem er in doppeldeutiger Weise dem Menschen
begegnet: „Und nur weil das, was mit Jesus Christus geschieht, das gleiche göttliche ‚Spiel' ist, vermag der an diesen Glaubende Gottes ‚Spiel' in seinem eigenen
Leben zu erkennen und es auszuhalten, ohne über dem, was darin geschieht,
zu verzweifeln . . . Umgekehrt gilt dann aber auch der Satz, daß der Glaube kein
wahrer Glaube an Jesus Christus wäre, der sich dem göttlichen ‚Spiel', das die
Geschichte ist, nicht in seiner ganzen bitteren Schwere und Rätselhaftigkeit
aussetzte".[470]

Die Säkularität versteht also im göttlichen Spiel die Einheit des Weltgeschehens
in der Zu-künftigkeit Gottes. Darin bleibt Gottes Zukunft in einer noch verhüllten
Offenheit, da sie sich ereignet in den Niedrigen, Verachteten, Ausgestoßenen und
Unbedeutenden.

Die Hoffnung auf das Vergehen der Doppeldeutigkeit im Neuwerden des Menschen und seiner Welt ist die adäquate Antwort auf die im „Spiel" zu-kommende göttliche Zu-kunft; in jenem „Spiel" ereignet sich Advent: „Nicht nur im Sinn: von früher einmal angekommen sein, sondern im Sinn von gegenwärtigem Ankommen, auf uns zu-kommen. Wir könnten darum auch übersetzen: Zukunft im Sinne von hinzukommen, zu uns kommen. Ja, das müssen wir begreifen: der Advent Jesu Christi ist nicht nur etwas, was einmal geschehen ist, sondern er geschieht immerzu, ohne Aufhören".[471]

§ 3. Säkularismus als Halbwissenschaft

Im Versuch der Selbstmächtigkeit, dem Säkularismus wird die rückhaltlose Offenheit für das gegenwärtige Ankommen Gottes negiert. Das Gefragtsein wird nicht ausgehalten und übrig bleibt allein die Sorge und das Besorgen. In einer Halbwissenschaftlichkeit werden die Erkenntnisse der Naturgesetze auf das Verstehen von Geschichte angewandt und damit entsteht eine Welt, die „nicht an die Liebe glaubt. Sie glaubt an den Streit, an die Selbstbehauptung und das Sich-selbst-Durchsetzen. Jeder ist sich selbst der Nächste".[472] Diese Welt hat ihr Zentrum in sich selbst.

Die unaufhörliche Unruhe, die der Glaube in Form der Säkularität und eine ihrer Grenzen bewußte Wissenschaft gemeinsam haben, gibt es nur, wenn sich der Mensch selbst in Frage stellen läßt und damit dafür Sorge trägt, daß „die Zukunft nicht durch irgendeine der Fortschrittsideologien vorweggenommen wird, sondern das Entscheidende und Eigentliche der geschichtlichen Wirklichkeit sich in der je und je zu bestehenden Begegnung mit der in dunkler Schicksalhaftigkeit erscheinenden Zukunft ereignet".[473]

Nimmt der Mensch aber Zukunft ideologisierend vorweg, verfällt er einem grenzenlosen Subjektivismus, der zwar auch in der Erfahrung der Säkularisierung seinen Grund hat. Aber diese wurde nicht mehr nüchtern wahrgenommen in naturwissenschaftlicher und geisteswissenschaftlicher Analyse, sondern weltanschaulich unterbaut. Einem solchen subjektivierten Säkularismus gegenüber betont der Glaube die Geschöpflichkeit des Menschen und deckt darin die in der Welt befangene Gesetzlichkeit auf: Sie zeigt den Menschen in seiner Schuld, in der er sich selbst zum Grund der Geschichte macht, indem er versucht, in ihr die Gewißheit und die Gesichertheit seiner selbst zu gewinnen".[474] So steht der Mensch zwischen Säkularismus und Säkularität in einer der Schöpfung eigenen Dialektik, die sich so zusammenfassen läßt: „Wer sein Personsein und seine Selbständigkeit statt im ‚Brauche' Gottes in sich selbst gegründet sein läßt, muß sich dem ‚Nichts' verschließen, in das zurückkehrend und aus dem herkommend allein er Person und er selbst, nämlich der Selbständige im ‚Brauche' Gottes ist".[475] An der rechten Bestimmung der Autonomie entscheidet sich also das Verhältnis des Menschen zu seiner Welt und damit die Annahme oder Ablehnung von Gottes Mitsein mit der Welt und mit den Menschen.

Alleingelassen mit sich selbst und der Welt verfällt der Mensch der halben Wissenschaft des Säkularismus, die zwar noch die Natürlichkeit der Welt anerkennt, aber nicht die Ermöglichung dieser Erkenntnis im Schöpfungsglauben begründet, sondern in allerlei Ideologien. Schuld an dieser welthaften Verkettung des Säkularismus trägt in hohem Maße aber auch die Kirche: Denn ihre negative Haltung gegenüber nüchterner Vernünftigkeit, Natürlichkeit einer säkularen Welt und Autonomie des Menschen begünstigt die Entwicklung auf menschliche Selbstmächtigkeit hin, weil die Kirche eben „von dieser in ihm, dem Glauben selbst, begründeten und unverlierbar zu seinem Wesen gehörenden Autonomie nichts mehr weiß und darum seinerseits keine begründen kann".[476] Der Theologie kommt in dieser Konstellation die Mittelstellung zu, ihr Wissen so anzubringen, daß es „den Menschen betrifft, wie er, sich selbst fraglich geworden, vor der Entscheidung steht, ob er sich dem Grunde seines Menschseins, aus dem er die Frage nach ihm selbst vernimmt, zur Antwort zu geben bereit ist oder ob er sich ihr versagt".[477)] Und so ist sie „Teil des Wechselspiels zwischen dem Menschen und dem Heil und Unheil".[478)] Ihre Schwierigkeit, in der Mitte zu stehen, kommt aber vor allem in dem zum Ausdruck, „was die Theologie als Wissenschaft der Welt schuldet. Nämlich, daß auch diese von dem wisse, was Inhalt des theologischen Wissens ist, und für das die Theologie die Verantwortung trägt, daß es der Welt bekannt, und zwar richtig bekannt sei, so nämlich, daß die Vorstellung, die man vom Inhalt des theologischen Wissens hat, diesem entspricht".[479)] Sie würde in einen ihr eigenen Säkularismus als Halbwissenschaft absinken, wenn sie diese Aufgabe moralisch mißverstehen würde: Dann wäre sie nämlich nicht mehr als Anleitung zur Selbstrechtfertigung! Aber gerade die Theologie muß sich über das bloß Vorhandene hinaus in Frage gestellt wissen, um dem Menschen zu verkündigen, „daß der Kampf, in dem er liegt sein Leben lang, schon entschieden ist. Nämlich durch das, was Jesus Christus für ihn, den Menschen, getan hat".[480)] Und von der Deutlichkeit der Theologie kann es abhängen, ob dieses Tun Jesu Christi dem Menschen zum Gesetz oder zum Evangelium wird, ob er nämlich bestimmt ist durch sich selbst oder durch Jesus Christus.

Die Theologie hat in Verkennung ihrer Mittelstellung zwischen Wissenschaft und Kirche lange und oft gemeinsam mit dieser versucht, die durch den christlichen Schöpfungsglauben freigesetzte, der Welt gegenüber autonome Vernünftigkeit einzuschränken und die kritischen Folgen wissenschaftlichen Denkens zu verhindern. Damit wurde sie mitschuldig daran, daß die Säkularisierung der Neuzeit zum Verhängnis wurde. Nur in neuer Verantwortung kann sie diesem Mißverständnis entgehen, indem sie in der Anerkennung und Auslegung der Autonomie die Kirche und „die Welt von dem entsetzlichen Wahn befreit, als habe sie erst dann einen Sinn, wenn der Mensch ihr einen gibt".[481)]

§ 4. Säkularisierung – ein andauernder Prozeß

Nur dieser rechtfertigende Glaube ermöglicht den an sich „wertfreien" Prozeß der Säkularisierung und durch sie eine Geschichte, deren kritisches Prinzip es ist, „daß sie sich die schicksalhaft dunkle Zukunft, vor und aus der sie geschieht, nicht durch eine wie immer geartete ideologische Vorwegnahme verstellt, und daß sie in der von ihr ebensowenig zu überhörenden wie zu beantwortenden Frage nach ihrem Woher und Wozu bleibt".[482]

In der Säkularisierung und ihrem Geschichtsverständnis wird die Welt so auf das Maß vernünftiger Selbstbestimmung durch den Menschen zurückgebracht. Die Welt kann nun nicht mehr zwischen Mensch und Gott vermitteln: Sie ist dem Menschen als sinnvolle Aufgabe ganz überantwortet. Das aber unterscheidet die Säkularisierung gerade von einer Profanisierung, in der weltliches Tun ohne Sinn und Bedeutung ist. Säkularisierung dagegen erhält die Welt als Welt und hält sie durch den Vernunftgebrauch vom Chaos fern, das nur Ansatzpunkt neuer Dämonien und deren religiöser Verehrung wäre.

Gogarten versteht die Säkularisierung nicht als einen einmal geschehenen, abgeschlossenen Prozeß, sondern als eine Entwicklung, in der wir uns in unserem Bemühen um den reinen Glauben, in unserer Suche nach Wirklichkeit noch immer befinden. Die Säkularisierung ist eben keine „weltanschauliche Idee . . . die anzuerkennen oder zu verwerfen jedermanns Belieben anheimgestellt ist; vielmehr ist sie nichts Geringeres als ein weltgeschichtlicher Vorgang, der sich an den Menschen über ihr bewußtes Wollen hinweg vollzieht".[483]

Dieser Vorgang könnte punktuell mißverstanden werden, wenn nicht die Gefahr in ihm läge, „daß der Mensch, als dem er sich da begegnet, der mit irgend etwas, das nicht er selbst ist, Befaßte und darum über dem, womit er sich befaßt, sich selbst Vergessende ist".[484] Der andauernde Säkularisierungsprozeß aber stellt diesen Menschen je neu in sein In-Frage-gestellt-Sein, indem er sich selbst in doppelter Verantwortung zur Antwort geben muß: nämlich in Verantwortung für die Welt, in der er lebt, vor dem ihn zur Antwort mit sich selbst rufenden Gott, aus dem er sein Leben hat.[485]

Diese Verantwortung im fortlaufenden Prozeß der Säkularisierung befreit „von dem sich sorgenden, angstvollen Selbsterhaltungstrieb ebenso wie von dem prometheischen Streben, sich selbst zu genügen".[486] Verkennt der Mensch aber die Freiheit von der Welt und versteht sie als „letzte und umfassendste Wirklichkeit",[487] dann ist er wieder den Bedingungen der Selbstlegitimation unheilvoll verfallen. So setzt jede Verkehrung der Säkularisierung in Säkularismus den Prozeß der Säkularisierung in Gang, da die Säkularität als Nüchternheit der Verantwortung für die Welt – als Synthese – wieder in die Ursprünglichkeit bloßer Weltlichkeit, also Säkularisierung zurückführt. Das macht deutlich, daß Säkularität „nicht so etwas wie ein Habitus oder eine Eigenschaft ist, sondern in der Entscheidung des gegenwärtigen Lebens je und je ergriffen werden muß".[488]

In diesem Zusammenhang einer dialektisch erfahrenen Weltlichkeit ist der Begriff „Dichte" einzuführen, mit dem Gogarten die Eigenheit der jeweiligen geschichtlichen Gegenwart bezeichnet. Denn Säkularität als aktuelles Ergreifen des gegenwärtigen Lebens empfängt sich aus der Zu-künftigkeit Gottes, „die in allem Geschehen begegnet",[489] die aber nicht „im Zurückführen auf ein Allgemeines, ein sogenanntes Übergeschichtliches"[490] begriffen werden darf: „Freilich ist das alles andere als, wenn ich mich so ausdrücken darf, die Erkenntnis eines domestizierten Gottes. Man täte vielleicht am besten, gerade weil es sich um wirkliche Gotteserkenntnis handelt, das Gottesprädikat zu meiden und etwa von der fast unprädizierbaren Macht zu sprechen, vor der einem in Schuld an sich selbst verzweifelnden Menschen alles, was ihm bisher Halt und Sinn war, ins Wesenlose entschwindet".[491] Diese unprädizierbare Macht wird als „Dichte" im „jederzeitlichen Geschehen" prädikativ. Sohn-Sein des Menschen und Schöpfung-Sein der Welt sind aufgrund dieser „Dichte" entscheidend geschichtliche, weil eben Geschichte begründende Begriffe. In ihnen erwartet der Glaubende das Zu-kommen dessen, der in Jesus der Vater und Schöpfer ist. Die Säkularisierung der Welt ist damit letztlich angestoßen durch diese „Dichte", die als geschichtsbildende auch diesen Prozeß in Gang hält. Denn als kritisches Prinzip bewirkt die „Dichte", daß die Geschichte „sich die schicksalhaft dunkle Zukunft, vor und aus der sie geschieht, nicht durch eine wie immer geartete ideologische Vorwegnahme verstellt, und daß sie in der von ihr ebensowenig zu überhörenden wie zu beantwortenden Frage nach ihrem Woher und Wozu bleibt".[492]

Die Einheit der Geschichte, die diese „Dichte" neben dem totalen Ernstnehmen der geschichtlichen Gegenwart meint, fordert das Sich-Aussetzen des Menschen gegenüber dem göttlichen „Spiel", dem Vernunft und Glauben als zwei Aspekte derselben menschlichen Antwort gegenüber stehen. Das „Spiel" ist gegenwärtiges Geschehen in seiner „Dichte", in der Vergangenes und Zukünftiges glaubhaft werden, und verhindert als Vorstellungsbild, daß der Glaubende sich in christliches Tun verliert: „Denn es gibt nun nicht mehr Heiliges als etwas kultisch Ausgesondertes in der Welt, mit dem man sich Gottes und seines Wohlgefallens versichern kann, sondern die ganze Welt ist heilig oder unheilig, je nachdem, ob der Mensch heilig ist oder nicht, je nachdem also, ob der Mensch Gott gehört, so wie er ihm nach seiner Forderung gehören soll oder nicht".[493]

Dies alles aber bedeutet das Ende der unverbrüchlichen Verbindung zwischen Theologie und Metaphysik, das bereits in den historischen Disziplinen begonnen hat und in Gogartens Denken auch in die Dogmatik miteinbezogen wird: Die Frage „Sein-Aktualität-Werden" wird eingeschränkt auf das Problem des Wirkens Gottes in der Geschichte ohne weitere Spekulation über das Sein an sich.

Gogarten geht es aber nicht eigentlich um diese Frontstellung, sondern um das Begreifen, daß alles darauf ankommt, „zu erkennen, daß die Welt vielmehr ursprünglich in das Gottesverhältnis hineingehört, und zwar in das Zentrum und das heißt, in die Freiheit für Gott".[494] Die Verantwortung des Menschen liegt also nicht mehr in dem Aspekt des Einhaltens und Durchtragens ewiger und ein für allemal gültiger Ordnungen, sondern allein im Weltsein und Weltbleiben seiner geschichtlichen Welt, also in der Säkularisierung und der sie erhaltenden

Säkularität, die das Abgleiten in Säkularismus aufdeckt und verhindert. Deutlich wird diese Überwindung des metaphysischen Standpunktes vor allem in der Gotteserkenntnis, die allein in der Menschheit Jesu als des Christus ansetzt und nicht mehr allgemein-spekulativ in der Weltwirklichkeit.

So geht es Gogarten um eine Überwindung der Entzweiung von Realität und Bewußtsein, die für ihn im Cartesianismus deutlich wurde, und deshalb ersetzt er die Metaphysik durch sein Geschichtsverständnis. Indem er darin die Welt als Schöpfung versteht, entgeht er gleichfalls der Gefahr eines Dualismus, wie er uns in dem Verständnis der Welt als „dieser" Welt in der Gnosis begegnet ist. Solange ein wirklichkeitsbezogener Glaube in der „Dichte" des geschichtlichen Augenblicks auf die Welt bezogen ist, wird die Säkularisierung als ein dialektischer Prozeß andauern.

Denn Jesus dachte nicht daran, „zu sagen, wir müßten uns, um Gott geben zu können, was Gottes ist, vom Politischen fernhalten. Wohl aber sagt er, das Recht und die Macht des Politischen müssen an dem Recht auf uns und der Macht über uns, die Gott hat, gemessen werden. Wir wissen heute alle, daß die größte Gefahr, die uns und die ganze Welt bedroht, die ist, daß das Politische seine Grenze überschreitet und sich zum Maß für alles macht. Es ist wie alle Dinge unserer Welt in fürchterlicher Unordnung. Es kann aber nur in Ordnung kommen, und, was das wichtigste ist; wir können dem Politischen und seinen Ansprüchen gegenüber nur in Ordnung kommen, wenn wir Gott geben, was Gottes ist".[495)]
Hier kommt eben Säkularität ins „Spiel"!

Schluß

Zwei Rebzweigen aus demselben Stock gleich haben sich die beiden Darstellungen zum Problem der Säkularität in der Kontinuität ihres Wandels vorgestellt. Indem durch europäische Fragestellung sonst oft verdeckten „Hauptstrang" nordamerikanischer Theologie brach das Problem des Verhältnisses von Glauben und Welt mit aller Vehemenz hervor, als eine nach ihren Maximen auf Brüderlichkeit hin orientierte Gesellschaftsordnung durch den Einfluß massiver Industrialisierung ihre Brüchigkeit in Form von sozialer Ungerechtigkeit zeigte. Die bei Bushnell und Channing bereits grundgelegte positive Einstellung zu einer säkularen Welt machte es der amerikanischen Theologie an der Jahrhundertwende leicht möglich, sich den Ansprüchen der geschichtlichen Situation zu stellen, ohne sich in den sakralen Raum der eigenen Vorstellungen zurückzuziehen. Die „neuengländische" Theologie hatte die Vaterschaft Gottes und die daraus resultierende Brüderlichkeit aller Menschen derart in den Mittelpunkt ihrer Überlegungen gestellt, daß Washington Gladden nach der Analyse der unmenschlichen Wettbewerbssituation seiner Zeit die Forderung nach sozialer Integration auf diesen theologischen Vorarbeiten aufbauen konnte. Gogarten hatte es im Vergleich dazu mit seinem Ausgang von der Fichte'schen Vorstellung einer mystischen Einheit des Menschengeschlechts mit Gott viel schwieriger, zu einem Wirklichkeitsbezug des Glaubens vorzustoßen. Seine kulturkritische Wachheit in seiner Entwicklung auf „Zwischen den Zeiten" hin und seine Religionskritik sind Gladdens Position durchaus vergleichbar. In Amerika jedoch war die Erfahrungsebene und die Forderung nach sozialer Integration viel konkreter: Der Glaube mußte sich direkt an der gesellschaftlichen Reform beteiligen, weil den Hauptforderungen der Liebe öffentlich zuwider gehandelt wurde. Dies war der erste Grund für die Forderung nach Säkularität. Der zweite war die Einsicht, daß der in Wissenschaft und Gesellschaft ersichtliche Fortschritt Anzeichen des Kommens der endgültigen Herrschaft Gottes war, eine Hoffnung, die die Weltoffenheit des Glaubens der ersten Siedler geprägt hatte und die noch immer lebendig war. Diesem Wirken Gottes durfte der Mensch sich nicht entgegenstellen, sondern mußte es nach Gladdens Meinung mit Hilfe der Kooperation unter den Menschen, die er als Ausdruck der Säkularität verstand, unterstützen. Sein „Social Gospel" bedeutete so einen in der Welt gelebten Glauben, der sich kritisch mit ihr auseinandersetzt. Eine Unterscheidung von sakral und säkular, weltlich und überweltlich war für seine religiös-soziale Überzeugung eine Blasphemie.

Dieses Postulat nur einer Wirklichkeit als kritisches Ineinander von Glaube und Welt, das für die gesamte Säkularisierungsthese Gogartens ebenfalls bestimmend ist, hat Walter Rauschenbusch dann mit seiner eschatologischen Dimension zu einer Dialektik des Eintritts in die jeweilige Kultur und des Rückzugs von ihr noch genauer spezifiziert: Wie Gladden stellt er den Menschen als Bruder in den Mittelpunkt aller sozialen Reformbemühungen; er ist aber nicht mehr so optimistisch, daß die Glaubenden in ihrem Bemühen um Säkularität die Königsherrschaft Gottes herbeibringen könnten. Sie wird für ihn mehr zu einem kritischen Prinzip, das einen Ausweg aus den Krisen menschlicher Verschuldung in der Weltgestaltung weist. Weil die Liebe im Zentrum der Gottesherrschaft steht, verweist diese ständig in die geschichtliche Welt, um dort als Stoßkraft für Umkehr und Reform zu dienen. Hier kommt für Rauschenbusch die Säkularität zu ihrer Erfüllung, denn hier ist der Glaube an die Wirklichkeit gebunden als eine Dynamik, die die verformte Welt wieder auf die Gotteserkenntnis im Nächsten hin öffnet: Die Herrschaft Gottes kündigt sich in gesellschaftlicher Solidarität als Ergebnis einer den Glauben zur Welt in Beziehung setzenden Säkularität immer schon an. Die Parallele zu Gogartens ausgeprägtem Du-Ich-Verhältnis wird bei Rauschenbuschs Solidaritätsbewußtsein deutlich und die dialektische Differenzierung des Säkularisierungsvorgangs bei Gogarten spiegelt sich in der Dynamik des Glaubens, in der Rauschenbusch die Geschichte als präsentische Eschatologie versteht.

Auf dieser endgültigen Form eines genuinen „Social Gospel" baute dann, wie wir ausführlich dargelegt haben, Reinhold Niebuhr mit seinen Gedanken über das Beziehungsverhältnis des Glaubens zur Welt auf. Wie Gladden und Rauschenbusch war er dabei von empirischen Einsichten direkt beeinflußt. Die Erfahrung großer Krisen in den zwanziger und dreißiger Jahren prägte seine Gedanken über die Tragik der Ankunft des Gottesreiches. Sie führte ihn dazu, den christlichen Glauben noch direkter, als es Rauschenbusch getan hatte, mit der amerikanischen Kultur zu konfrontieren. Eine vergleichbare Entwicklung konnten wir bei Gogarten nach dem Scheitern seiner „politischen Theologie" gegen Ende der dreißiger Jahre feststellen, als sich die frühe Fichte'sche Forderung nach einer neuen Frömmigkeit in einer letzten Wandlung zu einer positiven Wertung menschlicher Mündigkeit und diakritisch Wirklichkeit sondierender Säkularität hin entwickelte.

Niebuhr kam durch seine Interpretation von Tragik zu einer deutlichen Umschreibung von Säkularität als „Kreativität in Geschöpflichkeit" und zu einer Hervorhebung des Säkularismus der nordamerikanischen Gesellschaft in der Form einer als „American Dream" bezeichneten „Civil Religion": Die ihr gegenüber immer wieder neu zu erstrebende Säkularität widmet sich ganz dem welthaften Leben als andauerndem politischen Prozeß, in dem Gut und Böse ineinander vermischt sind, und ist Signal für je erforderliche Revisionen der Selbstverständlichkeiten, die sich durch die Säkularisierung herausbilden. Diese kritische Funktion der Säkularität entsteht nach Niebuhr vor allem durch die Unterscheidung von Forderungen der Gerechtigkeit, die die Vernunft im säkularen Raum verlangt, und denen der Liebe, in denen sich das Selbst aufgrund der in Christus offenbaren Liebe Gottes übersteigt. In dieser Liebe weiß der Glaube aber gerade um die Gefahr der Korruption seiner selbst in den Formen des Säkularismus, die in einer als „interim" verstandenen Geschichte die Säkularisierung immer erneut gefährden.

Auf dieser dialektisch-kritischen Haltung des Glaubens in der Welt in Form der Säkularität, die für Niebuhr — wie für Gladden und Rauschenbusch zuvor — auf dem Schöpfungsglauben und der Christologie basierte und ihn — wie die beiden Vorgänger im „Social Gospel" — zu direktem gesellschaftlichen Engagement brachte, bauten dann die theologischen Strömungen der letzten zwanzig

Jahre in Amerika auf. Nur aufgrund dieser Vorarbeiten konnte die sogenannte „radikale Theologie" ihre scharfen Angriffe gegen den Säkularismus der „Civil Religion" führen und damit eine neue Form von Säkularität in Ausrichtung auf die veränderte Situation der Weltgeschichte fordern.

Die dargestellte theologische Entwicklung des Gedankens der Säkularität – von Gladdens Postulat gesellschaftlicher Integration über Rauschenbuschs Dialektik in der Form einer eschatologischen Vision der Herrschaft Gottes bis hin zu Niebuhrs Umschreibung des Glaubens in der Welt als „Kreativität in Geschöpflichkeit" – hat uns den gedanklichen Fortschritt in der amerikanischen Theologie der letzten hundert Jahre verdeutlicht, in der sich das Problem der Säkularität ständig als Antriebskraft neuer theologischer Entwürfe erwies. Die Säkularität war aber nicht bloß ein theologisch-theoretisches Problem, sondern wurde praktisch erfahren im Prozeß der Säkularisierung einer für lange Zeit sich homogen weiterentwickelnden Gesellschaft. Nur diese empirische Orientierung erlaubt es der zeitgenössischen amerikanischen Theologie, mit solcher Radikalität die säkuläristische Verformung des Glaubens an Gottes Königsherrschaft, den man wohl als das Zentralthema aller dortigen theologischen Bemühungen bezeichnen kann, zur Revision aufzufordern. Noch zeichnet sich nicht deutlich ab, in welcher Weise die neuere Theologie in den USA das alte Thema der Säkularität in der Tradition von Gladden, Rauschenbusch und Niebuhr systematisieren wird. Noch gefällt sie sich in ihrer sprachlichen Ausformung theologischer Erkenntnisse mehr in paradigmatischer Symbolik, die uns auch in Gogartens letzter Ausprägung der theologischen Dialektik begegnet war: Die leeren, offenen Hände, die „Dichte" der Wirklichkeitserfahrung des Glaubens und das „Spiel" als Zeichen von geschichtlicher Gottesbegegnung entsprechen durchaus den amerikanischen Bemühungen um eine „wahrhaftige Ritualisierung", ein „gleichzeitiges Leben auf zwei Ebenen". Dem einfühlend mitdenkenden Leser werden diese und andere Vergleiche der beiden vorgestellten Entwürfe selbst in den Sinn gekommen sein. Eine „synnoetische" Lektüre des zweiten Teils dieser Untersuchung wird aber auch verdeutlicht haben, wie sehr sich das theologische Denken Friedrich Gogartens in einem spiralenförmigen Verlauf entwickelt hat, oder, um es mit einem anderen Bild noch deutlicher zu machen, seine Ausführungen scheinen sich wie die Stufen einer Wendeltreppe um seine Kernfrage nach der Wirklichkeit zu legen, die sich aus dem Beziehungsverhältnis des Glaubens zur Welt ergibt.

Wegen dieser Struktur seiner Theologie wäre es mißverständlich, verschiedene Phasen seines Denkens zu unterscheiden: Vielmehr geht es um ineinander verwundene Stufungen, in denen dieselbe Problematik in immer neuen Variationen auftaucht, um sich schließlich im Thema der Säkularität endgültig zu formulieren.

Der Ausgangspunkt Gogartens ist ein für die liberale Theologie grundlegendes Identitätsdenken, das er im Einheitsgedanken von Gott und Mensch in der tätigen Mystik bei Fichte findet. Die totale Offenheit gegenüber Welt und Geschichte und damit gegenüber der konkreten Situation ist dabei von größerer Bedeutung als die philosophische Einheitsspekulation. Das Verständnis des Werdens in der Dialektik von Gewordenem zu Werdendem enthält schon „in nucleo" das Schema des Säkularisierungsprozesses. Im Augenblick interessiert Gogarten aber nur die Einheit der Wirklichkeit, die ihn später zu seiner Säkularisierungsthese führt. Die kritische Funktion im Verständnis von Welt und Geschichte nehmen jetzt noch Ordnungen wie Volk und Nation wahr; diese Funktion übernimmt aber bereits in „Religion weither" das religiöse Erlebnis, das dann im Du-Ich-Verhältnis konkrete Auslegung erfährt. Diese Beziehung schafft die Spannung von Anspruch und Verantwortung im konkreten Weltbezug und räumt eine mißverständliche Identität von Gott und Mensch aus. Die Frage nach Gott ordnet die Werke des Menschen ganz seiner Welt zu, eine Erfahrung, die der amerikanischen Theologietradition völlig konform ist.

Hier wurde eine zweite Stufung deutlich: Die in der Frage nach Gott geforderte Entscheidung läßt eine Vermischung von Göttlichem und Menschlichem nicht weiter zu. In seiner Wirklichkeit ist der Mensch durch die Frage „Gott" dem Nichts ausgesetzt, aus dem ihn nur die Menschwerdung Gottes in Jesus enthebt, nicht aber ein Vertrauen auf das eigene Selbst. Der Rechtfertigungsgedanke also und nicht die Herrschaft Gottes wie im „Social Gospel" bildet das kritische Prinzip für eine geschichtliche Offenbarung.

Aber in ihr ist der Glaubende erneut an die Welt verwiesen, da in ihr als der jeweiligen geschichtlichen Situation die Entscheidung der Frage „Gott" geschieht und zwar in der Scheidung von Gott und Welt durch den Schöpfungs- und Erlösungsglauben. Diese kritische Erfassung der Wirklichkeit bringt Gogarten zum ersten Mal zu einer Umschreibung von Säkularität als „qualifizierter Weltlichkeit".

Schon jetzt in der Mitte der zwanziger Jahre verlegt Gogarten in einem weiteren Schritt diese qualifizierte Weltlichkeit in die Du-Ich-Beziehung als ihre Bewährung: Denn in ihr hört der Mensch das Wort Gottes als Anklage des Gesetzes und als Verheißung der Vergebung. In seiner Antwort auf das Du, das ihm im Wort begegnet, und in der Verantwortung für es gibt der Glaubende sich selbst weg und erfährt so Wirklichkeit. Gogarten konnte erst in diesem Personalismus, der durch eine individuell interpretierte Rechtfertigungslehre noch gestützt wurde, von einer idealistisch-geprägten Ich-Spekulation Abstand gewinnen und seinem Verantwortungsbegriff politisch-solidarische Aspekte abgewinnen. Diese Hürde brauchte die amerikanische Theologie von ihrem schon national geprägten Solidaritätsdenken her erst gar nicht zu überwinden. Gogarten erfährt in der interpersonal gestalteten Wirklichkeit gleichfalls, daß Gottes Herrschaft konkret in der Zeitlichkeit der Du-Ich-Beziehung begegnet und die Rechtfertigung nicht durch das eigene Handeln, sondern durch den im Du begegnenden Schöpfer und Erlöser geschieht. Damit ist der Glaube für Gogarten konstitutiv auf Geschichte und Welt bezogen.

Indem der Glaubende sich hier das Wort sagen läßt und nicht versucht, es sich selbst zu sagen, kann er Welt von Welt unterscheiden und sie so durch einen verantwortlichen Wirklichkeitsbezug in ihrer Weltlichkeit erhalten. Gogarten bezeichnet mit dem Phänomen des Sich-selbst-Sagens in Kirchenspekulation, Idealismus und Historismus bereits die Tatsache der säkularistischen Verformung der Welt. In der ausgeführten Du-Ich-Beziehung finden sich also schon vor der Systematisierung der Säkularisierungsthese alle dialektischen Elemente der späteren Wirklichkeitserfassung, vergleichbar etwa der Erkenntnis der eschatologischen Dimension der Gottesherrschaft bei Rauschenbusch, auf der Niebuhr nachher sein Säkularitätsverständnis der „Kreativität in Geschöpflichkeit" aufbaut.

In seinem nächsten Schritt – dem Versuch einer anthropologischen Anwendung dieses Wirklichkeitsbezuges in der Umschreibung der politischen Existenz des Menschen – scheiterte Gogarten aber noch an dem Mangel eines kritischen Prinzips, das die Selbstmächtigkeit des Menschen in ihre Schranken weist, d. h. als Säkularität den Säkularisierungsprozeß in Gang hält. Zu Beginn der dreißiger Jahre meinte er diese Schranken gegenüber einem Individualismus in den Ordnungen der Geschichte erkennen zu können, die den Menschen als Erfahrungen des Gesetzes keine endgültige Sicherung im gegenwärtigen Augenblick erreichen lassen, die es nur im Anruf Gottes im Du und in seiner Vergebung gibt.

Für diese Erlösung des Menschen soll die Nichtigkeitserfahrung gegenüber dem Gesetz und der Herrschaft des Staates öffnen, die das Selbst anklagen wegen seines Verstoßes gegen das Voneinander-her-Sein und Füreinander-da-Sein und es so in seiner Ungesichertheit erweisen. In der Betonung der Herrschaftskategorie akzentuierte Gogarten 1933 seine Kritik an der säkularistischen Bestrebung des Staates, sich in seinem Gesetz selbst zum Mittelpunkt der Welt zu machen, nicht eindeutig genug; so konnten seine differenzierten Interpretationen von Hörigkeit und Herrschaft mit Inhalten national-sozialistischer Propaganda verwechselt werden. Diese Erfahrung einer Fehlinterpretation des Weltbezuges des Glaubens führte Gogarten dann bereits Ende der dreißiger Jahre zu einer neuen Sicht menschlicher Autonomie. Die im Du-Ich-Verhältnis zum Ausdruck kommende Mündigkeit des Menschen steht von nun an nicht unter der Nichtigkeitserfahrung der staatlichen Herrschaft, sondern der des „Brauches" Gottes, von dem allein dem Menschen Rechtfertigung widerfährt. In dieser Gerechtmachung durch den Schöpfer und Erlöser finden die Werke des Menschen ihren richtigen Stellenwert: Sie schaffen die eine Welt des Säkulums, die in dieser Säkularisierung in der Ambivalenz der „Vertrödelung des Göttlichen in die Welt" (Säkularismus) und des weltanschauungsfreien Glaubens in seiner Verantwortung für den geschichtlichen Augenblick (Säkularität) steht.

Nur in der Unterscheidung von Schöpfer und Geschöpf – d. h. in der richtigen Einschätzung der Werke – kann die Säkularität die Säkularisierung in Gang halten und immer neu von den Verformungen des Säkularismus, der jede Ausprägung der Säkularität selbst bereits wieder verfällt, befreien. Diese Freisetzung geschieht je neu durch den Glauben an den Schöpfer; in ihm nimmt der Glaubende die Stellung mitten in der Welt – frei von fremder Sittlichkeit – als von Gott so gewollt an, d. h. in der Liebe zum Nächsten empfängt der Glaubende seine Mündigkeit als Sohn und Erbe für die Welt vor Gott. In der Selbstpreisgabe ist der Mensch in der Kenose Jesu an Gott gebunden, was ihn frei macht für die Welt und ihn zu einer den Säkularisierungsprozeß in Gang haltenden Säkularität befähigt.

Die Dialektik dieses Beziehungsverhältnisses leitet sich aus dem „doppelten Zugleich" der Welt als Schöpfung Gottes und Werk des Menschen ab. Sie stellt den Menschen zwischen Gott und Welt und eröffnet ihm den der Säkularität eigenen Wirklichkeitsbezug. In dieser Orientierung auf die geschichtliche Situation der Gegenwart erweist sich diese als zur Zu-kunft Gottes gehörig.

Das fragende Nichtwissen der Säkularität hält den Glauben in der Welt in ständiger Umkehrbereitschaft: Das vermag er aber nicht aus sich selbst, sondern nur aufgrund der „Dichte" der geschichtlichen Gegenwart, die sie aus der Zu-künftigkeit Gottes in ihr erhält. Nur in ihr schafft die Säkularität die Offenheit des Glaubens in der Welt.[496] Denn in der „Dichte" der Gegenwart wird Wirklichkeit erst eigentlich erfahrbar.

Damit ist Gogartens frühe Frage in der letzten von ihm formulierten Antwort dargestellt. Seine Dialektik von Säkularisierung — Säkularismus — Säkularität zeigt sich als gediegener Leitfaden zur Darstellung der Glaubensproblematik; sie ist in ihrer Wirklichkeitsorientierung nicht nur offen für eine innerkirchliche und innertheologische Reformbewegung, sondern läßt auch im universalen Bereich der Welt und ihrer Wissenschaften den Raum für eine zwar vom Glauben indirekt durch die Säkularisierung initiierte, aber von ihm unabhängige Säkularität.[497]

Denn mit Lübbe darf man Gogartens Position umschreiben als „eine prinzipielle, theologisch begründete Absage an den Gedanken, die Gesellschaft ideologisch zu integrieren, das Christentum zum Medium solcher Integration zu machen".[498] Vielmehr geht es Gogarten um die Eigenständigkeit einer säkularisierten Welt, die durch die Säkularität eines Sich-entstürzens immer wieder in ihre durch den Abfall in Säkularismus gestörte dialektische Balance gebracht wird. Ebensowenig wie Gogarten wegen seines Personalismus eine Subjekt-Objekt-Trennung zwischen Welt und Mensch zuläßt, kennt er eine Aufspaltung der Wirklichkeit in Theorie und Praxis. Seine Forderung nach Säkularität verbietet das: „Denn es liegt nicht nur am Wirklichkeitssinn von Gogartens Denken, daß die Frage nach der Verwirklichung zentral ist. Auch das Ich-Du-Schema treibt auf Verwirklichung hin und die Eigenart dieses Schemas verbietet es, in den Sphären der Theorie zu bleiben".[499]

Aber trotz dieses auf Verwirklichung dringenden, dialektischen Wirklichkeitsverständnisses trifft m. E. der Vorwurf von Heinrich Ott zu, „daß Gogarten wohl eine geistvolle genetische, aber keine phänomenologische Untersuchung des Phänomens ‚Säkularisierung' bietet",[500] was man sicher nicht nur ihm, sondern auch einer im Vergleich zu Amerika völlig verschiedenen Gesellschaftsstruktur und theologischen Traditionsgeschichte anlasten muß.

In der amerikanischen Gesellschaft standen Gladden, Rauschenbusch und Niebuhr schon traditionsmäßig in direktem Kontakt mit der Arbeiterbewegung und den jeweiligen politischen Reformansätzen, die sie mit ihren Überlegungen zum Problem der Säkularität kritisch begleiteten. Diese direkte Orientierung des Glaubens auf die Welt und die empirische Wirklichkeit als Ausgangspunkt der Theologie machen dann auch die eigentliche Radikalität der neueren nordamerikanischen Theologie aus. Die Hauptdifferenz zu Gogarten liegt damit einerseits in dieser empirisch ausgerichteten Phänomenologie, die sich in der Bestimmung der Säkularität zeigt: Für Gladden war sie die konkrete Anwendung des Liebesgebotes und die Anerkennung des Fortschritts als Ausweitung der göttlichen Herrschaft; für Rauschenbusch das dialektische Prinzip von Eintritt in und Rückzug aus der Kultur aufgrund der eschatologischen Dimension der Königsherrschaft Gottes, die mit ihrem Zentralpunkt der Liebe Umkehr und Reform veranlaßt; und für Niebuhr bezeichnete der Glaube in der Welt die Kreativität des Menschen in seiner Geschöpflichkeit, eine Tragik, die ihn ständig in Konfrontation mit der jeweiligen Kultur setzt. Diese Säkularität ist aber jeweils aus den Einsichten in die Bedingtheiten eines direkten Weltbezuges des Glaubens gewonnen, wie sich im ersten Teil hinreichend deutlich gezeigt hat.

Daß Gogarten − abgesehen von der Umschreibung der politischen Existenz des Menschen zu Anfang der dreißiger Jahre − nicht zu dieser direkt verifizierbaren Phänomenologie gelangte, lag sicher einmal an dem anders gearteten geistigen Klima, das ihn prägte, wie dann auch an seinem differenzierten Wirklichkeitsverständnis: Denn seine Frage nach Wirklichkeit bedeutete, daß sie für ihn nicht vorfindliches, primäres Produkt des Menschen war, sondern aus der Begegnung des Glaubens mit der Welt entstand. Phänomenologische Ansätze finden sich deshalb auch in den spekulativen Ausführungen zum Du-Ich-Bezug. Gogarten stößt aber nicht bis zu der Einsicht in die Notwendigkeit der Solidarisierung vor, wie sie für die amerikanische Theologie Konstitutiv der Säkularität ist.

Mit seinem diffizilen Ansatzpunkt kam Gogarten nur zu einer dialektisch geprägten Systematik des Problems der Säkularität: Letztlich ging es ihm darum aufzuzeigen, daß der Weltbezug des Glaubens ein Ereignis ist, das nicht in menschlicher Gewalt steht. Säkularität drückt schließlich in ihrer tiefsten Dimension die Gerechtmachung durch Gott aus und will so in ihrer letzten Intention Hinweis auf die göttliche ἐξουσία sein, wie sie in 1. Kor. 3,23 zum Ausdruck kommt: „Alles ist euer, ihr aber seid Christi, Christus aber ist Gottes".

Die beiden dargestellten theologischen Entwürfe entsprechen sich an diesem Punkt: In der amerikanischen Theologie war es das Thema der Herrschaft Gottes und seines kommenden Reiches, das zur Ausprägung einer auch individuell zu verantwortenden Säkularität führte; bei Gogarten führte die Rechtfertigungslehre mit ihrer „Neutralisierung" der Werke durch die ἐξουσία Gottes als Schöpfer und Erlöser zu einer auch solidarisch zu verstehenden Verantwortung für die Welt. Aus diesem Gegenüber von Gott und Mensch entstand für beide das Beziehungsverhältnis von Glaube und Welt, das im Verhältnis zum Nächsten und damit in der konkreten Situation der geschichtlichen gegenwärtigen Wirklichkeit den Ort der Gotteserkenntnis fand, und wohl deshalb von geschichtlichen Krisen so direkt berührt wurde.

Die beiden theologischen Entwürfe gehen von einer faktischen Annahme der Säkularisierung aus und sehen den Glauben damit weltzugewandt, aber nicht weltusurpierend. Wegen dieses Nebeneinanders von Welt und Glaube sind für beide Entwürfe der Glaube und die Kirche nicht von der Gefahr einer säkularistischen Verformung ausgenommen.

Trotz der verschiedenen Welten, die sich in der vorliegenden Untersuchung begegnen, darf man wohl sagen, daß sie sich gegenseitig ergänzen können: Was der dargestellten nordamerikanischen Theologie an systematischer Durchdringung des Problems der Säkularität fehlt, könnte sie bei Gogarten in kritischer Rezeption gewinnen. Eine stärker empirisch orientierte Phänomenologie des Beziehungsverhältnisses von Glaube und Welt würde aber die Theologie Gogartens gelungen ergänzen und dem von ihm intendierten Wirklichkeitsbezug noch gerechter werden, als er ihm vielleicht selbst werden konnte, um dann „in Solidarität mit der heutigen, aufs äußerste bedrohten Welt auf die Fragen, die sie hat, und die wahrhaftig keine akademischen sind, die notwendige Antwort zu geben".[501]

Diese Fragen der Welt sind unsere Fragen und Theologie kann sie nur dann einer Antwort zuführen, wenn sie selbst vorbehaltlos sich dieser ständigen Anfrage geschichtlich gegenwärtiger Wirklichkeit aussetzt, ohne konfessionelle Grenzen gegen dies fragende Nichtwissen eines Glaubens in dieser Welt aufzubauen. Wie aber steht es dann mit Beiträgen katholischer Theologie zum Problem der Säkularität? Im ersten Teil dieser Untersuchung hatte sich gezeigt, wie Ansätze einer katholischen Auseinandersetzung mit der Säkularisierungsproblematik im sogenannten Amerikanismusstreit erstickt worden waren. Erst im Zweiten Vatikanischen Konzil und hier vor allem in der Konstitution „Gaudium et Spes" zeigen sich in offizieller katholischer Theologie Ansätze für eine positive Auseinandersetzung mit einer eigenständigen Welt und so mit dem Phänomen der Säkularisierung. Bis dahin wurde dieser Prozeß als Verweltlichung negativ interpretiert: Aus einem dualistischen Denken von Kirche contra Welt erhielt die Säkularisierung das Signum einer feindlichen Bewegung gegen Glaube und Kirche.

Diese Stoßrichtung wurde noch verstärkt durch theologische Tendenzen, die die Säkularisierung als Weltwerdung der Welt zwar als Tatsache annahmen, aber gleichzeitig versuchten, diese Welt dann aprioristisch zu vereinnahmen, vor allem in einer Christologie, die schon immer Grundlage der Wirklichkeit sein will, ohne der Gegenwart erst einmal eine noch zu analysierende Eigenständigkeit zu belassen. Die theologischen Entwürfe von Teilhard de Chardin scheinen trotz ihrer bewundernswerten Weltoffenheit in manchen Zügen auf einen solchen Pan-Christismus hin zu tendieren; dieser nimmt dem geschichtlichen Augenblick dann seine Eigenständigkeit und seine ihm eigene Dialektik. Eine solche Vereinnahmung der Wirklichkeit hat es aber auch schwer, eine vom christlichen Glauben unabhängige Säkularität anzuerkennen, denn durch die Vereinnahmung des Säkularen wird die Beziehung des Glaubens zur Welt nicht in gleicher Weise gesehen wie in den hier dargestellten Versuchen einer Umschreibung des Problems der Säkularität. Die Säkularisierung als solche scheint so lange Zeit – und zwar wegen ihrer Ablehnung oder Vereinnahmung – in der katholischen Theologie nicht in ihrer Eigenständigkeit gesehen worden zu sein. Das hatte oft zur Folge, daß die Drohung einer Verformung des Glaubens und der Kirche durch einen ideologiehaften Säkularismus nicht ernst genug genommen wurde.

So gab es neben einer christologischen Vereinnahmung der Welt als anonym schon auf den Glauben hin angelegt immer noch eine offensichtlichere Behandlung der

Welt als Objekt, über das sich die Kirche zur Richterin und Lenkerin machen könne: Das Freigelassensein in die Welt wurde mehr als Auszug aus der Kirche und ein Verlassen Gottes denn als Mündigkeit des Glaubenden und sein Auszug in die Schöpfung interpretiert. Toleranz gegenüber einer selbständig gewordenen Säkularisierung wurde als Übel angesehen, nämlich als Übel, sich auf eine verweltlichte Welt einzulassen. Diese Distanzierung wird mehr und mehr fragwürdig: „Will die Kirche in die Welt hineinwirken", so stellt der Nestor der katholischen Soziallehre, Oswald von Nell-Breuning, fest, „dann muß sie die Probleme eben dieser Welt anpacken und muß sich der Gefahr aussetzen, schon die Probleme selbst nicht richtig in den Griff zu bekommen, aber auch der Gefahr, eine Lösung anzubieten oder gar eine Entscheidung mit dem Anspruch der Verbindlichkeit zu treffen, die sich nachher als irrig erweist".[502] Erst wenn die Kirche sich in dieser Säkularität selbst losläßt und auf den Säkularisierungsprozeß einläßt, wird sie zu einem adäquaten Weltverhältnis kommen, wie es sich in den Entwürfen von Simone Weil und Raymundo Panikkar im zweiten Teil dieser Arbeit gezeigt hat. Aber die eine scheint wohl zu sehr am Rande der römischen Kirche gestanden zu haben und der andere zu avantgardistisch, um das Selbstbewußtsein katholischer Theologie schon stark zu beeinflussen. Noch sehen offizielle theologische Dokumente zehn Jahre nach Beendigung des Zweiten Vatikanischen Konzils die Säkularisierung als „das Auseinandertreten der im Glauben erfaßten Wirklichkeit einerseits und der mit der menschlichen Vernunft erfaßten Wirklichkeit andererseits".[503] Diese Dichotomie der einen Wirklichkeitserfahrung des Menschen mißversteht Säkularisierung immer noch als „Prozeß der Loslösung der verschiedenen Lebensbereiche aus der Bestimmung durch die Religion".[504] So sieht sich die Kirche „in Konkurrenz mit jenen Ideologien . . . die die Sinnfrage mit dem Programm der Machbarkeit nach wie vor verbinden möchten".[505] Trotz allen verbalen Einlassens auf den Säkularisierungsvorgang scheint die Kirche durch ihn nicht angefochten, denn sie wird sich „den Inhalt ihrer Botschaft auch in Zukunft nicht einseitig von den Anfragen der Menschen in den unterschiedlichen Lebens- und Weltsituationen vorschreiben lassen, sondern darauf achten, daß die ihr vom Herrn anvertraute Botschaft unverkürzt und unverfälscht weitergegeben wird".[506] Angesichts der dargestellten theologischen Entwürfe fragt es sich, ob hier nicht eine falsch verstandenen Verantwortung der Institution gegen die geforderte Solidarität des Glaubens ausgespielt wird, ob es in der Ablehnung der Säkularisierung wirklich nur gegen einen Säkularismus – als „programmatischen Angriff auf Religion und Gottesglauben"[507] – geht oder mehr um die Verteidigung einer gesellschaftlich relevanten Position. Die Krise der Glaubwürdigkeit zeigt sich dann deutlich, wenn man die Schlußpassage des Dokuments der deutschen Bischofskonferenz – die besagt, daß die Kirche zu ihrem Herrn hinausgehen muß in „die Ungesichertheit seines Lebens . . . , das am Kreuz endete und nur von der Auferstehung her Erfolg verspricht"[508] – den nüchternen Fragen eines Oswald von Nell-Breuning gegenüberstellt: „Hat die Kirche im Zweiten Vatikanischen Konzil nicht nur ein neues *Selbst*-verständnis, sondern auch ein neues *Welt*-verständnis gewonnen? Legt sie heute auf Weltabgewandtheit und Weltflucht ein geringeres, auf Weltzugewandtheit, auf Leistung *in* der Welt und *für* die Welt, auf die Wirk- und Entfaltungsmöglichkeiten, die

Gott uns erschlossen hat, und auf die Bewährung in diesen Bereichen durch *darin* vollbrachte Leistungen mehr Gewicht als ehedem?".[509] Eine eindeutige Antwort scheint noch auszustehen, da Überlegungen zum Problem des Glaubens in dieser Welt auch für katholische Theologen nicht mehr sofort auf eine Negierung des Säkularisierungsprozesses hinauslaufen. Der Exkurs zu einer „politischen Theologie" bei Metz ist ein Beweis dafür, obwohl die Diastase von Kirche und Welt gegenüber einer postulierten Säkularität bei ihm den Säkularisierungsvorgang einseitig aus einer ekklesiologischen Perspektive betrachtet.[510] Der Säkularisierungsprozeß aber fordert mehr als bloß eine Koordinierung von weltlichen Fragen mit theologischen Fragen oder gar mit einer institutionell kirchlichen Antwort. Kerygmatik allein schafft keine genuine Säkularität. Dazu bedarf es Anstrengungen, wie wir sie in den theologischen Entwürfen Amerikas und Gogartens vorgestellt haben.

Angesichts dieser Lage innerhalb der katholischen Theologie gegenüber dem Problem der Säkularität behauptet René Marlé, daß „das Konzil einer dynamischeren Auffassung der Offenbarung den Weg geebnet" hat, um so die Theologie zu veranlassen, „aus einer neuen Sicht der Offenbarung in Wahrheit das Licht der Welt aufstrahlen zu lassen".[511] Damit ist es der katholischen Theologie erstmals möglich, den ambivalenten Säkularisierungsprozeß als einen eigenständigen Vorgang zu untersuchen und zu differenzieren. Marlé stellt in demselben Vortrag fest, daß es dazu noch keine Entwürfe katholischer Theologie gibt.[512] Deshalb konnte es in dieser Arbeit nicht um Vergleiche und Parallelisierungen zwischen protestantischen und katholischen theologischen Aussagen gehen, die über die Andeutungen auf Brownson, Hecker und die anderen „Amerikanisten", auf Weil, Panikkar und Metz hinausreichen. Die Stoßrichtung der dargelegten Entwürfe weist gegenüber dem Bisherigen zu offensichtlich in eine andere Richtung: Der Glaube in seiner Beziehung zur Welt kann nach Gogartens Meinung und der der dargestellten amerikanischen Theologie nur dann zu einer Säkularität durchstoßen, und diese Säkularität erhalten, wenn die gegenwärtige Situation geschichtlicher Wirklichkeit in ihrer eigenständigen säkularisierten Form als Ort des Glaubens hingenommen wird. Erst aufgrund dieses Ausgangs von einem analytischen Gegenwartsbezug und einer Annahme des fortlaufenden Säkularisierungsprozesses kann es zur Differenzierung dieses Vorgangs kommen.

Theologie muß dabei in direkter Nachfolge der Kenose ihres Herrn auf liebgewordene Positionen bereitwillig verzichten und in dieser Offenheit auf die Anfragen der Welt und Antwortversuche anderer theologischer Entwürfe aufmerksam hören. Die Erkenntnisse der nordamerikanischen Theologiegeschichte und Friedrich Gogartens könnten einer römisch-katholischen Theologie helfen, in ihrem beginnenden Bemühen um das Problem der Säkularität die Gefahren einer ekklesiologischen oder christozentrischen Usurpierung des Säkularisierungsprozesses zu vermeiden. Wenn die hiermit vorgelegten Bemühungen um die Fragestellung des Glaubens in dieser Welt dazu etwas beitragen könnten, wäre der erwartete Nutzen dieser Arbeit für die theologische Diskussion mehr als erfüllt. Denn das würde nicht nur eine Belebung des ökumenischen Gesprächs zwischen Theologien reformatorischer Prägung und römisch-katholischer Provenienz bedeuten, sondern gleichzeitig verschiedene theologische Ausprägungen aus kulturell unterschiedlichen Weltbereichen einander näherbringen. In einer „Synnoia" theologischen Denkens würden hier speziell Unterschiedlichkeiten und Gemeinsamkeiten amerikanischer und kontinentaleuropäischer Wirklichkeitserfahrung im Glauben erfahrbar. Vielleicht würde dabei auch ein Eindruck vermittelt, den Fritz Buri aus seiner Begegnung mit neuester amerikanischer Theologie gewann: „Was für eine Offenheit und Weite trat mir hier entgegen im Vergleich zu dem Doktrinarismus und Aburteilen, wie ich es aus der Heimat kannte – was für eine Vielgleisigkeit, wo man bei uns nur einen Einbahnverkehr zu dulden geneigt ist!".[513] Von dieser Art des Theologisierens könnte sich eine größere Ökumene ergeben, die einmal die europäische Theologie davor bewahrt, „zu einem bloßen Museum zu werden oder nur noch Provinzcharakter zu besitzen".[514] Andererseits würde eine solche Wertung theologischen Bemühens im speziellen Fall Friedrich Gogartens endlich dazu führen, die große Linie seiner Theologie, wie wir sie am Problem der Säkularität durch sein gesamtes Werk hin verfolgt haben, mehr zu sehen und zu nutzen, als in kleinliche Schulstreitereien und vorgefaßte Beurteilungsschemata zu verfallen.

Für ihn war der Säkularisierungsbegriff kein „Begriff theologischer Verlegenheit"[515] oder ein Anzeichen für „die große Weigerung der Theologie, sich überhaupt auf den Boden menschlicher, nämlich zeitlicher Kultur und Wissenschaft zu stellen".[516] Seine Überlegungen zum Problem der Säkularität und die Beträge amerikanischer Theologen zum gleichen Thema sind vielmehr vom Glauben geprägte „Besinnung auf die Strukturen menschlichen Lebens in der gegenwärtigen Zeit".[517] Die Säkularisierung als fortlaufender Prozeß macht Säkularität zu einer – wegen der Bedrohung der Verfälschung in Säkularismus – bleibenden Aufgabe: „Denn durch ihre konsequente, soziologische Gesichtspunkte mit einbeziehende Ausarbeitung ließe sich ein Beurteilungsmaßstab für die praktischen Handlungsweisen finden und in diesem Sinne eine Theorie gegenwärtig möglicher Handlungsnormen vorbereiten".[518]

Anmerkungen

Einleitung und I. Teil

1) Hermann Lübbe, Säkularisierung, Geschichte eines ideenpolitischen Begriffs, Freiburg – München, 1965, 13.

2) Hier muß wohl gleich festgehalten werden, daß Gogarten mit seinem Begriff der Säkularisierung und der Begründung dieses Prozesses in dem im 16. Jahrhundert wieder erneuerten entnuminisierenden, freisetzenden christlichen Glauben nicht eine kulturhistorische Beweisführung über die Abhängigkeitsverhältnisse führen will, die zum Phänomen der Neuzeit geführt haben. Zwar geht es Gogarten um den in dieser Epoche stärker hervorgetretenen Drang zur Selbständigkeit des Menschen in dieser Welt und seine Beziehung zum christlichen Glauben. Insofern ist der Begriff Säkularisierung für ihn nicht nur Bezeichnung eines neutralen Vorgangs, sondern positive Umschreibung eines anhaltenden, vom christlichen Glauben angeregten und in Gang gehaltenen Prozesses. Wie sich im zweiten Teil dieser Untersuchung deutlich zeigen wird, trifft die Kritik von Hans Blumenberg (Legitimität der Neuzeit, Frankfurt 1966) an dem Begriff „Säkularisierung" als „Kategorie geschichtlichen Unrechts" nicht das Säkularisierungsverständnis von Gogarten, da es diesem damit – wie auch der dargestellten amerikanischen Theologie – nicht um einen Protest oder eine Vereinnahmung der Legitimität der Neuzeit geht, noch um eine kulturhistorische Darstellung. Blumenberg bestreitet in seinem Werk die Gültigkeit der Kategorie „Säkularisierung": Sie ist für ihn „eine theologisch bedingte Unrechtskategorie" (a. a. O. 73), die einen indirekten Vorwurf gegenüber der theoretischen Neugierde der Wissenschaftlichkeit der Neuzeit beinhaltet. Diese hat sich historisch aus der ,curiositas'-Diskussion der antiken und mittelalterlichen Philosophie entwickelt, die erst dann zu einer qualifizierten Neugierde werden konnte, als ihr durch die Homogenisierung der „Konkurrenz zwischen Heilssorge und Wissensbedürfnis" ein Platz im „zentralen Bezirk der menschlichen Daseinssorge" (a. a. O. 340) gewährt wurde. Diese Epochenwende sieht Blumenberg in der symmetrischen Stellung von Nikolaus von Cues und Giordano Bruno zur kopernikanischen Reform als „materiale Umbesetzung formal identischer Systemstellen" (a. a. O. 443) sich durchsetzen. Gogartens Säkularisierungsthese steht als theologische Systematik nicht in Konkurrenz oder Widerspruch zu den Ausführungen von Blumenberg, da es ihm um die Ebene des christlichen Glaubens in seinem die Wirklichkeit bestimmenden Bezug zur Welt geht und dabei um die die Weltlichkeit der Welt nicht aufhebende „Umbesetzung vakant gewordener Positionen von Antworten, die sich hinsichtlich der ihnen korrespondierenden Fragen nicht eliminieren ließen oder zu deren kritischer Aushebung als anstehender Probleme die Voraussetzungen und der Mut des Eingeständnisses der Insuffizienz fehlten" (a. a. O. 42). In seiner ideologie-kritischen Haltung gegen immer neue säkularistische Verformungen der Welt will Gogarten gerade der wissenschaftlichen Neugierde und der mit ihr legitimierten Neuzeit als „zweiter Überwindung der Gnosis" (a. a. O. 78) Raum der Eigenständigkeit lassen in einer Offenheit, die den Glauben als Heilserwartung und Rechtfertigungsvertrauen qualifiziert.

3) W. Hamilton, Die Eigenart der Theologie Pannenbergs, in: Neuland in der Theologie. Ein Gespräch zwischen amerikanischen und europäischen Theologen, hrsg. von J. M. Robinson und J. B. Cobb jr.; Band III: Theologie als Geschichte, Zürich 1967, 225.

4) Die Prozeßtheologie der vergangenen Jahrzehnte und besonders die Bemühungen um eine theologische Sprachanalyse unterliegen zu sehr diesem „theologiegeschichtlich-kolonialen" Horizont. E. Buri (Das Problem der Sprache in heutiger amerikanischer Theologie, in: Sprachwissen für Theologen, hrsg. von Helmut Fischer, Hamburg 1974, 125–139) stellt mit Recht fest, „daß . . . das Problem von Sprache und Theologie auf amerikanischem Boden im wesentlichen einen Import aus Europa darstellt" (a. a. O. 129). Whitehead, die Oxford-Schule, Wittgenstein, Heidegger, Jaspers und Horkheimer sorgen bei diesen Diskussionen zwischen den Kontinenten für eine überstarke Präponderanz europäischen Denkens.

5) E. Buri, Gott in Amerika, Bd. I: Amerikanische Theologie seit 1960, Tübingen 1970, 19. Buri verkennt an manchen Stellen die eigenständigen nordamerikanische Theologieentwicklung und begegnet neuerer amerikanischer Theologie so oft mit vorschneller europäischer Kategorialisierung; a. a. O. 6 gibt er die Gründe dafür selbst an.

6) E. Fuchs, Antwort auf die amerikanischen Beiträge, in: Neuland in der Theologie. Ein Gespräch zwischen amerikanischen und europäischen Theologen, hrsg. von M. Robinson und J. B. Cobb jr.; Band II: Die neue Hermeneutik, Zürich 1965, 307.

7) Eine mehr äußerliche Bestätigung dieser postulierten inneren Affinität hat Friedrich Gogarten selbst noch gegeben: Nach seiner Emeritierung im Jahre 1955 wollte er Vorarbeiten zum Thema: „Griechentum und Christentum" weiterführen. Eine Einladung zu einer Gastdozentur in Glasgow brachte ihn davon ab, und Gogarten begann mit achtundsechzig Jahren Englisch zu lernen. Dabei eröffnete sich ihm eine Gedankenwelt, die er in den kommenden Jahren bei weiteren Gastvorlesungen in USA immer mehr in Verbindung zu seinem eigenen Fragen nach Wirklichkeit sah. Seine Bibliothek bezeugt sein wachsendes Interesse an der empirisch orientierten angelsächsischen Tradition. Da Gogarten seine Interpretationen der Säkularität systematisch mit dem Autonomiegedanken der Neuzeit kritisch zu verbinden sucht, stellen wir ihn der amerikanischen Theologie gegenüber und nicht etwa Dietrich Bonhoeffer, obwohl dessen fragmentarische Beschäftigung mit dem Thema Mündigkeit teilweise durch die Begegnung mit Reinhold Niebuhr am Union Theological Seminary in New York angestoßen wurde, aber doch nur fragmentarisch erhalten ist. Gogarten bemühte sich dagegen seit seiner frühen Auseinandersetzung mit der Fragestellung der liberalen Theologie und aus dem Ungenügen ihr gegenüber in seinem gesamten theologischen Werk um eine Bestimmung der Wirklichkeit, die aus dem Beziehungsverhältnis von Glaube zu Welt entsteht.

8) Sydney E. Ahlstrom, Theology in America. The Major Protestant Voices from Puritanism to Neo-Orthodoxy, in: The American Heritage Series; The Bobbs-Merrill Company, Inc.: Indianapolis – New York 1967, 23. *Die Originaltexte der englischsprachigen Zitate sind, soweit möglich, deutschen Übersetzungen der zitierten Werke entnommen. Die mit einem „d" versehene Seitenzahl in Klammern verweist jeweils auf die im Literaturverzeichnis angegebene Übersetzung. Für die Übersetzungen der übrigen Texte zeichne ich selbst verantwortlich.*

9) Washington Gladden (1836–1918) war Kongregationalistischer Pfarrer in North Adams, Mass., Springfield, Mass., und Columbus, Ohio, drei Kerngebieten industrieller Entwicklung. Er wurde zu einem Führer seiner Denomination. Sein soziales Denken, Schreiben und Handeln wurde durch journalistische Arbeiten eingeleitet und begleitet.

10) Robert T. Handy, The Social Gospel in America 1870–1920. Gladden-Ely-Rauschenbusch, Oxford University Press: New York 1966, 9.

11) Washington Gladden, Applied Christianity, Moral Aspects and Social Questions, Houghton, Mifflin & Co.: Boston 1886, 149.

12) Ebd. 153.

13) Ebd. 157; der Originaltext hat die gediegene Parallelität von „prays" und „preys", „beten" und „ausbeuten". Um die Bitterkeit dieser Aussage richtig einzuschätzen, muß man noch etwas näher die damalige ökonomische Situation betrachten, die Charles H. Hopkins so zusammenfaßt: „Zwischen 1860 und 1890 steigert sich der nationale Reichtum von 16 Milliarden zu 78,5 Milliarden Dollar; von diesem war mehr als die Hälfte im Besitz von etwa 40 000 Familien bzw. einem Drittel eines Prozent der Bevölkerung. Aber in dem Jahrzehnt 1870/80 sanken die Löhne, die sowieso nie über dem bloßen Unterhaltsminimum lagen, von durchschnittlich 400 Dollar auf 300 Dollar (jährlich); das zwang Kinder in ein vorzeitiges Arbeitsverhältnis und trieb die Frauen an die Seite ihrer Männer in die Fabriken. Die amerikanische industrielle Revolution brachte in dem Prozeß, in dem sie einen Reichtum schuf, den die Welt noch nie gesehen oder von dem sie noch nie geträumt hatte, ein verdrossenes Proletariat hervor, das die Armut verabscheute, die es

als ihren Teil des Überflusses erhielt; die Republik von Jefferson und Jackson wurde jetzt zur Szenerie der erbittertsten Klassenkämpfe und der grellsten Sozialunterschiede, die die moderne Zeit je sah." (Aus: Charles Howard Hopkins, The Rise of the Social Gospel in American Protestantism 1865–1915, Yale University Press: New Haven 1940, 79 f.).

14) W. Gladden, The Church and The Social Crisis. Adress delivered at the National Council, Cleveland, Oct. 8, 1907, in: The Congregationalist 1907, 494.

15) Paul A. Carter, The Decline and Revival of the Social Gospel. Social and Political Liberalism in American Protestant Churches 1920–1940, Cornell University Press: Ithaka, New York 1956, 5.

16) Ch. H. Hopkins, a. a. O. 102.

17) William Ellery Channing (1780–1842) war der Führer der von Boston ausgehenden unitarischen Reformation des frühen 19. Jahrhunderts. In seiner Forderung nach Vollendung brach er das Oberklassendenken aus dem gewohnten kulturellen Kontext und öffnete transzendentalistische Theologie für Einflüsse aus modernen Gesellschaftsentwicklungen. Dafür sorgte er in einem vierzigjährigen Pfarrdienst an der Federal Street Church in Boston.

18) William Ellery Channing, The Perfect Life, Boston 1873, in: S. E. Ahlstrom, a. a. O. 207.

19) Horace Bushnell (1802–76) kam erst nach einer Handels- und Rechtspraxis zur Theologie und in das Pfarramt der kongregationalistischen North Church von Hartford, Conn. Beeindruckt durch Schleiermachers Theologie versuchte er als Prediger den christlichen Glauben auf verständliche Weise darzustellen. Religiöse Erfahrung war für Bushnell entscheidender als unflexible Dogmatik, der Praxisbezug wichtiger als sektenhafter denominationeller Egoismus (vgl. auch § 1, 3d).

20) W. Gladden, Applied Christianity, a. a. O. 32.

21) Ebd. 180.

22) Ebd. 40.

23) Ders., Social Facts and Forces, G. P. Putnam's Sons: New York 1897, 44. Gladden analysierte die Tatsachen ungeschützt, die die Arbeiter dazu zwangen, Gewerkschaften zu gründen: „Wenn das Kapital sich anschickt, Vereinigungen zu formieren, mit denen es in der Lage wäre, die unorganisierte Arbeiterschaft zu bedrängen, dann müssen die Arbeitnehmer Gemeinschaften gründen, die stark genug sind, solchen Angriffen zu widerstehen. Dem Arbeiter bleibt nichts anderes übrig. Hätten sie es unterlassen, wären sie nicht fähig zur Freiheit". (W. Gladden, Christianity and Socialism, Eaton & Mains: New York 1905, 77.) Gladden lehnte es ab, „daß Vereinigungen von Arbeitern mit einem strengeren Gesetz beurteilt werden als Vereinigungen von Kapitalisten". (W. Gladden, Social Facts and Forces, a. a. O. 114.)

24) W. Gladden, Working People and Their Employers, Boston 1876, 51.

25) Ders., Social Facts and Forces, a. a. O. 80.

26) Ders., Tools and the Man. Property and Industry under the Christian Law, Houghton, Mifflin & Comp.: Boston 1893, 190.

27) W. Gladden, ebd. 185.

28) Ebd. 178.

29) W. Gladden, The Church and Modern Life, Houghton, Mifflin & Comp.: New York 1908, 84.

30) W. E. Channing, a. a. O. 10. 204 f.

31) W. Gladden, Social Facts and Forces, 220, Tools and the Man, 181. Wie allein Gladden auch in diesem Einstehen für die Neger stand, zeigt das Urteil von Carter G. Woodson über die Pastoren der Zeit. „Der weiße Kleriker ging mit Respekt vor dem Kapital in die Knie. Reform wurde unmöglich, Kompromiß wurde zur Tagesordnung und Heuchelei

regierte alles" (C. G. Woodson im Vorwort zu: The Works of Francis J. Grimké, The Associated Publishers, Inc.: Washington, D. C. 1942, XV). Arbeiterfreundliche Einstellung und Kampf gegen die Rassendiskriminierung waren für ihn nicht getrennt wie in einem späten „Social Gospel".

32) Ders., Christianity and Socialism, a. a. O. 26.

33) W. Gladden, Ruling Ideas, a. a. O. 107.

34) W. Gladden, Social Salvation, Houghton, Mifflin & Comp.: Boston 1902, 11.

35) Horace Bushnell, God in Christ, in: H. Shelton Smith ed., Horace Bushnell, Oxford University Press: New York 1965, 57.

36) W. Gladden, Tools and the Man, a. a. O. 177. In der Reflexion seiner eigenen Mitarbeit im Stadtparlament von Columbus/Ohio, in den ersten Jahren dieses Jahrhunderts veranschaulicht Gladden die Idee der Herrschaft Gottes sehr direkt und gegenwartsbezogen: „Sollte die himmlische Königsherrschaft jemals in eure Stadt kommen, dann wird sie in und durch das Rathaus kommen, das ist die Stelle, wo sie zuerst sichtbar werden wird; aber ihren Ursprung wird sie in den Herzen der Bürger haben, für die das Gemeinwohl nicht weniger wichtig ist als eigener Gewinn." (ders. Christianity and Socialism, a. a. O. 243 f.).

37) Das „Social Gospel" stand damit gegen die Bewegung des „premillenialistic Evangelicalism" des frühen 19. Jahrhunderts, jedoch mit der Ausnahme von Charles G. Finney (1792–1875) mit seinem optimistischen „postmillenalism". Für diesen war die persönliche Bekehrung das endzeitliche Sintflutgeschehen, sowie er sie selbst als Begründung seines „revivalism" 1821 nach längerer Rechtsanwaltstätigkeit in Adams, New York, an sich erfahren hatte.

38) W. Gladden, The Church and the Kingdom, Fleming H. Revell Comp.: New York 1894, 11 f.

39) Ders., Tools and the Man, a. a. O. 13.

40) Richard D. Knudten, The Systematic Thought of Washington Gladden, Humanities Press: New York 1968, 102, faßt diese Idee der Kirche von Gladden kurz zusammen: „Die wirkliche Kirche ist wirklich die der Totalität frommer und glaubender Menschen, die in einer Stadt oder in einer Nation leben. Obwohl verschiedene Kongregationen mit vielen Riten der Liturgie nebeneinander bestehen können, kann es doch, darauf besteht Gladden, nur eine Kirche geben."

41) W. Gladden, Tools and the Man, a. a. O. 294.

42) W. Gladden, Ruling Ideas, a. a. O. 130.

43) Knudten, a. a. O. 215.

44) Hopkins, a. a. O. 123.

45) W. Gladden, Ruling Ideas, a. a. O. 116.

46) Ebd. 295.

47) Ebd. 104.

48) Ebd. 110.

49) Ebd. 109 f.

50) John Cunningham, Scotch Sermons, o. J. 143.

51) Erfahrung und Einsicht lassen ihn bei einer Rede am 9. Mai 1894 vor der staatlichen Vereinigung der kongregationalistischen Kirchen von Ohio von einer nahezu sakramentalen Einheit der Gesellschaft reden, die auf ihre Erfüllung in der Gottesherrschaft zustrebt: „Wißt ihr nicht, daß die Zeit kommt, wenn der Dienst am Staat als nicht weniger heilig angesehen werden wird als der Dienst am Altar; wenn dieselbe Art von Konsekration

für einen Beamten als notwendig angesehen werden wird, die wir jetzt für einen Missionar erwarten. Nein, daß die Leute mit dem Stimmzettel in ihrer Hand zu sich sagen werden, ‚Herr, was willst du, daß ich tue?', in der gleichen Ehrerbietung als wenn sie das Brot und den Kelch des heiligen Sakramentes in ihre Hände nehmen? Wenn Christi Herrschaft in der Welt irgend etwas meint, dann dies; und das Evangelium vom Gottesreich ist einfach in die frohe Botschaft, daß diese Zeit im Kommen ist, – im Kommen mit jedem laufenden Tag, mit jeder Überwindung der vielfältig begegnenden organisierten Selbstsucht." (W. Gladden, The Church and the Kingdom, a. a. O. 38).

52) Josiah Strong, The New Era, or the Coming Kingdom, New York 1893, Chap. 6. – Strong (1847–1916) sah die Industriestadt als größte Krise der amerikanischen Nation und Kirche. Als „Organisator" des „Social Gospel" machte er es mit interdenominationellen Kongressen zu einer „Bewegung", verlor sich dabei selbst aber oft in ungebührlichen Optimismus und Nationalstolz.

53) W. Gladden, Ruling Ideas, a. a. O. 239; der Ausdruck „tainted millions" kam zu inner-amerikanischem Ruhm, als Gladden in den ersten Jahren dieses Jahrhunderts sich energisch dagegen verwehrte, ein Geschenk von 100 000 Dollar von John B. Rockefeller an die „American Missions Board" seiner Denomination anzunehmen. Selbst seine damalige Position als Moderator (Leiter) der Kongregationalistischen Kirche Amerikas hielt ihn nicht von dieser eindeutigen Stellungnahme ab.

54) Ebd. 238.

55) George D. Herron (1862–1925) mobilisierte in den letzten zehn Jahren des vergangenen Jahrhunderts als Prediger und Ethikprofessor die kirchliche Sozialkritik. Seine Ehe-scheidung im Jahre 1901 beendete jäh den Einfluß seines mystisch-utopischen Sozialismus innerhalb der amerikanischen Theologie. Es schloß sich nur noch eine kurze Aktivität für die sozialistische Partei der USA an.

56) W. Gladden, Christianity and Socialism, a. a. O. 145.

57) Ebd.

58) R. D. Knudten, a. a. O. 212.

59) W. Gladden, Christianity and Socialism, a. a. O. – „Men need mending, and their circumstances, too."

60) Ders., Tools and the Man, a. a. O. 280.

61) W. Gladden, The Church and the Kingdom, a. a. O. 75.

62) Ders., Ruling Ideas, a. a. O. 105 f.

63) S. E. Ahlstrom, a. a. O. 32; diese Ideale wurden später getrennt in eine neuengländische Konservativität und eine mehr wandlungsorientierte „Frontier"-Mentalität, die – bei dem Vorrücken der Westgrenze von der Ost- zur Westküste – mit ihrem Glauben in Amerika als dem von Gott erwählten Land und ihrer Tendenz auf Missionierung hin von bedeu-tendem sozialen Einfluß war.

64) Die „Erste große Erweckungsbewegung" in den Jahren 1739 bis 1742 entstand aus einem Gefühl von Sterilität des geistigen Lebens in den fast hundertjährigen Kolonien; Edwards wandte sich gegen die Kirchen, die sich an sich selbst sättigten und paßte sich mit seiner Predigt an die „Frontier"-Bedingungen an. Mit seiner Betonung der Wirkung des Geistes Gottes wandte er sich gegen einen von Großbritannien her ein-strömenden Rationalismus. Er setzte dem die Forderung der Bekehrung des Sünders entgegen: Diese wurde dann zum Thema aller späteren, in Zyklen wiederauftretenden „Revivals" und „Awakenings". Die Anpassung an die jeweilige neue geschichtliche Situation und die damit verbundene Sozialkritik gehören ebenfalls zu dieser amerika-nischen Tradition, wenn sie nicht durch Fundamentalismus verfälscht ist.

65) Alan Heimert, Perry Miller, eds., The Great Awakening. Documents Illustrating The Crisis and its Consequences, in: The American Heritage Series, Indianapolis – New York 15 (1967) XV.

66) Dwight Lyman Moody (1837–99) gründete 1863, sieben Jahre nach seiner eigenen Bekehrung in Boston, die denominationell unabhängige Illinois Street Church in Chicago. Seine Massenevangelisationen begann er Anfang der siebziger Jahre als YMCA-Vertreter in England. Zusammen mit dem Sänger Ira D. Sankey begründete Moody eine Neuauflage des „revival" im Großkampagnenstil.

67) William G. McLoughlin, Modern Revivalism. Charles Grandison Finney to Billy Graham, New York 1959, 345 f. Diese Polarisierung hält sich bis heute, was ein Blick auf die Evangelisierungen Billy Grahams nur zu deutlich aufweist.

68) So nahm er etwa aktiv am „Revival" von Dwight L. Moody in Springfield, Mass., 1878 teil und brachte B. Fay Mills, einen „revivalist", der vom „Social Gospel" des G. D. Herron beeinflußt war, in den Jahren 1895/96 nach Columbus/Ohio.

69) Jacob Henry Dorn, Washington Gladden, Prophet of the Social Gospel, Ohio State University Press, 1966, 383. Diese Art „revival" war für Gladden nichts anderes als eine „ritualistische Bestätigung des Stammes-Glaubens in den ‚American-Dream' " (W. G. McLoughlin, a. a. O. 6).

70) Horace Bushnell, Twenthieth Anniversary: A Commemorative Discourse, Delivered in the North Church of Hartford, May 22, 1853, 19.

71) Ch. H. Hopkins, a. a. O. 5.

72) Hier den Terminus „Modernismus" zu gebrauchen würde nur zu einer Verschleierung führen, weil er wohl als äußerliche Klassifikation nicht aber als Bezeichnung eines geschichtlichen Geschehens sinnvoll sein kann. Wie katastrophal eine Verkennung dieser Situation ist, zeigen die bis heute im amerikanischen Katholizismus fortdauernden Schwierigkeiten. Sie gehen im großen Maße auf den sogenannten „Amerikanismusstreit" des ausgehenden 19. Jahrhunderts zurück, in dem Rom den Versuch einer Annäherung katholischer amerikanischer Theologie an protestantische amerikanische Reformbewegungen wie das „Social Gospel" abwürgte. Vgl. den folgenden Exkurs.

73) W. Gladden, Ruling Ideas, a. a. O. 294.

74) Brownson (1803–76) stieß erst im Alter von 42 Jahren zur katholischen Kirche, nachdem er 1822 erst Mitglied der doktrinären presbyterianischen Kirche geworden war, dann 1824 Prediger der Universalisten. Nach einer atheistischen Periode schloß er sich aufgrund von Channings Einfluß den Unitariern an und kümmerte sich ab 1836 in Boston mit seiner „Gesellschaft für christliche Einheit und Fortschritt" vor allem um die von der Kirche entfremdeten Arbeiter. Sein Verständnis der Vermittlungsfunktion Jesu und der Kirche führten ihn 1844 in die römische Kirche. Aber in all diesen Wandlungen erhielt sich Brownson seine geistige Unabhängigkeit und Publikationsfreude, die ihm vor allem in seinen letzten Lebensjahren innerhalb eines irisch-römisch bestimmten amerikanischen Katholizismus viele bittere Enttäuschungen einbrachten.

75) Andrew M. Greeley, The Catholic Experience. An Interpretation of the History of American Catholicism, Doubleday & Comp., Inc.: Garden City, N. Y. 1969[2], 129.

76) So sagte John Carroll (1735–1815), der im Jahre 1790 konsekrierte, erste amerikanische Bischof von Baltimore am 28. Februar 1779 dem englischen Korrespondenten Charles Plowden: „Römische Katholiken sind Mitglieder des Kongresses und anderer angesehener Vereinigungen. In zivilen wie militärischen Positionen finden sie sich ebenso wie andere" (zitiert nach: A. M. Melville, John Carroll of Baltimore, 55).

77) John Tracy Ellis (American Catholicism, The University of Chicago Press: Chicago 1969[2], 88) gibt an, daß die katholische Bevölkerung zwischen 1850 und 1900 von 1 606 000 auf 12 041 000 stieg. Von den mehr als 10 Millionen neuen Kirchenmitgliedern waren nahezu die Hälfte Emigranten.

78) David J. O'Brien, American Catholics and Social Reform. The New Deal Years, Oxford University Press: New York 1968, 216.

79) John T. Ellis spricht von 827 Institutionen im Jahre 1900 (a. a. O. 105).

80) Zitiert nach Andrew M. Greeley, The Catholic Experience, a. a. O. 160.

81) Vgl. hierzu die erläuternde Anmerkung Nr. 125

82) Robert D. Cross, The Emergence of Liberal Catholicism in America, Harvard University Press: Cambridge, Mass. 1958, 21. Dieser frühen Studie scheinen in nächster Zeit mehrere detaillierte Arbeiten über diese so interessante Periode zu folgen, die teilweise unter Anleitung von Cross und seinem Kollegen Alan Heimert stehen.

83) Die liberale Bewegung war außerhalb der Kirchen noch erfolgreicher, so etwa in dem Antiformalismus der Architektur, der wohl am besten von Frank Lloyd Wright und seinem Prinzip, daß „die Form der Funktion folgen muß" dargestellt wird. Dieser an der Erfahrung orientierte Liberalismus kam dann in der Chicago School der dreißiger Jahre zu ihrer vollen Blüte.

84) Andrew M. Greeley, a. a. O. 216. In einem Gespräch am 7. April 1971 in Chicago nannte Greeley zusammenfassend folgende Ursachen für diese fatale Entwicklung: „Die Kombination des apostolischen Delegaten mit den modernen Transport- und Kommunikationsmitteln hat uns von der Amerikanismus-Tradition weggeführt."

85) R. T. Handy, The Social Gospel in America, a. a. O. 7 f.

86) George D. Herron, Social Meanings of Religious Experiences, New York 1896, 44.

87) R. D. Knudten, a. a. O. 19.

88) R. T. Handy, a. a. O. 3.

89) S. E. Ahlstrom, a. a. O. 75.

90) Robert T. Handy, a. a. O. 32.

91) P. A. Carter, a. a. O. 112 f.

92) Henry F. May, Portestant Churches and Industrial America, Harper & Brothers: New York 1949, 233.

93) W. Gladden, Tools and the Man, a. a. O. 305.

94) Im Letzten, so könnte man meinen, geht es hier um eine etwas verschobene Form der Frage nach der Möglichkeit und der Ausprägung der Seinsanalogie, für die aber in einem sich auf die geschichtliche Wirklichkeit begrenzenden theologischen Bemühen kein fester Platz ist.

95) W. Gladden, The Nation and The Kingdom: Annual Sermon before the American Board of Commissioners for Foreign Missions, Boston 1909.

96) W. Gladden, Who Wrote the Bible? A Book for the People, Boston 1891, 381.

97) R. T. Handy, a. a. O. 135.

98) R. D. Knudten, a. a. O. 215.

99) Dieses „Social Creed" ist in voller Länge abgedruckt in: Ch. H. Hopkins, a. a. O. 316 f. Ein weiterer Grund für die tatsächlich weitgehende Annahme des „Social Gospel" in diesen Jahren war die Verbreitung seiner Gedanken in Form von Novellen. Selbst W. Gladden machte seine Vorstellungen über die „Municipalkirche" auf diesem Wege allgemein verständlich.

100) Walter Rauschenbusch, Christianizing the Social Order, The Macmillan Comp.: New York 1912, 20 (im folgenden: CSO).

101) Walter Rauschenbusch (1861–1918) war der siebente Pfarrer in seiner Familie in direkter Linie. Nach einem Studium in Amerika und Deutschland begann er seine Pastorentätigkeit 1886 in einem Armenviertel Manhattans, das mit Recht „Hell's Kitchen-Höllenküche" genannt wurde. Ab 1897 unterrichtete er dann – seit einigen Jahren wegen einer Taubheit behindert, die ihm sein Totaleinsatz in „Hell's Kitchen" eingebracht hatte – zuerst an der deutschen Abteilung des Rochester Theological

Seminary im Fach Neues Testament und übernahm 1903 den Geschichtslehrstuhl. Für weitere biographische Angaben vgl. Reinhart Müller, Walter Rauschenbusch, Ein Beitrag zur Begegnung des deutschen und des amerikanischen Protestantismus, Köln 1957, 1–45.

102) R. D. Knudten, a. a. O. 226.

103) Ch. H. Hopkins, a. a. O. 131.

104) Aus: Spirit and Aims of the Brotherhood, wieder abgedruckt in: Ch. H. Hopkins, Walter Rauschenbusch and the Brotherhood of the Kingdom, in: Church History, Vol. VII 1938, 141 f.; Rauschenbuschs eigene Sicht von der Entstehung der Brotherhood findet sich in Dores Robinson Sharpe, Walter Rauschenbusch, The Macmillan Comp.: New York 1942, 119 f.

105) CSO 94.

106) Ders., Why I am a Baptist, in: The Colgate-Rochester Divinity School Bulletin, Vol. XI, 2 (1938) 87–109.

107) Ebd. 102.

108) Donovan Ebersole Smucker, The Origins of Walter Rauschenbusch's Social Ethics, unpubl. Ph. D.-Thesis, Chicago Divinity School 1957; Smucker definiert diesen „Sectarianism" in Worten, die an Troeltsch erinnern: „Sektenbewußtsein oder links-orientierter Protestantismus ist in dieser Studie eine Bezeichnung für eine bestimmte Sicht oder Lehre von der Kirche als einer willentlichen, verantwortlichen, leidenden, auf den Laien gerichteten und biblisch orientierten Gemeinschaft, die in Konflikt mit der Kultur lebt" (a. a. O. 32). In diesem Sinne ist die Bruderschaft eine „bestimmt sektenhafte Gründung" (a. a. O. 57). Gogartens These über die Säkularität, die wir im zweiten Teil behandeln, könnte dann in diesem Zusammenhang als eine Fusion von Luthers Kirchenverständnis mit Troeltsch's Sekteninterpretation verstanden werden.

109) Ebd. 320; diese Dialektik ist Grundlage für Rauschenbusch's Säkularitätsverständnis. Vgl. dazu das übereinstimmende Urteil von Reinhold Niebuhr, Walter Rauschenbusch in Historical Perspective, in: Religion in Life. Vol. XXVII (1958), 530. Niebuhr übersieht nur, daß der Gedanke des Fortschrittes teilweise der „sektenhaften" Sicht der Gottesherrschaft inhärent ist.

110) Conrad Möhlmann, in: Rochester Theological Seminary Bulletin, November 1918, 17. Harry E. Fosdick bezieht sich in seiner Einleitung zu Sharpes Biographie auf diesen Vergleich und nennt Rauschenbusch „einen bedeutenden Propheten der göttlichen Rechtschaffenheit für seine Kirche und seine Nation" (a. a. O. XII).

111) W. Rauschenbusch, For God and the People. Prayers of the Social Awakening, Pilgrim Press: Boston 1910, 124 f.

112) Ders., Christianity and the Social Crisis, The Macmillan Comp.: New York 1909[4], 1 (im folgenden: CSC).

113) CSO 93.

114) CSC 210.

115) Francis G. Peabody, Jesus Christ and the Social Question. An Examination of the Teaching of Jesus in its Relation to some of the Problems of Modern Social Life, The Macmillan Comp.: New York 1900, 3.

116) Ernest Erwin Fricke, Socialism and Christianity in Walter Rauschenbusch, Diss. for the Theol. Faculty of the University of Basel, Berlin, 1965, 11.

117) Robert D. Cross, in seiner Einleitung zu CSC, in: Harper Torchbooks: New York 1964, XVI.

118) CSC 22.

119) Ebd. 209.

120) Ebd. 345.

121) CSO 398.

122) CSC 352.

123) CSO 63.

124) CSC 331. Rauschenbusch will die gegenwärtige Ungerechtigkeit in einem Neuansatz christlichen Lebens überwinden, der „nicht in einer Rückkehr zu einer unmöglichen Vergangenheit besteht", wie Francis G. Peabody sagte, „sondern in der Schaffung einer besseren Zukunft" (F. G. Peabody, Jesus Christ and the Social Question, a. a. O. 23).

125) CSO 394. Diese Anerkennung ist von doppeltem Gewicht in Anbetracht des unemphatischen Stils, in dem Rauschenbusch seine Ursprünge und biographischen Notizen allgemein behandelt. Nicht nur das macht ihn von Gladden verschieden. Auf katholischer Seite gab es für den bedeutenden amerikanischen Sozialreformer Henry George (1839–97), den „Erwecker des schlummernden christlichen Sozialgewissens" (so: S. E. Ahlstrom, A Religious History of the American People, New Haven and London: Yale University Press 1972, 793) bei seiner erfolglosen Bewerbung für den Bürgermeisterposten in New York 1886 nur einen einzigen Befürworter, den Pfarrer von St. Stephens in New York, Edward McGlynn. Er wurde aufgrund dessen von Bischof Corrigan des Amtes enthoben und bis 1892 exkommuniziert. Seine arbeiterfreundliche Haltung brachte ihm im Aufflackern des Amerikanismusstreites diese Zensurierung ein, obwohl er nur klar eine Beziehung des Glaubens zur Wirklichkeit forderte, die ihn die zeitgenössische Ökonomie kritisieren ließ: „Die Schwierigkeit ist nicht Überproduktion", sagte McGlynn bei einem Vortrag am 29. März 1887 in Brooklyn, „sondern es ist der ungerechte Aufbau der Gesellschaft, durch den ein so großer Teil der Leute überhaupt keine Arbeit bekommt, oder für Hungerlöhne arbeiten muß" (in: A. I. Abell, ed., American Catholic Thought on Social Questions, The Bobbs Merrill Comp. Inc.: Indianapolis – New York 1968, 173).

126) Fricke, a. a. O. 38.

127) CSO 384.

128) Ebd. 313.

129) Ebd. 305.

130) CSO 459. Rauschenbusch hatte für seinen ungeschützten Kampf für sozialistische und wirklichkeitsorientierte christliche Gedanken und seine Furchtlosigkeit, in einem sozialistenfeindlichen Staat den Sozialismus beim Namen zu nennen, viel zu erleiden: Durch den Gebrauch dieses Terminus setzte er sich dem Zorn seiner amerikanischen Mitbürger aus, die „ihn als einen Atheisten betrachteten, einen Verfechter der freien Liebe, einen Feind der Familie und einen Zerstörer des Staates" (W. Rauschenbusch, The Trend toward Collectivism, in: The City Club Bulletin, Chicago Vol. V, 10 (1912) 123).

131) W. Rauschenbusch, The Righteousness of the Kingdon, hrsg. und eingeleitet von Max L. Stackhouse, Abingdon Press: Nashville – New York 1968 (im folgenden: RK).

132) Ebd. 70.

133) Ebd. 126.

134) Ebd. 176. Die Anklage eines Mangels von Radikalismus durch Fricke (a. a. O. 113) verliert damit wohl ihren Grund.

135) CSO 61.

136) Ebd. 7; „organizations of the people, by the people and for the people".

137) Ebd. 87.

138) RK 249.

139) CSO 93. In der Einschätzung des Wertes der Soziologie für einen wirklichkeitsbezogenen Glauben trifft sich Rauschenbusch mit Richard T. Ely, der bei seinen Bemühungen, christliche Ethik und wirtschaftliches Wachstum miteinander in Verbindung zu bringen, bereits 1889 forderte, „daß die Hälfte der Zeit eines Theologiestudenten den Sozialwissenschaften gewidmet sein sollte und theologische Seminarien Hauptzentren der Soziologie sein müßten" (in: Robert T. Handy, a. a. O. 192).

140) Aber er weigert sich, diese historische Entwicklung in einem „Parteijargon" wiederzugeben oder es als „Social Gospel" zu spezifizieren. Dieser Terminus wird nur in seinem spätesten Werk „A Theology for the Social Gospel" häufig gebracht. Vorher bevorzugt er meist Beschreibungen, wie „New social consciousness" oder einfach „Social Feeling".

141) Max L. Stackhouse, Eschatology and Ethical Method. A Structural Analysis of Contemporary Christian Social Ethics in America with Primary Reference to Walter Rauschenbusch and Reinhold Niebuhr, unpubl. Ph. D. Thesis, Harvard University 1964, 8 f.

142) CSO 5 f.

143) W. Rauschenbusch, For God and the People, a. a. O. 9.

144) R. D. Cross in seiner Einführung zu CSC, a. a. O. XI.

145) M. L. Stackhouse, a. a. O. 268; Wilhelm Adolf Visser't Hooft (The Background of the Social Gospel in America, Haarlem 1928) nimmt nicht die Akzentuierung wahr, die diese neue Synthese durch das kritische Urteil der Gottesherrschaft erhält, wenn er über das „Social Gospel" redet „als einer Tendenz christlichen Denkens, in dem die sozialen und religiösen Einflüsse ineinander verfließen und gegenseitig aufeinander reagieren" (a. a. O. 17). Visser't Hooft bleibt so in der zu Beginn des ersten Teils gekennzeichneten „kolonialistischen" Haltung.

146) W. Rauschenbusch, For God and the People, a. a. O. 68.

147) Ebd. 83.

148) Ebd. 46.

149) Ebd. 118.

150) CSC 5.

151) W. Rauschenbusch, For God and the People, a. a. O. 18.

152) Ebd. 23.

153) W. Rauschenbusch, The Social Principles of Jesus, New York 1916, 23 (im folgenden: SPJ).

154) So in: Rochester Democrat and Chronical, January 25, 1913; vgl. Sharpe, a. a. O. 233.

155) So in: C. H. Hopkins, W. Rauschenbusch and the Brotherhood of the Kingdom, a. a. O. 151 f.

156) CSC 85.

157) Ebd. 57.

158) Ebd. 66.

159) RK 99.

160) CSC 107.

161) Ebd. 186. Vernon P. Bodein faßt die Gedanken Rauschenbuschs über das Beziehungsverhältnis von Kirche und Gottesreich richtig zusammen, wenn er schreibt: „Die Kirche muß für Gottes Herrschaft bestehen und das allein. Jede Phase des kirchlichen Lebens und ihrer Arbeit muß auf seine Wirksamkeit hin untersucht werden, ob es dazu beiträgt, das Reich Gottes näher herbeizubringen. Es ist eine Sünde für die Kirche, wenn sie sich

von der Königsherrschaft Gottes trennt und ihre Ziele in sich selbst findet. Insoweit, als die Kirche nicht für das Gottesreich lebt, sind ihre Institutionen ‚weltlich'. Sie hat die Macht zu retten nur durch die Gegenwart des Reiches Gottes in ihr" (Vernon P. Bodein, The Social Gospel of W. Rauschenbusch and its Relation to Religions Education, Yale Studies in Religious Education XVI; Yale University Press: New Haven 1944, 104).

162) CSC 287.

163) Isaak M. Haldeman, Professor Rauschenbusch's „Christianity and the Social Crisis", Charles C. Cook: New York, o. J. 29; ein ähnliches Urteil ist in der Master-Thesis eines jungen Schweizer Theologen von 1925 anzutreffen: Abel E. Burckhardt, W. Rauschenbusch as a Representative of American Humanism, unpubl. Thesis in Philosophy of Religion: Union Theological Seminary, New York, 118 f.

164) CSC 91; diese Zusammenstellung läßt die gegenwärtige Wirklichkeit weit offen: „Der Gedanke der Königsherrschaft Gottes ist nicht mit einer speziellen sozialen Theorie identifiziert. Er meint Gerechtigkeit, Freiheit, Arbeit und Freude. Soll doch jedes Sozialsystem und jede soziale Bewegung uns zeigen, was sie beizutragen haben und wir werden ihre Ansprüche abwägen. Wir wollen das alte Ideal in modernen Begriffen bestimmt sehen, in den Begriffen moderner Demokratie, der Dampfmaschine, des internationalen Friedens und der evolutionären Wissenschaft. Aber wir wollen es mit dem alten religiösen Glauben und Eifer umarmen, so daß wir über es beten können" (SPJ 75).

165) W. Rauschenbusch, Dare we be Christians? The Pilgrim Press: Boston 1914, 59. Er schreibt ein solches Handeln den „Pionieren des Gottesreiches" zu, zu denen man Rauschenbusch selbst wohl als einen der Prominentesten zählen darf. Die Umschreibung von 1 Kor. 13 findet sich ebd. 46–48.

166) Ebd. 49.

167) Vgl. Smucker, a. a. O. 150.

168) CSO 383.

169) SPJ 14.

170) CSO 194; seine Vorbehalte gegen einen Parteisozialismus haben ihren Grund hier: in seiner vollkommenen Hingabe an die Freiheit und in dem Wissen um die Notwendigkeit einer gegenseitigen Ergänzung von materiellen und geistigen Aspekten. Vgl. dazu seinen Artikel: The Trend towards Collectivism, a. a. O. 129. Seine arbeiterfreundliche Haltung kommt ungeschützt in den Gebeten zum Vorschein, wo er für Führer bittet, „die auf Lebenszeit sich einem heiligen Krieg für die Freiheit und das Recht der Leute verschreiben" (W. Rauschenbusch, For God and the People, a. a. O. 76), und für eine Arbeiterbewegung, die sich „gemeinsam für eine letztliche Brüderlichkeit aller Menschen einsetzt" (ebd. 58), die in der Lage ist, „die sozialen Beziehungen der Menschen zu bewältigen" und „Gerechtigkeit und eine Welt von Brüdern zu gewinnen" (ebd. 107).

171) CSO 251.

172) Ebd. 97.

173) W. Rauschenbusch, The Influence of Historical Studies on Theology, in: The American Journal of Theology Vol. XI, 1907, 117.

174) Ebd. 119.

175) Ebd. 111.

176) Ebd. 117.

177) Ebd. 121. So nennt Stackhouse die Geschichte „die grundlegende Kategorie in Rauschenbusch's Denken . . . es ist die Geschichte, in der Gott dem Menschen seinen Willen offenbart und wo der Mensch das Heilige erfährt. Darum ist es die Geschichte, in der

der Mensch lebt, es ist die Geschichte, die erlöst werden muß. Denn die Geschichte ist eher der Bereich der Erfahrung, Ethik und Entscheidung als die Gedankenvorstellung oder die Natur. Die Geschichte ist das Drama des menschlichen Kampfes mit den Mächten und Einflüssen von Gut und Böse". (Einführung zu RK 28) Visser t'Hooft nimmt das gleiche wahr, aber verwendet es für seinen Gegenangriff (vgl. ders., The Background of the Social Gospel, a. a. O. 43).

178) F. G. Peabody, Jesus Christ and the Social Question, a. a. O. 75.

179) RK 109.

180) SPJ 197.

181) Ebd.

182) CSC 346.

183) Ebd. 421. Nur durch historische Analyse kann dieser Lebensstil an seine Projektionen heranreichen: „Geschichte ist für das Geschlecht, was Erinnerung für das Individuum ist. Es kann seine Gegenwart nur verstehen und seine Zukunft nur vorhersehen in dem Maße, als es seine Vergangenheit wirklich in sich faßt" (W. Rauschenbusch, The Influence of Historical Studies on Theology, a. a. O. 127).

184) R. Dickinson erfaßt diesen Sinn, wenn er schreibt: „Geschichte kennt vorläufige Erfolge, die endgültige Bedeutung haben; aber die letzten Absichten der Schöpfung sind nicht beschränkt auf, noch aufgesogen im Historischen oder Soziologischen. Sie sind auf irgendeine Weise in der eschatologischen Dimension der Existenz gefangen" (Richard Dickinson, Rauschenbusch and Niebuhr: Brothers under the Skin?, in: Religion in Life, Vol. XXVII (1958), 169).

185) John C. Bennett, The Social Interpretation of Christianity, in: The Church through Half a Century, ed. by S. McCrea Cavert and H. P. van Dusen, Charles Scribner's Sons: New York 1936, 117 f. — „Eine Eschatologie, die am Reiche Gottes orientiert ist", schreibt R. Müller, „kann . . . gleichzeitig die gegenwärtige Entscheidung und den Glauben an das Ende der Welt durch die Vollendung Gottes festhalten . . . Sie ist nicht Aufhebung des Personalismus im Kollektivismus, sondern die Überwindung des Individualismus in Gemeinschaftsgedanken" (R. Müller, a. a. O. 89).

186) M. L. Stackhouse, Eschatology and Ethical Method, a. a. O. 20. Visser t'Hooft übersieht in seiner Publikation diese Neuformulierung von „wesentlichen Elementen der christlichen Wahrheit", indem er nur „vom intellektuellen oder theoretischen Blickwinkel" her sieht. Er tut besonders Rauschenbusch erheblich Unrecht, weil er ihn in eine Bewegung einreiht, die auf ihn folgte und die vielleicht mehr Ähnlichkeit mit Visser t'Hoofts Anklagen hatte: „Denn an Stelle einer Annahme der Spannung zwischen dem Wirklichen und dem Idealen, zwischen der bestehenden Sozialordnung und dem Reich Gottes antizipierten sie das Ideal durch den Schluß, daß es schon potentiell im Wirklichen gegeben war. Sie verneinten, daß da irgendeine wirkliche Diskontinuität zwischen menschlichem Leben, wie es ist und wie es sein sollte, war, und behaupteten, daß die Königsherrschaft Gottes eine Kategorie menschlicher Geschichte ist, die die Menschheit als ganze schrittweise realisiert" (a. a. O. 181 f.). Ebenso einseitig und ungerecht gegenüber Rauschenbusch's Dialektik ist A. E. Burckhardt, in seiner schriftlich gefaßten Unzufriedenheit über „die ganze Philosophie: Gott ist nahe, Leben ist wirklich, Handeln ist sicher, aber ein Ding, die absolute Sicherheit, das Vertrauen auf ein Letztes ist vollkommen ausgelassen" (a. a. O. 106).

187) W. Rauschenbusch, The Influence of Historical Studies on Theology, a. a. O. 127.

188) W. Rauschenbusch, Why I am a Baptist, a. a. O. 109.

189) RK 178.

190) RK 94.

191) CSO 374 f.

242

192) W. Rauschenbusch, Why I am a Baptist, a. a. O. 98.

193) Ebd. 101.

194) CSC 61.

195) CSO 66; Rauschenbusch zitiert in diesem Zusammenhang vom 6. Kapitel des „Diognet-Briefes": „Was die Seele im Körper ist, das sind die Christen in der Welt" (ebd. 462).

196) F. G. Peabody, Jesus Christ and the Social Question, a. a. O. 221 f. Francis Greenwood Peabody (1847—1936) legte 1880 an der Harvard Divinity School mit seinem Kurs für Sozialethik die Grundlagen für die spätere soziologische Forschung an Harvard University. Vor allem in der Negererziehung wurde seine Sozialethik praktisch.

197) CSC 308 f.

198) Ebd. 207.

199) Als einen solchen Säkularismus muß man Haldemans Kritik an Rauschenbuschs Gedanken über die Beziehung von glaubender Gemeinschaft zum Säkularen verstehen; denn Haldeman sieht die Kirche als „Arche", die „sauber . . . aus der Welt herausgenommen werden wird" (a. a. O. 33 f.).

200) SPJ 67.

201) Ebd. 142.

202) Ebd. 72.

203) Ebd. 189.

204) Vgl. W. Rauschenbusch, Why I am a Baptist, a. a. O. 87.

205) SPJ 190.

206) M. L. Stackhouse, Eschatology and Ethical Method, a. a. O. 79 f.

207) CSO 125. Es „meint nicht, daß man Christus in die Verfassung setzt, daß man christliche politische Parteien hat oder eine etablierte Kirche. Vielmehr versteht es sich als Verwirklichung von Modellen der Gerechtigkeit und Universalität in der säkularen Welt mit säkularen Mitteln" (RK 37). Sharpe bekräftigt das in seiner Rauschenbusch-Biographie: „Es war grundlegend für Rauschenbusch's Denken, daß die Vorstellung von der Königsherrschaft Gottes der — als das ganze menschliche Leben, das sogenannte Säkulare wie auch das Sakrale umfassender — einzige religiöse Gedanke ist, der weit genug ist, alle Bereiche des Lebens zu heiligen und zu christianisieren." Diese „Heiligung" versteht Rauschenbusch als wirklichkeitsimmanenten und -vereinheitlichenden Vorgang. Das zeigt sich auch im Begriff „transformationism", den Smucker für die Tatsache der Säkularität verwendet: „Er bezieht sich auf die bejahende und hoffnungsvolle Haltung im Hinblick auf die Kultur, basiert auf der Einheit von Schöpfung und Erlösung, Menschwerdung und Sühne; dieses Motiv ist keine einfache Synthese zwischen Christus und Kultur, sondern vielmehr ein Verweis auf die mächtigen Taten Gottes, die nach menschlicher Antwort rufen. Es hebt die universale Reichweite der Herrschaft Christi hervor durch eine genuine Hoffnung auf das Hier und Jetzt der Umformung eines unnachsichtigen ökonomischen Systems durch das Gottesreich" (a. a. O. 34).

208) RK 261.

209) Ebd. 165.

210) RK 113.

211) RK 263; die Gottesreichvorstellung macht den Menschen erst eigentlich wirklichkeitsbezogen: Denn „wer auch immer diese Idee liebt, muß sie soweit zur Verwirklichung bringen als das Leben ihn läßt. Wer immer es versucht, wird leiden. Aber selbst wenn er leidet, wird er mehr gesegnet sein und wahrhaftigerer Mensch sein, als er es ohne den Versuch sein würde. In der Suche nach der Gottesherrschaft verwirklicht er sich selbst, ‚der, der sein Leben um meinetwillen verliert, wird es finden' " (SPJ 607).

212) Reinhold Niebuhr, Walter Rauschenbusch in Historical Perspective, a. a. O. 536. In einer Rede vor Sozialarbeitern interpretiert Rauschenbusch ihren Beruf als Aktualisierung der Nachfolge, als Säkularität: „Sozialarbeiter gehen mit Menschen um, mit Leuten, auf eine sehr menschliche Art und Weise. Aber darin haben sie mit Christus zu tun, der Verteidiger und Retter der Menschen ist und mit dem ewigen Gott, in dem diese Menschen leben, sich bewegen und ihr Sein haben. Sozialarbeiter stehen in direkter Linie der apostolischen Sukzession. Wie der Menschensohn suchen und finden sie die Verlorenen. Ihre Arbeit ist erlösendes Tun" (Walter Rauschenbusch, Unto me, The Pilgrim Press: Boston 1912, 12).

213) Stackhouse, a. a. O. 289.

214) Seine Leistung ist wohl am besten von Stackhouse gewürdigt: „Er versucht nicht, in den Grenzen technischer Bestimmungen der Situation zu bleiben, noch bloß in den getauften zwischenpersönlichen ‚Ich-Du'-Begegnungen. Man muß von den einzelnen empirischen Problemen aus sich zu den Beziehungspunkten auf höchster und tiefster Ebene der ‚natürlichen' und theologischen Gedankenführung bewegen. Denn man findet Wertfaktoren, Prinzipien und philosophische Orientierungen – viele von ihnen ‚säkularisiert – christliche' – in den soziokulturellen Kontext eingebaut und im Konflikt mit sakralen wie säkularen nichtchristlichen. Es sind diese Faktoren, die er auszudeuten versuchte, und als Folge davon müßte er einen neuen Zugang entwickeln, über dessen volle Implikation er sich nicht ganz im klaren war. Aber über eines war sich Rauschenbusch klar, daß man nicht argumentieren kann: Sei theologisch fest und kümmere dich nicht um die Folgen" (Stackhouse, a. a. O. 118).

215) RK 284; ein Zitat wie dieses, das Fortschritt, Evolution und Menschheit als Medien der Erzielung der Gottesherrschaft sieht, entkräftigt Argumentationen wie die von Visser t'Hooft über „Die Moralisierung und Humanisierung der Gotteslehre", die „natürlicherweise zur Vorstellung bloßer Immanenz" (a. a. O. 179) führt. Er versteht nicht nur Rauschenbusch's Theologie falsch, sondern mißinterpretiert ihn auch, wenn er schreibt, daß Rauschenbusch ebenfalls „in der unmittelbaren Nähe der Stellung zu finden sei, in der eine völlig ethische, humane und immanente Gottesvorstellung erreicht ist und die typisch biblischen Elemente der Gotteslehre untergeordnet werden" (a. a. O. 174). Die Kritik von Burckhardt kommt von einem ähnlichen dualistischen Standpunkt und stellt so einen völligen Umschwung in der Betonung fest: „Glaube an Gott wird zum Glauben an menschliches Leben, die paradoxen Enden sind abgeschnitten, Glaube und Gemeinverständnis sind nahe zusammengerückt. Das allgemeine Vertrauen der unaufgeklärten Person ist Glaube; Religion ist für diese Welt und das gegenwärtige Leben da, die Erde ist kein Tränental mehr, wir finden eine freudige religiöse Annahme des gegenwärtigen Lebens" (a. a. O. 30). Dies ist dann doch eine allzu große Mißinterpretation von Rauschenbusch: Burckhardt versucht mit allen Mitteln seine „Humanismus"-These zu beweisen. Stackhouse hat Visser t'Hooft gelungen zurückgewiesen, wenn er schreibt, daß seine Rauschenbusch-Kritik „einige durchdringende Harpunen schleudert", aber daß „er den falschen Wal getroffen hat" (a. a. O. 116).

216) CSC 387.

217) CSO 464 f.

218) Henlee K. Barnette verdeutlicht die besondere Art von Rauschenbusch's Haltung, die durch das Verständnis der Geschichte durch die eschatologische Situation gekennzeichnet ist: „So denkt er das Gottesreich als eine Bewegung in der Geschichte, motiviert durch den Bezug auf ein Ziel, das niemals erreicht, aber immer ins Auge gefaßt ist. Man ist deshalb zu dem Schluß gezwungen, daß der Optimismus Rauschenbusch's nicht der von Herbert Spencer war, sondern es war der moralische Optimismus Jesu. Der Optimismus von Rauschenbusch war durch einen tiefgehenden Wirklichkeitsbezug gemäßigt" (Henlee H. Barnette, The Ethical Thought of Walter Rauschenbusch. A Critical Interpretation, unpubl. ThD-Thesis, Southern Baptist Theological Seminary 1948, 148 f.).

244

219) CSO 476.

220) Walter Rauschenbusch, A Theology for the Social Gospel, New York 1917, zitiert nach der Paperback-Ausgabe der Abingdon Press: Nashville – New York (im folgenden: ThSG).

221) ThSG 5.

222) Ebd. 54.

223) Ebd. 139. Dieser Lehre ist jetzt die vom Reich des Bösen gegenübergestellt, das dieselben Implikationen wie das Reich Gottes hat. Es ist eng mit der Existenz von Klassen verbunden: ,,Die Gesetze, Institutionen, Lehren, Literatur, Kunst und Gebräuche, die die herrschenden Klassen ausgesondert haben, sind soziale Ursachen der Ansteckung gewesen, die neue Übel für Generationen genährt haben" (ThSG 81; vgl. ebenfalls 256 über die ,,Klassenverachtung"). Bekehrung ist daher in diesem Bereich nicht mehr nur ein individueller Akt, sondern ein ,,offenbarendes Licht", das ,,unsere Reue zu einer stellvertretenden Sorge für alle (ThSG 99) macht. Die sozialen Bedingungen dieser Interpretation des Evangeliums bringen sogar eine neue Art von Theodizee mit sich: Die Solidarität.

224) Ebd. 146.

225) Ebd. 221.

226) Ebd. 148 f.

227) Ebd. 136.

228) Ebd. 250.

229) Ebd. 1.

230) Ebd. 20; Rauschenbusch interpretiert den neuen theologischen Weg als ,,die Stimme der Prophetie im modernen Leben" (ebd. 279; vgl. ebenso 277 über die Person des Propheten).

231) Vgl. vor allem ebd. 12 f., 134.

232) Ebd. 167; die Ähnlichkeiten zu: F. Gogarten, Politische Ethik, müßten einmal gesondert herausgestellt werden.

233) Ebd. 218.

234) Ebd. 239.

235) Ebd. 184.

236) Ebd. 108; Rauschenbusch thematisiert hier die Wurzeln einer Dialektik, die R. Niebuhr später weiter ausarbeiten wird.

237) Ebd. 273; man könnte wohl auch Gogartens Säkularität in diesem Satz zusammenfassen, nur mit dem Unterschied seines Angehens des Problems über das ,,Ich-Du-Verhältnis".

238) Er teilt diese Auswertung mit den ,,Schweizer religiös Sozialen" und mit der Säkularisierungsthese F. Gogartens. Als doppelt geschichtlichen Unterschied muß man aber gegenüber Ragaz, Kutter, Vater und Sohn Blumhardt, und dem jungen Barth festhalten, daß diese Theologen einerseits mit ihrer Verarbeitung der Aufklärung gegen den liberalen Optimismus des 19. Jahrhunderts europäischer Prägung standen; Rauschenbusch konnte ihn dagegen in seiner sehr verschiedenen amerikanischen Ausprägung der Erwartung eines irdischen neuen Jerusalems zu einer gewissen Vollendung führen. Rauschenbuschs Kritik an den europäischen Theologen in ThSG 158 verdeckt nicht seine Verwandtschaft zu deren Gedanken und Intentionen.

239) ThSG 49.

240) Heinrich Frick, Das Reich Gottes in amerikanischer und deutscher Theologie der Gegenwart, Vorträge der theologischen Konferenz zu Gießen, 43. Folge, Gießen 1926, 8. Ähnlich zu dieser frühen Anerkennung äußert sich Frick in seinem Vortrag vor dem

VII. Internationalen Kongreß für Religionsgeschichte in Amsterdam 1950: „Das ganze Thema der Konkretisierung, zu deutsch der Leiblichkeit von Gottes Absicht mit dieser Welt, wird bei uns in Europa leider auch unter den Christen und ganz besonders von uns Protestanten nicht ernst genug genommen. Um kurz und überscharf zu formulieren: individueller Charakter in allen Ehren, aber das ist nicht genug. Es kommt auf die objektiven Ziele Gottes mit seiner Schöpfung, auf die Herausarbeitung der leibhaften Ziele Gottes in der von ihm gewirkten Welt an . . . Das ist es, was wir Kontinentalen, was wir Deutsche vom christlichen Amerikaner lernen müssen" (in: ThLZ 75 (1950) 645 f.).

241) Reinhold Niebuhr, Is Peace or Justice the Goal? in: World tomorrow XV (1932) 275 f.

242) Reinhold Niebuhr wurde 1892 geboren als Sohn eines deutschen lutherischen Pastors, der nach Amerika ausgewandert war, um ein weniger starres Leben zu führen als auf dem Kontinent. Reinhold studierte in kirchlichen Seminaren und an der Yale Divinity-School. 1915 begann er seine Pfarreiarbeit in Detroit, wo er bis 1929 blieb, als er endlich nach manchem Zögern dem Ruf auf einen Lehrstuhl für christliche Ethik am Union Theological Seminary in New York folgte. Er lehrte dort „Applied Christianity" bis 1960. Reinhold Niebuhr starb im Juni 1971 in Stockbridge, Massachusetts.

243) R. Niebuhr, Walter Rauschenbusch in Historical Perspective, a. a. O. 536.

244) I. M. Haldeman, a. a. O. 42.

245) R. Niebuhr, Walter Rauschenbusch in Historical Perspective, a. a. O. 527. Gefährlich war es, wie H. Richard Niebuhr, der ältere Bruder Reinholds, einsah, wegen der Wirklichkeitsbezogenheit des Evangeliums: „Das ‚Social Gospel' ist kein neues Evangelium. Es ist die Bergpredigt und die Botschaft vom Reiche Gottes. Es ist das Gleichnis vom guten Samariter und vom reichen Prasser und Lazarus. Es ist die Prophetie des Alten Testamentes und die frohe Neuigkeit des Neuen Bundes. Es ist die Beschreibung der universalen Kirche durch Paulus und die Vision des Endes durch Johannes" (H. R. Niebuhr, Christianity and the Social Problem, in: Magazin für Evangelische Theologie und Kirche 50 (1922) 278 ff.).

246) C. H. Hopkins, The Rise of the Social Gospel, a. a. O. 326.

247) Ebd. 215.

248) R. D. Knudten, a. a. O. VII. In einer breiter angelegten Studie über das „Social Gospel" wäre es sinnvoll gewesen, einen größeren Teil der „umfangreichen auf Erziehung und Verbreitung angelegten Literatur und Aktivität" (C. H. Hopkins, a. a. O. 319) der Bewegung zu behandeln und die darin sich ausprägende Säkularität, die sich wie ein roter Faden durch das „Social Gospel" zieht. Aber mit dem Ausblick auf die weitere theologiegeschichtliche Entwicklung müssen wir uns auf die verschiedenartigen Rollen von Gladden und Rauschenbusch beschränken, die den Wirklichkeitsbezug des christlichen Glaubens in der amerikanischen Theologie neu herausstellten. Beide Theologen starben im Jahr 1918.

249) ThSG 30.

250) Paul A. Carter, The Decline and Revival of the Social Gospel, a. a. O. 38.

251) Ebd. 94.

252) Donald B. Meyer, The Protestant Search for Political Realism 1919–1941, Berkeley 1960, 3.

253) P. A. Carter, a. a. O. 132.

254) Ebd. 140.

255) S. E. Ahlstrom in seiner Einführung zu: Theology in America, a. a. O. 80.

256) P. A. Carter, a. a. O. 230.

257) William R. Hutchinson in seiner Einführung zu: American Protestant Thought. The Liberal Era, Harper Torchbooks; New York 1968, 12.

258) P. A. Carter, a. a. O. 84.

259) F. G. Peabody, The Apostle Paul and the Modern World. An Examination of the Teaching of Paul in its Relation to some of the Religious Problems of Modern Life, The Macmillan Comp.: New York 1926[2], 36.

260) R. Dickinson, Rauschenbusch and Niebuhr, a. a. O. 165.

261) M. L. Stackhouse, a. a. O. 3.

262) Gute Beispiele dafür findet man in: Reinhold Niebuhr, Walter Rauschenbusch in Historical Perspective, a. a. O. 531 ff.

263) M. L. Stackhouse, a. a. O. 139.

264) R. Niebuhr, Beyond Tragedy. Essays on the Christian Interpretation of History. Charles Scribner's Sons: New York 1937, 130 f. (im folgenden: BT) (d:83).

265) BT 85 (d:58).

266) BT 103 (d:67).

267) BT 185 (d:111).

268) BT 128 (d:82).

269) BT 276 (d:159).

270) BT 300 (d:173).

271) BT IX.

272) Niebuhr formuliert seine Überzeugung, BT 107: „Diese selben falschen Propheten rufen Gott zum Zeugen für ihre Zivilisation an und verkünden Verdammung über jeden, der meint, daß auch eine demokratische Gesellschaftsordnung unter dem Urteil und Zorn Gottes steht" (d:70).

273) BT 38 (d:31).

274) Ebd. 191 (d:115).

275) Ebd. 65 (d:47).

276) Ebd. 223 (d:130). Zum Ende des humanistischen Zeitalters vgl. S. 229 (d:134).

277) Ebd. 115 (d:74); auf S. 201 (d:120) nennt Niebuhr diesen Optimismus die „ewige Sünde" des Menschen, „sich selbst zum Gott zu machen".

278) Ebd. 213 (d:127).

279) BT 217 (d:128).

280) Ebd. 275 (d:175).

281) Ebd. 24 (d:23).

282) R. Niebuhr, Leaves from the Notebook of a Tamed Cynic, Willett, Clark & Colby: Chicago – New York 1929.

283) Ders., Man's Nature and His Communities. Essays on the Dynamics and Enigmas of Man's Personal and Social Existence, Charles Scribner's Sons: New York 1965 (im folgenden: MNHC). Im folgenden werde ich mich hauptsächlich auf die Buchpublikationen beziehen, da man in ihnen die Entwicklung des theologischen Systems am besten verfolgen kann, und mich nur dann auf einen der unzähligen Artikel beziehen, wenn er zum behandelten Spezialthema besondere Beziehung hat. Seine vielen Zeitschriften- und Zeitungsartikel, die teilweise wöchentlich zu allen möglichen aktuellen Themen vom Blickwinkel des Wirklichkeitsbezuges des Glaubens aus Stellung nahmen, müssen hier außer acht bleiben. Aber als Ganzes sind sie wohl die beste Selbstdarstellung von Niebuhrs Säkularität.

284) Gabriel Fackre, The Promise of Reinhold Niebuhr, J. B. Lippincott Comp.: Philadelphia – New York 1970, 19.

285) P. A. Carter, a. a. O. 153.

286) Reinhold Niebuhr, Moral Man and Immoral Society. A Study in Ethics and Politics, Scribner Library Edition: New York 1960, (1932)[1], 60 (im folgenden: MMIS).

287) MMIS 51.

288) MMIS 255.

289) R. Niebuhr, The Irony of American History, The Scribner Library: New York 1952, 54 (im folgenden: IAH).

290) Niebuhr kennt keine scharfe Unterscheidung zwischen den Begriffen „Religion" und „Glaube", wie etwa die kontinentale zeitgenössische Theologie. Religion meint bei ihm meist den ins Leben umgesetzten Glauben, so daß die Begriffe meist austauschbar sind. Diese unsystematische Begriffsverwendung bedeutet jedoch keine unkritische Rezeption religiöser Erscheinungsformen, wie es sich in seiner Kritik an der Zivilreligion zeigt.

291) MMIS 62.

292) Ebd. 18.

293) Ebd. 4.

294) Gordon Harland, The Tought of Reinhold Niebuhr, Oxford University Press: New York 1960, 163.

295) R. Niebuhr, The Nature and Destiny of Man. A Christian Interpretation. Vol. I: Human Nature, Scribner Library: New York 1964 (1941[1]); Vol. II: Human Destiny, Scribner Library: New York 1964 (1943[1]) (im folgenden: NDM I und NDM II).

296) NDM I, 185.

297) NDM I, 150.

298) MNHC 106; gegen manche seiner Kritiker muß gesagt werden, daß seine Theologie durch diese Darstellung nicht anthropozentrisch wird. Die Lehre vom „Imago Dei" gibt den Hauptakzent. Vgl. dazu auch: Dietz Lange, Christlicher Glaube und soziale Probleme. Eine Darstellung der Theologie Reinhold Niebuhrs, Gütersloh 1964, 69. Langes Interpretation gleicht in vielem: Hans Hofmann, Die Theologie Reinhold Niebuhrs, Zürich 1954, der Niebuhr von der Sündenlehre her interpretiert. Beide Bücher stellen eine gelungene Interpretation der Gesamttheologie Niebuhrs dar, so daß ich für eine weitere Information auf diese Veröffentlichungen verweisen kann.

299) MMIS XX.

300) Ebd. 21.

301) Ebd. 234.

302) Ebd. 82.

303) NDM I, 296.

304) NDM II, 75.

305) R. Niebuhr, An Interpretation of Christian Ethics, Harper & Brothers Publ.: New York 1935, 214 (im folgenden: ICE).

306) R. Niebuhr, Christianity and Power Politics, Carles Scribner's Sons: New York 1940, 215 f. (im folgenden: CPP). Wir werden eine ähnliche Dialektik später in dem Beziehungsverhältnis von Glaube und Geschichte wiederfinden.

307) ICE 117.

308) John C. Bennett, Reinhold Niebuhr's Social Ethics, in: Reinhold Niebuhr. His Religious, Social, and Political Thought, ed. by Charles W. Kegley and Robert W. Bretall, in: The Library of Living Theology, Vol. II, The Macmillan Comp.: New York 1956, 53 (im folgenden: LLT). Niebuhr selbst formuliert diese Tragik folgendermaßen: „Die Tragödie der menschlichen Geschichte besteht genau in der Tatsache, daß menschliches Leben nicht schöpferisch sein kann, ohne destruktiv zu sein, daß biologischer Drang erhöht und sublimiert wird von übernatürlichem Geist und daß dieser Geist sich nicht ohne die Sünde des Stolzes ausdrücken kann" (NDM I, 10 f.).

309) R. Niebuhr, Faith and History. A Comparision of Christian and Modern Views of History, Charles Scribner's Sons: New York 1949, 206 (im folgenden: FH) (d:255).

310) Holtan P. Odegard, Sin and Science. Reinhold Niebuhr as Political Theologian, Antioch Press: Yellow Springs, Ohio 1956, übersieht und mißachtet diesen „positiven" Aspekt menschlicher Sündigkeit wegen seines wissenschaftlichen Monismus, der den Begriff der Sünde ausschalten will. Odegard ist zu einem Mißverständnis von Niebuhrs politischem Denken verurteilt, weil er die konstitutive Funktion der Auslegung des Tragischen für den Realismus von Niebuhr unbeachtet läßt.

311) NDM I, 14.

312) R. Niebuhr, The Children of Light and the Children of Darkness. A Vindication of Democracy and a Critique of its Traditional Defense, Scribner Library: New York 1960 (1944)[1], 55 f. (im folgenden: CLCD) (d:43).

313) NDM I, 294; das Ich-Du-Verhältnis soll dem Leben neue Ausdauer geben: „Die Begegnung von Gott und Mensch muß wie die Begegnung zwischen Menschen in der Geschichte durch Glaube und Liebe geschehen und nicht durch die Entdeckung einiger gemeinsamer Wesenszüge von Verstand und Natur, die Individuellem und Partikulärem unterliegen" (LLT 21).

314) Paul Lehmann vertritt in seinem Aufsatz über Niebuhrs Christologie dieselbe Meinung: „Niebuhrs Christologie fängt, wenn auch nicht ruhig fließend, wenigstens unten an, bei dem Wissen von uns selbst. Er tut das teilweise wegen dessen, was er bei den Reformatoren gelernt hat und teilweise, weil die Theologie nichts ist, wenn sie nicht gegenwartsbezogen ist; und die gegenwärtige theologische Situation, in der er sich fand, war eine brennend anthropologische" (LLT 276).

315) CPP 3.

316) NDM I, 136.

317) P. Lehmann, The Christology of Reinhold Niebuhr, in: LLT 275.

318) NDM I, 164.

319) R. Niebuhr, The Self and the Dramas of History, Charles Scribner's Sons: New York 1955, 144 (im folgenden: SDH).

320) MMIS 20.

321) FH 20 (d:35).

322) CLCD 84 (d:59).

323) Niebuhr illustriert diese Notwendigkeit mit einem Beispiel aus der französischen Geschichte: „Vielleicht ein Grund dafür, weshalb die geschichtliche Interpretation der Französischen Revolution so unvollständig bleibt, ist der, daß die Revolution sich nicht im französischen politischen Leben aufgelöst hat. Denn Geschichte und Interpretation von Geschichte sind gegenseitig voneinander abhängig" (SDH 55).

324) NDM II, 48; Niebuhr drückt dasselbe später als die grundlegende Dialektik (die Kategorien „paradox" und „dialektisch" sind bei ihm austauschbar) der Geschichte aus: „Es gibt keinen Ausweg aus der paradoxen Beziehung der Geschichte zur Gottesherrschaft. Die Geschichte bewegt sich auf eine Verwirklichung des Reiches hin, jedoch das Urteil Gottes liegt auf jeder neuen Realisation" (NDM II, 286).

325) NDM II, 7.

326) FH 18 (d:32).

327) FH 28 (d:46).

328) FH 107 (d:138).

329) NDM II, 21.

330) Ebd. 43.

331) FH 28 (d:46); Niebuhr drückt dieselbe Überzeugung in NDM II aus: „Alle geschichtlichen Handlungen unterliegen dem Paradox der Gnade" (ebd. 213).

332) Diese Behauptung kann man in Bezug auf Niebuhrs Ablehnung ontologischer Kategorien
und weltfremder Theorien machen, die er wohl am besten in seiner „intellektuellen
Selbstbiographie" in LLT 20 zusammenfaßt: „Wir sind mit der Tatsache konfrontiert . . .
daß der Mensch offensichtlich eine geschichtliche Kreatur ist und daß jede Zurück-
führung der Religion auf ontologische oder nicht-geschichtliche Proportionen sicherlich
manches Element oder manche Dimension seiner vielseitigen Natur verneint oder
verdunkelt".

333) CLCD 188.

334) FH 233 (d:121).

335) LLT 18.

336) MMIS 61 f.

337) NDM I, 57. Die Lehren von Schöpfung und Inkarnation geben für Niebuhr der Welt und
der Geschichte einen neuen Sinn. So schreibt er: „Es war der christliche Glaube und
nicht die moderne Kultur, der die klassische Welt überwältigte. Lange bevor das moderne
Verständnis einer dynamischen und kreativen Geschichte das klassische Sinngefüge
zweifelhaft machte, stellte es der christliche Glaube in Frage und überwältigte es"
(FH 65) (d:89). In „The Self and the Dramas of History" einem Buch, das in mancher
Hinsicht eine Summe von Niebuhrs Säkularitätsverständnis darstellt, setzt er diesen
Wirklichkeitsbezug des Glaubens in einen weiteren geschichtlichen und intellektuellen
Zusammenhang einer „dramatischen Begegnung zwischen der biblisch-hebräischen und
der hellenischen Komponente unserer Kultur, in der das Auftauchen von dynamischen
Faktoren einer technischen Zivilisation der alten Begegnung eine neue Dimension gab"
(SDH 159).

338) FH 45 (d:66).

339) R. Niebuhr, Our Secularized Civilization, in: The Christian Century, Vol. XLIII (1926)
509.

340) R. Niebuhr, The Secular and the Religious, in: The Christian Century, Vol. LIII (1936)
1452.

341) Vgl. ebd. 1453.

342) Niebuhr hat, wie sich noch weiter zeigen wird, ein vitales Interesse an der Säkularität
als Grundlage seiner Theologie; alle Phänomene einer solchen Haltung des Glaubens zur
Welt begegnen in seinen Darlegungen. So wird hier wegen einer wünschenswerten
Klarheit die Terminologie Gogartens verwendet, obwohl Niebuhr selbst den Terminus
Säkularität in diesem Sinne nicht gebraucht („secularity" hat im angelsächsischen
Sprachgebrauch meist andere Bedeutung; vgl. dazu M. Stallmann, a. a. O. 12). Die Kate-
gorie Säkularisierung kommt bei ihm sogar oft im abträglichen Sinn von Säkularimus vor.

343) John C. Bennett, Reinhold Niebuhrs Social Ethics, in: LLT 75.

344) R. Niebuhr, Intellectual Autobiography, in: LLT 3; dieses Interesse geht zurück auf die
ersten Jahre Niebuhrs in Detroit: „In meinen Pfarreiverpflichtungen", so schrieb er,
„habe ich gefunden, daß der einfache Idealismus, zu dem sich der klassische Glaube

verwässert hatte, für die Krise des persönlichen Lebens ebenso irrelevant war als für die komplexen sozialen Aufgaben einer industriellen Großstadt" (ebd. 6).

345) NDM II, 210.

346) Ebd. 211.

347) LLT 16.

348) CPP IX.

349) R. Niebuhr, Does Civilization need Religion? A Study in the Social Resources and Limitations of Religion in Modern Life, The Macmillan Comp.: New York (1927[1]) 1929[4], 228 f. (im folgenden: DCNR). Fast dreißig Jahre später umschreibt Niebuhr dieselbe Forderung mit einem anderen biblischen Bild: ,,Die Kinder des Lichtes müssen sich mit der Weisheit der Kinder der Finsternis rüsten, aber frei bleiben von deren bösen Absicht. Sie müssen um die Macht des Selbstinteresses in der menschlichen Gesellschaft wissen, ohne ihr eine moralische Rechtfertigung zu geben" (CLCD 41) (d:34).

350) FH 31 (d:49).

351) CLCD 189 (d:121).

352) R. Niebuhr, The Secular and the Religious, a. a. O. 1454.

353) CPP 214.

354) Ebd. 216.

355) NDM I, 23.

356) NDM II, 57 f.

357) Ebd. 207.

358) R. Niebuhr, The Christian Witness in a Secular Age, in: The Christian Century, Vol. LXX (1953) 841.

359) Vgl. G. Harland, The Thought of Reinhold Niebuhr, a. a. O. 21, VII.

360) G. Fackre, a. a. O. 51.

361) LLT 253.

362) LLT 46; Niebuhr erreichte in seinem Leben, was G. Harland am Ende seines Buches allgemeiner beschreibt: ,,Der Theologe muß lernen, sowohl die Welt wie den Glauben von innen her zu kennen und die Begrenzungen ihres vitalsten Engagements zu erkunden. Das Zeitalter verlangt von den Christen diese besondere Qualität von Verstand und Geist, diese Sicherheit des Glaubens, die uns erlaubt, unsere vorgefertigten Wehrbauten zu verlassen und in der Mitte der Welt beides zu lernen, zuzuhören und zu reden" (a. a. O. 271).

363) R. Niebuhr, The Christian Witness in a Secular Age, a. a. O. 843.

364) CPP 214.

365) SDH 160 f.

366) NDM I, 166.

367) NDM II, 321.

368) FH 26 (d:44).

369) SDH 66.

370) Niebuhr beschreibt diesen Überstieg in der Dialektik der Christologie: ,,Christentum ist ein Glaube, der uns durch die Tragik über die Tragik hinausträgt, auf dem Wege des Kreuzes zu einem Sieg im Kreuz. Der Gott, den wir verehren, nimmt die Widersprüche der menschlichen Existenz in sich selbst hinein" (CPP 213).

371) SDH 157.

372) NDM II, 46.

373) Ebd. 92.

374) CPP 182. „Es gehört zur Eigenart und Aufgabe prophetischer Religion, auf der organischen Beziehung zwischen geschichtlicher, menschlicher Existenz und dem, was Grund und Erfüllung dieser Existenz ist, dem Transzendenten zu bestehen" (ICE 105). Wir werden auf die Bedeutung von Gottes Kenose in Jesus und dem Komplex des Überstiegs wegen ihrer die Säkularität bedingenden Funktion später noch einmal stoßen. Hier hatte uns die Mittelpunktstellung des Glaubens für die Verwirklichung des Selbst und eine daraus resultierende Form geschichtlichen Lebens in Niebuhrs Theologie interessiert.

375) FH 210 (d:260).

376) LLT 49.

377) CPP 204 f.

378) IAH 147.

379) CLCD 133 (d:89); ähnlich sagt Niebuhr an anderer Stelle: „Jedes humanistische Glaubensbekenntnis ist ein Bedeutungskosmos, der durch ein dünnes Eis auf den abgrundtiefen Meeren von Bedeutungslosigkeit und Chaos gehalten wird" (CPP 213).

380) R. Niebuhr, Our Secularized Civilization, a. a. O. 508.

381) LLT 18.

382) CLCD 7 (d:14).

383) R. Niebuhr, The Secular and the Religious, a. a. O. 1452.

384) R. Niebuhr, Our Secularized Civilization, a. a. O. 509.

385) Niebuhr interpretiert damit etwa das Phänomen des deutschen Nationalsozialismus (vgl. CPP 136).

386) CLCD 129 (d:87).

387) R. Niebuhr, Our Secularized Civilization, a. a. O. 508; diese Analyse trifft auch noch heute zu, was leicht an Hand der sozialen Stratifikation von Gesellschaften und Nationen, etwa im Verhältnis „entwickelter" zu „sich entwickelnden" Ländern, aufgewiesen werden kann.

388) LLT 14. Niebuhr warnt in FH 167 (d:210) die Sozial- und Geschichtswissenschaften davor, „das Individuum in der Integrität seines Geistes an die Schablonen von Ursache und Wirkung" zu verlieren.

389) LLT 21.

390) DCNR 78; vgl. FH 196 (d:243).

391) FH 238 (d:294); Niebuhr beschuldigt besonders den römischen Katholizismus und den Calvinismus, „politische Macht unter religiöse Kontrolle zu bringen" und so auf eine voreilige Beendigung der Geschichte hinzutendieren (vgl. FH 205).

392) CPP 226; Niebuhr führt in ICE 10 einen ähnlichen Angriff gegen ein liberales Christentum. In „Our Secularized Civilization" beschuldigt er den Protestantismus als solchen „die Säkularisten stillschweigend zu dulden. Indem er (sc. der Protestantismus) den Menschen ein Gefühl moralischen Sieges gibt, weil sie eine oder zwei Begierden unter Kontrolle gebracht haben, während ihr Verlangen nach Macht und Gewinn ungezügelt bleibt, verschärft er diese Verlangen, die die ursprünglichen Gefahren der modernen Zivilisation sind" (a. a. O. 509).

393) CLCD 134 (d:90). Niebuhr will damit die Einsicht fördern, daß Amerikas „demokratische Zivilisation zwar nicht von Kindern der Finsternis aufgebaut worden ist, aber doch von törichten Kindern des Lichtes" (CLCD 10) (d:16).

394) NDM II, 158.

395) IAH 69 f.; vgl. auch FH 116 (d:148).

396) IAH 24.

397) IAH 57.

398) NDM II, III.

399) ICE 3. Das amerikanische Christentum hat sich stellenweise „mit seiner säkularen Umgebung bis zu dem Punkt" vermischt, „an dem die Trennungslinie zwischen Kirche und Gesellschaft unerkennbar wird". Es wurde damit „blind für die moralischen Fehler einer plutokratischen Demokratie, die an die Stelle einer reineren Pionierdemokratie getreten ist" (R. Niebuhr, The Secular and the Religious, a. a. O. 1453). Niebuhr nennt die Torheit der Zivilreligion als Grund für die mangelnde Einsicht der amerikanischen Gesellschaft in ihre eigenen Fehlschläge und ihren Verfall: „Wir erscheinen der Welt genau als das, was wir sind, nämlich als eine märchenhaft reiche Nation, auf die Produktion von mehr Reichtum ausgerichtet und scheinbar vergeßlich gegenüber Folgen, die ungezügeltes Verlangen nach Macht und Zuwachs unvermeidlich für die persönliche Moralität und das internationale Verständnis haben" (ebd. 508). Er sieht es als Hauptaufgabe der christlichen Kirchen an, „die Stimmung nationaler Selbstbeglückwünschung zu stören" (in: The Peril of Complacency in Our Nation, in: Christianity and Crisis, Vol. 14 (1954) 2). Diese amerikanische Zivilreligion brachte, wie wir später noch sehen werden, nicht den erhofften „Sieg über das historische Schicksal" (IAH 134) und wurde eigentlich erst in den letzten Jahren in den amerikanischen „weltweiten Verantwortungen" in Frage gestellt, eine Entwicklung, auf die Niebuhr bereits 1952 gehofft hatte.

400) IAH 150.

401) G. Fackre, a. a. O. 44.

402) CLCD 135 (d:90).

403) R. Niebuhr, Our Secularized Civilization, a. a. O. 510; Niebuhr fährt fort: „Erniedrigung fehlt im protestantischen Gottesdienst wie in protestantischer Zivilisation. Wenn diese Erniedrigung mittelalterlich ist, können wir unsere Zivilisation nicht ohne Mittelalterlichkeit retten". Diese Polemik muß man natürlich auf dem Hintergrund amerikanischer Zivilreligion verstehen!

404) SDH 150.

405) CPP 217.

406) Niebuhr stellt diese Forderung in einen biblischen Zusammenhang, wenn er eine „erniedrigte" Theologie und einen stärker wirklichkeitsbezogenen Glauben befürwortet, die beide in einer Arbeit für soziale Gerechtigkeit münden: „Vieles von dem, was heute als theologische Tiefgründigkeit angesehen wird, ist nicht mehr als eine versteckte Neuinszenierung der Rolle des Sohnes im Gleichnis des Herrn, der versprach, den Willen des Vaters zu tun, ihn aber nicht erfüllte und damit die Erfüllung seines Willens dem Sohn überließ, der ein solches Versprechen abgelehnt hatte. Wie genau spiegelt dieses kleine Gleichnis Christi die hochstehende Leidenschaft für menschliche Gerechtigkeit von vielen außerhalb der Kirche gegenüber denen in ihr" (CPP 215). Selbst wenn die Kirche sich in dieser Hinsicht bekehrt, muß sie immer noch die Versuchung der Arroganz vermeiden, mit der sie oft „das Evangelium von Gottes Barmherzigkeit dem verlorenen Sohn unserer modernen Kultur predigt" und dabei „die Rolle des älteren Bruders aus dem Gleichnis des Herrn" spielt (CPP 217).

407) R. Niebuhr, Reflections on the End of an Era, Charles Scribner's Sons: New York 1934, 296.

408) NDM II, 287.

409) FH 33 (d:52). Eine zentrale Zusammenfassung dieser Gedanken findet sich NDM II, 312. In NDM II, 204 faßt Niebuhr seine Gedanken zur Säkularität ähnlich zentral im Vergleich mit der Reformationstheologie.

410) IAH 63.

411) G. Fackre, a. a. O. 96; das „Pilgrim" ist hier doppeldeutig: Es meint sowohl die biblische Beschreibung der geschichtlichen Existenz des Menschen als Pilger und Gast auf Erden, als auch sehr konkret die theologisch neuengländische Interpretation, die mit den ersten puritanischen Siedlern in die neue Welt kam und sich dort ständig weiterentwickelte.

412) DCNR 234; die Erniedrigung eines eschatologischen Glaubens bringt ähnlich hoffnungs-volle Träume hervor, wie die von Martin Luther King, die im Zusammenhang mit Reinhold Niebuhrs Theologie stehen. So erhält etwa der Traum einer letzten Einheit der Menschheit seine Interpretation am Ende von CLCD, wo Niebuhr schreibt: „Die Welt-gemeinschaft, auf die alle geschichtlichen Mächte uns zuzuführen scheinen, ist die letzte Möglichkeit und Unmöglichkeit der Menschheit. Die Aufgabe, sie zu erreichen, muß vom Standpunkt eines Glaubens her interpretiert werden, der um den fragmentarischen und gebrochenen Charakter aller geschichtlichen Errungenschaften weiß und dennoch Vertrauen auf ihren Sinn hat, weil er weiß, daß sie in der Hand einer göttlichen Macht sind, deren Fähigkeiten größer sind als die der Menschen, und deren duldende Liebe die Korruptionen der Erfolge des Menschen überwindet ohne den Sinn unseres Strebens zu verneinen" (a. a. O. 189 f.) (d:122).

413) FH 240 (d:296 f.).

414) Arthur Schlesinger jr., Reinhold Niebuhr's Role in Political Thought, LLT 149.

415) CPP 200. Diese Tiefen-Dimension des Lebens bestimmt auch die Niebuhr eigene Inter-pretation des Mythos als eines dramatischen Symbols für den Überstieg über die Geschichte: Mythos ist für ihn „eine Denkmethode, die sich besonders dazu eignet, die notwendige Beziehung zwischen geschichtlicher Erfahrung und den letzten Geheim-nissen von biblischem und christlichem Glauben zu verstehen und zu interpretieren" (P. Lehmann, LLT 267).

416) Abraham I. Heschel, A Hebrew Evaluation of Reinhold Niebuhr, LLT 410.

417) Paul Scherer, Reinhold Niebuhr – Preacher, LLT 312.

418) R. Niebuhr, Christian Faith and Social Action, in: J. A. Hutchinson (ed.), Christian Faith and Social Action, Charles Scribner's Sons: New York 1953, 241.

419) LLT 5.

420) Ebd. 9 f.

421) Arthur Schlesinger jr., LLt 149. Vgl. LLT 8; dennoch beharrt Niebuhr hier wieder auf seiner alten These, daß das „Social Gospel" „nicht an ‚Sünde' glaubte und . . . nicht zu stark von den Hauptlinien des ‚American Dream' abwich" (ebd. 13), was wohl für Gladden zutreffen mag, nicht aber in gleicher Weise für Rauschenbusch. In Niebuhrs späteren Schriften sind Zeichen für eine gerechtere Einschätzung wenigstens von Rauschenbusch sichtbar, die seine Gedanken aus seinem Vorwort zu seinen eigenen „Rauschenbusch Memorial Lectures" wieder aufnehmen. Dort lobte er „den sozialen Realismus und die Treue zum christlichen Glauben, die das Denken und Leben eines Menschen charakterisierte, der nicht nur der wirkliche Gründer sozialen Christentums in diesem Land war, sondern auch sein brillantester und weitestgehend zufrieden-stellender Vertreter bis zum heutigen Tag" (ICE, Vorwort). Niebuhr folgte den Spuren dieses Mannes mit seinem durch die neuen geschichtlichen Entwicklungen geweiteten Interesse an Gerechtigkeit und ihrer Bedeutung für die Politik, er wandte jetzt die These des „Social Gospel" vom kapitalistisch begründeten Egozentrismus auf den politischen Gesamtbereich an und erreichte dadurch eine weitere und anpassungs-fähigere Dialektik.

422) Diesen theologischen „Kurzschluß" wirft Niebuhr etwa bestimmten Ausformungen römisch-katholischer Theologie vor.

423) Emil Brunner, Some Remarks on Reinhold Niebuhrs Work as a Christian Thinker, LLT 28 f.; der Grund, daß wir diese Bezeichnung, wie auch die des „Social Gospel" vorher, trotzdem gebrauchen, liegt in dem Identifikationswert dieser „Etiketten" durch ihre lange Verwendung.

424) LLT 149. Weil Schlesinger hier so deutlich über die Einheit von Niebuhrs Leben und Lehre spricht, sei er noch zu Ende zitiert: „Seine eigene authentische Demut, seine tiefe Wachheit für die moralische Unsicherheit geschichtlichen Bemühens verbunden mit seiner moralischen Entschlossenheit im Hinblick auf die anliegenden Fragen, die Reichweite seines Mitgefühls, die Ehrlichkeit seines Zornes, die Direktheit seiner Selbstlosigkeit und die Freundlichkeit und Größe seines Charakters — alle diese Qualitäten waren in der Lage, das Bild eines christlichen Menschen offenbar und lebendig zu machen, wie es keine Predigt und kein Essay vermocht hätten".

425) A. I. Heschel, LLT 409. So kann man Abraham I. Heschel nur zustimmen, wenn er am Beginn seiner Interpretation schreibt: „In Kühnheit des Scharfsinnes, Tiefe der Einsicht, Fülle von Vision und Verständnis überragt Reinhold Niebuhrs System alles, was das Gesamt der amerikanischen Theologie bis jetzt hervorgebracht hat" (ebd. 392). Das sagt natürlich noch nichts über den Erfolg oder Einfluß dieser Theologie aus, so schreibt William G. McLoughlin über Ziel und Schicksal der „Neo-Orthodoxy": „Die Absicht war, das Schlagwort zu zerstreuen, daß das Christentum auf Gedeih und Verderb mit dem Fortschritt des ‚laissez-faire'-Kapitalismus verbunden sei, und gleichzeitig einen nachgiebigen Glauben in einen wohlwollenden Gott zurückzuweisen, der seine gütige Absicht in der Geschichte verwirklicht. Diese tiefgründige Theologie der ‚Neo-Orthoxy' war schwierig zu verbreiten und vor den vierziger Jahren waren nicht mehr als eine Handvoll amerikanischer Pfarrer in der Lage, sich ihrer Herausforderung zu stellen" (William G. McLoughlin, Modern Revivalism, a. a. O. 473).

426) S. E. Ahlstrom, Theology and the Present-Day Revival, in: The Annals 1960, Philadelphia 1960, 35.

427) Alexis de Tocqueville, Democracy in America, ed. by J. P. Mayer, Doubleday & Comp., Inc.: Garden City, New York 1969, 417 (d:Bd.II,11); Tocqueville hat insofern recht, als er die politische Haltung nicht zum System der Demokratie zählt; denn diese Haltung war von Anfang an pragmatisch und undoktrinär, unideologisch liberal. Amerika kannte keine Tory-Tradition und anfängliche Überreste davon wurden durch den „Revolutionary War" ausgelöscht.

428) Wenn ich im weiteren Verlauf von Religion sprechen werde, muß man sich ständig bewußt sein, daß die religiösen Gruppierungen und Denominationen als solche nicht als Repräsentanten der neuerlichen theologischen Entwicklung angesehen werden dürfen. Aber nichtsdestoweniger muß man festhalten, daß die als Kirchen bestimmten sozialen Gruppen mit theologischem Denken in Verbindung stehen und es eine gegenseitige Beeinflussung gibt. Unter diesem Blickwinkel eines Horizontgefälles beschränke ich mich auf den Umschwung von „Neo-Orthodoxy" zum Radikalismus und dem dazu gehörigen sozialen Wandel. Dabei wird sich erneut die Einsicht bestätigen, daß die Balance zwischen Säkularisierung bzw. Wirklichkeitsbezug und dem Religiösen bzw. dem Glauben seine lange Tradition in Amerika fortsetzt.

429) Michael Novak, The New Relativism in American Theology, in: The Religious Situation 1968, ed. by Donald R. Cutler, Beacon Press: Boston 1968, 200 f.; ich bin mir bewußt, daß ich in diesem Schlußkapitel vielleicht unverantwortlich undifferenziert argumentiere und stark verallgemeinere. Eigentlich müßten alle die später angeführten sozialen und theologischen Entwicklungen aufgefächert werden nach ihren Beziehungen zu den verschiedenen Denominationen und ihrer Herkunft aus lutherischer, calvinistischer, freikirchlicher oder römisch-katholischer Tradition. Das würde aber Stoff genug für eine separate Studie sein und die Absicht dieses Kapitels übersteigen.

430) Peter L. Berger, A Rumor of Angels. Modern Society and the Rediscovery of the Supernatural, Doubleday & Comp., Inc.: Garden City, New York 1970², 32 (d:53 f.).

431) Für eine Darlegung und Auswertung vgl.: Talcott Parsons, Christianity and Modern Industrial Society, in: Edward A. Tiryakin, Sociological Theory, Values, and Sociocultural Change. Essays in Honor of Pitirim A. Sorokin, Collier – Macmillan Ltd.: London 1963, 33–70.

432) P. L. Berger, The Sacred Canopy. Elements of Sociogical Theory of Religion, Doubleday & Comp., Inc.: Garden City, New York 1969², 180 (d:171). Ich kann diesen „Anschlag gegen Feuerbach" hier nicht führen, aber versuche im Problem der Säkularität doch zu zeigen, daß dieser Anschlag bereits im Gange ist. Die Kategorie der Säkularisierung ist in ihrem dialektischen Verständnis meiner Meinung nach eine angemessene und wirkliche Bestimmung dieses Anschlags und eine vorurteilslose Umschreibung dieses Prozesses. In der amerikanischen Diskussion kann ich zwar die Forderung von David Martin verstehen, der meint: „Säkularisation sollte aus dem soziologischen Wörterbuch ausradiert werden" (David Martin, Towards Eliminating the Concept of Secularization, in: Penguin Survey of the Social Sciences, ed. by Julius Gould, Penguin: Baltimore 1965, 182). Denn dieses Wort hat dort in seiner vielfältigen Schattierung zur Verwirrung beigetragen; allzu oft wurde es als ein negatives Urteil über den „Niedergang von Institutionen, die als ‚religiös' abgestempelt waren", gebraucht. Man vergaß dann, daß diese Etikettierung selbst schon ein Zeichen des ihr vorausgehenden Säkularisierungsprozesses ist.

433) Clifford Geertz, Religion as a Cultural System, in: The Religious Situation 1968, a. a. O. 643. Dieses Symbolsystem gab sich immer neue gesellschaftliche Prägungen: „Wenn man organisierte Religion in Amerika in einem Gesamtüberblick betrachtet, vom Beginn der Föderalperiode bis hinauf in unsere Tage, scheinen dieses ihre auffallendsten und bemerkenswertesten Züge zu sein: Die volle Blüte des denominationellen Systems; ‚revivalism' oder ‚evangelical'; das ‚Social Gospel'; und der Trend auf Kooperation und Vereinigung unter den Denominationen. Hinter diesen Charaktereigenschaften organisierter Religion liegen bestimmte Umweltfaktoren, die hauptsächlich politischer, geographischer, sozialer und ökonomischer Natur sind" (Winfred E. Garrison, Characteristics of American Organizied Religion, in: The Annals 1948 "Organized Religion in the United States", ed. by Ray H. Abrams, Philadelphia 1948, 14). Die neuerliche Bedeutung von Religion in den fünfziger Jahren trug alle diese Aspekte in verschiedener Akzentuierung in sich.

434) Will Herberg, Protestant, Catholic, Jew. An Essay in American Religious Sociology, Doubleday & Comp., Inc.: Garden City, New York: Anchorbooks Revised Edition 1960.

435) Ebd. 23.

436) Ebd. 38; Herberg übersah dabei jedoch die weiter bestimmende Rolle der Ethnizität, die besonders in den letzten Jahren wieder deutlich zum Vorschein kam.

437) Vgl. Yearbook of American Churches 1960, 258, 279.

438) Vgl. „The Catholic Digest", January 1953; and: Marty, Rosenberg, Greely, What do we Believe? The Stance of Religion in America, Meredith Press: New York 1968, 164 bis 346.

439) Eine ähnliche Vermutung hegt auch Ronald E. Osborne: „Unsere sogenannte ‚Rückkehr zur Religion' könnte ein sich wieder erhebender Primitivismus sein, der Zweifel und Furcht mit der Magie des Glaubens zur Ruhe bringen würde, indem er eine göttliche Segnung auf den ‚American Way' herabruft, anstelle demütig den Willen des ewigen Gottes für Amerika zu suchen. Eine hohle und selbstsüchtige Religiosität, die weder in Lehre verwurzelt ist, noch in Ethik erblüht, darf nicht mit einem ‚revival' verwechselt werden" (R. E. Osborne, The Spirit of American Christianity, Harper & Brothers Publ.: New York 1958, 221).

440) H. Richard Niebuhr, The Social Sources of Denominationalism, Holt 1929, 145.

441) Die katholische Kirche war gewollt oder ungewollt Teil einer solchen Entwicklung, wie es der Exkurs zum „Amerikanismus"-Problem gezeigt hat.

442) M. E. Marty, What Do We Believe?, a. a. O. 45.

443) Ebd. 46.

444) Daniel Bell, The End of Ideology. On the Exhaustion of Political Ideas in the Fifties, The Free Press: New York 1967[4], 95. Diesen Traum vom himmlischen Jerusalem hat Reinhold Niebuhr einmal zutreffend analysiert als eine Mischung von Frömmigkeit und säkularisierter Vernunft, die noch in Amerika weiterbesteht: „Der Himmel einer evangelischen Christenheit und das Utopia der Aufklärung wurden an der ‚frontier‘ miteinander verschmolzen. Aber Utopia spielte eine größere Rolle in der Vorstellungs-welt der ‚Pioniere‘. Und es war ein bereits verwirklichtes Utopia, nicht ein zukünftiges. Amerika war so etwas wie ein Reich Gottes" (R. Niebuhr, Pious and Secular America, Charles Scribner's Sons: New York 1958, 9) (d:14). Thomas Luckmann versteht es mehr als einen reziprok-geschichtlichen Prozeß: „Während religiöse Vorstellungen ursprünglich eine wichtige Rolle in der Ausformung des ‚American Dream‘ hatten, durch-dringen heute säkulare Ideen des ‚American Dream‘ die kirchliche Religion" (Invisible Religion, a. a. O. 36).

445) Ebd. 9.

446) In Anerkennung dieser Tatsache verurteilt S. E. Ahlstrom die Auswirkungen „amerika-nischer Religion" ziemlich hart: „In der Theorie war die Bundesunion von ihren Anfängen an eine Nation von Minderheiten und ein Land der Freiheit und Gleichheit. Aber tatsächlich war das nie so. Gründliche Ungleichheit und massive Formen der Unter-drückung waren Merkmale, grundlegende Merkmale des ‚American Way of Life‘ " (S. E. Ahlstrom, The Radical Turn in Theology and Ethics: Why it Occured in the 1960's, in: The Annals of the American Academy of Political and Social Science 1970 "The Sixties: Radical Change in American Religion", Philadelphia 1970, 10).

447) W. Herberg, a. a. O. 75.

448) Ebd. 79; diese Beschreibung ähnelt der von: David Riesman, The Lonely Crowd. A Study of the Changing American Character, ed. with Nathan Glazer and Reuel Denney, abr. Ed. Yale University Press: New Haven 1970[22], XXXI; bzw. der von Alexis de Tocqueville, Democracy in America (passim).

449) P. L. Berger, The Sacred Canopy, a. a. O. 55 (d:54).

450) Rosenberg, What Do We Believe, a. a. O. 53. Reinhold Niebuhr übt bittere Kritik an dieser typisch amerikanischen Religiosität in ihrer Verformung zu einer nationalen Lebensart: „Sie haben den majestätischen Glauben auf kleine Proportionen reduziert ... zu einer kindischen Interessenvertretung ... einem frommen ideologischen Aushänge-schild für nationale und Klasseninteressen ... eine leicht gemachte Ausflucht vor den verdrießlichen Streitfragen des Tages" (Niebuhr, Pious and Secular America, a. a. O. 23) (d:28).

451) W. Herberg, a. a. O. 78 f.

452) Robert N. Bellah, Civil Religion in America, in: Daedalus 96 (1967) 1–21. Diese differen-zierten Zusammenhänge läßt F. Buri, Gott in Amerika, Amerikanische Theologie seit 1960, Tübingen 1970, 74 f. außer acht, wenn er die Wandlungen des „American Dream" in „Social Gospel", „Neo-Orthodoxy" und „theologischem Radikalismus" nur mit europäischen Kürzeln wie „Kulturprotestantismus", „universaler Krisengedanke" und „enthusiastischer Zukunftsoptimismus" belegt.

453) Alexis de Tocqueville, a. a. O. 432 (d:Bd.II,18); ähnlich urteilt Anfang dieses Jahr-hunderts George Santayana etwas sarkastisch: „In Amerika gibt es nur einen Weg der Erlösung und es ist nicht der der offiziellen Religionen; diese müssen sich selbst still-schweigend der nationalen Orthodoxie anpassen oder sind andernfalls unfähig und bloß ornamental. Dieser nationale Glaube und seine Moralität sind vage in der Idee, aber

unerbittlich in ihrem Geist; sie sind das Evangelium der Arbeit und der Glaube an den Fortschritt. In einem Land, in dem alle Menschen frei sind, findet so jedermann in ihnen das, was am wichtigsten ist, schon vorderhand für ihn entschieden" (G. Santayana, Character and Opinion in the United States, Charles Scribner's Sons: New York 1921[3], 211). Eine mehr soziologisch orientierte Darstellung der Zivilreligion müßte hier noch eingehender Funktion und Institution untersuchen (etwa in der Ausprägung der „Public School") und ihren Einfluß auf das Zerbrechen des weltkonstruierenden Systems des „American Dream". Sie müßte dann weiterhin nach Ersatzformen der Funktionalität dieses Mythos fragen.

454) Ebd. 436 (d:23). Dieselbe Einsicht hat Philipp E. Hammond neuerlich auf die Lehre von Gottes Allmacht angewandt: „Ideologisch gehört Gott die Allmacht, aber tatsächlich wird sein Wille durch Mehrheitsbestimmung, ‚fair play‘ oder andere solche vermittelnde Regeln bekannt" (Philipp E. Hammond, Commentary on Civil Religion in America, in: The Relious Situation 1968, 383 f.). Peter Berger kommt zu einer ähnlichen Konklusion wenn er schreibt: „Zugehörigkeit zu einer religiösen Institution wird zu einem Akt der Allianz mit der ‚o.k.-Welt‘, mit der Normalität, mit dem *status quo*" (P. L. Berger, The Noise of Solemn Assemblies, Doubleday & Comp., Inc.: Garden City, New York 1961, 93).

455) W. Herberg, a. a. O. 242. Die These von D. Riesman über den Amerikaner als „other directed" findet hier seine besten Beispiele bis hinauf in die siebziger Jahre. Denn wie Richard J. Neuhaus darlegt, ist es tiefliegend auch wieder eine neue Form von Zivilreligion, die sich gegen die militärische Einmischung der Regierung in Indochina einsetzt. Das zeigt sich daran, daß es in diesem Protest kein bedeutendes kritisches Element gibt, das gesellschaftlich stark genug wäre, um den messianischen Drang des „American Way of Life" zu wandeln, der ständig auf einen neuen Konflikt zusteuert, indem er versucht, amerikanische Normen als eine neue Form von Erlösung zu den Enden der Welt zu bringen: Zivilreligion kennt kein Eingeständnis von Versagen, das in Umkehr mündet (Richard J. Neuhaus, The War, the Churches and Civil Religion, in: The Annals 1970, a. a. O. 128–140). Ähnlich urteilt Marty, What Do We Believe?, a. a. O. 30: „Die ‚Revolution der sechziger Jahre‘ . . . hat nahezu nichts getan, um gegen die politische Religion Amerikas anzurennen!" Diesen Vorwurf werden wir später noch genauer verfolgen.

456) Marty, What Do We Believe?, a. a. O. 11; „blanket-Bettdecke" soll die alles umfassende, Differenzen verdeckende und wohltuende Funktion der Zivilreligion umschreiben.

457) Ders., The New Shape of American Religion, Harper & Brothers, Publ.: New York 1958, 37 ff.; der Schritt zu einer gesellschaftskritischen Theologie vom „Tode Gottes" ist von dieser Analyse aus nicht mehr weit.

458) W. Herberg, a. a. O. 263 f.

459) Die moralische Legitimation von Regierungspolitik durch Gebete und Gottesdienste ist nur ein Aspekt dieser ideellen Unterstützung, die die Zivilreligion als solche ist. Sie erhält eine besondere Akzentuierung durch die allsonntäglichen Gottesdienste im Weißen Haus, die in den letzten Jahren nationale Einheit und gegenseitiges Verständnis fördern sollten, aber mehr der Vertuschung präsidialer Verfehlungen Richard M. Nixon's galten.

460) Aber diese versteifte sich wiederum in Bestätigung von Niebuhrs „Tragik"-Verständnis, als diese Neokritiker später ein neues Bekenntnis einer anderen, aber nur scheinbar verschiedenen Zivilreligion aufstellten.

461) S. E. Ahlstrom, The Radical Turn, a. a. O. 6.

462) Carter G. Woodson, Ed., The Works of Francis J. Grimké, Vol. I.: Adresses Mainly Personal and Racial, The Associated Publishers, Inc.: Washington, D.C. 1942, 256.

463) Ebd. 239.

464) Ebd. 254.

465) Ebd. 268.

466) Ebd. 462.

467) Ebd. 471.

468) Ebd. 563 f.

469) Aber es ist zur Gewohnheit des radikalen Flügels der „Black-Power-Bewegung" geworden,
      die Normen dieser Tradition einer frühen, kirchlich orientierten Kritik beiseite zu schieben,
      da man sich bewußt wird, daß jetzt die Zeit einer endgültigen Befreiung gekommen ist.
      Die Themen von Reue und Gericht sind jetzt die Bezugsschemata für die Forderungen an
      die früheren und noch immer starken Unterdrücker. Eldridge Cleaver formuliert diese
      Haltung in einem scharfen Satz: „Wir werden unsere Menschlichkeit haben. Wir werden
      sie haben oder die Erde wird durch unsere Versuche, sie zu erlangen, dem Boden gleich-
      gemacht" (Eldridge Cleaver, Soul on Ice, Dell Publishing Comp., Inc.: New York 1968, 61).

470) James H. Cone, Black Consciousness and the Black Church: A Historical — Theological
      Interpretation, in: The Annals 1970, 51 (Cone führt diese Gedanken in zwei Buch-
      publikationen weiter aus: Black Theology and Black Power, The Seabury Press: New York
      1969; ders., A. Black Theology of Liberation, J. B. Lippincott Comp.: Philadelphia —
      New York 1970; gegenüber den Gedanken von Grimké scheinen die Vorstellungen von
      Cone teilweise recht simplistisch). Zum Minoritätsbewußtsein kommt als soziale Ursache
      noch der akzellerierte Prozeß der Technisierung hinzu, den das schwarzfarbige Amerika
      in den vergangenen Jahrzehnten erfuhr, und der sich in „Mobilität und Verstädterung"
      anzeigt. „Diese sind wahrscheinlich die beiden wichtigsten Faktoren, die das Leben des
      Negers in den letzten 20 Jahren betroffen haben . . . Die Negerbevölkerung in den
      30 größten Städten des Nordens, Mittelwestens und Westens hat sich in dem Jahrzehnt
      von 1940 bis 1950 mehr als verdoppelt. Dieser Trend scheint sich im Jahrzehnt 1950/60
      fortgesetzt zu haben . . . Zwischen 1940 und 1955 nahm die Zahl der Neger in außer-
      landwirtschaftlicher Beschäftigung von 3 Millionen auf 3,5 Millionen zu, eine proportional
      gesehen größere Ausweitung als die der Arbeiterschaft im allgemeinen" (J. Oscar Lee,
      Religion among Ethnic and Radical Minorities, in: The Annals 1960, a. a. O. 115). Die
      Anzeichen eines „Cop-outs" mancher junger Angehöriger der amerikanischen „higher
      middle class" kann der Aufwärtsmobilität der Minoritätsgruppen nachhelfen, da die
      Erhaltung einer kompliziert gewordenen Technologie lebensnotwendig geworden ist, aus
      der sich die „Cop-outs" in Protesthaltung zurückziehen.

471) J. H. Cone, a. a. O. 52.

472) J. H. Cone, a. a. O. 49. Cone bewegt sich mit mancher Formulierung am Rande einer
      Zivilreligion mit nur umgekehrten Vorzeichen. F. Buri scheint mir dennoch in seinem
      2. Band „Gott in Amerika" in seinem Urteil (vgl. 17 f.; 52 f.) zu apodiktisch, weil
      er den oft symbolischen Gebrauch von „black" nicht wahrnimmt.

473) R. Niebuhr, Pious and Secular America, a. a. O. 82 (d:84).

474) Vincent Harding, The Religion of Black Power, in: The Religious Situation 1968,
      a. a. O. 37.

475) W. Herberg, a. a. O. 60.

476) So paßten sich manche amerikanische Christen in eine neue Rolle ein, die ich auch heute
      noch mehr einer Führungsgruppe oder Randgruppen in den Kirchen zuschreiben würde
      als den Kirchen selbst, wie es R. J. Neuhaus tut: „Die Kirchen wurden ebenso daran
      gehindert, die Trommeln eines geheiligten Patriotismus zu schlagen, wie sie es manchmal
      in der Vergangenheit getan haben, weil die Kirchen, wie die allgemeine Kultur in irgend-
      einer Weise gegenüber den Lektionen eines Nazi-Deutschlands wach geworden sind,
      besonders für die Notwendigkeit einer kritischen Haltung gegenüber der Gesellschaft
      und ihrer Regierung" (R. J. Neuhaus, a. a. O. 113). Der speziell hohe Anteil von Katho-
      liken an der jüngsten politischen Diskussion und Protesthaltung hat seinen Grund nicht
      bloß in dieser generell beginnenden Ernüchterung, sondern hat — neben einer kritischen
      Offenheit gegenüber dem Wandel allgemein und einer klareren Abgrenzung gegenüber

der römischen Zentrale im besonderen seit dem 2. Vatikanischen Konzil – vor allem seine Begründung in dem seit dem Amerikanismusstreit immer wieder unterdrückten psychologischen Drang nach außen; so kann man diese neue Profilierung des amerikanischen Katholizismus als „eine Überkompensation für Jahre ghettoisierter katholischer Enthaltsamkeit von gesellschaftlichem Wandel" ansehen (R. J. Neuhaus, a. a. O. 133).

477) D. Bell, The End of Ideology, a. a. O. 353.

478) D. Bell, a. a. O. 98. Nur ein erneuter Schub von Konformismus könnte die wachsende neue Wachheit in der amerikanischen Kultur aufhalten.

479) P. L. Berger, The Sacred Canopy, a. a. O. 8 (d:9).

480) D. Riesman, a. a. O. XX f.

481) S. E. Ahlstrom, a. a. O. 9.

482) Ebd. 3.

483) D. Riesman, a. a. O. XLVI.

484) P. L. Berger, A Rumor of Angels, a. a. O. 10 (d:26).

485) Statistisch legten wir es bereits in Abschnitt III, § 2., 1 dar.

486) W. Herberg, a. a. O. 61; rückblickend äußerte James Luther Adams bei einem Gespräch am 9. September 1971 in Cambridge, Mass., ein ähnliches Urteil über dieses sogenannte „revival": „Diese Rückkehr zur Religion war eine Art von utilitaristischer Entwicklung . . . nicht eine wirkliche religiöse Orientierung, sondern fast ein krasser utilitaristischer Gebrauch einer Hilfs-Religion". Das aufsehenerregende Projekt der „Neo-Orthodoxy" einer „Kirche der Armen" kam nicht zum Durchbruch.

487) Th. Luckmann, a. a. O. 89.

488) D. Bell, a. a. O. 114.

489) Marty, a. a. O. 14; die Beschwörungen der Nation und der Geschichte in den Reden von Richard Nixon repräsentierten dieses Vokabular bis in die siebziger Jahre.

490) R. Niebuhr, Pious and Secular America, a. a. O. 21 f. (d:26 f.).

491) W. Herberg, a. a. O. 257.

492) D. Riesman, a. a. O. XXXVII.

493) Bell argumentiert nicht für ein totales Ende der Ideologie in der Welt, was einfach den empirischen Tatsächlichkeiten widerspräche, sondern für eine Beendigung ideologischen Denkens, das der Gesellschaft durch den technologischen Fortschritt in den USA verwehrt war; die alles umfassende Fähigkeit einer Ideologie kommt zu ihrem Ende, nicht aber die Anlage des Menschen, ideologische Behauptungen und Systeme aufzustellen, die man in den vergangenen Jahren wieder häufiger bei Studenten und Politikern auch in den USA antraf – und sogar bei den „hard hats".

494) T. Parsons, a. a. O. 68 f.

495) S. E. Ahlstrom, a. a. O. 7.

496) Ebd. 12.

497) Marty, a. a. O. 15; Ahlstrom analysiert die Folgeerscheinung nüchtern: „Es ist eine Konsequenz davon, daß Theologen im amerikanischen Leben anfangen den Platz einzunehmen, den in dem halben Jahrhundert nach James und Royce säkulare Philosophen oder beinahe säkulare liberale Theologen innegehabt hatten" (in: Theology and the Present Day Revival, a. a. O. 30). Die Theologen erwachten durch dieses Interesse zu einer Wiederaufnahme einer typisch amerikanischen theologischen Tradition (vgl. M. Novak, a. a. O. 199).

498) S. E. Ahlstrom, a. a. O. 8; vgl. dazu auch: John Charles Cooper, Radical Christianity and its Sources, The Westminster Press: Philadelphia 1968, 117.

499) J. L. Adams, Taking Time Seriously, The Free Press: Glencoe, Ill., 1957, 63.

500) Marty beschreibt den Grund für die Durchhaltekraft einer öffentlichen Religiosität, in der „die alten Lehren die nominelle Orthodoxie der neuen Ordnung bleiben; die Symbole verbleiben, obwohl sie nicht länger viel irgendwie Erkennbares mit sich tragen. Der Aufsichtsratsvorsitzende einer großen Firma wird sich zweifellos durch einen ,Tod Gottes'-Theologen, einen Advokaten der ,säkularen Stadt' oder ,radikalen' Theologen bedroht fühlen. Er wird sich mit Sicherheit dem Kleriker anvertrauen und ihn unterstützen, der die Symbole („das Blut des Lammes", „Jesus rettet") anruft; von diesen weiß er, daß sie vor eineinhalb Jahrhunderten unsere Gesellschaft über den Berg brachten; aber damals hatten diese Symbole noch einen erkennbaren Zweck" (a. a. O. 31).

501) Peter Berger ist ebenfalls recht deutlich, wenn er schreibt: „Extremer theologischer Liberalismus, der sich selbst ,radikale Theologie' nennt, kann als einer verstanden werden, der daran verzweifelt ist, eine Antwort auf die Frage zu finden, und den Versuch dazu aufgegeben hat" (The Sacred Canopy, a. a. O. 183) (d:173 f.).

502) E. B. Borowitz, Jewish Theology Faces the 1970's, in: The Annals 1970, 25 f.

503) Thomas F. O'Dea, The Catholic Crisis: Second Chance for Western Christianity, in: The Religious Situation 1968, a. a. O. 327.

504) Harvey G. Cox, The Feast of Fools, Harvard University Press: Cambridge 1969, kann in diesem Zusammenhang als eine gediegene Wahrnehmung der zeitgenössischen amerikanischen Situation gesehen werden: Cox behauptet, daß „nur eine Wiedergeburt der Festlichkeit uns über die religiöse Krise hinwegführen kann, die wir den Tod Gottes nennen" (ebd. 43) (d:62). Die Grundlage für diese Fähigkeit ist die Erfahrung im Zelebrieren, die „uns erinnert, daß wir ganz in der Geschichte leben, aber daß die Geschichte ebenso in etwas anderem steht" (ebd. 46) (d:66). Gleichzeitig muß man sich aber auch der Gefahr bewußt bleiben, daß etwa Festivals von jungen Popmusik-Liebhabern oft in einen „revival-service" ausufern, wie etwa in Woodstock; diese Veranstaltungen auch im kleineren Rahmen können dann wie die religiösen „Camp-Meetings" vorhergehender Generationen zu säkularisierten Formen eines amerikanischen Pietismus werden, der kein soziales Bewußtsein mehr hat.

505) H. Smith, Secularisation and the Sacred: The Contemporary Scene, in: The Religious Situation 1968, a. a. O. 595; diese Verpflichtung zu einer religiösen Wahl aufgrund des Angebotes des „religiösen Marktes" (Luckmann) und wegen der sich stellenden Glaubensfrage bestätigte auch Andrew M. Greeley bei einem Gespräch im National Opinion Research Centre in Chicago am 7. 4. 1971: „Die Leute kämpfen mit sich um ein Bedeutungssystem. Unsere Untersuchungen über College-Studenten zeigen, daß ihre wichtigste Begründung für den Collegebesuch die ist, ein Wertsystem zu finden, mit dem sie leben können". Gleichzeitig stellte Greeley fest: „Es gibt diese Suche nach einem Bedeutungssystem und nach einer Gemeinschaft, aber nicht nach einer Organisation. Die Kirche aber wird als Organisation verstanden". Denn von dort kommt keine Anregung für neue Vorstellungen und neue Lebensformen!

506) Marty, a. a. O. 48.

507) Julian Huxley, Ritual in Human Societies, in: The Religious Situation 1968, a. a. O. 709.

508) Rosenberg, a. a. O. 104; in dieser erneuerten Anforderung an den Glauben durch die Wirklichkeit im Prozeß der Säkularisierung liegt nach der Meinung von Charles Davis ein „Kairos", der „die besten Voraussetzungen in sich trägt, die christliche Sendung zu erfüllen" (Ch. Davis, God's Grace in History, Fontana Books: London 1966, 61). Berger spricht in diesem Zusammenhang von einer „Entmonopolisierung religiöser Traditionen" (P. L. Berger, The Sacred Canopy, a. a. O. 135) (d:129).

509) Die Flagge in jeder Kirche und Synagoge ist noch ein Relikt dieses Schutzdaches: So meint Will Herberg, in diesem Zusammenhang, daß „die vielfältige Struktur des Denominationalismus ein Weg für den Ausdruck von Klassenunterschied und Rassentrennung geworden ist. Aber alle diese Differenzen bleiben Unterschiede *innerhalb* der alles

umfassenden Struktur des amerikanischen religiösen Lebens" (a. a. O. 219). Diese Säkularisierung hat ihren Grund in der besonderen Sozialstruktur, in der sich der religiöse Amerikaner bis hin zu seiner Zivilreligion befindet. Demerath charakterisiert diese Besonderheit so: „Die zwei Merkmale der amerikanischen Religion sind ihre Empfänglichkeit für nichtreligiöse Faktoren und ihre daraus resultierende Vielseitigkeit. In der Abwesenheit irgendeiner Staatskirche ist die Religion verwundbar durch Einflüsse wie die durch soziale Klassen" (Nicholas J. Demerath III, Social Class in American Protestantism, Rand McNally & Comp. Chicago 1965, 1).

510) H. Smith, a. a. O. 583.

511) P. L. Berger, The Sacred Canopy, a. a. O. 107 (d:103).

512) T. Parsons, a. a. O. 51.

513) Marty bezeichnet diesen Prozeß als das „moderne Schisma" und beschreibt den Säkularisierungsvorgang folgendermaßen: „Die amerikanische Version der Säkularisierung . . . stellt einen kontrollierten und geregelten Prozeß dar, der komplex ist. Das Säkulare sticht nicht im deutlichen Umriß gegen den Hintergrund einer historischen sakralen Kultur ab. Solange die Leute nicht über die Kulturgrenzen hinweggehen, die das Schisma hinterlassen hat, gibt es wenig Spannungen oder Militanz. Ideologie ist eine geringfügige Erscheinung" (M. E. Marty, The Modern Schism. Three Paths to the Secular, SCM Press Ltd.: London 1969). Die Säkularisierung ist für Marty ein Komplex radikalen religiösen Wandels, in dem die Menschen „eine Transformation der Symbole" erfahren (ebd. 108).

514) W. Herberg, a. a. O. 1.

515) So schreibt etwa Reinhold Niebuhr: „In unserer Nation tendieren religiöse und säkulare Anschauungen darauf hin, sich in einer Art von vager und manchmal sentimentaler Religion der Demokratie zu vermischen, aber mit keinen starken antireligiösen oder antisäkularen fanatischen Zügen" (Pious and Secular America, a. a. O. 16) (d:21).

516) W. Herberg, a. a. O. 260.

517) A. M. Greeley, a. a. O. 157; den letzten Teil von Greeleys Feststellung kann man m. E. in Frage stellen, wenn man die wachsende Zahl der gleichzeitig „religiös" wie säkularistisch orientierten Amerikaner und ihre Interessenvertretung beobachtet. Ergänzend meint dazu G. Lenski: „Es gibt Grund genug für die Annahme, daß es heute in Amerika eine säkularistische Untergruppierung gibt, die ihre eigene bestimmte Art von Intoleranz und Engstirnigkeit pflegt" (Gerhard Lenski, The Religious Factor, Doubleday & Comp. Inc.: Garden City, New York 1961, 297).

518) R. Niebuhr, Pious and Secular America, a. a. O. 32 (d:36 f.); Lenski beschreibt in seiner Analyse dieses Säkularismus indirekt die Unausweichlichkeit des Säkularisierungsprozesses, ohne daß er ihn als durch die Säkularität bestimmten dialektischen Vorgang charakterisiert: „Der Protestantismus ist so sehr mit ökonomischem Erfolg gleichgesetzt worden, mit Ehrbarkeit und Werten der Mittelklassen, daß eine große Zahl des Klerus und der Laien den Blick für grundlegende geistige Ziele verloren haben. Wenn unsere Analyse korrekt ist, dann ist dies ein Problem, für das es keine einfache Lösung gibt: Es ist eine endemische Krankheit, an der ein mündiger Protestantismus immer leiden wird, solange er seinen grundlegenden Charakter behält und in der Lage ist, sich frei von Repression von Seiten der Regierung oder der Kirche zu entwickeln" (ebd. 317 f.). Nach Lenskis Meinung muß der Protestantismus und mit ihm jeder wirklichkeitsorientierte Glaube die Balance zwischen einer getrennten Eigenexistenz und einem politischen Engagement halten (ebd. 329), womit er eine Phänomenologie der Säkularität andeutet.

519) Charles Y. Glock und Rodney Stark zeigen diese säkularistisch geprägte Institutionalisierung deutlich am Beispiel der Kirche auf: „Daß die Kirche mehr von den Werten der Gesellschaft im allgemeinen geprägt ist, als daß sie diese prägt, ist ein Anzeichen dafür, daß unsere Gesellschaft sich nicht länger auf religiöse übergesellschaftliche Autorität

und ihr sanktionierendes System beruft, um ihre Normen für gültig zu erklären. Es ist ebenfalls ein Anzeichen dafür, daß die organisierte Religion sich wenigstens implizit dazu verpflichtet hat, die Gesellschaft so, wie sie ist, zu erhalten, anstatt ihre Erneuerung gemäß den Richtlinien zu fördern, die die Kirche formuliert hat. In diesem letzten Sinne trägt die Religion nun wirklich zur sozialen Integration bei, aber vielleicht unter Bedingungen, die ihren bestimmt religiösen Charakter kompromittieren" (Ch. Y. Glock and R. Stark, Religion and Society in Tension, Rand McNally & Comp.: Chicago 1965, 184). Seinen besten Ausdruck findet dieser unideologische Säkularismus, den Andrew M. Greeley als einen „neuen Humanismus" beschreibt, im Selbstverständnis der Vorstadt (suburb): denn „in allem seinem Lippenbekenntnis zum Göttlichen hat Religion wenig praktischen Einfluß auf seine Lebensweise und Ziele" (A. M. Greeley, The Church and the Suburbs, Sheed & Ward: New York 1959, 201). Im Rückzug auf sich selbst glaubt dieser Säkularismus an die glückliche Vereinigung „zwischen Technologie und Demokratie" und „vergißt die Leiden und Schwierigkeiten des Rests der Menschheit" (ebd. 202 f.).

520) Diese Kategorie aus dem soziologischen Vokabular umschreibt die theologische Forderung nach Umkehr in einer säkularen Sprache und darf deshalb wohl als Umschreibung eines Konstitutivs der Säkularität verwendet werden.

521) W. Herberg, a. a. O. 254 f.

522) P. L. Berger, The Sacred Canopy, a. a. O. 184 (d:175).

523) T. Parsons, a. a. O. 48.

524) Es geht um einen „induktiven Vorgang", der „mit der Offenheit gegenüber den Tatsachen beginnt . . . Christlicher Glaube meint, daß eines der Elemente, mit dem wir es zu tun haben, die Verborgenheit Gottes im Säkularen, im Bilde Christi ist" (John J. Vincent, Secular Christ. A Contemporary Interpretation of Jesus, Abingdon Press: Nashville – New York 1968, 221 f.; vgl. zur Frage des Gottesreiches ebd. 127).

525) M. Novak, a. a. O. 217.

526) Erik H. Erikson, The Development of Ritualization, in: The Religious Situation, a. a. O. 732.

527) H. Smith, a. a. O. 591.

528) Guy E. Swanson, Modern Secularity, in: The Religious Situation 1968, 829 f.

529) E. B. Borowitz, a. a. O. 28 f.; diese jungen Leute erfahren, was Stephen C. Rose in: Alarms and Visions. Churches and the American Crisis (Chicago 1967, 44) formuliert hat: „Unser Problem bewegt sich darauf hin, daß wir *von* der Welt sind, aber nicht wirklich in irgendeiner bedeutenden Weise *in* ihr. Wenn die einzige Verkündigung, die wir haben, ein religionisiertes Echo von reißerischen humanistischen Bekenntnissen ist, dann sollten wir auf jeden Fall aufgeben".

530) A. E. Ahlstrom, a. a. O. 13.

531) Larry Shiner, Toward a Theology of Secularization, in: The Yournal of Religion, Vol. XLV (1965), 291; Ronald G. Smith faßt den Neuansatz in der Säkularität auf ähnliche Weise zusammen: „Glaube an den Zusammenhang der Geschichte, Geschichte, als durch die Wirklichkeit Christi als *dem* eschatologischen Ereignis qualifiziert und Säkularität als reale Möglichkeit angeboten in der Wirklichkeit Christi – das sind die ineinander verketteten Themen, die . . . die Grundlagen für ein neues Verständnis der befreienden Mächte geben, die im Christentum zu finden sind" (R. G. Smith, Secular Christianity, Collins: London 1965, 8; vgl. ebenso 120 f.).

532) P. L. Berger, The Noise of Solemn Assemblies, a. a. O. 179 f. (d:187).

II. Teil

1) Weitere biographische Angaben finden sich am genauesten bei: Matthias Kroeger, Zum Verständnis von Person und Werk Friedrich Gogartens, in: Publ. Wiss. Film, Sekt. Gesch., Päd., Publ., Bd. I, Heft 3, Göttingen 1968, 10–38.

2) So in einem ca. 1923 in Stelzendorf abgefaßten Lebenslauf, den mir seine Tochter, Frau Marianne Bultmann, freundlicherweise zur Verfügung stellte.

3) In einem am 5./6. Juni 1967 gefilmten Gespräch auf diese Phase hin angesprochen, sagte Gogarten: „Das war die liberalistische, und war die idealistische, und ich habe mich dann überhaupt an den Idealismus gewendet und habe ziemlich intensiv Fichte studiert, weil ich da diese Ware echt bekam und in ihrem ursprünglichen Zustand" (abgedruckt in: Publ. Wiss. Film, a. a. O. Heft 4, 10; Filmnummer G 121).

4) F. Gogarten, Fichte als religiöser Denker, Jena 1914 (im folgenden: FD).

5) F. Gogarten, Religion und Geschichte, in: Monatshefte der Comenius-Gesellschaft für Kultur und Geistesleben, 6 (1914) 10.

6) FD 11.

7) F. Gogarten, Fichtes Religion, in: Die Tat 5 (1913/14) 1109.

8) FD 29.

9) FD 35; diese Doppelheit der Wirklichkeit ist auch Grundlage der Einsamkeit, der Selbständigkeit des Ich. Vgl. dazu: F. Gogarten, Fichtes Religion, a. a. O. 1113.

10) FD 60.

11) In: Fichtes Religion, a. a. O. 1115, beschreibt Gogarten diese Selbständigkeit als „das eine Leben Gottes, in dem . . . Gott alles in allem ist".

12) FD 14.

13) FD 65.

14) FD 14.

15) FD 84 f. beschreibt Gogarten Geschichte im Sinne Fichtes als „die noch erst zukünftige Entwicklung des Menschengeschlechtes zum Bilde Gottes".

16) Vgl. dazu: Fichtes Religion, a. a. O. 1116 f.

17) FD 92.

18) FD 100.

19) FD 99.

20) FD 98; vgl. ebd. 100.

21) FD 105.

22) FD 107; in FD 110 betont Gogarten besonders den Gemeinschaftsaspekt dieses Lebens.

23) FD 102; da diese religiöse Kraft der Mystik von Gott selbst kommt, lehnt Gogarten die Orthodoxie mit der Beschränkung der Vorstellung von Jesus als der Sühne für die Sünden und das liberale Christentum mit seinem verengten Bezug auf den historischen Jesus ab.

24) Vgl. FD 119.

25) FD 76.

26) FD 79.

27) F. Gogarten, Religion und Geschichte, a. a. O. 9.

28) F. Gogarten, Fichtes Religion, a. a. O. 1118.

29) FD 116.

30) F. Gogarten, Religion und Volkstum, Tat — Flugschriften 5, Jena 1915, 34; vgl. auch 24 (im folgenden: RV).

31) RV 15.

32) Vgl. F. Gogarten, Volk und Schöpfung, in: PrBl 48, (1915), 51 f. Auf die Einflüsse von Paul A. de Legarde und seinem Gedanken einer durch ein nationales Christentum geeinten Nation auf Gogarten und seine Sympathie für die Gedanken von Artur Bonus kann hier nur verwiesen werden. Durch die Abkehr vom Idealismus, die mit der Schrift „Religion weither" deutlich wird, verliert Gogarten auch die Nähe zu diesen Gedankengängen.

33) RV 23.

34) Vgl. RV 25; Gogarten weiß, daß es sich bei seinen Gedanken mehr um einen Imperativ handelt. Das machen Bemerkungen in einem Artikel deutlich, den er am 3. Juni 1916 in „Die Feldpost" veröffentlicht: Hier wendet er sich gegen den sich immer weiter verbreitenden Nationalstolz und die mit ihm verbundene Verachtung anderer Nationen, die ständig nur den anderen „die Vorwürfe der Schuld an diesem Krieg" macht. Er befürwortet eine weniger abgegrenzte Wirklichkeitserfassung und fordert daher auf: „Wir brauchen uns gar nicht zu schämen, wenn uns jede Nachricht, die Gutes und Edles vom Feind berichtet, in der innersten Seele froh macht. Unsere Seele lebt von der Achtung vor dem anderen, und es ist wahrhaftig kein schlechtes Zeichen für uns, wenn uns die Verleumdungsatmosphäre unerträglich wird, die nun schon so lange über unserer Erde liegt".

35) F. Gogarten, Volk und Schöpfung, a. a. O. 53.

36) Ebd. 54.

37) RV 12.

38) RV 15.

39) RV 7 f.

40) RV 16.

41) RV 18.

42) RV 17.

43) RV 5.

44) F. Gogarten, Deutsche Innerlichkeit, in: Christliche Freiheit. Evangelisches Gemeindeblatt für Rheinland und Westfalen, 31 (1915), 451.

45) F. Gogarten, Gedanken zur deutschen Zukunft, in: Christliche Freiheit, a. a. O. 387.

46) RV 32.

47) Ebd.

48) RV 27 f.; vgl. auch 32. Gogarten geht hier in der Lutherbeurteilung schon über seinen Lehrer Troeltsch hinaus, indem er Luther eine Axialstellung zuweist. Eine neue Beurteilung Luthers findet sich aber erst einige Jahre später nach intensivem Studium seiner Schriften.

49) So charakterisiert Karl-Wilhelm Thyssen, Begegnung und Verantwortung. Der Weg der Theologie Friedrich Gogartens von den Anfängen bis zum Zweiten Weltkrieg. Tübingen 1970, 9, die frühe idealistisch orientierte Phase Gogartens. Die weit aufgefächerte Untersuchung von Thyssen erlaubt es mir, mich in der Darstellung der Frühzeit der Theologie Gogartens auf einige Hinweise zur Entwicklung des Säkularitätsproblems im Bemühen um den Wirklichkeitsbegriff zu beschränken. Für weitere allgemeinere Information über die frühe theologische Entwicklung Gogartens verweise ich auf die Arbeit von Thyssen.

50) F. Gogarten, Das Mittelalter, Luther und unsere Zukunft, in: Die Tat, 9, 1917, 605.

51) F. Gogarten, Paul Lumnitzer, in: Westermanns Monatshefte 117, 1914, 504 f.

52) F. Gogarten, Religion weither, Jena 1917, 14 (im folgenden: RW).

53) Johannes Alexander von Wyk, Die Möglichkeit der Theologie bei Friedrich Gogarten, Basel 1950, 31; vgl. für eine weitere Ausführung der Du-Ich-Problematik: K.-W. Thyssen, a. a. O. 26 ff.

54) RW 25. Peter Lange (Konkrete Theologie? Karl Barth und Friedrich Gogarten „Zwischen den Zeiten" (1922–1933). Eine theologiegeschichtlich-systematische Untersuchung im Blick auf die Praxis theologischen Verhaltens, in: Basler Studien zur historischen und systematischen Theologie, hrsg. von Max Geiger, Band 19, Zürich 1972) sieht die Du-Ich-Erfahrung hier noch idealistisch vom Ich her bestimmt (a. a. O. 113 f.) und erst 1922 in GO 63 ff. als Du-Ich-Verhältnis dargestellt. Die Kritik an der Selbstmächtigkeit des Ich und seiner Situation als „Durchgangsstadium" scheinen diese Argumentation hinfällig zu machen. Man kann wohl auch mit W. Kreck (Die Christologie Gogartens und ihre Weiterführung in der heutigen Frage nach dem historischen Jesus, in: EvTH 23 (1963) 189–197) nicht mehr sagen, daß es sich bei dem Du-Ich-Verhältnis um eine „von Ebner, Buber, Grisebach und anderen ans Licht gestellte Beziehung" (181 f.) handele. Vgl. dazu auch Anmerkung 120.

55) RW 12.

56) Vgl. zum Begriff der „Spannung": F. Gogarten, Rudolf Steiners „Geisteswissenschaft" und das Christentum. Vortrag, in: Untersuchungen über Glaubens- und Lebensfragen für die Gebildeten aller Stände, 2, Stuttgart 1920, 22.

57) Gogarten versteht unter Mythos die Form des Denkens durch den Glauben, als Denken in Gleichnissen und Gestalten (vgl. RW 79). Deshalb möchte er Mythos auch mit dem Wort Evangelium gleichsetzen.

58) RW 43.

59) F. Gogarten, Rudolf Steiners „Geisteswissenschaft", a. a. O. 21; Karl Barth äußert sich später anerkennend, daß Gogarten „mit der Anthroposophie zugleich Troeltsch und die moderne Theologie" entkräftet habe (G. Merz, Die Begegnung Karl Barths mit der deutschen Theologie, in: KuD 2, 1956, 163).

60) F. Gogarten, Religiöse Verkündigung, in: Die Tat 8 (1917), 986.

61) F. Gogarten, Die Reformation und der soziale Gedanke, in: Die Reformation und wir, Wilhelmshaven 1918, 96.

62) RW 64; Gogarten verweist auf Paulus, den Verfasser des Johannesevangeliums, ·Franz v. Assisi, Luther, Kierkegaard und Kutter als Vorbilder für ein solches Handeln.

63) F. Gogarten, Religiöse Verkündigung, a. a. O. 987. Seinen Wortbegriff nimmt Gogarten aus der Lutherinterpretation. Am deutlichsten artikuliert er ihn in „Luthers Gottes-wort", in: Weser-Zeitung, 6./7. Nov. 1917: Für Luther ist das Gotteswort nicht gebunden an das Schriftwort, sondern wird gegenwärtig in Werden und Schöpfung. Die Wörter von heute holen aber immer nur ein winziges Teilchen aus der Welt heraus. Gegen diese Atomisierung steht Luthers Verständnis: „Es hat wohl nie einen größeren Versuch gegeben, die Welt zu erkennen und ihren Sinn in all ihren Geschöpfen zu erfassen, wie die Lehre Luthers vom Wort Gottes, das ‚von Ewigkeit gesprochen ist und immer gesprochen wird‘." (ebd.).

64) Vgl. dazu vor allem RW 16 f., 52 ff.

65) RW 31 f.

66) RW 7 f.

67) RW 41 f.

68) „Der orthodoxe Glaube meint, er müsse die Wahrheit einschließen in seine Worte und Formeln, so wie wir auch unsere Menschenworte eng einschließen in unsere Worte ... Und es bleibt, was die Orthodoxie so oft ist, ein knöchernes System von allerhand altertümlichen Anschauungen und eine wunderliche Wissenschaft" (RW 47).

69) RW 63.

70) RW 68.

71) Die Fremdheit zwischen Kirche und Gegenwart charakterisiert Gogarten in seinem Artikel „Die Stadt" (in: Weser Zeitung 829, 1919) am Stadtbild von Rothenburg. Diese Schilderung wie auch seine ein Leben andauernde Liebe zu Florenz und seiner Kunst und zur französischen Gotik beweisen seine tiefe Wirklichkeitserfassung, wie auch die Weite seines Weltbegriffs.

72) In: ChW 34, 1920, 374–378; wieder abgedruckt in: Anfänge der dialektischen Theologie, Teil 2, hrsg. v. J. Moltmann, Theol. Bücherei, Bd. 17, München 1962 (abgekürzt als: ZdZ).

73) ZdZ 374 f.

74) ZdZ 376 f.

75) ZdZ 376. Die Aspekte heutiger theologischer Aussagen über den „Tod Gottes" sind hier in eindrucksvoller Weise vorweggenommen.

76) ZdZ 377.

77) ZdZ 374.

78) In ChW 35 (1921) 142–145; dieser offene Brief bildet auch den Eingangsaufsatz der Sammlung „Die religiöse Entscheidung", Jena 1921. Vor dieser totalen Fragesituation weist Klaus Scholder in seinem Aufsatz „Neuere deutsche Geschichte und protestantische Theologie" (in: EvTh 23 (1963) 510–532; vgl. dazu auch die „Kritische Bemerkungen" von H. G. Göckeritz, in: EvTh 25 (1965) 160–169) darauf hin, daß die dialektische Theologie „von Anfang an aufs engste mit der geistigen und politischen Lage nach dem Ersten Weltkrieg verbunden" war. Inwieweit die Enttäuschung der letzten Kriegsjahre Gogarten von einer manchmal gefährlich nahen Identifizierung von Zeit und Ewigkeit etwa im Nationalen wegführte zu einer theologischen Konzentration auf das Thema Gott und Mensch, die schließlich in „Zwischen den Zeiten" einen Kulminationspunkt findet, hoffe ich deutlich gemacht zu haben. Die Funktion der Krise als auslösendes Moment eines geistigen Vorgangs in der theologischen Entwicklung Gogartens scheint mir aber die folgende Feststellung Scholders nicht mehr zu bestätigen: „Es weist manches darauf hin, daß für den Gogarten der zwanziger Jahre die Krise das erste und Gottes Wort als Antwort das zweite war" (ebd. 521). Die gefolgerten Konsequenzen scheinen mir andere Gründe zu haben, und Scholder scheint den ideengeschichtlichen Zusammenhang mit Fichte zu übersehen, wie auch den Stellenwert der Krise in Gogartens theologischen Entwicklung. In diesem Zusammenhang möchte ich J. Moltmann in seinem Vorwort zum Teil I der „Anfänge der dialektischen Theologie" zustimmen: „Die ‚dialektische Theologie‘ stammt nicht aus der Krisenstimmung jener turbulenten Jahre. Sie war vielmehr selbst effektiv eine Kraft des Gerichtes über eine totale Vergangenheit und die Eröffnung einer neuen Zukunft. Darum wird man nicht nur historisch das neue Selbstverständnis der evangelischen Theologie aus diesen Anfängen zu ermitteln haben, sondern wird danach fragen müssen, was in dieser — wie immer auch und wie unterschiedlich erfahrenen — Krise an Erkenntnis gewonnen wurde, an Einsicht in die Sache der Theologie, in die Aufgabe der Kirche an Gesellschaft und Kultur und die Situation und Bestimmung des Menschen vor Gott" (Jürgen Moltmann (Hrsg.), Anfänge der dialektischen Theologie, Teil I, München 1962, X).

79) Den Titel schlug Thurneysen in Anlehnung an den gleichnamigen Aufsatz Gogartens bei der Planung der Zeitschrift 1922 vor (vgl. G. Merz, Die Begegnung Karl Barths mit

der deutschen Theologie, a. a. O. 162). J. Moltmann führt (a. a. O. XIII) die Frage nach Gott bzw. die Gotteserkenntnis als das Problem an, das Antrieb von ZZ war: „. . . die Problematik einer wirklichen ‚Theologie‘ überhaupt, das Problem der Verkündigung von Gottes eigenem Wort durch Menschenmund, das Problem einer theologischen Existenz".

80) K. Barth, Der Christ in der Gesellschaft. Vortrag für die religiös-soziale Konferenz in Tambach, September 1919, in: Das Wort Gottes und die Theologie. Gesammelte Vorträge, 4.–6. Tausend, München 1925, 33–69; wieder abgedruckt in: Anfänge der dialektischen Theologie, Teil 1, a. a. O.; daß Gogarten Barth damals verstehen konnte, lag auch an seiner Bekanntschaft mit der religiös-sozialen Bewegung in Zürich, die ein Aufsatz von 1914 widerspiegelt (Gogarten veröffentlichte ihn mit dem Titel „Die Schweizer Religiös-Sozialen" unter dem Pseudonym Leonhard Hagebucher, in: Die Tat 6, 1914/15, 312–315). Hier stellt er die von den Religiös-Sozialen geforderte Weltverantwortung als Lebensfrage des Christentums hin und schreibt: „Wem das Christentum der große Unruhestifter auf Erden ist, der wird eine andere Stellung zur Welt und ihren sozialen Verhältnissen haben, als sie das kirchliche und staatliche Christentum hat. Die Religiös-Sozialen wagen es, die schwersten Kämpfe und die schwerste Not der Gegenwart so schwer zu sehen, wie sie sind" (a. a. O. 314).

81) Denn es ist sicher entscheidend, auch den verschiedenen Entwicklungsweg von Barth und Gogarten zu beachten. Barth kam aus der Kirche und fand in ihr zur Theologie, zum Pfarramt und zur Kritik an Kirche und Theologie. Gogarten kam zur Theologie und zur Kirche erst nach einem begonnenen geisteswissenschaftlichen Studium, fand zur Kritik an Kirche und Theologie nur aus der direkten Konfrontation und erarbeitete sich selbst eine Position durch sein Lutherstudium. Eine Auseinandersetzung mit der Schrift war also für ihn ein Stadium innerhalb seines theologischen Denkens, wogegen sie bei Barth schon eine Grundvoraussetzung seiner Theologie war.

82) K. Barth, a. a. O. 34.

83) K. Barth, a. a. O. 39; die Kritik am Religionsverständnis seiner Zeit formuliert Gogarten in einem Beitrag in: Der Leuchter (Weltanschauung und Lebensgestaltung. Jahrbuch der Schule der Weisheit, hrsg. von Graf Hermann Keyserling, Darmstadt 1920, 155–177) unter dem Titel „Die Kirche": „Man gebraucht dieses Wort ‚Religion‘ heute allgemein für ein ganz und gar kulturbedingtes und kulturerfülltes Produkt der allgemeinen Menschengeschichte. Gerade das aber ist nicht gemeint, sondern das volle Gegenteil davon. Es ist Religion ohne dieses Jenseits der Kultur gar nicht zu denken, es sei denn, man degradiere sie zu einer religiös gefärbten Spekulation oder zu religiös gefärbten Bewußtseinszuständen. Gewiß, das alles gehört auch zu ihr. Aber es ist doch nur Folge; es ist in demselben Augenblick ein Strom ohne Wasser, wo man das Jenseits der Spekulation und das Jenseits der Bewußtseinszustände verliert. Man verliert das aber, wenn man dieses Jenseits zu einem phantasiemäßigen Reflex irgendwelcher Bewußtseinserregungen werden läßt" (a. a. O. 157 f.). Diese Kritik an einem liberalen Religionsverständnis macht verständlich, aus welchen Gründen die jungen Theologen wie Gogarten von ihren Lehrern nicht mehr verstanden wurden. Sie erschraken, wie er es in ZdZ charakterisiert, in einem und demselben Atemzug über den Radikalismus und die reaktionäre Gesinnung ihrer vermeintlichen Schüler.

84) K. Barth, a. a. O. 52.

85) Es wäre sicher lohnend, das nun beginnende Hinüber und Herüber von Anregungen und Gedanken und das sich anbahnende Auseinandergehen bis zum Bruch von Seiten Barths 1933 weiter zu verfolgen. Der erste Eindruck Gogartens auf Barth war vielversprechend, wie Barths Briefe an Thurneysen zeigen (in: E. Thurneysen, Die Anfänge. Karl Barths Theologie der Frühzeit, in: Antwort. Karl Barth zum 70. Geburtstag am 10. Mai 1956, Zürich 1956, 831–864). Am 16. Juni 1920 schrieb Barth u. a.: „Hast Du Gogarten ‚Zwischen den Zeiten‘ in der ‚Christlichen Welt‘ gelesen? Ich habe ihm sofort eine Begrüßung geschickt und ihn aufgefordert, laut zu rufen. Der kommt gut" (a. a. O.

857). In Briefen an Freunde nennt Barth ihn damals einen „Schlachtkreuzer erster Klasse", „holländische Valuta" und schreibt: „Herrlich, ich wußte nach wenigen Minuten, daß er auf alle Fälle bei euch in Deutschland der Rufer im Streite sein werde!" (vgl. G. Merz, a. a. O. 163). Vom Besuch Gogartens bei ihm berichtet Barth am 27. Okt. 1920 an Thurneysen: „Nun bin ich für eine Weile wieder ohne Besuch. Der von Gogarten war aber hocherfreulich. Das ist eine Dreadnought für uns und gegen unsere Widersacher. Wer weiß, wird er eines Tages uns noch belehren! Er hat durchaus die Allüren und auch das Zeug, derjenige Mann, welcher . . . zu sein. Ich sehe ihm mit großen Erwartungen nach. Den ‚Christlichen Weltleuten' wird er jedenfalls noch sehr unangenehmen Zeiten bereiten und vielleicht eines Tages irgendein enormes Loch in die theologische Mauer machen. Es fängt offenbar schon an zu rieseln" (a. a. O. 858).

86) K. Barth, a. a. O. 65. Die Reduzierung von Peter Lange (a. a. O. 281), daß „Theologie . . . für Gogarten ‚explicatio principii' für Barth ‚petitio principii' " sei, spiegelt sich hier. Auch die „Konfessionalisierung" der beiden Theologen durch Eckhard Lessing (Das Problem der Gesellschaft in der Theologie Karl Barths und Friedrich Gogartens, in: Studien zur evangelischen Ethik, Band 10, Gütersloh 1972) beleuchtet einen Aspekt der „Differenz zwischen Barth und Gogarten", nämlich die „zwischen dem Lutheraner Gogarten und dem Reformierten Barth" (a. a. O. 134).

87) F. Gogarten, Religion und Welt, in: Die Tat 12, 1920, 141 f. Man kann diesen Aufsatz als Antwort Gogartens auf Barths Tambacher Rede sehen.

88) Vgl. F. Gogarten, Vom heiligen Egoismus des Christen, in: ChW 34, 1920, 546−550.

89) Ebd. 547.

90) Ebd. 550; die Gemeinsamkeiten, die Gogarten zu dieser Antwort auf Jülichers Kritik an Barths Paulusexegese veranlaßten, zeigen sich deutlich. Anzeichen eines anderen Weges mag man aber schon hier vermuten.

91) F. Gogarten, Die Kirche, a. a. O. 158.

92)· F. Gogarten, Die Krisis der Kultur, in: Die religiöse Entscheidung, Jena 1921, 32−53.

93) Ebd. 47, hier verbessert sich Gogarten selbst gegenüber einem möglichen Mißverständnis des von ihm etwa in „Religion weither" und schon früher dargelegten Verständnisses der All-Einheit von Gott und Mensch.

94) W. A. 24, 18.

95) F. Gogarten, Die Krisis der Kultur, a. a. O. 38.

96) F. Gogarten, Die Krisis der Kultur, a. a. O. 48.

97) Ebd. 50.

98) Dieses Verständnis der Krisis regt F. Schwär dazu an, bei Gogarten nicht von einer „Theologie der Krisis", sondern von einer „Theologie der Entscheidung" zu reden. Diese Theologie verhindert durch die Konfrontation mit der Gegenwart das Absinken in eine „theologia gloriae", da die geschichtliche Erfahrung (als Selbstverständnis) sich nur in einer „theologia crucis" verstehen kann (F. Schwär, Die Theologie der Krisis und die Kirche, in: Una Sancta 3, 1927, 185−196).

99) F. Gogarten, Die Not der Absolutheit. Offener Brief an D. Emil Fuchs, in: ChW 35, 1921, 145.

100) Ebd.; dieser Kritik unterliegt auch Gogartens eigener Vermittlungsversuch zwischen Zeit und Ewigkeit in „Fichte als religiöser Denker".

101) F. Gogarten, Die Not der Absolutheit, a. a. O. 145.

102) Die Antwort von Emil Fuchs auf Gogartens offenen Brief (Vom unbedingten Ernst unserer Frömmigkeit, in: ChW 35, 1921, 153−157) läßt dieser als solche nicht gelten: „ . . . eine Sympathieerklärung ist keine Antwort auf die Frage, die in ihm gestellt wurde" (Vorwort zu: Die religiöse Entscheidung, Jena 1921, 4).

103) E. Troeltsch, Ein Apfel vom Baume Kierkegaards, in: ChW 35, 1921, 186–190.
Ernst Troeltsch versuchte das Beziehungsverhältnis von Glaube und Kultur immer
wieder neu zu behandeln: Seine Sorge war dabei die Auflösung des Glaubens im
Prozeß der Gestaltung der Kultur; dies blieb eine offene Frage bis zu seinem Lebens-
ende und sie wurde dann, das darf man im historischen Rückblick wohl sagen, von
Gogarten in für Troeltsch erst unliebsamer Form weiterbehandelt. Gogarten ersetzte
die von Troeltsch angegebenen Vermittlungen zwischen dem Standpunkt des Glaubens
über der Welt und einem ganzheitlichen Leben in der Welt durch eine ätzende Dialektik
(vgl. dazu: Ernst Troeltsch, Ein Apfel vom Baume Kierkegaards, a. a. O.). Troeltsch
sieht ein offenes Weltverhalten durch die Schöpfung bestimmt, ausgelöst in der Neuzeit
durch einen Protestantismus, der zur Grundlage einer modernen Religiosität wurde,
die eine „Amalgamierung von religiösem und wissenschaftlichen Geist" (Ernst Troeltsch,
Die Bedeutung des Protestantismus für die Entstehung der modernen Welt, München –
Berlin 1906, 64) ist. Die Befreiung des Weltverhältnisses von speziellen Bedingungen
durch die Reformation ist für ihn auslösender Faktor der neuzeitlichen Selbständigkeit.
Mit ihr entwickelt sich aber auch eine autonome und individualistisch geprägte Kultur,
deren Maximen Relativität und Toleranz sind. Troeltsch ist als Historiker offen genug,
die eigentliche Durchschlagskraft dieser Ideen nicht der Reformation als solcher,
sondern dem Martyrium der Täuferbewegung zuzuschreiben: Von ihnen geht die
„ungeheure Ausbreitung und Intensität des Freiheits- und Persönlichkeitsgedankens"
(ebd. 65) aus. Aber Troeltsch sieht auch die Frontstellung der modernen Kultur gegen
die kirchliche, die des relativen gegen das Absolute, und fordert als Ausweg aus einem
totalen Verfall des Glaubens an die Kultur eine Erhaltung der „religiösen Metaphysik
der Freiheit" die auf dem Gottesglauben aufbaut: „Bewahren wir uns", so schreibt
Troeltsch, „das religiös metaphysische Prinzip der Freiheit, sonst möchte es um
Freiheit und Persönlichkeit in dem Augenblick geschehen sein, wo wir uns ihrer und
des Fortschritts zu ihr am lautesten rühmen" (ebd. 66). Troeltsch steht damit als
Vertreter eines Denkens da, das Gogarten seit dem Aufsatz „Zwischen den Zeiten" und
dem Wartburgvortrag für sich überwunden glaubte.

104) E. Troeltsch, Ein Apfel vom Baume Kierkegaards, a. a. O. 188.

105) Die Enttäuschung über dieses Mißverständnis, das Gogarten bereits in „Zwischen den
Zeiten" karikiert hatte, formuliert P. Natorp in einem Brief im gleichen Jahrgang der
ChW: „Mit einem Wort: man deutet uns psychologisch (oder psychiatrisch), kultur-
wissenschaftlich usw., und versteht gar nicht, daß es uns um uns, um unsern ‚Seelen-
zustand' gar nicht zu tun ist, sondern um was ist und nicht ist, um Ja und Nein, Leben
und Tod, und zwar ewiges Leben, ewigen Tod" (a. a. O. 406). Die Kritik von R. Liebe
an Gogarten und vor allem an seinem Eisenacher Vortrag bleibt mit dem Vorwurf
eines „mystischen Neusupranaturalismus", neben dem es in dieser Theologie „keine
bleibenden Werte" gebe, wie Troeltsch an der Oberfläche des von Gogarten Intendierten. Liebe beharrt auf dem „hohen Gottesberuf der Kultur" und kann wie Troeltsch
den Bußruf als solchen nicht verstehen (vgl. Reinhard Liebe, Der Gott des heutigen
Geschlechts und wir, in: ChW 35, 1921, 867 f.).

106) F. Gogarten, Religiöse Bücher, in: Die Tat 13, 1921, 482.

107) F. Gogarten, Die religiöse Entscheidung, Jena 1921, 16 (im folgenden: RE).

108) Als Beispiele dieses Versuches führt Gogarten den Pharisäer Saulus und den Mönch
Luther an.

109) RE 23. Als einzige Parallele für diese Situation in der Frage nennt Gogarten den Tod.

110) F. Gogarten, Illusionen. Eine Auseinandersetzung mit dem Kulturidealismus, Jena
1926, 4 (im folgenden: Ill). Die so gestellte Gottesfrage bricht den Bann der Trennung
von profan und religiös. Denn in diesen beiden Denkbereichen gilt die Frage nach der
Objektivität und nicht die der Entscheidung.

111) Ill 61.

112) RE 72.

113) F. Gogarten, Von Glauben und Offenbarung, Jena 1923, 38 f. (im folgenden: GO).

114) Vgl. III 61.

115) Aus diesem Glaubensverständnis übt Gogarten Kritik an K. Holls Deutung des Glaubens bei Luther als sittlichem Grunderlebnis; Holl läßt von seinem Wissenschaftsdenken her Christus in der lutherischen Frömmigkeit nur eine sekundäre Bedeutung zukommen. Gogarten faßt von seinem Verständnis des Evangeliums her die Kritik prinzipiell: „Und niemals kann es eine Theologie geben, d. h. nie wird einem das Evangelium Evangelium bleiben, wenn man nicht vorher grundsätzliche Klarheit darüber gewonnen hat, daß das Evangelium und seine kritische Wahrheit des Gegebenen einem anderen Kreise angehört als die Wissenschaft und ihre kritische Wahrheit des Nichtgegebenen. Ohne diese Klarheit wird man nie das Gesetz überwinden und zum Evangelium kommen" (Theologie und Wissenschaft. Grundsätzliche Bemerkungen zu Karl Holls „Luther", in: ChW 38, 1924, 80). Die so formulierte Abneigung muß im Zusammenhang mit der in ZdZ in den Vordergrund getretenen Gottesfrage gesehen werden, die als Antwort nicht eine wissenschaftliche Erörterung, sondern den Glauben an die Menschwerdung Gottes erwartet.

116) Vgl. GO 60.

117) Ethik mit diesem Anspruch käme dem Verständnis von Gesetz bei Luther gleich.

118) III 47. Die Aussage ist a. a. O. verbunden mit der von der bereits geschehenen Heiligung der Welt durch die Menschwerdung Gottes.

119) Das Verlangen nach Hierarchie in der Kirche lehnt Gogarten in diesem Zusammenhang schroff ab. Diese Ablehnung begründet er mit einer doppelten Abgrenzung: „Es kann in der Tat niemals und darf niemals ein Mensch als Mensch Autorität für einen anderen sein . . . Es kann aber auch niemals und darf niemals ein Mensch, ein Mensch als solcher Autorität für sich selbst, für seine eigenen Gewissensentscheidungen sein" (III 79). Im Rahmen seiner theologischen Anthropologie kommt Gogarten wieder ausführlich auf das Problem der Autorität zurück.

120) Gogarten spricht vom Neuen Testament als „Wort auf jemanden hin" und nennt Ferdinand Ebner, Das Wort und die geistigen Realitäten, Innsbruck 1921, als ihm Nahestehenden. J. Moltmann weist am Schluß seines Vorwortes zu „Anfänge der dialektischen Theologie" (a. a. O. XVII f.) auf den Einfluß Ebners als „geheimer philosophischer Anreger der modernen Theologie" hin. Daß die Auseinandersetzung mit dem deutschen Idealismus vom Gedanken des Ich-Du und der Worthaftigkeit dieses Verhältnisses her jedoch nicht punktuell geführt wurde, zeigt die Behandlung des Du-Ich-Verhältnisses durch Gogarten in „Religion weither" 1917, die sich in manchen Ansätzen mit der vier Jahre später von Ebner veröffentlichten deckt, und seiner Betonung des Wortes vom Lutherstudium her. Auch in der Weiterführung ihrer Ansätze treffen sich Gogarten und Ebner in der Beurteilung Gottes als Konkretion des Du, der Annahme der historischen Realität dieses Du im Menschen Jesus, dem Verständnis der Icheinsamkeit als „Krankheit zum Tode", der Sicht des Nächsten als physischer Nähe des göttlichen Du und der Kultur als Stilisierung des Kreuzes und Quelle des Unglaubens und der Gottlosigkeit. In der Nähe dieser Gedanken steht Martin Buber, Ich und Du, Leipzig 1923, der alles wirkliche Leben als Begegnung charakterisiert, als Verwirklichung des „Grundwortes Ich-Du". Die Ablehnung des „es" bei Buber deckt sich wieder in manchem mit der Kulturkritik Ebners und Gogartens. Trotz vielfältiger Differenzierungen ist allen gemeinsam der Verweis auf die Gegenwart als Realisierung des Ich-Du, die als solche aber nicht immanente Handlung, sondern von Gott herkommende Gemeinsamkeit ist.

121) Diesen Umschwung in seiner Theologie hat Gogarten mit aller Ernsthaftigkeit wahrgenommen. So schrieb er 1923 in dem bereits zu Anfang zitierten Lebenslauf: „Dann aber haben mich eine unablässige Beschäftigung mit Luther und mancherlei Erscheinungen des modernen Geistes, die auf eine tiefe Krise in ihm selbst deuteten, immer

mehr gezwungen, die von mir bis dahin vertretene Lösung einer tiefgehenden Revision zu unterziehen. Der erste Versuch, die neu gewonnene Position zu bezeichnen, war der im Herbst 1920 vor den Freunden der ‚Christlichen Welt' auf der Wartburg gehaltene Vortrag „Die Krisis der Kultur" und die mit ihm in dem Buch ‚Die religiöse Entscheidung' 1921 verbundenen Vorträge und Aufsätze. Ich betrachte diese Arbeiten durchaus nur als erste Versuche, in denen bei weitem nicht alles gesagt ist, was hier noch gesagt und deutlich gemacht werden muß".

122) In diesem Sinne der Einheit von Schöpfung und Erlösung stellt Gogarten seiner Aufsatzsammlung „Die religiöse Entscheidung" (Jena 1921) den Satz Thomas von Aquins voran: „Gratia non tollit naturam sed perficit".

123) Ill 17.

124) Aus diesem Verständnis der Geschichte von der Offenbarung her kritisiert Gogarten die kirchen- und kulturgeschichtlichen Arbeiten von Troeltsch: Er wirft ihm vor, nur ein weltläufiges Christentum zu kennen, und dessen Verlegenheiten mit den kulturellen Gestaltungen aufzuzeigen. Diese Kritik wird verständlich auf dem Hintergrund der verschiedenen Geschichtsbetrachtung: Für Gogarten ist die Geschichte nicht bloße Entwicklung und Veränderung, wie sie in der Erklärungsweise des Historismus erscheint, sondern der Inhalt der Geschichte ist ihm die Begegnung mit dem Du, die ihre Zweideutigkeit und ihren Aufruf zur Entscheidung durch die Konstituierung der Geschichte durch Gott (Schöpfung und Erlösung) erhält. Diesem Verständnis steht die Vorstellung E. Troeltschs gegenüber, der die Geschichte als „Lebensprozeß des Absoluten" versteht in der Identität von endlichem und unendlichem Geist. Gogarten stellt im Vergleich zu seinem eigenen von der Dialektik geprägten Geschichtsbegriff fest: „Damit also, daß Troeltsch durch jene Theorie von der Identität der endlichen Geister mit dem unendlichen Geist dem Bewußtsein das ‚Fremdseelische' und Gott als seinen Inhalt gibt, hat er das Problem der Geschichte von vornehrein beseitigt" (Historismus, in: ZZ 2, 1924, 25). Das besondere Verhältnis von Geschichte und Offenbarung in ihrem dialektischen Bezug zueinander kennt Troeltsch nicht und so nicht den Aufruf zur Entscheidung. Von da ist der Vorwurf Gogartens, daß Troeltsch nur ein weltläufiges Christentum kenne, zu verstehen.

125) RE 59.

126) RE 64. Im Kontakt mit den Philosophen E. Grisebach und H. Herrigel reflektierte Gogarten in den zwanziger Jahren das Problem der Wirklichkeit und des Verhältnisses von Glaube und Theologie: Theologie kann nur im Glauben betrieben werden, weil dieser die Frage nach der Beziehung Gottes zum Menschen schon beantwortet. Gerade hier liegt aber auch die Grenze der Theologie, denn sie kann nie Bedingung des Glaubens sein. Der Glaube anerkennt die Scheidung von Gott und Mensch, indem er die Beziehung glaubt. Die Theologie aber anerkennt die Beziehung, indem sie von der Scheidung spricht. Deshalb muß die Theologie auch dialektisch sein, „sie ist eine ‚Theologie von unten her' in dem Sinne, daß sie bei keinem ihrer Sätze die dem Menschen und vor allem dem Theologie treibenden Menschen eigentümliche Situation aus dem Auge verlieren darf. Und diese Situation ist die des Geschiedenseins von Gott. Denn der Mensch als solcher, der Mensch an sich ist der von Gott geschiedene, ist der autonom, selbstherrlich sein wollende, also er ist sogar der selbst sich von Gott immer von neuem scheidende Mensch" (Zum prinzipiellen Denken. Ein Briefwechsel, in: ZZ 2, 1924, 16). Das einfache Wort des Glaubens aber ist Ausdruck der Beziehung, wenn es auch voll dialektischer Substanz ist. Diese Beziehung von Theologie und Glauben bedeutet die Überwindung eines prinzipiellen Denkens in der Theologie, was das Bild von der zentrifugal rotierenden Kugel anschaulich macht. Der Ausgang von der Endlichkeit als der geschichtlichen Gegenwart bleibt in einem ständigen dialektischen Geschehen nicht auf ein vom Historismus geprägtes Denken beschränkt, weil hier die Wirklichkeit Gottes der Wirklichkeit des eigenen Lebens trotz der Scheidung von Schöpfer und Geschöpf nicht fern ist. Grisebach sah in Gogartens Wendung zur Christologie dann verständlicherweise ein Abweichen von der gemeinsamen Grundlage.

127) Vgl. dazu den Vortrag: Die Krisis der Kultur, a. a. O. vom Jahre 1920.

128) GO 62.

129) Ill 67.

130) F. Gogarten, Weltliches Christentum, in: Frankfurter Zeitung 69, 1925, Nr. 377, Literaturblatt Nr. 11.

131) Ill 126 f.

132) Ill 141 f.

133) Vgl. Ill 144. Dieses weltliche Tun des Menschen, das ihn wie seine Schuld als ganzen betrifft, kann keine Heiligung in irgendwelcher Form sein, weil damit die Einheit von Schöpfung und Erlösung aufgehoben wäre: „Müßte die Tragweite unseres Tuns über die Welt hinausreichen, um sinnvoll zu sein, so wäre die Welt nicht Gottes Schöpfung oder sie wäre es zum mindesten nicht geblieben. Sie ist es aber geblieben trotz aller Sünde des Menschen. Und der Glaube an die Erlösung ist auch der Glaube an die Schöpfung. Und ich füge gleich hinzu, daß es keinen christlichen Schöpfungsglauben gibt, der nicht immer zugleich auch Erlösungsglaube ist. Dann aber ist er nicht nur der Glaube an die vollkommene Schöpfung, sondern auch der Glaube an die unvollkommene, durch den Menschen verderbte, aber nicht in ihrem Schöpfungscharakter aufgehobene Schöpfung" (Vom skeptischen und gläubigen Denken. Ein Briefwechsel, in ZZ 3, 1925, 88).

134) Friedrich Gogarten, Glaube und Wirklichkeit, Jena 1928, 9 f. (im folgenden: GW).

135) F. Gogarten, Ich glaube an den dreieinigen Gott. Eine Untersuchung über Glauben und Geschichte, Jena 1926, II (im folgenden: DG). Wenn Gogarten auch den Untersuchungscharakter dieses Buches im Vorwort betont und es nicht als Dogmatik mißverstanden wissen will, so sind hier doch für die spätere theologische Arbeit – vor allem nach dem Zweiten Weltkrieg – grundlegende Gedanken formuliert, die dieser Schrift eine besondere Bedeutung geben. Dennoch ist es eine Verkennung Gogarten'scher Intentionen, wie P. Lange (in: Konkrete Theologie?) es als Tatsache hinzustellen, „daß der ,Dogmatiker' Barth ein theologisches System für unmöglich hält, während der vergleichsweise ,freie' theologische Schriftsteller Gogarten an der Grundlegung eines solchen arbeitet" (a. a. O. 280).

136) F. Gogarten, Theologische Tradition und theologische Arbeit, Geistesgeschichte oder Theologie?, Leipzig 1927, 30. Als diese Sorge ist Theologie immer dialektisch, so daß Gogarten die Bezeichnung „dialektische Theologie" für das Theologisieren seiner Freunde und seiner selbst als unsinnige Rede von „weißen Schimmeln" versteht. Es ist wohl sinnvoller, von einer „Theologie des Wortes Gottes" zu reden, ist es gerade die Konzentration auf die Gottesfrage und die Offenbarungsantwort im Wort ist, die die Besonderheit dieser Theologie ausmacht.

137) F. Gogarten, Theologische Tradition, a. a. O. 24.

138) DG 160.

139) GW 127.

140) F. Gogarten, Theologische Tradition, 11.

141) DG 87.

142) Ebd. 182. Dieses Wirklichkeitsverständnis beruht auf der trinitarischen Interpretation Gogartens, die als Einheit von Schöpfung, Erlösung und Heiligung Grundlage seines Geschichtsbegriffes ist.

143) DG 100, vgl. auch GW 127. G. Schröder (Das Ich und das Du in der Wende des Denkens, Kiel 1948) wirft Gogarten vor, das Ich-Prinzip und die Ich-Ontologie des Idealismus durch ein Ich-Du-Prinzip und eine Ich-Du-Ontologie zu ersetzen. Damit philosophiere Gogarten und verwische mit der Annahme des Du-Gottes nur die Grenzen zwischen Philosophie und Theologie. Dieser wie auch die ähnlichen „Philosophie"-Vorwürfe

anderer scheinen zu wenig zu berücksichtigen, daß bei einer Beschreibung des Hörens als konkret-geschichtlicher Gegenwart eine Darstellung des Gehorsams nicht ohne Abstraktion geschehen kann. Da dieser Gehorsam aber nur deutlich ist in seiner Bindung an die Offenbarung Gottes in Jesus Christus ist der Vorwurf der mangelnden theologischen Ernsthaftigkeit hinfällig. Die Behauptung von J. Kahl (Philosophie und Christologie im Denken Friedrich Gogartens, Marburg 1967), daß die theologischen Aussagen Gogartens eine „Philosophie wider Willen" (a. a. O. 94) sei und die Christologie deshalb nur ornamentalen Charakter habe, wird der Theologie Gogartens nicht gerecht, weil sie den Entwicklungsgang seines Denkens vorschnell in endgültiger Weise kategorialisiert. Die Aussagen Gogartens gehen über das von Kahl Angeführte hinaus. Am Beispiel von Schuld und Vergebung könnte man die Unterscheidung von Philosophie und Theologie deutlich aufzeigen. Dasselbe vorschnelle Urteil gründet sich bei Alfred Kretzer (Zur Methode von Karl Barth und F. Gogarten, Münster 1957) in einer moralisch-biblizistischen Interpretation (passim; vor allem 168).

144) Vgl. GW 160. Gogartens Gedanken zu einer „tätigen Mystik" im Anschluß an Fichte kehren hier in einer neuen mehr selbständig formulierten Form wieder.

145) DG 57.

146) GW 70.

147) DG 140 zitiert Gogarten R. Bultmann (Jesus, 1926, 121) und verweist auf dessen Verständnis des Jetzt als der konkreten Situation der menschlichen Entscheidung.

148) GW 86.

149) Nievergelt meint, daß Gogarten mit seinem streng an der Wirklichkeit ausgerichteten Existenzbegriff „dem wesentlichen Gehalt nach bereits das In-der-Welt-sein Heideggers" antizipiert, eine These, die wenigstens die Nähe von Heideggers Existenzverständnis in „Sein und Zeit" zur theologischen Aussage des Neuen Testamentes klarstellt. Diese Meinung hat auch durch den regen Gedankenaustausch Bultmanns mit Heidegger in Marburg während der Entstehung von „Sein und Zeit" Wahrscheinlichkeitscharakter. Die Kritik J. Kahls an dem Verhältnis Gogartens zum Denken Heideggers müßte von dieser frühen Entwicklung neu bedacht werden.

150) GW 99.

151) Gogarten macht jede weitere Erkenntnis abhängig von dieser Anerkenntnis des Du. Wie Schwär (a. a. O. 196) in diesem Zusammenhang von Paralysierung des Gemeinschaftsgedankens zu reden, ist von einem wirklichen Verständnis der Du-Ich-Beziehung her nicht möglich, da nach der Darlegung Gogartens die Überbetonung eines der Beziehungselemente diese Beziehung als solche schon verhindern würde.

152) F. Gogarten, Das Gesetz und seine Erfüllung durch Jesus Christus, a. a. O. 376.

153) GW 120.

154) GW 177.

155) DG 83. Glaube bedeutet die Anerkennung dieses Paradoxons. Das darin enthaltene Offenbarungsverständnis sprengt scheinbar den gewohnten Begriff der Geschichte. In seiner theologiegeschichtlich rückblickenden Schrift „Der Zerfall des Humanismus und die Gottesfrage", Stuttgart 1937, wehrt Gogarten nochmals jede immanenzmetaphysische Interpretation seines Verständnisses vom Verhältnis von Glauben und Geschichte ab und damit auch das Geschichtsverständnis von E. Troeltsch: „ . . . man erfaßt das Thema ‚Glaube und Geschichte', wie es der Theologie gegeben ist, erst dann in seiner ganzen Schärfe, wenn man erfaßt, daß der christliche Glaube in allem Ernst in der einzelnen geschichtlichen Erscheinung des Christus die Offenbarung Gottes zu sehen meint" (a. a. O. 7). Von der Bestimmung der Geschichte als Miteinander-Sein von Menschen her fragt Gogarten in seinem Vortrag „Wahrheit und Gewißheit" (in: ZZ 8, 1930, 96—119) noch intensiver zurück nach dem geschichtlichen Wahrheitsanspruch Jesu Christi und erklärt sich gegen eine zeitlose Wahrheit.

156) Die Frage von H. Fischer (a. a. O. 91) nach der Möglichkeit „historischer Forschung und historischen Geschehens" läßt sich nur aus einer der existentiellen Interpretation enthobenen Position stellen und kann dann nur als Frage nach der Möglichkeit dieser total an der Existenz ausgerichteten Interpretation formuliert werden.

157) DG 176.

158) DG 172.

159) GW 115.

160) Gogarten expliziert den Unterschied zwischen gestalthaftem katholischen Glauben und gestaltlosem protestantischen in dem Aufsatz „Protestantischer Glaube" (GW 91—117) und sieht die katholische Kirche sich einen „abgegrenzten Bezirk in der Welt" (a. a. O. 91 f.) schaffen. Die Weltoffenheit protestantischen Glaubens beschreibt Gogarten nur vom Wort Gottes her.

161) DG 9.

162) DG 21. Die Einleitung „Glaube und Geschichte" zu DG (1—38) als ganze behandelt das Problem von Idealismus und Historismus eingehend. In diesem Zusammenhang ist die Auseinandersetzung Gogartens mit E. Hirsch in „Theologische Tradition" (a. a. O. 30—37) über die Frage Idealismus und Christentum interessant.

163) GW 195. Was hier über die Kirche dargelegt worden ist, gilt nach Gogarten in angewandter Weise ebenso für den Theologen. Er kann das theologische Reden nur innerhalb der einen Kirche Christi verantworten (vgl. Theologische Tradition, a. a. O. passim).

164) Vgl. Erich Przywara, Gott in uns oder Gott über uns?, in: StZ 105 (1923) 343—362.

165) E. Przywara, Rezension: Ich glaube an den dreieinigen Gott, in: StZ 114 (1928) 318.

166) E. Przywara, Ringen um Gott, in: StZ 107 (1924) 350.

167) Ders., Wesen des Katholizismus, in: StZ 108 (1925) 57; die einzige mir bekannt gewordene Stellungnahme Gogartens zu den Äußerungen von Przywara findet sich in einer stenographierten Mitschrift des unveröffentlichen Vortrages „Protestantismus und Kirche", den Gogarten 1926 in Düsseldorf hielt: Hier kritisiert er bei Przywara ein mangelndes Verständnis für den Wirklichkeitsbezug des Wortes.

168) Ders., Zwischen Religion und Kultur. Skizze zu einer Kulturphilosophie, in: StZ, a. a. O. 329.

169) Ders., Neue Theologie?, in: StZ 111 (1926) 359.

170) Die vor allem von K. Heim gestellte Frage nach den Kriterien der Bestimmung der Forderung des Du muß als Spezifizierung der Schuldfrage und ethisches Problem hier unbehandelt bleiben.

171) So beurteilt F. Schwär (a. a. O. 187 f.) 1927 die Theologie Gogartens: „Es handelt sich hier nur um die Prolegomena der Theologie, um die richtige Herausstellung der theologischen Begriffe, deren Inhalt durch den grenzenlosen Dilettantismus, in der sie gebraucht werden, völlig verworren zu sein seint". Es geht Gogarten weniger um ein theologisches System, sondern um „den Ausweg aus dieser bloß gedachten Welt und den Zugang zur Wirklichkeit" (G. Wieser, F. Gogarten, Jena 1930).

172) F. Gogarten, Das Problem einer theologischen Anthropologie. Vortrag, in ZZ 7 (1929) 502; vgl. dazu: Das Bekenntnis der Kirche, Jena 1934, 75 (im folgenden: BK).

173) F. Gogarten, Karl Barths Dogmatik, in: ThR 1 (1929) 80; der vorher zitierte Aufsatz in ZZ ist eine Weiterführung dieser Kritik.

174) BK 90.

175) F. Gogarten, Die Schuld der Kirche gegen die Welt, Jena 1928, 12 f.

176) F. Gogarten, Die Schuld der Kirche, a. a. O. 38.

177) F. Gogarten, Die Bedeutung des Bekenntnisses, in: ZZ 8 (1930) 359.

178) F. Gogarten, Der Zerfall des Humanismus und die Gottesfrage. Vom rechten Ansatz des theologischen Denkens, Stuttgart 1937, 17; Gogarten versteht den Humanismus als Erscheinung dieses Selbstverständnisses und lehnt ihn als Verkennung der Wirklichkeit ab.

179) F. Gogarten, Besinnung am Karfreitag, in: Münchener Neueste Nachrichten, Nr. 86, 28. März 1934.

180) F. Gogarten, Der Zerfall des Humanismus, a. a. O. 39, Gogarten definiert in seinem Aufsatz „Glaube und Wirklichkeit" (in: Der Kunstwart 43 (1929) 113–124) den Glauben von diesem neuen Wirklichkeitsverständnis her: „Glauben heißt also sein Leben gläubig nehmen aus der Verbundenheit mit dem andern, es nehmen als das, das seinen Sinn allein darin hat, daß es da ist um des anderen willen, mit dem man jeweils verbunden ist. Glaube ist also nicht etwa die Überzeugung davon, daß diese Theorie von der Wirklichkeit richtig ist, sondern Glaube ist das Erfassen dieser Wirklichkeit. Ich könnte auch geradeso gut sagen, das Erfaßtwerden von dieser Wirklichkeit" (a. a. O. 120).

181) F. Gogarten, Eigentliche Wirklichkeit, Gottes Wort – Gottes Tat, in: Das evangelische Deutschland, 13 (1936) 470.

182) Ebd.

183) BK 23 f. Wenn Gogarten dies auch erst 1934 schreibt, so sind diese Überlegungen doch schon begründet in dem Aufsatz: „Die Bedeutung des Bekenntnisses" von 1930 und in den Überlegungen zu einer theologischen Anthropologie. In dem Aufsatz „Jesus Christus" formuliert er den gleichen Gedanken in Form einer Maxime: „Es ist nicht möglich zu zeigen, was das Christentum ist, von ihm und seiner Wahrheit zu sprechen, ohne daß man auch von dem spricht, was der Zeit, in der und für die man spricht, als Wahrheit gilt" (F. Gogarten, Jesus Christus, in: Glaube und Volk in der Entscheidung, 5 (1936) 51).

184) BK 87. Unter Weisheit versteht Gogarten die Weltanschauungen einer jeden Zeit.

185) F. Gogarten, Die inwendige Kirche, in: Der Mittag, Düsseldorf 13 (1932) Nr. 297.

186) Vgl. dazu F. Gogarten, Zur christlichen und marxistischen Eschatologie, in: Religiöse Besinnung 4 (1931/32) 68–72.

187) F. Gogarten, Kirche und politisches Leben, in: Standarte 5 (1930) 325. Dieser Aufsatz ist eine wichtige Vorarbeit zur „Politischen Ethik" (1932).

188) F. Gogarten, Politische Ethik. Versuch einer Grundlegung, Jena 1932, 59 (im folgenden: PE). Für eine ausführlichere Darlegung des Polis-Gedankens vgl. K.-W. Thyssen, a. a. O. 176 ff.

189) PE 102.

190) F. Gogarten, Wider die Ächtung der Autorität, Jena 1930, 7, in: „Der Apostel Paulus und der christliche Glaube (in: Münchener Neueste Nachrichten, 1932, Nr. 215) führt Gogarten den „seinsmäßigen" Sinn der Autorität auf die Herrenschaft Christi zurück.

191) PE 144. Gogarten prangert das individuelle Denken heftig an. „Und wenn wir nicht bald diesen Traum der individuellen Freiheit ausgeträumt haben, dann werden wir in einer Welt erwachen, die von menschlicher Freiheit und von Menschlichkeit nicht mehr das allergeringste weiß. Es ist nicht mehr weit bis dahin". Dieser prophetisch anmutende Satz sollte nur zu bald in Erfüllung gehen, aber so, wie Gogarten selbst es zu Anfang der nationalsozialistischen Herrschaft wohl selbst nicht erwartete.

192) PE 189.

193) Vgl. dazu F. Gogarten, Die Selbstverständlichkeiten unserer Zeit und der christliche Glaube, Berlin 1932, 30 ff.

194) PE 71.

195) Gogarten führt diesen Gedanken in der Einleitung zur „Politischen Ethik" weiter aus.

196) Die Unterscheidung zwischen der Verantwortung „für" und „vor" trifft Gogarten erstmals in seinem Artikel „Luther und die Gegenwart", in: Münchener Neueste Nachrichten, 18. November 1933.

197) BK 74 (vgl. ZZ 8 (1930) 374).

198) F. Gogarten, Individualisierung des Glaubens, in: Baltische Blätter 13 (1930) 502.

199) Vgl. dazu F. Gogarten, Wahrheit und Gewißheit, in: ZZ 8 (1930) 96–119. Ähnliche Überlegungen äußert Gogarten in: Die Schuld der Kirche gegen die Welt, Jena 1928, 20 ff.

200) F. Gogarten, Wider die Ächtung der Autorität, Jena 1930, 34; vgl. PE 184.

201) PE 18.

202) F. Gogarten, Die religiöse Aufgabe der Gegenwart, in: Der Leuchter 9 (1930/31) 70.

203) PE 94.

204) F. Gogarten, Die Selbstverständlichkeiten unserer Zeit, a. a. O. 21.

205) Gemeint ist das Vom-andern-her-sein und Für-den-anderen-dasein. Vgl. dazu das Kapitel „Schöpfung" in: Die Selbstverständlichkeiten unserer Zeit, a. a. O. 24 f. In der 2. Aufl. dieser Vortragssammlung „Weltanschauung und Glaube", Berlin 1937, läßt Gogarten diesen Bezug fallen und spricht nur noch vom „Guten und Bösen" als Schöpfungserfahrung.

206) PE 150 f.

207) PE 152.

208) F. Gogarten, Staat und Kirche, in: ZZ 10 (1932) 410.

209) PE 219.

210) F. Gogarten, Von der Ehre des Menschen und von der Herrschaft Christi, in: Deutsches Adelsblatt 53 (1935) 412.

211) F. Gogarten, Die Selbständigkeit der Kirche, in: Deutsches Volkstum 15 (1933) 450.

212) F. Gogarten, Die Selbstverständlichkeiten unserer Zeit, a. a. O. 56.

213) PE 211. 1933 ist Gogarten noch des guten Glaubens, daß die „Mythologoumena des Volkstums" die Ebene der „Literaturprodukte" nicht überschreiten werden (so etwa in seiner Schrift „Einheit von Evangelium und Volkstum?", Hamburg 1933, 17).

214) Vgl. ebd. 16.

215) F. Gogarten, Ist Volksgesetz Gottesgesetz? Eine Auseinandersetzung mit meinen Kritikern, Hamburg 1934, 10. Ein von diesem Gesetz getrenntes, besonderes göttliches Gesetz im Besitz der Kirche würde diese zur Gesetzeslehrerin machen und das Evangelium verkennen.

216) Ebd. 32.

217) F. Gogarten, Weltanschauung und Glaube, a. a. O. 45 f. Für die sachlichen Details zur Auseinandersetzung mit den „deutschen Christen" vgl. K.-W. Thyssen, a. a. O. 217–226.

218) K. Barth, Theologische Existenz heute! Beiheft Nr. 2 von ZZ, München 1933.

219) F. Gogarten, Einheit von Evangelium und Volkstum?, a. a. O. 7.

220) So in einem Brief an Georg Merz, Abschied, in: ZZ 11 (1933) 552. Zu behaupten, Friedrich Gogarten habe „das nationalsozialistische System begrüßt", wie Friedrich Duensing (Gesetz als Gericht. Eine lutherische Kategorie in der Theologie Werner Elerts und F. Gogartens, München 1970, 75, ebenfalls 131 und passim) es tut,

bedeutet eine Verkennung der Situation und des theologischen Gedankenganges von Gogarten. Dieses falsche Urteil basiert auf der Behauptung der Diskontinuität (a. a. O. 65 f.) in Gogartens Denken, die bis hierher wohl deutlich genug widerlegt ist.

221) Ebd. 20. Auch durch bloße Wiederholung der Behauptung der dreißiger Jahre durch P. Lange, Konkrete Theologie? (a. a. O. 265), daß Gogarten Volksgesetz und Gottesgesetz gleichgesetzt habe, wird diese nicht wahrer. Man müßte vielmehr zurückfragen, was Lange denn konkret meint — etwa im Hinblick auf eine Situation wie 1933, — wenn er postuliert, daß Theologie „ein menschliches Weggespräch über Gott, bei dem Gott menschlich dabei ist" (a. a. O. 307), sein müsse. Ruft Theologie wirklich „in die ihrem Thema entsprechende Situation" (ebd.), dann ist Irrtum als Möglichkeit mit eingeschlossen und als solcher wie beim Beispiel Gogartens 1933 noch kein Beweis gegen die sich so „politisch" verstehende Theologie.

222) F. Gogarten, Ist Volksgesetz Gottesgesetz?, a. a. O. 8. Die Gründe, weshalb Gogarten sich damals und auch späterhin nicht mit den Tendenzen einlassen konnte, die sich in der Bekenntnisbewegung sammelten, liegen hier offen zu Tage.

223) Ebd. 31.

224) Ebd. 33.

225) Die Presseerklärung ist abgedruckt in: Junge Kirche I (1933) 357 f. Theodor Strohm (Konservative politische Romantik in den theologischen Frühschriften F. Gogartens, Berlin 1961) sieht Gogartens Verhalten zum Nationalsozialismus in der Tradition dieser Romantik, bleibt aber bei seiner Beschreibung von Gogartens Haltung sachlich: „ . . . liefen seine Intentionen der nationalsozialistischen Ideologie zuwider . . . denn er lehnte an zwei Stellen das Programm der Partei ab, die für die Entwicklung nach dem Jahre 1933 von zentraler Bedeutung werden sollten. Er hatte sich entschieden gegen alle Versuche einer nationalistischen Begründung des Staates gewandt und gleichzeitig allen Zeitströmungen entgegen die Rassenideologie als grausige Perversion verurteilt. In der Ethik des Politischen war es ihm um die Begründung des Staates aus seiner schöpfungsmäßig zugewiesenen Funktion gegangen. Diese Funktion lag für ihn in der Bändigung des Bösen und in der Entscheidung für das Gute, welche in der politischen Hörigkeit ihren äußeren, öffentlichen Niederschlag fand" (a. a. O. 180 f.). Die Romantik-These von Strohm verdeckt jedoch den Blick auf das Verständnis von Gogartens Position aus seinem theologisch begründeten Wirklichkeitsbezug.

226) F. Gogarten, Ist Volksgesetz Gottesgesetz?, a. a. O. 9.

227) Gogarten, Staat und Kirche, in: ZZ (1932) 393. Dieselbe Liberalisierung sieht Gogarten in der Begründung der Herrschaft im 18. und 19. Jahrhundert in Vernunft und Humanität wie bei den Nationalisten seiner Zeit in völkischer und rassischer Eigenart. Dieses liberalistische Denken zerstört Herrschaft und staatliche Hoheit, weil in ihm die göttliche Herrschaft über den Menschen undenkbar ist (vgl. dazu: Staat und Kirche, a. a. O. 390—410).

228) BK 19.

229) Karl Barth, Abschied, in: ZZ II (1933) 539; so vor allem die scheinbar uneingeschränkte Übernahme der Gleichsetzung von Volksnomos und Gottesgesetz durch Stapel. Die mangelnde Deutlichkeit konnte sogar dazu führen, daß Gerhard Rabes (Christentum und Kultur in besonderer Auseinandersetzung mit Barth und Gogarten, Jena 1937) versucht, Gogarten als Garanten einer „positiven Stellung des Christen zu Kulturwerten und menschlichem Kulturschaffen" (a. a. O. 87; ähnlich 24 f.) anzuführen.

230) E. Thurneysen, Abschied, a. a. O. 547.

231) F. Gogarten, Der göttliche Auftrag der Kirche in der Zeit. Ein Wort zur kirchlichen Lage, in: Das evangelische Deutschland 10 (1933) 292.

232) Karl Barth, Offenbarung, Kirche, Theologie, München 1934, 6.

233) Georg Merz, Abschied, a. a. O. 552. Die Differenzen zwischen Barth und Gogarten am Widerspruchspaar „Wort Gottes" – „Menschenwort" darzustellen (vgl. P. Lange, Konkrete Theologie?, a. a. O. 190) wird dem verschiedenen Verständnis der Wirklichkeit des Wortes und des Hörens kaum gerecht. Trotz seines Eingeständnisses, „ohne Zögern" Barths Weise, Theologie zu treiben, für sachlicher zu halten (a. a. O. 299, 304) hält Lange die Trennung von 1933 „als solche sachlich gesehen" (a. a. O. 299, 305) für ebenso unverständlich wie den Abendmahlsstreit zwischen Luther und Zwingli.

234) Ebenso wie Barth stellte Heinrich Vogel Mutmaßungen an (Wider die Gleichschaltung von Gottesgesetz und Staatsgesetz, in: Junge Kirche 1 (1933) 33 ff.), auf die Gogarten in „Ist Volksgesetz Gottesgesetz?" antwortet. Der Hinweis zu Beginn des Aufsatzes „Staat und Kirche" auf die These von Carl Schmitt von der notwendigen religiösen Begründung der Souveränität des Staates ist sicher ein Grund für das Mißverständnis um die Entscheidung von 1933. Gogarten geht es in seinem Verständnis von Entscheidung um die Wahrnehmung der Offenbarung Gottes die unter der Erfahrung des menschlichen Schuldigseins und der in Christus verheißenen Vergebung geschieht. Die politische Existenz ist Horizont dieser Erfahrung, weil in ihr das fordernde, aber vom Menschen nicht zu erfüllende Gesetz begegnet, aus dessen Vernichtung allein die Erlösung heraushält. Damit ist die Gemeinsamkeit mit C. Schmitt die eindeutige Ablehnung des Liberalismus und die starke Hervorkehrung des Politischen; das Politische aber wird für Gogarten nicht – wie für Schmitt – theologisch legitimiert, sondern in seiner Eigenart besitzt es eine Eigenständigkeit, der gegenüber der Glaube kritisches Moment ist. Autorität und Herrschaft sind im Rahmen der politischen Existenz Erfahrungsbereiche, die in einem dialektischen Verhältnis für den Glauben Bedeutung haben. Dieses Verständnis will vermeiden, daß die Menschheit an die Stelle Gottes tritt. Die Festlegung auf eine bestimmte Staatsform, etwa auf die Diktatur der Nationalsozialisten ist also nicht Gogartens Absicht. Damit ist die Frage gestellt, ob man den von Schmitt geprägten Begriff des „Dezisionismus" auf Gogartens Entscheidungskategorie übertragen kann. Seine Distanzierung von den „Deutschen Christen", wie überhaupt seine nicht einseitige Parteierklärung für den Umschwung 1933 schließen eine Identifikation der Begriffe aus. Annähernd besteht vielleicht eine Ähnlichkeit zum Entscheidungsbegriff von de Maistre, den Schmitt zitiert: „Der Wert des Staates liegt darin, daß er eine Entscheidung gibt, der Wert der Kirche, daß sie letzte inappellable Entscheidung ist" (C. Schmitt, Politische Theologie. Vier Kapitel zur Lehre von der Souveränität, München – Leipzig 1922, 50).

235) F. Gogarten, Die Selbstverständlichkeiten unserer Zeit, a. a. O. 62. Den Begriff „Säkularisierung" gebraucht Gogarten hier erst noch in einem negativen Sinn, noch nicht in dem deskriptiven Verständnis der späteren Säkularisierungsthese. So kann man auch keine Abhängigkeit zwischen dieser These und den Auffassungen von C. Schmitt behaupten (vgl. dazu Gogartens eigene Äußerung in „Gespräch über Säkularisierung", Filmdokument, a. a. O. 10).

236) Ebd. 63.

237) Ebd. 64.

238) F. Gogarten, Staat und Kirche, a. a. O. 404.

239) Hier besteht nochmals eine Affinität zu Schmitts „Politischer Theologie": Grenze des Individuums ist die staatliche Souveränität, die Schmitt wie auch alle anderen „prägnanten Begriffe der modernen Staatslehre" als „säkularisierte theologische Begriffe" (a. a. O. 37) versteht: Denn die staatliche Souveränität kommt her von der theologischen Lehre der Omnipotenz Gottes. Aber Schmitt versucht mit dieser Beschreibung kein kritisches Prinzip, sondern eine Soziologie juristischer Begriffe, in der er ihre Herkunft von dem sich wandelnden Gottesbild nachzuweisen versucht. In seinem Artikel „Säkularisierte Theologie in der Staatslehre. Zur Wirrnis der Gegenwart" (in: Münchener Neueste Nachrichten, 1933, Nr. 60 f.) verweist Gogarten auf Schmitt und stellt dem – wegen des Fehlens eines kritischen Widerspruchsprinzips und des bloßen Vertrauens auf die Selbstmächtigkeit – seine Lehre von Schöpfer und Geschöpf gegenüber: Der Mensch existiert

nicht a se und kann sich mit den säkularisierten theologischen Begriffen nicht abfinden, da er um eine „feindliche und errettende, tötende und lebendigmachende Macht" (a. a. O. Nr. 60) weiß. Gogarten sieht das Eindringen theologischer Begriffe in die Staatslehre als verhängnisvoll an, weil dadurch das Volk zum Souverän des Staates und Gott etwas im Menschen wird. Das scheint ihm der Hauptgrund für die Verwirrung von 1933 zu sein und um diese „Wirrnis der Gegenwart" zu beseitigen, versucht er eine – im Vergleich zu vielen anderen kritische – Mitarbeit am Zeitgeschehen. Damit will er – so sahen wir – eine Verabsolutierung von Volk und Staat verhindern und die säkularisierten theologischen Begriffe gleichzeitig in ihrer ursprünglichen Bedeutung restituieren: Verkürzt gesagt, restituieren als den Anspruch Gottes als dem Schöpfer.

240) F. Gogarten, Säkularisierte Theologie in der Staatslehre zur Wirrnis der Gegenwart, a. a. O. Nr. 60 f.

241) F. Gogarten, Der doppelte Sinn von Gut und Böse, in: DTh 4 (1937) 341.

242) Ebd. 345.

243) Ebd. 344.

244) Dieser bisher unveröffentlichte Aufsatz fiel mir bei der Durchsicht des Nachlasses von Friedrich Gogarten im Mai 1972 auf. Diese Einsichtnahme und die Erlaubnis zur Zitierung verdanke ich der Tochter Gogartens, Marianne Bultmann.

245) F. Gogarten, Kirche des Glaubens und Kirche als Ordnung im Volk, a. a. O. 7 (im folgenden: KG).

246) KG 2.

247) KG 4.

248) KG 14.

249) KG 16; Wegbereitung dieser Gedanken war sicher neben der gesamten Diskussion um Wirklichkeit auch die Beschäftigung mit Goethe. So schreibt Gogarten in „Goethes Frömmigkeit und der evangelische Glaube": „Goethes Frömmigkeit ist nicht ein besonderer Bezirk in seinem Leben, der für sich bestünde und von dem allenfalls diese oder jene Wirkung auf die übrigen Lebensbezirke ausginge, sondern sie ist das Leben selbst, aber eben dieses Leben in seiner ungeheuren Lebendigkeit, in der Leidenschaft, die sein eigenes Maß zu sprengen immer in Gefahr steht und die in einer unerhörten Zucht das Maß immer von neuem findet und sich um des Lebens willen und in der Ehrfurcht vor dem Seienden in es einfügt" (in: Schule und Evangelium 7 (1932) 130).

250) KG 16 f.

251) Herrmann Lübbe macht in seiner begriffsgeschichtlichen Behandlung der Säkularisierung deutlich, daß die frühe deutsche Soziologie der Theologie half „durch die Neutralisierung des Säkularisierungsbegriffes zu einer deskriptiven Prozeßkategorie" zu kommen (in: Säkularisierung. Geschichte eines ideenpolitischen Begriffs, Freiburg 1965, 59). Lübbe sieht außerdem die Bedeutung des Begriffes für seine operative Verwendung in historischer Forschung. Denn sie definierte Säkularisierung als „den historischen Prozeß der Emanzipation der modernen Kultur aus ihrer christlichen Herkunft und Bindung" (ebd. 90). Seit dem Ende der liberalen Theologie geht es aber gerade um die Bedeutung dieser Bindung, die Lübbe in der „dialektischen Theologie" einseitig von der Kultur abgesetzt sieht, bis daß Gogarten einen neuen Ansatz schafft, das Bezugsverhältnis von Weltlichkeit und Glaube neu zu fassen, indem er die „kultur- und gesellschaftspolitische Hoffnung . . . zum eigentlichen Ort des Glaubens erklärt" (ebd. 120 f.).

252) Seine Tochter, Frau Marianne Bultmann, schreibt dazu: in einem Brief an mich vom 22. 7. 1970: „Denn der Bruch einerseits zwischen Barth und ihm, andererseits der Versuch, die Stunde für die Kirche, für die Verkündigung nicht ungenutzt vergehen zu lassen, schließlich Einsehen, daß solcher Art Verkündigung, wie allein sie gepredigt

werden durfte (weil es sonst nicht mehr christliche Verkündigung gewesen wäre), von denen, die seinen Namen so gerne für ihre Zwecke benutzten, gar nicht gehört wurde, er sich aber der anderen Seite (BK) nicht anschließen konnte (Sie wissen vielleicht besser aus den Schriften, warum ihm dieser Weg unmöglich war), nach all diesem scheint nur Schweigen notwendig oder folgerichtig gewesen zu sein".

253) F. Gogarten, Zur Wiedereröffnung der Universität, in: Die Sammlung, hrsg. von Bollnow, Flitner, Nohl, Weniger (Göttingen 1945/46) 80—85.

254) Ebd. 81.

255) Ebd. 84 f.; ebenso äußert sich Gogarten in: Die Verkündigung Jesu Christi, Tübingen 1965[2], 490 (im folgenden: VJC).

256) F. Gogarten, Die Kirche in der Welt, Heidelberg 1948, 9 (im folgenden: KiW).

257) KiW 21.

258) F. Gogarten, Christlicher Glaube heute, in: Zeitwende 20 (1948) 347. Synonyme Gedanken finden sich am Schluß des Aufsatzes S. 359.

259) Vgl. dazu F. Gogarten, Entscheidung im Nichts, in: Eckart 21 (1952) 294 f.; ebenso: Der Mensch zwischen Gott und Welt, Stuttgart 1967[4], 302 f. (im folgenden: MGW).

260) VJC 491.

261) Vgl. KiW 25.

262 F. Gogarten, Christlicher Glaube heute, a. a. O. 357.

263) VJC 282.

264) VJC 284.

265) VJC 9.

266) VJC 405.

267) VJC 469.

268) VJC 470.

269) VJC 51.

270) VJC 66.

271) Vgl. VJC 299.

272) VJC 538.

273) F. Gogarten, Entscheidung im Nichts, a. a. O. 300.

274) VJC 472 (Bathos, gr. — Tiefe, Fülle).

275) VJC 534.

276) KiW 86.

277) F. Gogarten, Zur Wiedereröffnung der Universität, a. a. O. 83.

278) VJC 425.

279) KiW 105; ähnlich in VJC 73: „Vor dem Gott Jesu ist derjenige so, wie er sein soll, der zum Empfangen bereit ist".

280) Gogarten formuliert diese Dialektik in dem Satz in VJC 511: „Die Liebe dagegen ist beides in einem: Das Empfangen im Geben und das Geben im Empfangen".

281) F. Gogarten, Die christliche Wahrheit, in: Festschrift R. Bultmann. Zum 65. Geburtstag überreicht. Stuttgart — Köln 1949, 95.

282) VJC 80.

283) Vgl. hierzu vor allem VJC 107.

284) VJC 112.

285) VJC 115.

286) VJC 117.

287) VJC 118.

288) VJC 121.

289) VJC 266; verdeutlichend fügt Gogarten hinzu: „Wo das der Fall ist, da werden die Charismata allerdings auch ihren einzigen Sinn darin haben, daß sie in der Liebe zum Nächsten ausgeübt werden".

290) KiW 69. Diese „Definition" Gottes in seiner Offenbarung in Jesus schließt jede Wesenspekulation über ihn als den Christus hinaus von vornherein aus (vgl. dazu VJC 368). Die Nähe dieser Aussagen vor allem zu „Ich glaube an den dreieinigen Gott" ist offensichtlich. Es bestätigt sich in diesem christologisch gebundenen Offenbarungsverständnis die schon damals festgestellte Brauchbarkeit der Kategorien der Existenzphilosophie für eine diesem Verständnis ebenbürtige Schriftinterpretation.

291) VJC 356.

292) VJC 374.

293) VJC 499.

294) VJC 503.

295) VJC 539.

296) VJC 22.

297) F. Gogarten, Botschaft des Glaubens, in: Hannoverscher Anzeiger 43 (1935) Nr. 301, 1. Die Predigten aus der Kriegs- und Nachkriegszeit veröffentlicht Gogarten bezeichnenderweise unter dem Titel: Der Schatz in irdenen Gefäßen, Stuttgart 1960.

298) VJC 217; vgl. dazu KiW 58 f.

299) VJC 160.

300) VJC 126.

301) VJC 513.

302) VJC 514. Auch Joachim Friese sieht in „einer inneren Paradoxie und Ambivalenz, Doppelwertigkeit und Doppeldeutigkeit des Kreuzesmysteriums" (Joachim Friese, Die säkularisierte Welt. Triumph oder Tragödie der christlichen Geistesgeschichte, Frankfurt 1967, 65) das Kriterium eines kritischen Selbst- und Weltverhältnisses. Die Autonomie der Welt als Welt findet hier ihren eigentlichen Grund; denn sie bedarf nicht mehr weltanschaulicher Rechtfertigung. Diese Entsagung wird aber schon im Fortschrittsglauben ambivalent, der sich wie der Glaube an die Menschenrechte und die Interessensolidarität in der Gesellschaft aus der Umwandlung, Säkularisierung christlicher Lehren herleitet. Der Bruch der Ambivalenz geschieht nach Friese dann in der Diskrepanz zwischen den realen religions- und geistesgeschichtlichen Hintergründen der säkularen Christlichkeit und ihrer ganz andersartigen, meist pragmatischen Motivierung im säkularen Bewußtsein" (ebd. 158), die Ausdruck eines beginnenden ideologiehaften Säkularismus ist. Hier muß der Mensch der Säkularisierung immer wieder neu verstehen lernen, daß „die Wirklichkeit des Glaubens . . . als Tat und Ort und Zeit . . . viel komplizierter und ambivalenter" (Ronald Gregor Smith, Christlicher Glaube und Säkularismus, in: ZTHK 63 (1966) 36) ist als seine eigenen Auslegungen, die er aber gerade deshalb in immer neuen Ansätzen in dieser weltlichen Wirklichkeit versuchen muß, um ihr als Schöpfung gerecht zu werden: „Wie Jesus darin gelebt hat und so gestorben ist – profan – politisch mit einem kultischen Psalm auf den Lippen" (Richard Grunow, Glaube ohne Religion, a. a. O. 62). Etwas handfester drückt das Wilhelm Knevels mit seinem Vorschlag des „Dritten Weges" aus: „Wir müssen Gott

347) KiW 92.

348) MGW 254.

349) KiW 89.

350) F. Gogarten, Über die Kirche, a. a. O. 677.

351) KiW 54.

352) KiW 149.

353) F. Gogarten, Der Öffentlichkeitscharakter der Kirche, in: EvTh 8 (1948/49) 349; vgl. KiW 37.

354) KiW 79.

355) MGW 283.

356) Johannes B. Metz, Gott in Welt. Bericht und Kritik, in: Wort und Wahrheit 12, 1957, 309.

357) Metz, Weltverständnis im Glauben, Christliche Orientierung in der Weltlichkeit der Welt heute, in: Geist und Leben 35, 1962, 179.

358) Ebd. 181.

359) Metz, Die „Stunde" Christi. Eine geschichtstheologische Erwägung, in: Wort und Wahrheit 12, 1957, 14.

360) Ebd. 17. Dagegen stehen die Aussagen darüber, daß „Gott . . . die Welt in endzeitlicher Definitivität angenommen hat in seinem Sohn Jesus Christus"; Metz, Weltverständnis, a. a. O. 168.

361) Metz, Zum Verhältnis von Kirche und Welt, in: Künftige Aufgaben der Theologie, hrsg. von Patrick Burke, München 1967, 23.

362) Ebd. 24.

363) Metz, Die „Stunde" Christi, a. a. O. 16.

364) Metz, Weltverständnis, a. a. O. 167.

365) Metz, Welterfahrung und Glaubenserfahrung heute. Von der Divinisierung zur Hominisierung, in: Kontexte, Band I, hrsg. von Hans-Jürgen Schultz, Stuttgart 1965, 21.

366) Metz, Die „Stunde" Christi, a. a. O. 18.

367) Metz, Welterfahrung und Glaubenserfahrung, a. a. O. 25.

368) Metz, Weltverständnis im Glauben, a. a. O. 170.

369) Metz, Zum Verhältnis von Kirche und Welt, a. a. O. 19.

370) VJC 101 f.

371) VJC 252.

372) MGW 428. Diese Zukünftigkeit Gottes ist es, wenn von Gott als dem die Rede ist, der das Nichtseiende ins Sein ruft, die Toten lebendig macht und die Sünder rechtfertigt. Das allein zeigt schon, daß es nicht um die Erwartung eines Endes der Welt in bestimmter Weise geht, sondern um die Herrlichkeit Gottes.

373) F. Gogarten, Die christliche Wahrheit, a. a. O. 95.

374) F. Gogarten, Die christliche Wahrheit, a. a. O. 96.

375) VJC 87.

376) F. Gogarten, Entmythologisierung und Kirche, Stuttgart 1953, 112 (im folgenden: EuK); die gesamte Schrift „Entmythologisierung und Kirche" ist als Verteidigung Bultmanns und der existentialen Interpretation des NT ein Angriff gegen das Subjekt-Objekt-Schema und der mit ihm gegebenen Gefahr der Objektivierung des Glaubens.

330) Vgl. VHN 40.

331) Gogarten zieht es vor anstelle des Terminus Sünde den der Schuld zu gebrauchen, da hier ein lehrhaftes Mißverständnis weniger üblich ist.

332) VJC 545.

333) MGW 335.

334) VJC 481.

335) VHN 49.

336) VHN 48.

337) VJC 20 f.; Marinus H. Bolkenstein (Het Ik-Gij Schema in de nieuwere Philosophie en Theologie, Wageningen, 1941) faßt dieses Weltverhältnis Gogartens programmatisch: „Zoeken naar werkelijkheid, outmaskeren van waan en van illusies, dat is in het kort het program von zijn theologie" (a. a. O. 64). Wird aber die in diesem Suchen begründete Dialektik nicht gesehen, muß man zu einem dualistischen Mißverständnis kommen, wie Sigurd M. Daecke (Teilhard de Chardin und die evangelische Theologie, Göttingen 1967), der über Gogartens Theologie schreibt: „Heilschaffen und Weltgestalten, Verantwortung für das Ganze und Verantwortung für das Einzelne, Glauben und Tun sind streng geschieden, ja entgegengesetzt und ihre Verwechslung und Vermischung bedeutet das Verhängnis der Welt . . . Und der Glaube wiederum hat nichts mit dem weltlichen Handeln zu tun, für das die Vernunft zuständig ist" (a. a. O. 106). Daecke mißinterpretiert Gogarten damit gründlich, da er die „Verwechslung und Vermischung" nicht beschränkt sieht auf eine vom Menschen besorgte Identität, die Schuld etwa in einer Moralisierung des Glaubens. Dieser so verfälschte Glaube kann aber nicht mehr Antrieb eines säkularen Handelns sein, das zur Identifikation als Geschenk im Du-Ich-Verhältnis des Glaubens und der Liebe kommt: Diese Identifikation aber geschieht je neu dialektisch. Daeckes Behauptung eines dualistischen Denkens bei Gogarten (etwa a. a. O. 110 und passim) fällt damit als vorgefaßte Systematisierung auf ihn selbst zurück.

338) KiW 120.

339) KiW 140.

340) VJC 327.

341) Gogarten beschreibt die Wandlung des jüdischen Gesetzesglaubens durch die Erhöhung Jesu am eindrücklichsten in II, 6 seines Buches „Die Verkündigung Jesu Christi" an dem Paulinischen Verständnis von Kreuz und Auferstehung.

342) VJC 67.

343) MGW 63.

344) VHN 84; Gogarten führt weiter aus: „Damit erhalten nun auch die Werke, die der Mensch in der Verfügung über sich zu leisten hat und auf die hin das Gesetz ihn anredet, ihren ganz bestimmten Sinn. Nämlich den, daß die in dieser Freiheit zu leistenden Werke, so unabdinglich sie ebenso wie das sie gebietende Gesetz auch sind, nicht das Heil bringen und nicht in der Absicht getan werden dürfen, mit ihnen das Heil zu verwirklichen" (ebd. 90). Hätte Gogarten diesen letzten negativen Aspekt in der Zeit um 1933 etwas stärker hervorgekehrt, wäre es wohl kaum zu dem fatalen Mißverständnis gekommen, das ihm seine Interpretation des staatlichen Geschehens mit dem Gesetz eingebracht hatte. Denn damals ging es ihm wie jetzt um das Evangelium und seine Verkündigung und damit um eine Kritik an dem Totalitätsanspruch und Perfektionismus des Staates, der sich dann später als tödlich herausstellte, weil sich niemand um seine Wirklichkeit intensiv genug gekümmert hatte.

345) VJC 77.

346) VHN 31.

mit dem Fundamentalismus als die Liebe und mit dem Existenzialismus als das Lieben verkündigen: Gott ist als Liebe wirklich und als Lieben wirksam" (Gottesglaube in der säkularen Welt, in: Calwer Hefte 93, Stuttgart 1969², 46).

303) VJC 527.

304) F. Gogarten, Theologie und Geschichte, in: ZThK 50 (1953) 384 f.

305) F. Gogarten, Verhängnis und Hoffnung der Neuzeit. Die Säkularisierung als theologisches Problem, Siebenstern Taschenbuch 72, München – Hamburg 1966, 58 (im folgenden: VHN).

306) Ebd. 20; am Weltbegriff Gogartens scheitern die meisten Interpretationen seiner Theologie, weil sie nicht die schon im NT begründete und durch das Tun der Menschen bewirkte Dialektik eines zweifachen Welt-Verständnisses sehen zwischen der Welt als Schöpfung Gottes und der durch die Schuld des Menschen zu „dieser" Welt verkehrten Welt.

307) MGW 19.

308) VJC 61.

309) VJC 420; vgl. W. A. I, 199.

310) F. Gogarten, Sittlichkeit und Glaube in Luthers Schrift ‚De servo arbitrio‘, in: ZThK 47 (1950) 264.

311) F. Gogarten, Max Planck zum Gedächtnis. Ein Leben der Ehrfurcht vor dem Geheimnis Gottes, in: Die Botschaft 2 (1947) Nr. 35–36, 1.

312) F. Gogarten, Christlicher Glaube heute, a. a. O. 346. Wie wir vorher gesehen haben, muß dies „Weltlos-Sein" allein auf die mit „dieser" Welt gemeinte, vom Menschen verkehrte Welt bezogen werden.

313) VJC 465.

314) MGW 231.

315) F. Gogarten, Sittlichkeit und Glaube in Luthers Schrift ‚De servo arbitrio‘, a. a. O. 248 f. Dieses „Im-Brauche-Sein" hat bei Gogarten einen direkten Bezug zum Gerechtmachen des Sünders durch Gott. Er versuchte den Begriff „Gerechtigkeit" oft mit dem Hinweis auf das Begriffsfeld „richten, ausrichten, handgerecht machen" zu verdeutlichen, um ein statisches Verständnis von Gerechtigkeit zu vermeiden.

316) VJC 493.

317) F. Gogarten, Die christliche Wahrheit, a. a. O. 96.

318) Ebd. 98.

319) MGW 344, vgl. dazu auch: Theologie und Geschichte, a. a. O. 63.

320) F. Gogarten, Entscheidung im Nichts, a. a. O. 292.

321) MGW 253.

322) F. Gogarten, Sittlichkeit und Glaube in Luthers Schrift „De servo arbitrio", a. a. O. 250; vgl. zur Übersetzung von παρρησία die Anmerkung in MGW 332.

323) Vgl. MGW 185.

324) MGW 160.

325) KiW 183.

326) MGW 322.

327) Vgl. VHN 73.

328) VJC 221.

329) KiW 120.

377) MGW 69.

378) VHN 213.

379) MGW 115, nach einem Lutherzitat WA 43, 478.

380) F. Gogarten, Theologie und Geschichte, a. a. O. 370.

381) KiW 175.

382) F. Gogarten, Theologie und Geschichte, a. a. O. 387.

383) Beides aber sind Ansätze zu einer säkularistischen Wirklichkeitsbemächtigung: Denn die Grundlage des heutigen Säkularismus, so stellt Arnold E. Loen fest, ist die quasi-religiöse Verteidigung einer Welt, die „gottlos als Nullbestimmung" ist (in: Säkularisation. Von der wahren Voraussetzung und angeblichen Gottlosigkeit der Wissenschaft, München 1965, 34). Diese gängige moderne Selbstrechtfertigung verkennt den Ursprung der Entgöttlichung der Welt im Evangelium, das sie als Schöpfung darstellt. Erst mit dieser Rücksicht ist nach Loens Meinung eine Geschichtswissenschaft möglich, die auf eine Erklärung durch eine methodische Idee verzichtet. Sie entspricht der in der Säkularisierung vollzogenen Entgöttlichung der Welt, die sich in Offenheit dem Geschehen in der Zeit als ihrer Wirklichkeit aussetzt.

384) VHN 130 f.

385) F. Gogarten, Theologie und Geschichte, a. a. O. 391.

386) Ebd. 394.

387) EuK 114.

388) VJC 452; Gogarten nennt diese Aufgabe mit Bultmann hier eine „die von einer ganzen theologischen Generation eine Fülle von Zeit und Kraft fordert". Ein Blick auf die theologische und kirchliche Situation zeigt, daß diese Investition noch nicht ganz geleistet ist.

389) EuK 33.

390) EuK 63.

391) Vgl. MGW 269. An dieser Stelle ist es bereits deutlich, wie sehr die Säkularisierung – wegen ihrer Ursächlichkeit in dem Bezugsverhältnis von Glaube und Geschichte – Voraussetzung einer Entmythologisierung ist und wie damit diese Art der Schriftinterpretation in der Säkularität beschlossen ist: gleichzeitig geht aber Säkularität als Begegnung mit der Wirklichkeit in ständiger Bereitschaft der Umkehr sachgemäß weiter auf das im Glauben geschenkte Ganze der Schöpfung. Das scheint auch Heinrich Ott zu meinen, wenn er in seiner Besprechung von „Verhängnis und Hoffnung der Neuzeit" schreibt: „Was Gogarten über Bultmann hinaus (nicht im Gegensatz zu ihm!) an Neuem bringt, ist, auf einen Nenner gebracht, von der Erfassung des Daseins als eines geschichtlichen und des Glaubens als der ‚Entweltlichung' her die mit Nachdruck durchgeführte Wiedergewinnung der Dimension ‚Welt' " (in: Theologische Zeitschrift 14, 1958, 68). Als Voraussetzung seiner Theologie anerkennt Rudolf Bultmann die Säkularisierung als Form der christlichen Welterfahrung und Weltbemächtigung, die auf der „Paradoxie der Gegenwart des jenseitigen Gottes in der Geschichte" (Rudolf Bultmann, Neues Testament und Mythologie. Das Problem der Entmythologisierung der neutestamentlichen Verkündigung, hier aus: Kerygma und Mythos. Ein theologisches Gespräch, hrsg. von H. W. Bartsch, Hamburg-Bergstedt 1960[4], 48) aufbaut. „Denn auf allen Lebensgebieten ist der Bezug des Menschen zu einer transzendenten Macht preisgegeben worden" (R. Bultmann, Der Gottesgedanke und der moderne Mensch, in: ZThK 60, 1963, 337), wodurch die Welt zu sich selbst kam. Der Mensch dieser entgötterten, säkularen Welt wird damit zum Ausgangspunkt und Korrektiv der jeweiligen Schriftauslegung, da er das transzendente nicht mehr jenseits der Welt sucht, sondern in dem eschatologischen Ereignis des Kreuzes Jesu Christi findet, das kosmische Dimensionen trägt und den Hörer fragt nach der Gegenwart des Kreuzes Christi in seinem konkreten

Lebensvollzug. Damit ist die Selbstherrlichkeit des Menschen in Frage gestellt, wie auch die daraus entstehenden Ideologien, „die meinen, den Sinn von Welt und Geschichte aufweisen zu können" (ebd. 340). Vielmehr öffnet sich der Glaubende in Annahme der Säkularisierung der Zukunft und sucht seinen Sinn nicht mehr in sich selbst. Bultmann geht so weit zu sagen: „Alles Innerweltliche ist für ihn in die Indifferenz des an sich Bedeutungslosen hinabgedrückt . . . Denn gerade wenn ihm die Nichtigkeit seiner selbst zum Bewußtsein kommt, wenn er von sich selbst her nichts ist, kann er von Gott her alles haben und sein" (R. Bultmann, Neues Testament und Mythologie, a. a. O. 29). Diese überpointierte Beschreibung von Säkularität geht etwas ungeschützt über das von Gogarten mehr systematisch Ausformulierte noch hinaus in einer noch radikaleren Entgegensetzung von göttlichem und menschlichem Handeln. Die Gelöstheit von der Welt wird dann wieder eingeordnet in dem Hinweis, daß es nur so wirkliche Offenheit für den Nächsten gibt: Denn „der christliche Glaube weiß von einer Tat Gottes, welche die Hingabe, welche den Glauben, welche die Liebe, welche das eigentliche Leben des Menschen erst möglich macht" (ebd. 40). In dieser Sohnschaft ist dem Glaubenden seine Brüderlichkeit aufgegeben und ermöglicht, in der er in dieser säkularisierten Welt und Geschichte die Gegenwart Gottes als Forderung und Geschenk erfährt.

392) VHN 99.

393) KiW 22.

394) Zur historischen Entwicklung des Begriffes „Säkularisierung" ist die knappe Darstellung von Martin Stallmann (Was ist Säkularisierung?, Sammlung gemeinverständlicher Vorträge und Schriften aus dem Gebiet der Theologie und Religionsgeschichte, Tübingen 1960) zu empfehlen, und zur ideengeschichtlichen Darlegung: Hermann Lübbe: Säkularisierung. Geschichte eines ideenpolitischen Begriffs, München 1965.

395) KiW 124.

396) VJC 390.

397) VHN 7.

398) VJC 45.

399) MGW 145.

400) MGW 200.

401) VHN 107.

402) VHN 143.

403) VJC 207.

404) VHN 22.

405) KiW 19. Es ist hier im Hinblick auf das Nationale gesagt, gilt aber für den Gesamtbereich des Säkularismus.

406) VJC 86.

407) VJC 414; als grundlegende Gefahren der Vermassung sieht Gogarten die Beeinflussung durch eine „mit äußerstem Raffinement ausgebildete Technik der Propaganda" und durch die ökonomische Abhängigkeit „des technischen Apparates der Versorgung mit den unmittelbar lebenswichtigen Gütern" (ebd. 415).

408) F. Gogarten, Theologie und Geschichte, a. a. O. 366 f. – H. Ringeling (Wenn die Kirche weltlich wird. Die sogenannte Säkularisierung des Christentums, in: Aspekte moderner Theologie 14, 26) verkennt diese Weite des Säkularismus-Begriffs bei Gogarten, weil er ihn nur als Nomenklatur dafür versteht, „den Charakter der Neuzeit als Übergang zu bestimmen". Diese Einengung auf eine Verfallsgeschichte mißinterpretiert Gogartens Säkularisierungsthese dualistisch, was sich auch darin zeigt, daß Ringeling fälschlicherweise behauptet, Gogarten setze „den Begriff Welt gleich mit dem, was die Theologie ‚Gesetz' nennt" (a. a. O. 24).

409) Hermann Diem, Der Abfall der Kirche Christi in die Christlichkeit, Zürich 1947, gibt der Kirche in ihren aus- und abgrenzenden Bestrebungen die Schuld an der ideologischen Verfestigung der Säkularisierung. Es geht, wie Richard Grunow sagt, „um das Aufhören der christlichen Schizophrenie, die geistlich und weltlich unbiblisch auseinanderreißt" (in: Glaube ohne Religion, Dimensionen des Glaubens, Heft 5, Stuttgart 1968, 35).

410) VJC 140.

411) MGW 325.

412) MGW 383.

413) VHN 142 f.

414) VHN 28.

415) „Vernünftiger Gottesdienst", vgl. VHN 82.

416) VHN 76.

417) VHN 147.

418) F. Gogarten, Theologie und Geschichte, a. a. O. 393.

419) MGW 411.

420) MGW 413.

421) MGW 415.

422) MGW 431; die nicht nur sprachliche Nähe dieser Aussagen zu Ernst Blochs Prinzip Hoffnung hat ihre Begründung in der Abhängigkeit Blochs wie Gogartens von einer biblisch geprägten Eschatologie.

423) F. Gogarten, Entscheidung im Nichts, a. a. O. 301.

424) VHN 144; Solidarität ist so wie die Freiheit wesentliches Konstitutiv einer sich in Dialektik erhaltenden Säkularität. So schreibt Friedrich Delekat: „Sie ist ein Leben in ständigen Gegensätzen: Feste Bindung des Glaubens an Christus und völlige Vorurteils- losigkeit in der Hingabe an die Welt; die Sünde hassen und den Sünder lieben; an die Wirklichkeit Gottes glauben und zugleich illusionsloser sein als es ein philosophischer Skeptiker sein kann; so weltlich sein, daß auch ‚die Heiden' an ihr erkennen, wie sehr die Welt auf Christus hin erschaffen wurde und dies nicht trotz, sondern gerade um ihrer Weltlichkeit willen" (in: Über den Begriff der Säkularisation, Heidelberg 1958, 28).

425) F. Gogarten, Über die Kirche, a. a. O. 678 f.

426) KiW 186.

427) Simone Weil, Das Unglück und die Gottesliebe, München 1953, 82.

428) Ebd. 85.

429) Ebd. 169.

430) Ebd. 227.

431) Ebd. 118.

432) Ebd. 158.

433) Ebd. 27.

434) Ebd. 59.

435) Ebd. 60.

436) Ebd. 70.

437) Ebd. 88.

438) Ebd. 233 f.

439) Raymundo Panikkar, Secularization and Worship. An essay on the liturgical Nature of man, considering Secularization as a major phenomenon of our times and Workship as an apparent fact of all times. A study towards an integral anthropology, 1970; in deutscher Übersetzung erschienen in: Gottesdienst in einem säkularen Zeitalter, Kassel 1971, 49–110; ebd. 2 (49). (Die Seitenzahlen der deutschen Übersetzung erscheinen jeweils in Klammern.)

440) Ebd. 26 (d:66).

441) Ebd. 27 (d:67).

442) Ebd. 30.

443) Ebd. 44 (d:72).

444) Vgl. 45 ff. (d:73 ff.).

445) MGW 249.

446) F. Gogarten, Der Schatz in irdenen Gefäßen, Predigten, Stuttgart 1960, 42 f. (im folgenden: SiG).

447) F. Gogarten, Die Wirklichkeit des Glaubens. Zum Problem des Subjektivismus in der Theologie, Stuttgart 1957, 172 f. (im folgenden: WG).

448) SiG 195. Zur Frage nach dem Verhältnis von Glaube und Werken, vgl. WiC 84 f.

449) SiG 202.

450) SiG 234.

451) F. Gogarten, Jesus Christus Wende der Welt. Grundfragen zur Christologie, Tübingen 1966, 147 (im folgenden: JCWW).

452) SiG 354.

453) SiG 357.

454) WG 73.

455) F. Gogarten, Was ist Christentum?, Göttingen 1963[3], 73 (im folgenden: WiC).

456) SiG 71.

457) Ebd.; diese mythenlosen Grenzen menschlicher Wirklichkeitserfassung zeigt Carl Friedrich von Weizsäcker noch deutlicher auf. Vom Standpunkt des Naturwissenschaftlers aus versucht er das Faktum der Säkularisierung an der „Einsicht in die Bedingungen unseres Wissens und unserer Macht" (Carl Friedrich von Weizsäcker, Die Unendlichkeit der Welt. Eine Studie über das Symbolische in der Naturwissenschaft, in: Zum Weltbild der Physik, Leipzig 1944[2], 163) zu beschreiben. Die in diesem Problem enthaltene Frage nach Endlichkeit oder Unendlichkeit der Welt lehnt er in dieser Gegenüberstellung als irreführend ab, wenn er schreibt: „Objektiv vorhandene Dinge der uns vertrauten Beschaffenheit, von denen aus wir unsere eigene Situation erklären können, finden sich nur in einem endlichen Umkreis unseres eigenen Standortes. Diesen Umkreis können wir verlassen. Aber dann finden wir nicht mehr objektive Gegenstände, die schon vorher so da waren, sondern Zustände, die wir selbst gemacht haben. Die Naturgesetze verwandeln sich aus Angaben über die seiende Welt in Angaben darüber, was man machen kann. Die beiden Seiten der Antinomie stehen nicht mehr im Widerspruch, stehen zur Wahl. Wollen wir Seiendes aus Seiendem erklären, so müssen wir es in seiner Endlichkeit bestehen lassen; wollen wir ,hinter es kommen', so müssen wir es zerstören" (ebd. 160). Diese Nüchternheit der Welt und seiner eigenen Wissenschaft gegenüber findet sich bei Weizsäcker durchgehend. Er ist sich bewußt, daß eine solche Haltung durch den „historischen Zusammenhang zwischen christlichem Glauben und Naturwissenschaft" (Weizsäcker, Christlicher Glaube und Naturwissenschaft, in: Evangelische Stimmen zur Zeit 2, Berlin 1959, 29) ermöglicht wurde. Säkularisierung ist für ihn „Übertragung religiöser Inhalte von Glaubensinhalten auf das Säkulum, auf das Jahrhundert, d. h. auf die Welt, auf das

Diesseits" (ebd. 33). Dieses Unternehmen der „Weltbemächtigung" war aber nur durch die Auslösung im christlichen Glauben möglich, der den Menschen „zum Herrn über die Natur macht" (ebd. 36), die aber seine Bindung an Gott nicht aufhebt. Er muß sie aber jetzt in seiner Bindung zur Welt, die er „mit säkularisierten christlichen Inhalten" (Weizsäcker, Säkularisierung und Naturwissenschaft. Friedrich Gogarten zum 70. Geburtstag, in: Zum Weltbild der Physik, Stuttgart 1962[9], 264. Vgl. dazu: ders., Die Tragweite der Wissenschaft. Erster Band: Schöpfung und Weltentstehung. Die Geschichte zweier Begriffe, Stuttgart 1964, 178 f.) wandelt, und zu den Nächsten, den ihm jeweils nahen, lebendig erhalten, nicht mehr substantiell vom Säkulum getrennt: Das „revolutionärste Buch, das wir besitzen, das Neue Testament", muß „auf die Realität der neuen technischen Welt . . . aufs Konkrete, diesseitige angewandt" (Weizsäcker, Bedingungen des Friedens, Göttingen 1964[4], 19) werden, gerade weil „die Säkularisierung eine nie zuvor gekannte Konsistenz gewinnt" (Weizsäcker, Die Tragweite der Wissenschaft, a. a. O. 180). Sie „spaltet die Welt in ein offizielles Christentum, das zum reinen Konservativismus tendiert und eine nichtchristliche Welt, deren Radikalismus sich selbst nicht mehr vom Evangelium her versteht" (ebd. 183). Die Säkularisierung steht damit in der Gefahr, in eine Dämonisierung durch die Vernunft zu geraten, vor allen in der Zweideutigkeit eines Fortschrittsglaubens, den Weizsäcker für einen „säkularisierten Chiliasmus" (ebd. 189) hält. Er ist die einzige Universalreligion unserer Zeit. Dieser Scientismus ist als solcher ambivalent und seine Folgen „nötigen uns die christliche Frage auf" (Weizsäcker, Säkularisierung und Naturwissenschaft, a. a. O. 265), nicht aber in der pharisäischen Weise, wie sie zumeist von den Kirchen gestellt wird, in ihrer Unfähigkeit, dem historischen Prozeß zu folgen. Denn die Kirche ist „blind für die wahre Natur der Neuzeit, aber die neuzeitliche Welt . . . für ihre eigene Natur ebenso blind. Sie sind blind für den Sinn der Säkularisierung" (ders., Die Tragweite der Wissenschaft, a. a. O. 196). Beide wollen letztlich die Erfahrbarkeit einer Grenze nicht wahrhaben, die eine nicht an der weltlichen Wirklichkeit und die andere nicht an der Endlichkeit dieser Wirklichkeit. Das ist für Weizsäcker kein Plädoyer für eine Verwendung von Gott als naturwissenschaftlicher Hypothese an noch ungeklärten Stellen, zumal sich die Relativität der Naturgesetze herauszustellen scheint, sobald man ihnen ihre quasi-religiöse Symbolik entzieht. Auch vollzieht man die mittelalterliche Wende hier endgültig, indem man nicht mehr von der Welt zu Gott, sondern von Gott zur Welt denkt. Die Wahrheit ist so für die Neuzeit nicht mehr etwas schon Gegebenes, sondern es beginnt in ihr die Suche nach der Methode, „die den Weg zur unbekannten Wahrheit verbürgt und in allen Unternehmungen den Erfolg garantiert" (ders., Die Unendlichkeit der Welt, a. a. O. 140). Aber diese Garantie birgt schon immer wieder die Gefahr der Abbiegung der Säkularisierung in Scientismus (Säkularismus) in sich. Das ist eine bleibende Zweideutigkeit, die das zerlegende Wissen der Neuzeit mit sich gebracht hat. Diese Zweideutigkeit ist zum anderen aber auch Grundlage der Säkularität insofern, als sie eine neue Offenheit gegenüber dem Wort Gottes in unserer weltlichen Wirklichkeit ermöglicht: „Wir müssen wohl nur wissen, ob wir überhaupt Gott hören wollen, nicht da, wo wir ihn zu hören wünschen, sondern da, wo er wirklich zu uns spricht" (ebd. 163 f.). Nur in dieser Bereitwilligkeit läßt sich die säkularistische „Ersatzsymbolik" überwinden und ist ein „Erschrecken" möglich „vor der aufleuchtenden Wahrheit, vor dem Abgrund, in den wir schauen, wenn uns das Wirkliche, das wir nicht gemacht haben, mit einem Male unwidersprechlich gegenübersteht" (ebd. 165). Dies gilt nicht allein für den experimentierenden Naturwissenschaftler, der sich in seiner Säkularität einer möglichen „Symbolik öffnet", sondern ebenso allen anderen von der Säkularisierung betroffenen Menschen der Neuzeit. Besonders sieht Weizsäcker diese Haltung aber für den christlichen Glauben und seine Gemeinschaft angebracht, damit er „mit seinen eigenen Konsequenzen Ernst" (Weizsäcker, Säkularisierung und Naturwissenschaft, a. a. O. 363) macht und zum „nicht zu bewältigenden Widerstand" (ders., Christlicher Glaube und Naturwissenschaft, a. a. O. 37) wird im Durchhalten seiner zur Umkehr anhaltenden prophetischen Kritik. Dieser Widerstand besteht darin, einen Weg zu finden zwischen der Auffassung, daß „die Kirche die unerschütterliche Wahrheit verwalte" (ebd. 362), und einer Haltung, „die sich selbst dem wissenschaftlichen Bewußtsein des jeweiligen Augenblicks unterordnet" (ebd. 363). Die erforderliche „dritte Haltung" ist das, was Gogarten unter Säkularität versteht, und Weizsäcker gesteht ein, daß Gogartens Gedanken ihm „entgegenkamen" und er „von ihnen befruchtet wurde" (ebd.). Beide fordern als Konstitutiv der Säkularität eine intensiv aufgeklärte Rationalität, die Raum läßt für eine Erhellung und Aufrechterhaltung ihrer selbst durch den Glauben. Dieser aber wieder wird angeregt und in seiner Frage gehalten durch die Wirklichkeitserfahrung, die in der Begegnung mit dem Nächsten geschieht und die ein entschlossenes, eindeutiges, vernünftiges Handeln mit einschließt. Die Ambivalenz aber bleibt erhalten als ständig neue Anregung des Prozesses. So gilt, was Weizsäcker über Wissenschaft sagt, ebenso von der Säkularität, in der sie ausgeführt werden soll: „Das Leben wahrer Wissenschaft ist ein Leben ständiger Selbstkorrektur" (Weizsäcker, Die Tragweite der Wissenschaft, a. a. O. 199). In dieser Haltung und in der mit neuer Intensität gestellten Frage nach dem Sein und dem Nichts sieht Weizsäcker auch Parallelen zur Philosophie Heideggers (vgl. dazu: Beziehungen der theoretischen Physik zum Denken Heideggers, in: Zum Weltbild der Physik, Stuttgart 1962[9], 243—245).

458) F. Gogarten, Das abendländische Geschichtsdenken. Bemerkungen zu dem Buch von Erich Auerbach ‚Mimesis'. R. Bultmann zum 70. Geburtstag, in: ZThK 51 (1954) 329 f. (im folgenden: AG).

459) JCWW 65.

460) WG 118.

461) Dieselbe Wahrnehmung steht auch hinter der Forderung nach einem religionslosen Reden vom Glauben, wie es Dietrich Bonhoeffer in seinen berühmt gewordenen Gefängnisbriefen ansatzhaft formuliert. Das manchmal einseitige Interesse an diesen Aussagen und ihre „Abgegriffenheit" in so vielen Abhandlungen lassen mich vor einer weiteren vergleichenden Darstellung zurückschrecken: Die Offenheit von Bonhoeffers Säkularität wird bei der zusammenhängenden Lektüre von „Widerstand und Ergebung" für sich selber sprechen, vor allem, wenn man sie auf die dargelegte Systematik Gogartens hin adaptiert. E. Bethge meint, daß Bonhoeffer das Wort „Mündigkeit" dem der „Säkularisierung" vorzog, da er im Gebrauch der letzten Formel „das Rückschauen der Kirche in eine goldene Zeit, das nur Schwäche ist", spürte (Eberhard Bethge, Dietrich Bonhoeffer, Person und Werk, in: Die mündige Welt. Dem Andenken Dietrich Bonhoeffers, I, Vorträge und Briefe, München 1955, 22). Bonhoeffer wollte eine Säkularität, die alles „Hinterweltlertum" abstreift, das „auf Kosten der Erde" christlich sein will, das „immer dort, wo das Leben peinlich und zudringlich zu werden beginnt, mit kühnem Abstoß in die Luft springt und sich erleichtert und unbekümmert in sogenannte ewige Gefilde schwingt" (ebd. 23; Zitat aus: Das kommende Reich, Furche-Verlag 1933, 29). Aber nicht auf die Grenzen darf sich der Glaube konzentrieren, sondern er muß sich mitten in der Weltlichkeit bewähren, in der er in seiner Mündigkeit — Säkularität Letztes und Vorletztes unterscheidet (Helmut Thielicke, Das Ende der Religion. Überlegungen zur Theologie Dietrich Bonhoeffers, in: ThLZ 81, 1956, 322, weist auf die Beziehung dieser Dialektik zu der von Gesetz und Evangelium hin, die auch für Gogarten von so großer Bedeutung ist). „So fielen für Bonhoeffer die beiden Unausweichlichkeiten in eins zusammen: Die Unausweichlichkeit Gottes und die Unausweichlichkeit der Situation" (Heinrich Ott, Wirklichkeit und Glaube. Erster Band. Zum theologischen Erbe Dietrich Bonhoeffers, Zürich 1966, 17). Er wollte Christus in der Diesseitigkeit der Welt zeigen, dort, wo sich Inkarnation und Kreuz vereinigten im neuen Leben. „Wenn Bonhoeffer die Jenseitigkeit Gottes ablehnt, wenn er die Diesseitigkeit des christlichen Glaubens predigt, die Weltlichkeit in einer gottlos gewordenen Welt, das Aufsichnehmen der Situation des ‚etsi deus non daretur', so schließt er damit, wie wir gesehen haben, keineswegs das personale Gegenüber Gottes aus, sondern verkündigt diesen ganz anderen, frei gegenüberstehenden Gott als den schon in der diesseitigen kreatürlichen Wirklichkeit dem Menschen Nahekommenden und Gegenwärtigen" (ebd. 292). In seiner Säkularität bemüht sich Bonhoeffer um die säkularisierte Wirklichkeit, die die Verlassenheit wahrnimmt, die nicht religiös interpretiert werden darf, da sie im Kreuz Christi als der Kenose Gottes dessen eigenes Thema ist, wohl aber den Hinweis auf Gottes Warten erträgt, in dem er in

den Brüdern und damit in der „communio sanctorum" begegnet, und damit in seinem Warten schon da ist in der gegenwärtigen Wirklichkeit; das Thema des „Wartens Gottes", das bei Bonhoeffer auftaucht, trägt starke Ähnlichkeit zu dem von „Gottes Zu-Kunft" bei Gogarten.

462) JCWW 73.

463) Bultmann beschreibt dies – vom Gehorsam ausgehend – nachdrücklich in seinem Beitrag zur Gogarten-Festschrift „Glaube und Geschichte": „Der Glaube ist Gehorsam, weil in ihm der Stolz des Menschen gebrochen wird. Das eigentlich Selbstverständliche wird dem Menschen in seinem Stolz das Schwerste. Er will die Last, unter der er sich quält, nicht abwerfen; sie ist ein Teil seiner selbst geworden, ja zu seinem Selbst. Er meint sich zu verlieren, wenn er sich preisgibt, – wenn er sich als den preisgibt, den er aus sich selbst gemacht hat. Aber er soll sich verlieren, um sich erst wirklich zu finden. Er soll sich beugen, sich demütigen, seinen Stolz fahren lassen, um so erst recht zu sich selbst zu kommen" (Bultmann, Gnade und Freiheit, a. a. O., hrsg. von Heinrich Runte, Gießen 1948, 13).

464) F. Gogarten, Die christliche Hoffnung, in: Deutsche Universitätszeitung. Mitteilungen der Deutschen Forschungsgemeinschaft 9 (1954) 24, 7.

465) F. Gogarten, Luthers Theologie, Tübingen 1967, 99 (im folgenden: LT).

466) JCWW 175.

467) Vgl. SiG 66.

468) AG 343.

469) SiG 293.

470) AG 359.

471) SiG 161. Gerhard Ebeling greift in seiner hermeneutischen Wortinterpretation umfassend auf die Säkularisierungsthese Gogartens zurück. Das soll hier nur an seinem Zukunftsverständnis gezeigt werden: „Der Glaube ist selber gar nichts anderes als Verhältnis zur Zukunft. Ja, man könnte scharf sagen: Der Glaube ,hat' gar nicht Zukunft, der Glaube ist Zukunft" (G. Ebeling, Das Wesen des christlichen Glaubens, Tübingen 1959, 231). Und ist der Glaube Zukunft, so gilt das noch mehr für Gott selbst. Seine Gelassenheit (Säkularität) erhält der Glaubende eben gerade daraus: „Wer Gott als Zukunft bekennt, für den ist die Zukunft anders geworden, auch und gerade weil er dieselbe Zukunft vor sich hat, die in dieser Zeit so und so jeder vor sich hat. Der Glaube schafft eine neue, schafft wahre Zukunft, indem er im Aushalten dieser menschlich-allzu menschlichen Zukunft Gott als die Zukunft der Zukunft preist und damit das Angesicht dieser Zukunft wandelt" (ebd. 241). In dieser gewandelten Zukunft sagt sich Gott dem Menschen zu. Deshalb gerade ist der Glaubende frei, sich ganz im zeitlichen Heute zu engagieren. Ebeling nennt dies ein „Leben in Gleichzeitigkeit mit sich selbst, also weder die in Vergangenen verhaftete Existenz des Gesetzesfrommen noch die ins Zukünftige starrende Existenz des Apokalyptikers . . . sondern das Leben des Angefochtenen, der darum, weil er sich statt an Vergangenes an Gott hält als seine reine Herkunft und statt an Zukünftiges an Gott als seine reine Zukunft, in das Jetzt eingelassen ist, welches als das Jetzt des Ewigen Erfahrung der Gottverlassenheit und Gewißheit Gottes zugleich ist" (G. Ebeling, Theologie und Verkündigung. Ein Gespräch mit R. Bultmann, in: Hermeneutische Untersuchungen zur Theologie, hrsg. von Ebeling, Fuchs, Mezger; Band I, Tübingen 1962, 89 f.; Ebeling hat F. Gogarten diese Untersuchung zum 75. Geburtstag gewidmet).

472) SiG 200.

473) AG 356.

474) LT 28.

475) LT 155.

476) F. Gogarten, Die Frage nach Gott. Eine Vorlesung, Tübingen 1968, 59 (im folgenden: FG).

477) F. Gogarten, Schuld und Verantwortung der Theologie, in: Zeit und Geschichte. Dankesgabe an Rudolf Bultmann, Tübingen 1964, 464.

478) Ebd. 462.

479) Ebd. 461.

480) F. Gogarten, Luthers Lehre von Gesetz und Evangelium, in: Eckart Jahrbuch (1962/63), 291. Vgl. dazu auch die gelungenen Interpretationen in: Roland Wagler, Der Ort der Ethik bei Friedrich Gogarten. Der Glaube als Ermächtigung zum rechten Unterscheiden, Hamburg-Bergstedt 1961 passim, besonders 26, 66.

481) WG 193.

482) AG 357 f.

483) FG 157.

484) F. Gogarten, Schuld und Verantwortung der Theologie, a. a. O. 465.

485) Vgl. JCWW 149. Rudolf Weth sieht in dieser Stellung des Sohn- (vor und aus Gott) und Erbeseins (für und in der Welt), das die Säkularität ausmacht, eine „doppelte Autonomie des reinen Selbstseins aus Gott und der reinen Selbständigkeit gegenüber der Welt. Jesus ‚selbst‘ ist die Gabe dieser doppelten Autonomie; er wird zum Movens einer säkularen Kultur. In diesen Aussagen“, so stellt Weth fest, „gipfelt die Christologie Gogartens“, was wohl beweist, wie zentral die Aussagen über Säkularität in Gogartens Theologie sind (R. Weth, Gott in Jesus. Der Ansatz der Christologie F. Gogartens, Bonn 1968, 260). Zu einer ähnlichen Feststellung kommt auch Carlos Naveillan (Strukturen der Theologie F. Gogartens, München 1972, 269, Anmerkung 234): „Denn die Dialektik von Gesetz und Evangelium herrscht vor allem in der Beziehung des Glaubens zur jeweiligen geschichtlichen Situation des Menschen, sofern diese Relation theologisch verstanden wird; gerade diese Perspektive jener Dialektik stellt zweifelsohne das Thema der Theologie Gogartens dar.“ Leider kommt diese Feststellung in der sonst in vielen Passagen Gogarten gerecht werdenden Dissertation Naveillans nicht zur Auswirkung. Grund dafür ist wohl eine verführte Konzeptualisierung der Theologie Gogartens in an ihn herangetragene Strukturen und ein partielles Nicht-ernst-Nehmen der für Gogarten entscheidenden Dialektik. Daher werden die Stufungen Säkularisierung-Säkularismus-Säkularität verschwommen dargelegt (vgl. 277, 300, 331) und Gogartens positiver Weltbezug verkannt (vgl. 116, 163). Der Anlaß für dieses partielle Mißverständnis scheint mir darin zu liegen, daß die bei Gogarten eng mit der Christologie verknüpfte Sicht des Menschen in einem fast philosophisch anmutenden Traktat über die Anthropologie Gogartens getrennt von der Christologie dargestellt wird.

486) SiG 128; vgl. Bultmanns nahezu synonymen Gedanken, in: „Gnade und Freiheit“, a. a. O. 18 f.

487) JCWW 111.

488) F. Gogarten, Die Frage nach dem Ursprung geschichtlichen Denkens, a. a. O. 230.

489) AG 328; dieses Verständnis von „Dichte“ hat starke Ähnlichkeit mit dem der „Tiefe“, das uns bei Reinhold Niebuhr begegnet war.

490) Ebd.

491) F. Gogarten, Die Nichtobjektivierbarkeit der theologischen Wirklichkeit, unveröffentlichter Vortrag o. J. (wahrscheinlich Ende der fünfziger Jahre gehalten im „Christophorusstift“, Hemer/Westf.), Manuskript 10.

492) AG 358. Auch eine der Vernunft überantwortete Geschichtswissenschaft muß sich diese Offenheit gegenüber der Unbestimmbarkeit der zeitlich-geschichtlichen Zukunft erhalten, um nicht sich selbst zu einer säkularistischen Ideologie zu degradieren. Diesen Gedanken

hat Martin Schmidt, Die Interpretation der neuzeitlichen Kirchengeschichte, in: ZThK 54 (1957), angewandt. Er kommt am Schluß seiner Darstellung dazu, festzustellen, „daß sich der Geschichtsforscher immer nur auf dem Wege zur Faktizität befindet, ohne zu ihr durchzudringen. Denn die Faktizität kann ihr volles Gewicht allein in der Entscheidung der Existenz entfalten; sie kann nicht theoretisch vollzogen werden. In solcher Selbstbescheidung wird die Interpretation der neuzeitlichen Kirchengeschichte verharren und gerade das Abstandsbewußtsein vom Kerygma und vom Glauben wird sie theologisch qualifizieren. Es zeigt sich hier dasselbe wie in der gesamten Geschichte des christlichen Denkens von der altkirchlichen Theologie und Dogmenbildung an, daß der Doketismus, der die Wirklichkeit in ihrer Welthaftigkeit verliert, die eigentliche Gefahr darstellt" (a. a. O. 212).

493) WiC 19.

494) WG 56. Es wäre lohnend, zu diesem Problemkreis ähnliche Äußerungen von Ritschl und Herrmann zum Vergleich heranzuziehen. Ernst Fuchs behandelt in seiner Besprechung von Gogartens Buch „Entmythologisierung und Kirche" das Problem des metaphysischen Denkens und setzt dem für Gogarten eine Gedankenführung in der „Synekdoche" entgegen, und zwar in „ ‚der' Synekdoche von ‚Gabe' und ‚Sein' bzw. von ‚Werk' (opus dei) und ‚Person': wir sind das, was wir im Wort haben, oder anders ausgedrückt: wir sind, was wir sind, vor Gott. Denn im Wort haben wir das ‚vor Gott'. Daß das Beieinander von Sein und Haben nicht metaphysisch multipliziert, sondern synekdochisch verkündigt und geglaubt werden will, eben dies ist das Geheimnis der Geschichte und der Grund für die Säkularisierung, das Geheimnis des deus incarnatus" (Ernst Fuchs, Entmythologisierung und Säkularisierung, Theol. Lit. 12 (1954), 732).

495) SiG 346.

496) Pannenbergs Säkularitätsinterpretation als „verstehende Aneignung der christlichen Überlieferung durch eine mündig gewordene Gesellschaft . . . im Gegensatz zu einer formal respektierten, sakralen Autorität" (in: Neuland in der Theologie, Band II, a. a. O. 318) sieht den Säkularisierungsvorgang noch zu sehr im Gegensatz zu christlichen Überlieferungsformen. Glaube identifiziert sich dann aber zu schnell mit dem Vorfindlichen und die Offenheit des Glaubens hat sich nicht so weit aufbrechen lassen, daß fragendes Nichtwissen sich in Säkularität möglichem Handeln Gottes aussetzt, so wie es amerikanische Theologen und Gogarten postulieren.

497) Diese in der vorgelegten Untersuchung aufgestellte These, „daß das Denken Gogartens seine Kontinuität durch alle Wandlungen hindurch erhalten hat" (Eckhard Lessing, a. a. O. 256) erweist sich in der Säkularisierungsthese am deutlichsten.

498) H. Lübbe, a. a. O. 124.

499) M. H. Bolkenstein, a. a. O. 81.

500) Heinrich Ott, Besprechung von VHN, in ThZ 14 (1958), 69; wenigstens in seiner Kirchenkritik hat Gogarten jedoch mit einer Phänomenologie begonnen. Das zeigt auch ein kurz vor seinem Tod verfaßtes Manuskript zum Thema „Die Kirche und ihre Reform", das noch unveröffentlicht ist.

501) F. Gogarten, Der Mensch vor Gottes Angesicht, in: Die neue Zeitung, 25. März 1948, 1 f.

502) Oswald von Nell-Breuning, Wie sozial ist die Kirche? Leistung und Versagen der katholischen Soziallehre, Düsseldorf 1972, 32.

503) „Die Evangelisierung der heutigen Welt. Eine Stellungnahme der deutschen Bischofskonferenz" vom März 1974 zu den „Lineamenta" der römischen Bischofssynode vom Herbst 1974, Einleitung Nr. 7.

504) Ebd. Teil 1, Nr. 4.

505) Ebd. Teil 1, Nr. 13.

506) Ebd. Teil 2 B, Nr. 7.

507) Ebd. Teil 1, Nr. 10.

508) Ebd. Teil 3 F, Nr. 3.

509) Oswald von Nell-Breuning, a. a. O. 52.

510) Viel offensichtlicher geschieht diese einseitige Blickrichtung in dem „Überblick über die hauptsächlichen Tendenzen im Leben der katholischen Kirche in den USA", den die amerikanischen Bischöfe in die römische Synode 1974 einbrachten: Sie stellten, fernab von jeder „Amerikanismus"-Tradition die Frage, ob die „Katholiken in den USA von der Kirche oder von der weltlichen Gesellschaft geformt und beeinflußt" würden (L'Osservatore Romano – Wochenausgabe in deutscher Sprache, 4. Jg. Nr. 36 vom 6. September 1974, 10).

511) R. Marlé, Die geschichtliche Entwicklung der Säkularisation vor dem Hintergrund neuen theologischen Denkens: Ist Gott tot?, in: Welt ohne Gott. Herausforderung des Christen; Beiträge zum Thema Säkularisation und Atheismus von K. Rahner, A. Dondeyne, H. Fries, A. Grumelli, R. Marlé, V. Miano und F. König, Wien 1970, 43.

512) Ebd. 41.

513) F. Buri, Gott in Amerika, Band I, a. a. O. 6.

514) Ebd. 30.

515) H. Ringeling, a. a. O. 45.

516) Ebd. 27.

517) E. Lessing, Das Problem der Gesellschaft, a. a. O. 288.

518) Ebd.

Literaturverzeichnis

I. Zum Ersten Teil

Abell, A. I.: American Catholicism and Social Action: Search for Social Justice 1865–1950, University of Notre Dame Press: Notre Dame, Indiana, 1963[2].
— American Catholic Thought on Social Questions, The Bobbs-Merrill Company, Inc.: Indianapolis – New York, 1968.

Adams, J. L.: Taking Time Seriously, The Free Press, Glencoe, Ill. 1957.

Ahlstrom, S. E.: Theology and the Present-day Revival, in: The Annals 1960 – Religion in American Society, Philadelphia, 1960, 20–36.
— Theology in America: The Major Protestant Voices: From Puritanism to Neo-Orthodoxy, New York, 1967.
— The Radical Turn in Theology and Ethics: Why it Occurred in the 1960's, in: The Annals 1970, Philadelphia, 1970.
— A Religious History of the American People, New Haven and London: Yale University Press, 1972.

Altizer, T. J. J.: The Descent into Hell: A Study of the Radical Reversal of the Christian Consciousness, J. B. Lippincott Comp.: Philadelphia – New York, 1970.

The Annals of the American Academy of Political and Social Sciences, 1948, Thorsten Sellin, ed.: Organized Religion in the United States (Ed. by R. H. Abrams), Philadelphia, 1948.
— 1960, T. Sellin, ed.: Religion in American Society (Ed. by R. D. Lambert), Philadelphia, 1960.
— 1970, R. D. Lambert, ed.: The Sixties: Radical Change in American Religion, Philadelphia, 1970.

Barnette, H. H.: The Ethical Thought of Walter Rauschenbusch: A Critical Interpretation, Th. D. Thesis, Southern Baptist Theological Seminary, 1948.

Bell, D.: The End of Ideology: On the Exhaustion of Political Ideas in the Fifties, The Free Press: New York, 1967[4].

Bellah, R. N.: Civil Religion in America, in: Daedalus, 96 (1967), 1–21.

Bennett, J. C.: The Social Interpretation of Christianity, in: The Church through Half a Century, ed. by McCrea Cavert and H. P. van Dusen, Charles Scribner's Sons: New York, 1936.
— The Church and the Secular, in: Christianity and Crisis, Dec. 26, 1966, 294–297.

Berger, P. L.: The Noise of Solemn Assemblies: Christian Commitment and the Religious Establishment in America, Garden City, New York, 1961.
— *deutsch:* Kirche ohne Auftrag am Beispiel Amerikas, Stuttgart, 1962.
— Invitation to Sociology: A Humanistic Perspective, Doubleday and Co., Inc.: Garden City, New York, 1963.

- *deutsch:* Einladung zur Soziologie. Eine humanistische Perspektive, Freiburg, 1969.
- A Sociological View of the Secularization of Theology, in: Journal for the Scientific Study of Religion, Vol. VI (1967), 3—16.
- The Sacred Canopy: Elements of a Sociological Theory of Religion, Doubleday & Co., Inc.: Garden City, New York, 1969[2].
- *deutsch:* Zur Dialektik von Religion und Gesellschaft. Elemente einer soziologischen Theorie, Frankfurt, 1973.
- A Rumor of Angels: Modern Society and the Rediscovery of the Supernatural, Doubleday & Co., Inc.: Garden City, New York, 1970[2].
- *deutsch:* Auf den Spuren der Engel. Moderne Gesellschaft und die Wiederentdeckung der Transzendenz, Frankfurt, 1970.

Blaikie, R. J.: 'Secular Christianity' and God Who Acts, Hodder & Stoughton: London — Auckland — Sydney, 1970.

Bodein, V. P.: The Social Gospel of Walter Rauschenbusch and its Relation to Religious Education, Yale Studies in Religious Education XVI, Yale University Press: New Haven, 1944.

Borowitz, E. B.: Jewish Theology Faces the 1970's, in: The Annals 1970, Philadelphia, 1970.

Brownson, O. A.: Mission of America, in: Brownson's Quarterly Review, New York Series, I (1856), 409—444.

Burckhardt, A. E.: Walter Rauschenbusch as a Representative of American Humanism, STM Thesis, Union Theological Seminary, 1925.

Buri, F.: Gott in Amerika. Bd. I: Amerikanische Theologie seit 1960, Tübingen, 1970; Bd. II: Religion, Theologie und Philosophie seit 1969, Tübingen, 1972.
- Das Problem der Sprache in heutiger amerikanischer Theologie, in: Sprachwissen für Theologen, hrsg. von H. Fischer, Hamburg, 1974, 125—139.

Bushnell, H.: Twentieth Anniversary: A Commemorative Discourse, Hartford, 1853.

Carter, P. A.: The Decline and Revival of the Social Gospel: Social and Political Liberalism in American Protestant Churches, 1920—1940, Cornell University Press: Ithaca, New York, 1956.

Childress, J. F., and *Harned, D. B.:* Secularization and the Protestant Prospect, The Westminster Press: Philadelphia, 1970.

Cleaver, E.: Soul on Ice, Dell Publishing Co., Inc.: New York, 1968.

Cone, J. H.: Black Theology and Black Power, The Seabury Press: New York, 1969.
- A Black Theology of Liberation, J. B. Lippincott Co.: Philadelphia — New York, 1970.
- Black Consciousness and the Black Church: A Historical Theological Interpretation, in: The Annals 1970, Philadelphia, 1970, 49—55.

Cooper, J. C.: Radical Christianity and its Sources, The Westminster Press: Philadelphia, 1968.

Cox, H. G.: God's Revolution and Man's Responsibility, The Judson Press: Valley Forge, Pa., 1965.
— Feasibility and Fantasy: Sources of Social Transcendence, in: Transcendence, ed. by H. W. Richardson and D. R. Cutler, Boston, 1969, 53–63.
— The Feast of Fools: A Theological Essay on Festivity and Fantasy, Harvard University Press: Cambridge, Mass., 1969.
— *deutsch:* Das Fest der Narren. Das Gelächter ist der Hoffnung letzte Waffe, Stuttgart, 1970.

Cross, R. D.: The Emergence of Liberal Catholicism in America, Harvard University Press: Cambridge, Mass., 1958.

Davis, C.: God's Grace in History, Fontana Books: London, 1966.

Demerath, N. J. III,: Social Class in American Protestantism, Rand McNally & Co.: Chicago, 1965.

Dickinson, R.: Rauschenbusch and Niebuhr: Brothers under the Skin, in: Religion in Life, Vol. XXVII (1958) 163–171.

Dorn, J. H.: Washington Gladden: Prophet of the Social Gospel, Ohio State University Press, 1966.

Ellis, J. T.: American Catholicism, The University of Chicago Press: Chicago, 1969².

Erikson, E. H.: The Development of Ritualization, in: The Religious Situation 1968, ed. by D. R. Cutler, Beacon Press: Boston, 1968.

Fackre, G.: The Promise of Reinhold Niebuhr, J. B. Lippincott Co.: Philadelphia – New York, 1970.

Fowler, J. W. III: The Development and Expression of "The Conviction of the Sovereignty of God", in: H. Richard Niebuhr's Thought, Ph. D. Thesis, Harvard University, Cambridge, Mass., 1971.

Frick, H.: Das Reich Gottes in amerikanischer und deutscher Theologie der Gegenwart, Vorträge der theologischen Konferenz zu Gießen, 43. Folge, Gießen, 1926.
— Die aktuelle Aufgabe der Religionsphänomenologie, ThLZ 75 (1950) 640–646.

Fricke, E. E.: Socialism and Christianity in Walter Rauschenbusch, Th. D. Thesis, Basel University, Berwin, Illinois, 1966.

Fry, C. L.: The U.S. Looks at its Churches, Institute of Social and Religious Research: New York, 1930.

Fullinwider, S. P.: The Mind and Mood of Black America, Dorsey Press: Homewood, Ill., 1969.

Garrison, W. E.: Characteristics of American Organized Religion, in: The Annals 1948, Philadelphia, 1948, 14–24.

Geertz, C.: Religion as a Cultural System, in: The Religious Situation 1968, ed. by D. R. Cutler, Beacon Press: Boston, 1968.

Gibbons, J.: A Retrospect of Fifty Years, John Murphy Co.: Baltimore, 1916.

Gilkey, L.: Naming the Whirlwind: The Renewal of God-Language, The Bobbs-Merrill Co.: Indianapolis – New York, 1969.

Gladden, W.: Working People and their Employers, Boston, 1876.
- Applied Christianity: Moral Aspects of Social Questions, Houghton, Mifflin & Co.: Boston, 1886.
- Who Wrote the Bible? A Book for the People, Boston, 1891.
- Tools and the Man: Property and Industry under the Christian Law, Houghton, Mifflin & Co.: Boston, 1893.
- The Church and the Kingdon, Fleming H. Revell Co.: New York, 1894.
- Ruling Ideas of the Present Age, Houghton, Mifflin & Co.: Boston, 1895.
- Social Facts and Forces, G. P. Putnam's Sons, New York, 1897.
- Social Salvation, Houghton, Mifflin & Co.: Boston, 1902.
- Christianity and Socialism, Eaton & Mains: New York, 1905.
- The Church and the Social Crisis, in: The Congregationalist, 1907, 494 ff.
- The Church and Modern Life, Houghton, Mifflin & Co.: Boston, 1908.
- The Nation and the Kingdom, Boston, 1909.

Glazer, N.: American Judaism, The University of Chicago Press: Chicago, 1970[9].

Glock, C. Y., and *Stark, R.:* Religion and Society in Tension, Rand McNally & Co.: Chicago, 1965.

Godsey, J. D.: Some Observations on German Protestant Theology, in: The Drew Gateway, Vol. XXXVI (1965–66) 1–21.

Greeley, A. M.: The Church and the Suburbs, Sheed & Ward: New York, 1959.
- The Hesitant Pilgrim: American Catholicism after the Council, Doubleday & Co., Inc.: Garden City, New York, 1966.
- Religion in the Year 2000, Chicago, 1968.
- A Future to Hope In, Doubleday & Co., Inc.: Garden City, New York, 1969[2].
- The Catholic Experience: An Interpretation of the History of American Catholicism, Doubleday & Co., Inc.: Garden City, New York, 1969[2].
- Life for a Wanderer, Doubleday & Co., Inc.: Garden City, New York, 1971[2].
- Come Blow Your Mind with Me: Provocative Reflections on the American Religious Scene, Doubleday & Co., Inc.: Garden City, New York, 1971.

Haldeman, I. M.: Professor Rauschenbusch's "Christianity and the Social Crisis", Charles C. Cook: New York, o. J.

Hamilton, W.: The New Essence of Christianity, Association Press: New York, 1961.
- No Place to Go: Neither Up, nor Out, nor In, Paper for the American Academy of Religion – Meeting in Atlanta, Ga., Oct. 1971.

Hammond, P. E.: Commentary on Civil Religion in America, in: The Religious Situation 1968, ed. by D. R. Cutler, Beacon Press: Boston, 1968.

Handy, R. T., ed.: The Social Gospel in America 1870–1920: Gladden – Ely – Rauschenbusch, Oxford University Press: New York, 1966.

Harding, V.: The Religion of Black Power, in: The Religious Situation 1968, ed. by. D. R. Cutler, Beacon Press: Boston, 1968.

Harland, G.: The Thought of Reinhold Niebuhr, Oxford University Press: New York, 1960.

Haroutunian, J.: Piety versus Moralism: The Passing of the New England Theology, New York, 1932.

Heimert, A., and *Miller, P., eds.:* The Great Awakening: Documents Illustrating the Crisis and its Consequences, The Bobbs-Merrill Co.: Indianapolis – New York, 1967.

Herberg, W.: Protestant – Catholic – Jew: An Essay in American Religious Sociology, Doubleday & Co., Inc.: Garden City, New York, 1955.

Herron, G. D.: Social Meanings of Religious Experiences, New York, 1896.

Hoekendijk, J. C.: Wereld als Horizon: Afscheidskollege 26 mei 1965 in de aula van de Rijksuniversiteit te Utrecht, Amsterdam 1965.
– The Church Inside Out, Westminster Press: Philadelphia, 1966.

Hofmann, H.: The Theology of Reinhold Niebuhr, Charles Scribner's Sons: New York, 1956.

Hopkins, C. H.: The Rise of the Social Gospel in American Protestantism 1865–1915, Yale Studies in Religious Education XIV, Yale University Press: New Haven, 1940.
– Walter Rauschenbusch and the Brotherhood of the Kingdom, in: Church History, Vol. VII (1938) 138–156.

Hutchinson, W. R., ed.: American Protestant Thought: The Liberal Era, Harper & Row Publishers: New York, 1968.

Huxley, J.: Ritual in Human Societies, in: The Religious Situation 1968, ed. by D. R. Cutler, Beacon Press: Boston 1968.

Kaufman, G. D.: On the Meaning of "God": Transcendence Without Mythology, in: Transcendence, ed. by H. W. Richardson and D. R. Cutler, Boston, 1969, 114–142.

Kegley, C. W., and *Bretall, R. W. eds.:* Reinhold Niebuhr: His Religious, Social, and Political Thought, in: The Library of Living Theology, Vol. II, The Macmillan Co.: New York, 1956.

Knudten, R. D.: The Systematic Thought of Washington Gladden, Humanities Press: New York, 1968.

Lange, D.: Christlicher Glaube und Soziale Probleme: Eine Darstellung der Theologie Reinhold Niebuhrs, Gütersloh, 1964.

Larson, B., and *Osborne, R.:* The Emerging Church, Word Books Publisher: Waco, Tex., 1970.

Lee, J. O.: Religion among Ethnic and Racial Minorities, in: The Annals 1960, Philadelphia, 1960, 112–124.

Lenski, G.: The Religious Factor: A Sociological Study of Religion's Impact on Politics, Economics and Family Life, Doubleday & Co., Inc.: Garden City, New York, 1961.

Luckmann, T.: The Invisible Religion: The Problem of Religion in Modern Society, The Macmillan Co.: New York, 1967.
— *deutsch:* Das Problem der Religion in der modernen Gesellschaft. Institution, Person, Weltanschauung, Freiburg, 1963.

McBrien, R. P.: The Church in the Thought of Bishop John Robinson, Philadelphia, 1966.
— Secular Theology, in: The American Ecclesiastical Review, Vol. CLIX (1968) 399–409.
— Do We Need the Church?, New York, 1969.

McGlynn, E.: The Cross of a New Crusade, in: The Standard, April 2, 1887.

McLoughlin, W. G.: Modern Revivalism: Charles Grandison Finney to Billy Graham, The Ronald Press Co.: New York, 1959.
— ed., The American Evangelicals, 1800–1900: An Anthology, Harper Torch Books: New York, 1968.
— and *R. N. Bellah, eds.:* Religion in America, Houghton, Mifflin & Co.: Boston, 1968.

McQuarrie, J.: God and Secularity, The Westminster Press: Philadelphia, 1967.

Machen, J. G.: Christianity and Liberalism, Eerdmans Publishing Co.: Grand Rapids, Mich., 1968[2].

Martin, D.: Towards Eliminating the Concept of Secularization, in: Penguin Survey of the Social Sciences, ed. by J. Gould, Penguin: Baltimore, 1965.

Marty, M. E.: The New Shape of American Religion, Harper & Brothers: New York, 1958.
— The Varieties of Unbelief, Holt, Rinehart & Winston: New York, 1964.
— Youth Considers "Do-it-yourself" Religion, Thomas Nelson & Sons: New York, 1965.
— , *S. E. Rosenberg, A. M. Greeley:* What Do We Believe? The Stance of Religion in America, Meredith Press: New York, 1968.
— The Modern Schism: Three Paths to the Secular, SCM Press Ltd.: London, 1969.
— The Search for a Usable Future, Harper & Row Publishers, New York, 1969.

Mascall, E. L.: The Secularization of Christianity: An Analysis and a Critique, Darton, Longman & Todd: London, 1965.

May, H. F.: Protestant Churches and Industrial America, Harper & Brothers: New York, 1949.

Meier, A., and *Rudwick, E. M.:* From Plantation to Ghetto: An Interpretative History of American Negroes, American Century Series, Hill & Wang: New York, 1966.

Meier, A.: Negro Thought in America, 1880–1915: Racial Ideologies in the Age of Booker T. Washington, The University of Michigan Press: Ann Arbor, 1969.

Meyer, D. B.: The Protestant Search for Political Realism 1919–1941, Berkeley, 1960.

Möhlmann, C.: Walter Rauschenbusch, in: Rochester Theological Bulletin, 1918, 17 ff.

Müller, R.: Walter Rauschenbusch: Ein Beitrag zur Begegnung des deutschen und des amerikanischen Protestantismus, E. J. Brill: Leiden — Köln, 1957.

Neuhaus, R. J.: The War, the Churches, and Civil Religion, in: The Annals 1970, Philadelphia, 1970.

Niebuhr, H. R.: The Social Sources of Denominationalism, Henry Holt & Co., Inc., 1929.

–   The Kingdom of God in America, Harper & Row Publishers: New York, 1937.

Niebuhr, R.: Our Secularized Civilization, in: The Christian Century, Vol. XLIII (1926) 508–510.

–   Does Civilization Need Religion? A Study in the Social Resources and Limitations of Religion in Modern Life, The Macmillan Co.: New York, 1929[4].

–   Leaves from the Notebook of a Tamed Cynic, Willet, Clark & Colby: Chicago — New York, 1929.

–   Is Peace or Justice the Goal?, in: World Tomorrow XV (1932) 275 ff.

–   Moral Man and Immoral Society: A Study in Ethics and Politics, Charles Scribner's Sons: New York, 1932.

–   Reflections on the End of an Era, Charles Scribner's Sons: New York, 1934.

–   An Interpretation of Christian Ethics, Harper & Brothers Publishers: New York, 1935.

–   The Secular and the Religious, in: The Christian Century, Vol. LIII (1936) 1452–1454.

–   Beyond Tragedy: Essays on the Christian Interpretation of History, Charles Scribner's Sons: New York, 1937.

–   *deutsch:* Jenseits der Tragödie. Betrachtungen zur christlichen Deutung der Geschichte, München, 1947.

–   Christianity and Power Politics, Charles Scribner's Sons: New York, 1940.

–   The Nature and Destiny of Man: A Christian Interpretation, Vol. I: Human Nature, 1941, Vol. II: Human Destiny, 1943, The Scribner Library, Charles Scribner's Sons: New York, 1964.

–   The Children of Light and the Children of Darkness: A Vindication of Democracy and a Critique of its Traditional Defense, Charles Scribner's Sons: New York, 1944.

–   *deutsch:* Die Kinder des Lichts und die Kinder der Finsternis. Eine Rechtfertigung der Demokratie und eine Kritik ihrer herkömmlichen Verteidigung, München, 1947.

- Faith and History: A Comparision of Christian and Modern Views of History, Charles Scribner's Sons: New York, 1949.
- *deutsch:* Glaube und Geschichte. Eine Auseinandersetzung zwischen christlichen und modernen Geschichtsanschauungen, München, 1951.
- The Irony of American History, Charles Scribner' Sons: New York, 1952.
- Christian Faith and Social Action, in: J. A. Hutchinson, ed., Christian Faith and Social Action, Charles Scribner's Sons: New York, 1953, 236 ff.
- The Christian Witness in a Secular Age, in: The Christian Century, Vol. LXX (1953) 1840–1843.
- The Self and the Dramas of History, Charles Scribner's Sons: New York, 1955.
- Intellectual Autobiography, in: C. W. Kegley and R. W. Brettall, eds. Reinhold Niebuhr: His Religious, Social, and Political Thought, The Macmillan Co.: New York, 1956, 3–23.
- Reply to Interpretation and Criticism, ebd. 431–451.
- Walter Rauschenbusch in Historical Perspective, in: Religion in Life, Vol. XXVII (1958) 527–536.
- Pious and Secular America, Charles Scribner's Sons: New York, 1958.
- *deutsch:* Frömmigkeit und Säkularisation, Gütersloh, 1962.
- Man's Nature and His Communities: Essays on the Dynamics and Enigmas of Man's Personal and Social Existence, Charles Scribner's Sons: New York, 1965.

Novak, M.: The New Relativism in American Theology, in: The Religious Situation 1968, ed. by D. R. Cutler, Beacon Press: Boston, 1968.

O'Dea, T. F.: Secularism's Real Challenge, Paper for the Harvard Colloquium on Judaism and Christianity, 1966.
- The Catholic Crisis: Second Chance for Western Christianity, in: The Religious Situation 1968, ed. by D. R. Cutler, Beacon Press: Boston, 1968.

Odegard, H. P.: Sin and Science: Reinhold Niebuhr as Political Theologian, The Antioch Press: Yellow Springs, Ohio, 1956.

Osborne, R. E.: The Spirit of American Christianity, Harper & Brothers Publishers: New York, 1958.

Parker, T. H. L.: Karl Barth, Eerdmans Publishing Co.: Grand Rapids, Mich., 1970.

Parsons, T.: Christianity and Modern Industrial Society, in: Sociological Theory, Values, and Sociocultural Change: Essays in Honor of Pitirim A. Sorokin, ed. by E. A. Tiryakin, Collier — Macmillan Ltd.: London, 1963, 33–70.

Peabody, F. G.: Jesus Christ and the Social Question: An Examination of the Teaching of Jesus in its Relation to some of the Problems of Modern Social Life, The Macmillan Co.: New York, 1900.
- The Apostle Paul and the Modern World: An Examination of the Teaching of Paul in its Relation to some of the Religious Problems of Modern Life, The Macmillan Co.: New York, 1926².

Peursen, C. A., van: Him Again!, John Knox Press: Richmond, Va., 1969.

Pope, L.: Religion and the Class Structure, in: The Annals 1948, Philadelphia, 1948, 84–91.

Rauschenbusch, W.: Why I am a Baptist, in: The Rochester Baptist Monthly, XX (1905–1906) 2–159. Republ. in: The Colgate – Rochester Divinity School Bulletin, Vol. XI (1938) 87–109.
– The Influence of Historical Studies on Theology, in: The American Journal of Theology, Vol. XI (1907) 111–127.
– Christianity and the Social Crisis, The Macmillan Co.: New York, 1909[4].
– For God and the People; Prayers of the Social Awakening, The Pilgrim Press: Boston, 1910.
– Christianizing the Social Order, The Macmillan Co.: New York, 1912.
– The Trend toward Collectivism, in: The City Club Bulletin, Chicago, Vol. V (1912) 123–130.
– Unto Me, The Pilgrim Press: Boston, 1912.
– Dare We Be Christians?, The Pilgrim Press: Boston, 1914.
– The Social Principles of Jesus, in: College Voluntary Courses, Fourth Year – Part I, Association Press: New York, 1916.
– The Righteousness of the Kingdom, ed. and intro. by M. L. Stackhouse, Abingdon Press: Nashville, New York, 1968.

Richard, R. L.: Secularization Theology, Herder & Herder: New York, 1967.

Richardson, H. W.: Secularism and Faith, in: The Current, Vol. VI (1966) No. 3, 4.
– Toward an American Theology, New York, 1967.
– Three Myths of Transcendence, in: Transcendence, ed. by H. W. Richardson and D. R. Cutler, Beacon Press: Boston, 1969, 98–113.

Riesman, D.: The Lonely Crowd: A Study of the Changing American Character, publ. tog. with N. Glazer and R. Denney, Yale University Press: New Haven, 1970[22].
– *deutsch:* Die einsame Masse, rde 72/73, Hamburg 1958.

Robertson, R., ed.: Sociology of Religion: Selected Readings, Penguin: Baltimore, 1969.

Robinson, J. A. T.: The New Reformation?, SCM Press Ltd.: London, 1965.
– On Being the Church in the World, Pelican Books, 1969 (First publ. by SCM Press: London, 1960).

Robinson, J. M., und *Cobb, J. B. jr., eds.:* Neuland in der Theologie. Ein Gespräch zwischen amerikanischen und europäischen Theologen, Band II: Die neue Hermeneutik, Zürich, 1965; Band III: Theologie als Geschichte, Zürich, 1967.

Rose, S. C.: The Grass Roots Church: A Manifesto for Protestant Renewal, New York, 1966.
– Alarms and Visions: Churches and the American Crisis, A Renewal Paperback: Chicago, 1967.

Rosten, L., ed.: A Guide to the Religions of America, Simon & Schuster, Inc.: New York, 1955.

Santayana, G.: Character and Opinion in the United States: Reminiscences of William James and Josiah Royce and Academic Life in America, Charles Scribner's Sons: New York, 1921[3].

Schlitzer, A., ed.: The Spirit and Power of Christian Secularity, University of Notre Dame Press: Notre Dame, 1969.

Sharpe, D. R.: Walter Rauschenbusch, The Macmillan Co.: New York, 1942.

Shaull, M. R.: Encounter with Revolution, Association Press: New York, 1955.

Shiner, L.: Toward a Theology of Secularization, in: The Journal of Religion, Vol. XLV (1965) 279–295.

–   The Concept of Secularization in Empirical Research, in: Journal for the Scientific Study of Religion, Vol. VI (1967) 207–220.

–   The Meanings of Secularization, in: Internationales Jahrbuch für Religionssoziologie, Band III: Theoretische Aspekte der Religionssoziologie, Köln – Opladen, 1967, 51–62.

Singer, A. M.: Walter Rauschenbusch and His Contribution to Social Christianity, The Gorham Press: Boston, 1926.

Smith, H.: Secularization and the Sacred: The Contemporary Scene, in: The Religious Situation 1968, ed. by D. R. Cutler, Beacon Press: Boston, 1968.

Smith, H. S., ed.: Horace Bushnell, Oxford University Press: New York, 1965.

Smith, R. G.: Secular Christianity, Collins: London, 1966.

Smucker, D. E.: The Origins of Walter Rauschenbusch's Social Ethics, Ph. D. Thesis, Chicago, Ill., 1957.

Stackhouse, M. L.: Eschatology and Ethical Method: A Structural Analysis of Contemporary Christian Social Ethics in America with Primary Reference to Walter Rauschenbusch and Reinhold Niebuhr, Ph. D. Thesis, Harvard University, Cambridge, Mass., 1964.

Strong, J.: The New Era, or the Coming Kingdom, New York, 1893.

Swanson, G. E.: Modern Secularity, in: The Religious Situation 1968, ed. by D. R. Cutler, Beacon Press: Boston, 1968.

Tocqueville, A., de: Democracy in America, ed. by J. P. Mayer, transl. by G. Lawrence, Anchor Books, Doubleday & Co., Inc.: Garden City, New York, 1969.

–   *deutsch:* Über die Demokratie in Amerika. Bd. I und II Werke und Briefe, Stuttgart, 1959 und 1962.

Vincent, J. J.: Secular Christ: A Contemporary Interpretation of Jesus, Abingdon Press: Nashville – New York, 1968.

Visser t'Hooft, W. E.: The Background of the Social Gospel in America, Haarlem, 1928.

Weatherly, O. M.: A Comparative Study of the Social Ethics of Walter Rauschenbusch and Reinhold Niebuhr, M. A. Thesis, University of Chicago, 1950.

Woelfel, J. W.: Bonhoeffer's Theology: Classical and Revolutionary, Abingdon Press: Nashville — New York, 1970.

Woodson, C. G., ed.: The Works of Francis J. Grimké, Vol. I: Adresses Mainly Personal and Racial, Vol. II: Special Sermons, The Associated Publishers, Inc.: Washington, D.C., 1942.

Xhaufflaire, M.: A Critique of Secular Theology, in: Listening, Vol. IV (1969) 85—93.

Yearbook of American Churches 1965, ed. by B. Y. Landis, publ. by the National Council of Churches: New York, 1965.

Yearbook of American Churches 1970, ed. by C. H. Jacquet, Jr., publ. by the National Council of Churches: New York, 1970.

II. Zum Zweiten Teil

1. Die Schriften Friedrich Gogartens

Fichte als religiöser Denker, Jena 1914
Religion und Volkstum, Tat — Flugschriften 5, Jena 1915
Religion weither, Jena 1917
Die religiöse Entscheidung, Jena 1921
Von Glauben und Offenbarung, Jena 1923
Illusionen. Eine Auseinandersetzung mit dem Kulturidealismus, Jena 1926
Ich glaube an den dreieinigen Gott. Eine Untersuchung über Glauben und Geschichte, Jena 1926
Theologische Tradition und theologische Arbeit. Geistesgeschichte oder Theologie?, Leipzig 1927
Glaube und Wirklichkeit, Jena 1928
Die Schuld der Kirche gegen die Welt, Jena 1928
Wider die Ächtung der Autorität, Jena 1930
Politische Ethik. Versuch einer Grundlegung, Jena 1932
Die Selbstverständlichkeiten unserer Zeit und der Christliche Glaube, Berlin 1932
Einheit von Evangelium und Volkstum?, Hamburg 1933
Ist Volksgesetz Gottesgesetz? Eine Auseinandersetzung mit meinen Kritikern, Hamburg 1934
Das Bekenntnis der Kirche, Jena 1934
Gericht oder Skepsis. Eine Streitschrift gegen Karl Barth, Jena 1937
Weltanschauung und Glaube, Berlin 1937
Der Zerfall des Humanismus und die Gottesfrage. Vom rechten Ansatz des theologischen Denkens, Stuttgart 1937
Die Kirche in der Welt, Heidelberg 1948
Die Verkündigung Jesu Christi. Grundlagen und Aufgabe, Tübingen (1948) 1965[2]
Der Mensch zwischen Gott und Welt, Stuttgart (1952) 1956[2]
Entmythologisierung und Kirche, Stuttgart 1953
Verhängnis und Hoffnung der Neuzeit. Die Säkularisierung als theologisches Problem, Stuttgart 1953
Was ist Christentum?, Göttingen 1956
Die Wirklichkeit des Glaubens. Zum Problem des Subjektivismus in der Theologie, Stuttgart 1957
Der Schatz in irdenen Gefäßen. Predigten, Stuttgart 1960
Jesus Christus Wende der Welt. Grundfragen zur Christologie, Tübingen 1966
Luthers Theologie, Tübingen 1967
Die Frage nach Gott, Tübingen 1968

2. Artikel und Aufsätze Friedrich Gogartens

Fichtes Religion, in: Die Tat 5 (1913/14) 1108—1118
Paul Lumnitzer, in: Westermanns Monatshefte, Bd. 117 (1914) 503—514

Religion und Geschichte. Zu J. G. Fichtes hundertjährigem Todestag, 29. Januar
   1914, in: Monatshefte der Comeniusgesellschaft für Kultur und Geistesleben,
   N. F. 6 (1914) 1–10
Die Schweizer Religiös-Sozialen (veröffentlicht unter dem Pseudonym Leonhard
   Hagebucher), in: Die Tat 6 (1914/15) 312–315
Deutsche Innerlichkeit, in: Christliche Freiheit. Evangelisches Gemeindeblatt für
   Rheinland und Westfalen, 31 (1915) 447–451
Gedanken zur deutschen Zukunft, in: Christliche Freiheit, 31 (1915) 385–388
Volk und Schöpfung, in: PrBl 48 (1915) 51–57
Auch Kriegsfrömmigkeit. Fritzchens Abendgebet, in: Die Tat 8 (1916) 286
Es geht um unseres Volkes Seele, in: Die Feldpost, Nr. 128, 3. Juni 1916
Luthers Gotteswort, in: Weser-Zeitung, 6./7. November 1917
Lutherworte, in: Deutscher Wille. Des Kunstwarts 31. Jahr, 31 (1917) 77–83
Religiöse Verkündigung, in: Die Tat 8 (1917) 981–990
Das Mittelalter. Luther und unsere Zukunft. Bemerkungen zu den Schriften von
   Richard Benz, in: Die Tat 9 (1917) 600–615
Die Reformation und der soziale Gedanke, in: Die Reformation und wir. Ein
   Bekenntnis zu evangelischem Deutschtum. Fünf Vorträge, Wilhelmshaven
   1918, 88–103
Fortschritt oder Ewigkeit?, in: Die Tat 10 (1918/19) 418–425
Der anthroposophische Christus, in: ChW 33 (1919) 346–348
Die Stadt. Ein Brief aus Rothenburg ob der Tauber, in: Weser-Zeitung Nr. 829,
   1919
Rudolf Steiners „Geisteswissenschaft" und das Christentum, in: Untersuchungen
   über Glaubens- und Lebensfragen für die gebildeten aller Stände, Heft 2,
   Stuttgart 1920
Die Kirche, in: Der Leuchter. Weltanschauung und Lebensgestaltung. Jahrbuch
   der Schule der Weisheit, hrsg. v. Graf Hermann Keyserling, Darmstadt 1920,
   155–177
Zwischen den Zeiten, in: ChW 34 (1920) 374–378
Vom heiligen Egoismus des Christen. Eine Antwort auf Jülichers Aufsatz „Ein
   moderner Paulusausleger", in: ChW 34 (1920) 546–550
Religion und Welt, in: Die Tat 12 (1920/21) 137–142
Der Weg zum Wesen, in: Die Tat 12 (1920/21) 173–181
Geist oder Geister, in: Die Tat 12 (1920/21) 875–877
Eberhard Grisebachs Metaphysik, in: Die Tat 12 (1920/21) 908–912
Bücher zur Kritik der Anthroposophie, in: Die Tat 12 (1920/21) 951 f.
Die Not der Absolutheit. Offener Brief an D. Emil Fuchs, in: ChW 35 (1921)
   142–145
Weiteres zur Anthroposophie, in: ChW 35 (1921) 591–595
Rudolf Steiner ein Messias?, in: Frankfurter Zeitung 66 (1921) Nr. 637
Religiöse Bücher, in: Die Tat 13 (1921/22) 479–483
Ein Wort zur religiösen Bewegung, in: Freideutsche Jugend 8 (1922) 141–145
Wider die romantische Theologie. Ein Kapitel vom Glauben, in: ChW 36 (1922)
   498–502, 514–519
Erwiderung an E. Hirsch, in: ZZ 1 (1923) 57–63

Ethik der Güte oder Ethik der Gnade? Eine Antwort an Lic. Wünsch, in: ZThK 4
(1923/24) 427–443
Nachwort, in: Martin Luther, Vom unfreien Willen, Nach der Übersetzung von
Justus Jonas herausgegeben und mit Nachwort versehen von Friedrich
Gogarten, München 1924, 344–371
Theologie und Wissenschaft. Grundsätzliche Bemerkungen zu Karl Holls „Luther",
in: ChW 38 (1924) 34–42, 71–80, 121 f.
Zum prinzipiellen Denken. Ein Briefwechsel mit Hermann Herrigel, in: ZZ 2 (1924)
Heft 7, 9–18
Historismus, in: ZZ 2 (1924) Heft 8, 7–25
Zur Geisteslage des Theologen. Noch eine Antwort an Paul Tillich, in: ThBl 3
(1924) 6–8
Einige Dogmatiken, in: ThBl 4 (1925) 161–171
Vom skeptischen und gläubigen Denken. Ein Briefwechsel mit Hermann Herrigel,
in: ZZ 3 (1925) 62–88
Weltliches Christentum, in: Frankfurter Zeitung 69 (1925) Nr. 377, Literatur-
blatt Nr. 11
Was ist Theologie?, in: ThBl 5 (1926) 81–84
Luther als Gestalt und Symbol? Zu Gerhard Ritters Lutherbuch, in: ThBl 5
(1926) 169–173
Luthers Auslegung zu Gal 4, 9. Aus dem Galaterbriefkommentar von 1535, in:
Schule und Evangelium 1/11 (1926/27) 100–102
Luthers Auslegung zu Gal 4, 24–26. Übersetzung aus dem Galaterbriefkommentar
1535, in: Schule und Evangelium, 1/11 (1926/27) 126–128
Jesus Christus selbst. Vortrag, in: Schule und Evangelium, 1/11 (1926/27)
128–133, 149–154
Gesichtspunkte zur Lutherarbeit. Für fortgeschrittene Leser. Zur Schrift „Vom
unfreien Willen", in: Schule und Evangelium, 1/11 (1926/27) I und II:
13–15, III: 86 f., IV: 162 f., V: 241–243 und 2/12 (1927/28) 21 f.
Zur Frage der authentischen Lutherpredigt, in: ThBl 6 (1927) 224 f.
Ein grundsätzliches Wort zur heutigen theologischen Kontroverse. Ein Nachtrag
zu meiner Auseinandersetzung mit Emanuel Hirsch, in: ThBl 7 (1928)
119–122
Bücherbesprechung: Die Religion in Geschichte und Gegenwart, 2. Aufl. Bd. 1,
Tübingen 1927, in: ThBl 7 (1928) 130–132
Das Gesetz und seine Erfüllung durch Jesus Christus. Vortrag, gehalten auf der
Gießener Theologischen Konferenz, den 7. Juni 1928, in: ZZ 6 (1928)
368–383
Ehe als Schöpfungsordnung, in: Bremer kirchliche Monatshefte, 1 (1929) 13–15
Karl Barths Dogmatik, in: ThR 1 (1929) 60–80
Das Problem einer theologischen Anthropologie. Vortrag, gehalten vor dem theo-
logischen Verein in Kopenhagen im Mai 1929, in: ZZ 7 (1929) 493–511
Glaube und Wirklichkeit, in: Der Kunstwart 43 (1929/30) 113–124
Wahrheit und Gewißheit. Vortrag, in: ZZ 8 (1930) 96–119
Die Bedeutung des Bekenntnisses. Vortrag, in: ZZ 8 (1930) 353–374
Individualisierung des Glaubens, in: Baltische Blätter 13 (1930) 501–504

Kirche und politisches Leben, in: Standarte 5 (1930) 324–329

Die religiöse Aufgabe der Gegenwart, in: Der Leuchter 9 (1930/31) 56–74

Christentum und deutscher Idealismus, in: Zeitschrift für Deutschlandkunde 45 (1931) 625–637

Die Krisis der Religion, in: Zeitwende 7 (1931) 22–38

Zur christlichen und marxistischen Eschatologie, in: Religiöse Besinnung 4 (1931/32) 68–72

Der Apostel Paulus und der christliche Glaube, in: Münchener Neueste Nachrichten, 8. August 1932, Nr. 215

Der Wahrheitsanspruch der Theologie, in: ZSTh 9 (1932) 473–484

Die inwendige Kirche, in: Der Mittag 13 (1932) Nr. 297

Die Machtfrage. 90 europäische Autoren und die Religion, in: Eckart 8 (1932) 241–245

Goethes Frömmigkeit, in: ZW 8 (1932) 161–173

Goethes Frömmigkeit und der evangelische Glaube, in: Schule und Evangelium 7/17 (1932) 129–140

Menschheit und Gottheit Jesu Christi, in: ZZ 10 (1932) 3–21

Staat und Kirche, in: ZZ 10 (1932) 390–410

Schöpfung und Volkstum. Vortrag, gehalten auf der Berliner Missionswoche, am 3. Oktober 1932, in: ZZ 10 (1932) 481–504

Säkularisierte Theologie in der Staatslehre. Zur Wirrnis der Gegenwart, in: Münchener Neueste Nachrichten, 1./2. März 1933, Nr. 60 f.

Der Auftrag der Kirche, in: Frankfurter Zeitung, 15. August 1933

Die Bedeutung der Reformation, in: Münchener Neueste Nachrichten 86 (1933) Nr. 298, 1 f.

Luther und die Gegenwart, in: Münchener Neueste Nachrichten, 18. November 1933

Der göttliche Auftrag der Kirche in der Zeit. Ein Wort zur kirchlichen Lage, in: Das evangelische Deutschland 10 (1933) 292 f.

Die Selbständigkeit der Kirche, in: Deutsches Volkstum 15 (1933) 445–451

Presseerklärung vom November 1933, in: JK 1 (1933) 357 f.

Besinnung am Karfreitag, in: Münchener Neueste Nachrichten, Nr. 86, 28. März 1934; ebf.: Berliner Börsenzeitung Nr. 75, 30. März 1934

Luther, der Theologe, in: DTh 1 (1934) 1–10

Volkstum und Gottesgesetz, in: DTh 1 (1934) 83–88

Die Bedeutung des ersten Gebotes für Kirche und Volk, in: DTh 1 (1934) 283–293

Gottes Gesetz. Ein Versuch zur Klärung, in: Kirchlich-Positive Blätter 47 (1934) 186–190

Sünde, in: Glaube und Volk in der Entscheidung 3 (1934) 99–108

Offenbarung und Geschichte, in: DTh 2 (1935) 115–131

Altes und Neues Testament, in: DTh 2 (1935) 199–213

Die Lehre von den zwei Reichen und das „natürlich Gesetz". Eine Erwiderung, in: DTh 2 (1935) 330–340

Goethes Frömmigkeit und der evangelische Glaube, in: Glaube und Volk in der Entscheidung 4 (1935) 49–60

Gnade, in: Glaube und Volk in der Entscheidung 4 (1935) 151–160

Von der Ehre des Menschen und von der Herrschaft Christi, in: Deutsches Adelsblatt 53 (1935) 411–413

Botschaft des Glaubens, in: Hannoverscher Anzeiger 43 (1935) Nr. 301

Eigentliche Wirklichkeit. Gottes Wort – Gottes Tat, in: Das evangelische Deutschland 13 (1936) 469 f.

Jesus Christus, in: Glaube und Volk in der Entscheidung 5 (1936) 49–70

Wort Gottes und Schrift, in: DTh 3 (1936) 197–219

Der doppelte Sinn von Gut und Böse, in: DTh 4 (1937) 329–345

Predigt zur 200-Jahrfeier der Universität Göttingen. Gehalten am 27. Juni 1937, in: Glaube und Volk in der Entscheidung 6 (1937) 70–74

Erwiderung an A. W. Macholz, in: DTh 5 (1938) 67–75

Kirche des Glaubens und Kirche als Ordnung im Volk. Zur Frage des sogenannten kirchlichen Raumes, Vortrag, gehalten in Dünne auf dem Pfarrkonvent am 4. Januar 1938 – unveröffentlicht

Der Sinn der Geschichte, Vortrag, gehalten im Fliegerhorst Braunschweig – Waggum am 23. Oktober 1941 – unveröffentlicht

Zur Wiedereröffnung der Universität. Predigt, in: Die Sammlung 1 (1945/46) 80–85

Max Planck zum Gedächtnis. Ein Leben der Ehrfurcht vor dem Geheimnis Gottes, in: Die Botschaft 2 (1947) 1

Über die Kirche. Predigt, in: ZW 19 (1947/48) 673–679

Der Mensch vor Gottes Angesicht, in: Die neue Zeitung, 25. März 1948

Christlicher Glaube heute, in: ZW 20 (1948/49) 345–359

Der Öffentlichkeitscharakter der Kirche. Eine Vorlesung, in: EvTh 8/3 (1948/49) 343–350

Die christliche Wahrheit, in: Festschrift Rudolf Bultmann. Zum 65. Geburtstag überreicht, Stuttgart 1949, 84–98

Goethes Frömmigkeit und wir, in: Schicksalswege deutscher Vergangenheit. Festschrift für Siegfried A. Kaehler, Düsseldorf 1950, 103–116

Sittlichkeit und Glaube in Luthers Schrift ‚De servo arbitrio', in: ZThK 47 (1950) 227–264

Die Einheit des Menschen mit der Welt. Gedanken zu Goethes Frömmigkeit, in: Gestalt und Gedanke. Ein Jahrbuch, hrsg. v. der Bayerischen Akademie der schönen Künste, München 1951, 167–187

Entscheidung im Nichts, in: Eckart 21 (1951) 289–301

Theologie und Geschichte, in: ZThK 50 (1953) 339–394

Weihnachten, in: Neue Ruhr Zeitung 8 (1953) 300, 2

Zur Frage nach dem Ursprung des geschichtlichen Denkens. Eine Antwort an Wilhelm Kamlah, in: EvTh 14 (1954) 226–238

Das abendländische Geschichtsdenken. Bemerkungen zu dem Buch von Erich Auerbach „Mimesis". Rudolf Bultmann zum 70. Geburtstag, in: ZThK 51 (1954) 270–360

Die christliche Hoffnung, in: Deutsche Universitätszeitung 9 (1954) 3–7

The Unity of History, in: Theology today, Vol. XV (1958/59) 198–210

Die Nichtobjektivierbarkeit der theologischen Wirklichkeit. Vortrag, wahrscheinlich gehalten ca. 1958 im ‚Christophorusstift' in Hemer/Westf., – unveröffentlicht

Luthers Lehre vom Gesetz und Evangelium, in: Eckart-Jahrbuch 1962/63, Witten – Berlin 1962, 277–291

Schuld und Verantwortung der Theologie, in: Zeit und Geschichte. Dankesgabe an Rudolf Bultmann, Tübingen 1964, 461–465

Gespräch über Säkularisierung, Text eines Filmes des Instituts für den wissenschaftlichen Film (G 121/1968, aufgenommen am 5./6. Juli 1967), in: Publ. Wiss. Film, Sekt. Gesch., Päd., Publ., Bd. I Heft 4, 10–15

3. Sekundärliteratur zu Friedrich Gogarten

Bauer, A. V.: Freiheit zur Welt. Zum Weltverständnis und Weltverhältnis des Christen nach der Theologie Friedrich Gogartens, Paderborn 1967

Bolkestein, M. H.: Het Ik – Gij Schema in de Nieuwere Philosophie en Theologie, Wageningen 1941

Brandenburg, A.: Glaube und Geschichte bei Friedrich Gogarten. Ein Beitrag zur Diskussion über Bultmanns Theologie, in: MThZ 6 (1955) 319–334

Bruch, G.: Der geschichtliche Christus im Zusammenhang von Grund und Gestalt des christlichen Glaubens nach der Theologie Friedrich Gogartens, Berlin 1967

Daecke, S. M.: Teilhard de Chardin und die evangelische Theologie. Die Weltlichkeit Gottes und die Weltlichkeit der Welt, Göttingen 1967

Diem, H.: Theologie als kirchliche Wissenschaft. Handreichung zur Einübung ihrer Probleme, Bd. II: Dogmatik. Ihr Weg zwischen Historismus und Existentialismus, München 1957[2]

Duensing, F.: Gesetz als Gericht. Eine lutherische Kategorie in der Theologie Werner Elerts und Friedrich Gogartens, München 1970

Essays on the Theology of Friedrich Gogarten, in: The Drew Gateway, Vol. XXXVII (1967) No. 3

Fischer, H.: Christlicher Glaube und Geschichte. Voraussetzungen und Folgen der Theologie Friedrich Gogartens, Gütersloh 1967

Flick, F.: Die Frage nach dem Sinn geschichtlicher Aneignung bei Jaspers, Marx und Gogarten, Diss. masch., Bonn 1953

Fuchs, E.: Vom unbedingten Ernst unserer Frömmigkeit. Antwort auf Friedrich Gogartens Klage über die Not der Absolutheit, in: ChW 35 (1921) 153–157

Fuchs, Ernst: Entmythologisierung und Säkularisierung, in: ThLZ 79 (1954) 723–732

– Begegnung mit dem Wort. Eine Rede für Friedrich Gogarten, Stuttgart – Bad Cannstatt 1955

Göckeritz, H. G.: Kritische Bemerkungen zu Klaus Scholders Aufsatz „Neuere deutsche Geschichte und protestantische Theologie", in: EvTh 25 (1965) 160 ff.

Heim, K.: Der evangelische Glaube und das Denken der Gegenwart. Grundzüge einer christlichen Lebensanschauung, Erster Band: Glaube und Denken. Philosophische Grundlegung einer christlichen Lebensanschauung, Berlin 1931

Joest, W.: Verhängnis und Hoffnung der Neuzeit. Kritische Gedanken zu Friedrich Gogartens Buch, in: KuD 1 (1955) 70—83

Kahl, J.: Philosophie und Christologie im Denken Friedrich Gogartens, Diss., Marburg 1967

Kinder, E.: Das neuzeitliche Geschichtsdenken und die Theologie. Antwort an Friedrich Gogarten, Berlin 1954

Köhler, R.: Kritik der Theologie der Krisis. Eine Auseinandersetzung mit Karl Barth, Friedrich Gogarten, Emil Brunner und Ed. Thurneysen, Berlin 1925

Kreck, W.: Die Christologie Gogartens und ihre Weiterführung in der heutigen Frage nach dem historischen Jesus, in: EvTh 23 (1963), 169—197

Kretzer, A.: Zur Methode von Karl Barth und Friedrich Gogarten, Diss., Münster 1957

Kroeger, M.: Zum Verständnis von Person und Werk Friedrich Gogartens, in: Publ. Wiss. Film, Sekt. Gesch., Päd., Publ., Bd. I, Heft 3, Göttingen 1968, 10—38

Lange, P.: Konkrete Theologie? Karl Barth und Friedrich Gogarten „Zwischen den Zeiten" (1922—1933). Eine theologiegeschichtlich-systematische Untersuchung im Blick auf die Praxis theologischen Verhaltens, in: Basler Studien zur historischen und systematischen Theologie, hrsg. von Max Geiger, Band 19, Zürich 1972

Lessing, E.: Das Problem der Gesellschaft in der Theologie Karl Barths und Friedrich Gogartens, in: Studien zur evangelischen Ethik, Band 10, Gütersloh 1972

Liebe, R.: Der Gott des heutigen Geschlechts und wir, in: ChW 35 (1921) 866—868

Merz, G.: Wege und Wandlungen, Erinnerungen aus der Zeit von 1892—1922. Nach seinem Tod bearbeitet von J. Merz, München 1961

Möller, C.: Von der Predigt zum Text. Hermeneutische Vorgaben der Predigt zur Auslegung von biblischen Texten. Erarbeitet und dargestellt an der Analyse von Predigten Karl Barths, Friedrich Gogartens und Rudolf Bultmanns, München 1970

Moltmann, J. (Hg.): Anfänge der dialektischen Theologie, Teil I, in: Theol. Bücherei, Bd. 17, München 1961

Natorp, P.: Bemerkungen zu Wilhelm Schäfer, den Quäkern, Gogarten und Troeltsch, in: ChW 35 (1921) 402—406

Naveillan, C.: Strukturen der Theologie Friedrich Gogartens, München 1972

Nievergelt, H.-U.: Die theologische Idealismuskritik des frühen Gogarten in ihrer pädagogischen Bedeutung, Diss., Zürich 1963

Ott, H.: Rezension von „Verhängnis und Hoffnung der Neuzeit", in: ThZ 14 (1958) 68 f.

Prenter, R.: Das Evangelium der Säkularisierung. Bemerkungen zu Friedrich Gogartens letzten Werken, in: ThZ 12 (1956) 605 ff.

Przywara, E.: Ernst Troeltsch, in: StZ 105 (1923) 75–79
—   Gott in uns oder Gott über uns? Immanenz und Transzendenz im heutigen Geistesleben, in: StZ 105 (1923) 343–362
—   Wesen des Katholizismus, in: StZ 108 (1925) 47–62
—   Zwischen Religion und Kultur, in: StZ 108 (1925) 321–332
—   Neue Religiosität?, in: StZ 109 (1925) 18–35
—   Neue Theologie?, in StZ 111 (1926) 348–360, 428–443
—   Ringen um Gott, in: StZ 107 (1924) 347–352
—   Besprechung des Buches: Gogarten, Ich glaube an den dreieinigen Gott, in: StZ 114 (1928) 318

Rabes, G.: Christentum und Kultur, in besonderer Auseinandersetzung mit Barth und Gogarten, Jena 1937

Rietveld, B.: Saecularisatie als probleem der theologische ethiek. Inzonderheid in verband met gedachten van Dietrich Bonhoeffer en Friedrich Gogarten, 's – Gravenhage 1958

Ringeling, H.: Wenn die Kirche weltlich wird. Die sogenannte Säkularisierung des Christentums, in: Aspekte moderner Theologie 14, Gütersloh 1970

Runte, H. (Hg.): Glaube und Geschichte. Festschrift für Friedrich Gogarten, Gießen 1948

Scholder, K.: Neuere deutsche Geschichte und protestantische Theologie. Aspekte und Fragen, in: EvTh 23 (1963) 510–536

Schröder, G.: Das Ich und das Du in der Wende des Denkens. Untersuchung zum Aufbruch der Ich-Du-Problematik und ihrer Verwendung bei Gogarten und Brunner, Diss., masch., Kiel 1948

Schröter, F.: Glaube und Geschichte bei Friedrich Gogarten und Wilhelm Hermann, Lic. Diss., Münster 1932

Schwär, F.: Die Theologie der Krisis und die Kirche. Zur Beurteilung der Stellung Friedrich Gogartens, in: Una Sancta 3 (1927) 185–196

Shiner, L.: The Secularization of History. An Introduction to the Theology of Friedrich Gogarten, Abingdon Press: Nashville – New York, 1966

Siegfried, T.: Das Wort und die Existenz. Eine Auseinandersetzung mit der dialektischen Theologie, II.: Die Theologie der Existenz bei Friedrich Gogarten und Rudolf Bultmann. Erster Teil: Gogartens Theologie der Wirklichkeit, Gotha 1933

Sløk, J.: Rezension von „Die Wirklichkeit des Glaubens", in: ThZ 14 (1958) 466 f.

Soedarmo, R.: In de wereld maar niet van de wereld. Een studie over de grondgedachten van de theologie van Friedrich Gogarten, Diss., Kampen 1957

Strohm, T.: Konservative politische Romantik in den theologischen Frühschriften Friedrich Gogartens, Diss., Berlin 1961

Thielicke, H.: Die Krisis der Theologie. Zur Auseinandersetzung zwischen Barth und Gogarten über „Gericht oder Skepsis", Leipzig 1938

Thurneysen, E.: Die Anfänge. Karl Barths Theologie der Frühzeit, in: Antwort. Karl Barth zum Siebzigsten Geburtstag am 10. Mai 1956, Zürich 1956, 831–864

Thyssen, K.-W.: Begegnung und Verantwortung. Der Weg der Theologie Friedrich Gogartens von den Anfängen bis zum Zweiten Weltkrieg, Tübingen 1970

Troeltsch, E.: Ein Apfel vom Baume Kierkegaards, in: ChW 35 (1921) 186–190

Vogel, H.: Wider die Gleichschaltung von Gottesgesetz und Staatsgesetz, in: JK 1 (1933) 333 ff.

Wagler, R.: Der Ort der Ethik bei Friedrich Gogarten, Hamburg-Bergstedt 1961

Weizsäcker, C. F., von: Säkularisierung und Naturwissenschaft. Friedrich Gogarten zum 70. Geburtstag, in: Zum Weltbild der Physik, Stuttgart 1962[9], 258–265

Weth, R.: Gott in Jesus. Der Ansatz der Christologie Friedrich Gogartens, Bonn 1968

Wieser, G.: Friedrich Gogarten, Jena 1930

Wolff, O.: Offenbarung und Geschichte. Fragen an D. Friedrich Gogarten, in: DTh 2 (1935) 317–329

Wyk, J. A., von: Die Möglichkeit der Theologie bei Friedrich Gogarten, Diss., Basel 1950

Volk – Nation – Vaterland. Der deutsche Protestantismus und der Nationalismus, hrsg. v. H. Zilleßen, in: Veröffentlichungen des Sozialwissenschaftlichen Instituts der evangelischen Kirchen in Deutschland, Gütersloh 1970

4. Allgemeine Sekundärliteratur

Alszeghy, Z.: Ein Verteidiger der Welt predigt Weltverachtung. Zum Verständnis der „Vanitas-mundi"-Literatur des Mittelalters, in: Geist und Leben 35 (1962) 197–207

Barth, K.: Der Christ in der Gesellschaft, in: Das Wort Gottes und die Theologie. Gesammelte Vorträge, München 1925[2], 33–69
– Theologische Existenz heute!, Beiheft Nr. 2 von ZZ, München 1933
– E. Thurneysen, G. Merz: Abschied, in: ZZ 11 (1933) 536–554

Bauer, G.: Geschichtlichkeit. Wege und Irrwege eines Begriffs, Berlin 1963

Bethge, E.: Dietrich Bonhoeffer. Person und Werk, in: Die mündige Welt. Dem Andenken Dietrich Bonhoeffers. Bd. I: Vorträge und Briefe, München 1955, 7–25

Blumenberg, H.: Legitimität der Neuzeit, Frankfurt 1966

Böhm, A.: Das Weltverständnis des Christen im Dienen, in: Geist und Leben 35 (1962) 185–196

Buber, M.: Ich und Du, Leipzig 1923

Bultmann, R.: Neues Testament und Mythologie. Das Problem der Entmythologisierung der neutestamentlichen Verkündigung, in: Kerygma und Mythos, hrsg. v. H.-W. Bartsch, Hamburg 1960[4], 15–48

Burke, T. P. (Hg.): Künftige Aufgaben der Theologie, München 1967

Cox, H. G.: Stadt ohne Gott?, Stuttgart 1966
– Stirb nicht im Warteraum der Zukunft. Aufforderung zur Weltverantwortung, Stuttgart 1968

Delekat, F.: Über den Begriff der Säkularisation, Heidelberg 1958

Diem, H.: Der Abfall der Kirche Christi in die Christlichkeit, Zürich 1947

Ebeling, G.: Die Bedeutung der historisch-kritischen Methode für die protestantische Theologie und Kirche, in: ZThK 47 (1950) 1–46
– Die „nicht-religiöse Interpretation biblischer Begriffe“, in: Die mündige Welt, hrsg. v. E. Bethge, II. Bd., München 1956, 12–73
– Das Wesen des christlichen Glaubens, Tübingen 1959
– Theologie und Verkündigung. Ein Gespräch mit Rudolf Bultmann, Tübingen 1962
– Gott und Wort, Tübingen 1966
– Wort und Glaube, Tübingen 1967[3]
– Profanität und Geheimnis, in: ZThK 65 (1968) 70–92

Ebner, F.: Das Wort und die geistigen Realitäten. Pneumatologische Fragmente, Innsbruck 1921

Friese, J.: Die säkularisierte Welt. Triumph oder Tragödie der christlichen Geistesgeschichte, Frankfurt 1967

Gerstenkorn, H. R.: Weltlich Regiment zwischen Gottesreich und Teufelsmacht. Die staatstheoretischen Auffassungen Martin Luthers und ihre politische Bedeutung, Bonn 1956

Grunow, R.: Glaube ohne Religion, in: Dimensionen des Glaubens, Heft 5, Stuttgart 1968

Guardini, R.: Das Ende der Neuzeit. Ein Versuch zur Orientierung, Basel 1950[2]

Hahn, W.: Säkularisation und Religionszerfall. Eine religionsphänomenologische Untersuchung, in: KuD 5 (1959) 83–98

Hammelsbeck, O.: Die veränderte Weltsituation des modernen Menschen als religiöses Problem, in: ThEx 45, München 1955

Harbsmeier, G.: Die „nicht-religiöse Interpretation biblischer Begriffe bei Bonhoeffer und die Entmythologisierung, in: Antwort. Karl Barth zum Siebzigsten Geburtstag am 10. Mai 1956, Zürich 1956, 545–561

Hasenhüttl, G.: Geschichte und existentiales Denken, in: Vorträge des Instituts für europäische Geschichte Nr. 39, Wiesbaden 1965
— Rudolf Bultmann und die Entwicklung der katholischen Theologie, in: ZThK 65 (1968) 53—69
— Der unbekannte Gott?, in: Theologische Meditationen, hrsg. v. H. Küng, 8, Einsiedeln 1966[2]

Hefele, H.: Der politische Katholizismus, in: Der Leuchter. Weltanschauung und Lebensgestaltung, Darmstadt 1919, 127—160

Heidegger, M.: Holzwege, Frankfurt 1963[4]

Kamlah, W.: Christentum und Selbstbehauptung, Frankfurt 1940
— Die Wurzeln der neuzeitlichen Wissenschaft und Profanität, Wuppertal 1948
— Der Mensch in der Profanität, Stuttgart 1949

Kinder, E.: Gottes Gebote und Gottes Gnade im Wort vom Kreuz, in: Kirchlich-Theologische Hefte VII, München 1949

Knevels, W.: Gottesglaube in der säkularen Welt, in: Calwer Hefte 93, Stuttgart 1969[2]

Loen, A. E.: Säkularisation. Von der wahren Voraussetzung und angeblichen Gottlosigkeit der Wissenschaft, München 1965

Lubac, H., de: Der Glaube des Teilhard de Chardin, Wien 1968

Lübbe, H.: Säkularisierung. Geschichte eines ideenpolitischen Begriffs, Freiburg — München 1965

Machovec, M.: Marxismus und dialektische Theologie. Barth, Bonhoeffer und Hromádka in atheistisch-kommunistischer Sicht, Zürich 1965

Meier, K.: Die Deutschen Christen. Das Bild einer Bewegung im Kirchenkampf des Dritten Reiches, Göttingen 1967[3]

Metz, J. B.: Die „Stunde" Christi. Eine geschichtstheologische Erwägung, in: Wort und Wahrheit 12 (1957) 5—18
— Gott und Welt. Bericht und Kritik, in: Wort und Wahrheit 12 (1957) 306—309
— Welterfahrung und Glaubenserfahrung heute, in: Kontexte, Bd. I, hrsg. v. H. J. Schultz, Stuttgart 1965, 17—25
— Weltverständnis im Glauben. Christliche Orientierung in der Weltlichkeit der Welt heute, in: Geist und Leben 35 (1962) 165—184
— Hg., Weltverständnis im Glauben, Mainz 1965

Miskotte, K. H.: Wenn die Götter schweigen. Vom Sinn des Alten Testaments, München 1963

Oppen, D., van: Das personale Zeitalter. Formen und Grundlagen gesellschaftlichen Lebens im 20. Jahrhundert, Stuttgart 1960
— Der sachliche Mensch. Frömmigkeit am Ende des 20. Jahrhunderts, Stuttgart 1968

Ott, H.: Wirklichkeit und Glaube. I. Bd.: Zum theologischen Erbe Dietrich Bonhoeffers, Zürich 1966

318

Panikkar, R.: Secularization and Worship. A Study towards an Integral Anthropology, 1970; dtsch. in: Gottesdienst in einem säkularen Zeitalter, Kassel 1971, 49–110

Rahner, K.: Im Heute glauben, in: Theologische Meditationen, hrsg. v. H. Küng, 9, Einsiedeln 1966[3]

Ratschow, C. H.: Anmerkungen zur theologischen Auffassung des Zeitproblems, in: ZThK 51 (1954) 360–387

Scheffczyk, L.: Der „Sonnengesang" des hl. Franziskus von Assisi und die „Hymne an die Materie" des Teilhard de Chardin. Ein Vergleich zur Deutung der Struktur christlicher Schöpfungsfrömmigkeit, in: Geist und Leben 35 (1962) 219–233

Schiffers, N.: Weltverständnis und Weltverhältnis bei Newman, in: Geist und Leben 35 (1962) 208–219

Schlier, H.: Die Beurteilung des Staates im Neuen Testament, in: ZZ 10 (1932); wieder abgedr. in: Die Zeit der Kirche I, Freiburg 1962[3], 1–16

Schmidt, M.: Die Interpretation der neuzeitlichen Kirchengeschichte, in: ZThK 54 (1957) 174–212

Smith, R. G.: Christlicher Glaube und Säkularismus, in: ZThK 63 (1966) 33–48

Schmitt, C.: Politische Theologie. Vier Kapitel zur Lehre von der Souveränität, München – Leipzig 1922

Schultz, H. J.: Konversion zur Welt. Gesichtspunkte für die Kirche von morgen, Hamburg 1964

Stallmann, M.: Was ist Säkularisierung?, Tübingen 1960

Stammler, G.: Zur Frage der Verkündigung an den modernen Menschen. 46 Thesen zur Vorfeldklärung, in: KuD 2 (1956) 109–114

Thielicke, H.: Das Ende der Religion. Überlegungen zur Theologie Dietrich Bonhoeffers, in: ThLZ 81 (1956) 307–326

Tillich, P.: Der Protestantismus als kritisches und gestaltendes Prinzip, in: Protestantismus als Kritik und Gestaltung, hrsg. v. P. Tillich, Darmstadt 1929, 3–37

Troeltsch, E.: Die Bedeutung des Protestantismus für die Entstehung der modernen Welt. Vortrag, gehalten auf der IX. Versammlung deutscher Historiker zu Stuttgart am 21. April 1906, Sonderabdruck aus der historischen Zeitschrift, München – Berlin 1906

Vogel, H.: Jesus Christus und der religionslose Mensch, Berlin 1955

Weber, O.: Kirche und Welt nach Karl Barth, in: Antwort. Karl Barth zum Siebzigsten Geburtstag am 10. Mai 1956, Zürich 1956, 217–236

Weil, S.: Schwerkraft und Gnade, München 1952

– Das Unglück und die Gottesliebe, München 1953

Weizsäcker, C. F., von: Naturgesetz und Theodizee, in: Archiv für Philosophie 2 (1948) 96–105
— Christlicher Glaube und Naturwissenschaft, in: Evangelische Stimmen zur Zeit, 2, Berlin 1959
— Zum Weltbild der Physik, Stuttgart 1962[9]
— Bedingungen des Friedens, Göttingen 1964[4]
— Die Tragweite der Wissenschaft. Erster Band: Schöpfung und Weltentstehung. Die Geschichte zweier Begriffe, Stuttgart 1964
— Zumutungen der Freiheit, in: Über die Freiheit, Stuttgart 1965, 53–76
— Säkularisierung und Säkularismus, Wuppertal 1968

Welt ohne Gott: Herausforderung des Christen. Beiträge zum Thema Säkularisation und Atheismus von K. Rahner, A. Dondeyne, H. Fries, A. Grumelli, R. Marlé, V. Miano und F. König, Wien 1970

Wulf, F.: Christliches Weltverständnis und Weltverhältnis heute, in: Geist und Leben 35 (1962) 161–164

(Die eingesehenen Lexikonartikel des LThK, RGG und ThW sind in diesem Literaturverzeichnis nicht gesondert aufgeführt.)

PERSONENREGISTER

SACHREGISTER

Agape 35, 45, 59 ff., 68, 76, 143, 157, 176, 203 f., 281, 283
„American Dream" 54, 63, 84 ff., 91 f., 221, 236, 256 ff.
Amerikanismus 19 ff., 227, 229, 236 f., 239, 254, 257, 260, 295
Angst 58 f., 97, 180
Anthropologie 58 ff., 69, 78, 81, 151 ff., 165 f., 190, 209, 271, 276, 293
Anthroposophie 125, 266
Anthropozentrik 26, 44, 148 f., 151, 248
Apologetik 67, 139
Arbeiter 6 ff., 13 ff., 20, 23, 30, 233
Arbeiterbewegung 7 ff., 26, 35, 46, 82, 225, 241
Arbeitgeber 6 ff., 233
Askese 38, 66
Atheismus 204
Aufklärung 2, 11, 16, 34, 42, 47, 79, 82, 84
Autonomie 60, 65, 85, 103, 106, 155 f., 169, 171, 174 f., 182, 191, 195, 205, 215 f., 224, 231 f., 270, 284, 293

Baptisten 27 f., 37
„Bekenntnisbewegung" 163, 165, 278, 281
Bibel 7, 32, 114, 137 f., 143, 163, 178, 290
„Black Power" 89 ff., 97 f.
Brüderlichkeit 9 ff., 24, 28, 35, 38, 40, 42, 59, 190, 210, 220
Bürgerrechtsbewegung 88 f., 98

Calvinismus 32, 102, 252
Cartesianismus 219
Christologie 1, 3, 8 ff., 12 f., 24, 33 f., 54 f., 61, 69, 118, 120 f., 128 ff., 138, 142 f., 164, 178, 212 ff., 221, 227, 249, 251, 273 f., 282, 293
„Civil War" 2, 6 f., 20, 22, 89

Darwinismus 32
Demokratie 8, 25, 31, 44, 63, 79, 247, 252 f., 255, 262 f.
Demokratisierung 31, 41, 45, 47
Denominationalismus 37, 43, 47, 83 ff., 95, 100 f., 255 f., 261
„Deutsche Christen" 160, 162 ff., 279, 281, 284
Dialektik 1, 18, 25, 28, 34, 38, 40, 46 f., 52, 54 ff., 63, 65, 74 ff., 86, 113 f., 120, 126, 133 ff., 145, 170, 176, 186, 192, 201, 206, 209, 215, 222, 225 ff., (248 f., 251, 254, 270, 272, 281, 283 f., 291, 293)

„dialektische Theologie" 55, 122, 137, 139, 198, 267, 273, 280
„Dritte Welt" 47, 88, 91, 103, 252
Dualismus 17, 20, 24, 26, 40, 51, 75, 83, 91, 128, 205, 219, 284, 287
Du-Ich-Verhältnis 119 ff., 124, 131, 137, 139 ff., 144 f., 149, 154, 156 f., 165, 176, 178, 181, 187, 201, 203, 206, 221, 223 ff., 245, 249, 266, 271, 274, 276 f., 284, 291

Entmythologisierung 194, 285 f.
Entsakralisierung 170 ff., 180
Episkopalismus 16
Erlösung 1, 10, 41, 44, 53, 55, 62, 126, 134 f., 148 f., 156, 162, 171, 179, 243, 273, 279
Erweckungsbewegung 16 ff., 25, 55, 235
Eschatologie 36 ff., 42, 44 ff., 51, 53, 56, 67, 74 ff., 106, 188, 190, 220 ff., 235, 242, 244, 285 f., 288
Ethik 38, 43, 59 f., 154 ff., 240, 242, 256, 271, 275, 278
Evangelicalism 17, 28, 48, 256
Evangelium 12 f., 22, 24, 29, 44, 47 f., 67 f., 75, 95, 98, 122, 130, 134, 137 ff., 153, 156, 160 ff., 169, 179, 181, 197, 207, 216, (235, 246, 266, 271, 284, 286, 290 f., 293)
Evolution 16, 36, 52, 244
Existenzphilosophie 194, 282 f.

Fortschritt und Fortschrittsglaube 8 f., 11, 19, 25, 42, 226, 244, 290
Frömmigkeit 18, 103, 110 ff., 116 ff., 143, 191, 221, 280
„frontier"-Mentalität 17, 25, 51, 56, 83, 235, 257
Fundamentalismus 18 f., 34, 94 f., 235, 282

Gegenwart 29, 36 f., 40, 80, 113, 191, 249, 271
Gehorsam 85, 138 ff., 154 f., 184, 186, 274, 292
Gerechtigkeit 6, 32, 40, 43, 54, 59 f., 62, 64, 68, 169, 283
Geschichtlichkeit 33 f., 52, 61 ff., 112, 133 ff., 193, 201, 207, 241 f.
Geschichtsverständnis 3, 31, 36, 38, 53, 63, 75, 112, 114 f., 137, 145 f., 193, 215, 272 f., 286 f., 293
Gesellschaft 5, 8, 12 f., 15, 18, 23, 29, 34, 38, 44, 57 ff., 125, 160, 234, 253, 262 f.
Gesellschaftskritik 7, 11, 55, 85, 92, 102